DÉCORS DE PEINTRES

Publié avec le soutien de l'Association des Amis des Musées de Clermont-Ferrand.

Collection "Histoires croisées"
publiée par le Centre d'Histoire "Espaces et Cultures" (CHEC), Clermont-Ferrand.

Illustration de couverture :
I. Courtin, Cusset, *lithographie extraite de l'*Ancien Bourbonnais
par Achille Allier, 1838.
BCIU de Clermont-Ferrand, cliché UBP.

Vignette : Entrefenêtre de la tenture des Maisons royales
d'après Charles Le Brun et Adam-Frans van der Meulen,
Fontainebleau, manufacture des Gobelins, atelier de De La Croix,
vers 1682-1685, H. 320 cm ; L. 180 cm,
Paris, Mobilier national, inv. GMT 3009. Paris,
avec l'aimable autorisation du Mobilier national ©Mobilier national.

ISBN (version papier) : 978-2-84516-672-1
Dépôt légal : deuxième trimestre 2016

Sous la direction de
Catherine Cardinal et Laurence Riviale

Collection Histoires croisées

Décors de peintres

Invention et savoir-faire, XVIe-XXIe siècles

2016

Presses universitaires Blaise Pascal

Les auteurs

BASTIEN Vincent, docteur en histoire de l'art.

BAYARD Marc, conseiller pour le développement culturel et scientifique, Mobilier national et manufactures nationales.

BÉLIME-DROGUET Magali, docteur en histoire de l'art, référent collections, centre des Monuments nationaux, Direction de la conservation des monuments et des collections, pôle Centre-Est.

BURCHARD Wolf, Furniture Research Curator, National Trust, Londres.

CARDINAL Catherine, professeur en histoire de l'art moderne, université Blaise Pascal, Clermont-Ferrand 2, CHEC EA 1001.

CERMAN Jérémie, maître de conférences en histoire de l'art contemporain, université Paris-Sorbonne, Centre André Chastel, UMR 8150.

GAYET Gwenn, maître-assistant associé à l'École nationale supérieure d'architecture de Clermont-Ferrand.

GROSLAMBERT Yoann, doctorant en histoire de l'art, université Blaise Pascal, Clermont-Ferrand 2, CHEC EA 1001.

HENRY Christophe, professeur agrégé d'arts plastiques, docteur en histoire de l'art.

JAKOBI Marianne, professeur en histoire de l'art contemporain, université Blaise Pascal, Clermont-Ferrand 2, CHEC EA 1001.

KAZEROUNI Guillaume, responsable des collections d'art ancien, musée des Beaux-Arts de Rennes.

LAJOIX Anne, docteur en histoire de l'art, chercheur indépendant, spécialiste des arts décoratifs.

LECOCQ Isabelle, chef de travaux, Institut royal du patrimoine artistique de Belgique (IRPA), Bruxelles.

NOTIN Véronique, conservatrice en chef, directrice du musée des Beaux-Arts de Limoges.

PAUL Céline, directrice du musée national Adrien Dubouché, Cité de la céramique Sèvres et Limoges.

REGOND Annie, maître de conférences en histoire de l'art moderne, université Blaise Pascal, Clermont-Ferrand 2, CHEC EA 1001.

RIVIALE Laurence, maître de conférences en histoire de l'art moderne, université Blaise Pascal, Clermont-Ferrand 2, CHEC EA 1001.

DE ROCHEBRUNE Marie-Laure, conservateur en chef au musée national du château de Versailles.

SÉRIÉ Pierre, maître de conférences en histoire de l'art contemporain, université Blaise Pascal, Clermont-Ferrand 2, CHEC EA 1001.

THOMAS Évelyne, chercheur correspondant, Centre André Chastel, Paris, UMR 8150.

YTHIER Bruno, conservateur, Cité internationale de la tapisserie et de l'art tissé, Aubusson.

Remerciements

Ce volume rassemble les actes du colloque *Décors de peintres. Invention et savoir-faire. XVIe-XXIe siècles* tenu les 26, 27, 28 novembre 2013 à la Maison des sciences de l'homme, à Clermont-Ferrand (pour le premier jour) et au Mobilier national, à Paris (pour les deux jours suivants). Le colloque était organisé par le Centre d'Histoire "Espaces et Cultures" (CHEC) de l'université Blaise Pascal, rattaché à la Maison des sciences de l'homme, en partenariat avec le Mobilier national. La manifestation bénéficia de l'aide du Centre d'histoire "Espaces et Cultures", de l'université Blaise Pascal, de la Région Auvergne, de l'Association des amis des musées de Clermont-Ferrand et du Mobilier national. La rencontre fut également favorisée par le soutien bienveillant de madame Michèle André, sénatrice du Puy-de-Dôme, à laquelle nous exprimons notre reconnaissance.

Nos remerciements s'adressent aussi à monsieur Bernard Schotter, administrateur général du Mobilier national (jusqu'en 2014), à madame Marie-Hélène Bersani, directrice de la production au Mobilier national, à monsieur Jean Vittet, conservateur au château de Fontainebleau et à monsieur Jean-Philippe Luis, professeur en histoire de l'université Blaise Pascal, directeur de la MSH, pour leur aimable participation.

Le comité d'organisation réunissait Catherine Cardinal (direction du projet, CHEC), Marc Bayard (Mobilier national), Annie Regond (communication et gestion, CHEC), Laurence Riviale (édition des actes, CHEC).

Le comité scientifique était composé de Marc Bayard (conseiller pour le développement culturel et scientifique, Mobilier national), Michèle Bimbenet-Privat (conservateur au musée du Louvre), Catherine Cardinal (professeur à l'université Blaise Pascal, CHEC), Christine Bouilloc (directrice du musée Bargoin), Maryse Durin (conservateur de l'Inventaire, Auvergne), Michel Hérold (conservateur général du patrimoine rattaché au centre André-Chastel, INHA), Marianne

Jakobi (professeur à l'université Blaise Pascal, CHEC), Annie Regond (maître de conférences à l'université Blaise Pascal, CHEC), Laurence Riviale (maître de conférences à l'université Blaise Pascal, CHEC), Marie-Laure de Rochebrune (conservateur au musée national du château de Versailles), Pierre Sérié (maître de conférences à l'université Blaise Pascal, CHEC), Évelyne Thomas (chercheur correspondant Centre André-Chastel, ERHAM). Qu'ils soient ici remerciés pour leur précieuse collaboration.

Merci à Diane Watteau, maître de conférences à l'université Panthéon-Sorbonne, aux artistes invités à débattre, Éva Jospin, Nathalie Junod Ponsard, Ramy Fischler.

Que soit aussi remercié pour son aide Jean-François Chappuit, maître de conférences en littérature et civilisation britanniques à l'université de Versailles-Saint-Quentin-en-Yvelines.

Enfin, nos remerciements s'adressent à ceux qui nous ont accordé leur soutien et leur collaboration dans l'édition des actes : monsieur Philippe Bourdin, directeur du CHEC, monsieur Stéphane Gomis, responsable des publications du CHEC, monsieur Christophe Gelly, directeur des PUBP, madame Aurélie Boucheret, technicienne PAO, monsieur Benjamin Ducher, chargé de diffusion.

AVANT-PROPOS

Peu à peu influencée par des universitaires clairvoyants défendant la qualité de commandes décoratives jugées à tort secondaires et par des conservateurs de musée revendiquant l'intérêt d'objets en marge des beaux-arts, la recherche actuelle en histoire de l'art met à l'honneur des types de création longtemps négligés, voire méprisés, confinés dans les limites de catégories commodément nommées décoration intérieure, artisanat d'art, arts décoratifs. Elle en fait notamment apparaître les aspects multidisciplinaires. Ainsi, lorsqu'un chercheur, en général exclusivement formé à l'histoire des arts majeurs, s'aventure dans l'étude d'un art décoratif, il mesure souvent l'apport des peintres à son développement et il s'efforce de placer son sujet dans une perspective élargie. Quand un historien de l'architecture oriente son intérêt sur la question de l'ornementation peinte, il est fréquemment conduit à reconnaître l'action déterminante des peintres dans l'organisation et l'iconographie des décors intérieurs qu'il étudie. De cette prise de conscience, émerge une histoire de l'art plus globale, reliant les spécialités traditionnelles, architecture, peinture, arts décoratifs. C'est dans ce courant que se place cet ouvrage.

Les peintres, qu'ils soient célèbres ou non, sont au centre des études ici réunies. Elles proposent de révéler, de donner la mesure de leur rôle dans des créations variées relevant de techniques qui ne leur sont pas systématiquement familières. Nous voyons en effet des peintres immergés dans la conception de tapisseries, de vitraux, de papiers peints, de décors muraux, nous découvrons des peintres devenus spécialistes des techniques de l'émail, de la porcelaine, de la faïence. La constance de l'intime alliance qui unit leur capacité d'invention et leur savoir-faire se vérifie tout au long de la période choisie, allant de la Renaissance à nos jours, et dans la production à caractère profane qui a été retenue comme champ de réflexion. La volonté de s'adapter aux contraintes et aux usages d'un lieu ou d'un objet, l'effort de se soumettre aux processus spécialisés de fabrication stimulent la hardiesse des conceptions dont font preuve les peintres présentés, œuvrant par exemple pour les manufactures des Gobelins, d'Aubusson, de Sèvres, pour les fabriques de Limoges, répondant à des commandes de décors dans des demeures de la Renaissance ou collaborant à des ouvrages d'orfèvrerie ou de bijouterie.

La présente publication est le fruit des questionnements et des travaux menés par les historiens en art moderne et en art contemporain de l'université Blaise-Pascal, dans le cadre du Centre d'histoire "Espaces et cultures" (CHEC), qui ont rallié à leur intérêt pour les relations des peintres avec le décoratif et à leur projet de colloque une vingtaine de chercheurs, universitaires ou conservateurs de musée. La généreuse contribution de ceux-ci, issue d'investigations nouvelles, est un apport précieux à la recherche menée par le CHEC. Nous les remercions très sincèrement ainsi que les artistes invités à une table ronde qui ont éclairé, par leurs appréciations et leurs expériences, le sujet. Notre reconnaissance la plus vive s'adresse au Mobilier national car l'université Blaise-Pascal a trouvé dans ce partenaire prestigieux, soucieux de mettre en valeur les arts décoratifs qui sont la raison même de son existence, une efficace collaboration. Ce partenariat est un gage de la reconnaissance de l'enseignement d'histoire de l'art au sein même de l'université Blaise-Pascal qui privilégie les arts du feu, des textiles et des décors monumentaux. Notre objet de recherche et d'enseignement trouve un écho particulier dans la création en Auvergne même où les métiers d'art sont particulièrement représentés. Réunir ces trois approches — recherche, enseignement, création — à travers un projet serait une louable ambition.

Catherine Cardinal

Introduction

1

Introduction

Laurence Riviale

Décors de peintres: l'expression, prise dans le sens d'enrichissement de toutes formes de supports, est ici choisie par opposition à décors d'artisans, de techniciens, de praticiens, ou encore d'industriels. Elle suppose, dans ce que nous appelons les arts décoratifs, l'intervention quasi régalienne d'un inventeur et d'un penseur du décor, néanmoins soumis, dans la plupart des cas, aux directives d'un commanditaire et dirigeant éventuellement une équipe, ou au contraire se désintéressant de l'exécution après la conception. Mais force est de constater, à la lecture des textes réunis dans ce recueil, que le peintre œuvre rarement en solitaire dans le domaine du décor profane, et qu'au fil du temps, il tend à disparaître, pour être remplacé par "l'artiste", ou "le plasticien". Dans le domaine des arts décoratifs industriels, de nouveaux acteurs sont également apparus au cours du XXe siècle, comme le "designer", ou le "vidéaste". Voilà pour l'histoire du peintre décorateur en une leçon. Qu'en est-il du décor? Sa conception même a-t-elle été renouvelée au fil des siècles?

Rappelons que le terme "arts décoratifs" est récent (XIXe siècle[1]). Couramment appliqué aujourd'hui au vitrail, à la tapisserie et au tapis, il l'est de façon anachronique, car ces supports n'étaient pas, jusqu'alors, hiérarchiquement classés en dessous des peintures: au contraire, depuis le XIVe siècle, époque de l'apparition dans les archives de textes certifiant l'existence de tapisseries au sens ou nous l'entendons, les tentures sont davantage estimées que les peintures. Elles sont aussi payées plus cher. Il n'est que de rappeler l'exemple frappant, pour nos sensibilités,

1. Voir notre clarification lexicographique et historique dans Catherine CARDINAL (dir.), *Les peintres aux prises avec le décor. Contraintes, innovations, solutions. De la Renaissance à l'époque contemporaine,* Clermont-Ferrand, Presses universitaires Blaise Pascal, 2015, p. 14-20.

de la tenture des *Actes des Apôtres*, qui coûta cinq fois le prix du plafond de la chapelle Sixtine par Michel-Ange[2].

Guillaume Kazerouni rappelle en effet ici quel prestige s'attache à la composition de modèles destinés à la tapisserie chez les grands peintres d'histoire. Lorsque Le Brun conçoit une tenture ou un tapis, il ne pense pas déroger ou s'abaisser à la création d'arts décoratifs, mais au contraire se sent l'égal de Raphaël ou de Jules Romain qui donnèrent les plus grands chefs-d'œuvre sous forme de textiles de haute qualité. Néanmoins sa contribution se borne à la conception et se fait distincte, absolument, de l'exécution, ce qui n'empêche pas que la tapisserie en tant qu'objet soit par ailleurs prisée pour sa qualité technique et la beauté de ses matériaux.

En s'intéressant à la conception par Le Brun des tapis de la Savonnerie, moins connue que celle des tentures et moins officiellement établie, Wolf Burchard pose ici les questions essentielles pour mieux comparer le statut de ces œuvres et celui de leurs auteurs. Il part de la classification fondatrice de Vasari, en rupture avec les anciennes catégories médiévales qui distinguaient arts libéraux et arts mécaniques, en ce qu'elle introduit l'élément discriminant "dessin", également synonyme de "projet intellectuel" pour établir une hiérarchie nouvelle. Ainsi les trois arts issus du dessin, peinture, architecture et sculpture, qui deviendront les nouveaux arts libéraux sous le nom de beaux-arts, peuvent-ils à leur tour donner naissance à des arts qui en dépendront, proprement "mécaniques" : parmi eux, la tapisserie, dépendante de la peinture, et le tapis, soumis à l'architecture.

C'est de la relation entre ces arts et les peintres qu'il est question ici.

Les contributions ont été rassemblées par types de support, mais elles soulèvent des questions qui les fédèrent, indépendamment des *media* qui les distinguent.

Plusieurs problèmes se posent au sujet du décor, qui lui sont spécifiques et sont mis en relief par la confrontation des différentes approches présentées ici. Il convient d'examiner successivement les moyens de la mise en œuvre, le caractère éphémère ou permanent du décor ; la soumission éventuelle du peintre à l'architecte ; la question de l'intégration dans le lieu ou, selon les cas, de l'adaptation à l'objet ; la prise en compte ou au contraire le déni, voire le mépris de l'accessoire ; le caractère amovible ou modulable du décor ; et enfin les collaborations et les mutations du peintre au XXe siècle, qui conduisent à une multiplicité de statuts nouveaux.

2. Thomas P. CAMPBELL (dir.), *Tapestry in the Renaissance. Art and magnificence,* catalogue d'exposition, New York, MET, New York, New Haven & London, Yale University Press, 2002, p. 198.

Les moyens de la mise en œuvre

En amont de toute réalisation de décor par un peintre, il faut imaginer des processus et des procédés d'élaboration des compositions. Valérie Auclair a isolé un concept, celui de "copie d'invention", qui en rend compte pour le XVIe siècle : un carnet de peintre des années 1550 conservé à la bibliothèque de l'ENSBA lui a permis de confirmer les hypothèses faites par les spécialistes de la tapisserie et du vitrail en précisant le mode opératoire des peintres, fondé sur l'emprunt de motifs à de nombreuses gravures et leur remploi pour de nouvelles compositions[3].

Les exemples étudiés par Guillaume Kazerouni pour Vouet, par Vincent Bastien pour le domaine très particulier des boîtes à priser, et par Marie-Laure de Rochebrune pour Dodin à la manufacture de Sèvres montrent que ce procédé, loin d'être abandonné après la Renaissance, est encore en vigueur aux XVIIe et XVIIIe siècles. Ainsi les dessins destinés à décorer les tabatières des orfèvres sur des inventions des peintres émailleurs sont élaborés à partir d'estampes mêlées entre elles, d'après Boucher, très apprécié à partir de 1750, Téniers le Jeune, ou encore Fragonard, Carle Vanloo, et enfin Greuze. De même, l'usage de constituer des recueils de modèles, attesté par les exemples traités par Véronique Notin pour les émaux de Limoges au XVIe siècle, existe encore au XVIIIe siècle dans le cadre de la manufacture de Sèvres, comme nous l'apprend Marie-Laure de Rochebrune, qui précise cependant qu'un artiste comme Dodin était aussi capable de copier un tableau de Boucher sans l'intermédiaire d'une gravure, information importante qui pourrait donner une nouvelle impulsion à la recherche.

La composition établie, il faut la reporter sur une surface, parfois convexe ou concave, comme nous le rappellent les spécialistes de la céramique. Magali Bélime s'intéresse quant à elle à la mise en œuvre effective des décors muraux et remarque qu'à Ancy-le-Franc, le peintre a tracé au stylet dans le mortier les grandes lignes de la composition générale et dessiné au crayon noir les grotesques. Des lignes noires de structure formant une trame orthogonale ont permis un alignement régulier des motifs décoratifs. Le compas a servi aux motifs de rinceaux et aux formes arrondies. Ruggiero de Ruggieri a suivi les directives des dessins préparatoires en utilisant le stylet, incisant le mortier frais pour les architectures. Le dessin sous-jacent et le *spolvero,* qui permettent le placement des personnages, sont aussi visibles. Ici le peintre exécute, tel un artisan.

Un autre aspect important de l'œuvre des peintres dans leur mission de décorateurs nous est révélé par Yoann Groslambert à propos d'Alexis Peyrotte (1699-1769) : la restauration d'ensembles plus anciens, avec le complément d'un décor existant tel qu'il ne puisse être distingué des compositions originales, comme

3. Valérie Auclair, *Dessiner à la Renaissance. La copie et la perspective comme instruments de l'invention,* Rennes, Presses universitaires de Rennes, 2010.

à Fontainebleau, dans la chambre à coucher du roi, où Peyrotte crée un trophée dans l'esprit de ceux du siècle précédent.

Dans le domaine de la tapisserie contemporaine, Bruno Ythier révèle les dessous de la disgrâce de la tapisserie du XVIIIe siècle à l'École nationale des Arts décoratifs d'Aubusson et dans l'historiographie à partir du premier quart du XXe siècle. Dans cette affaire qui met spécialement en cause les tentures d'après J.-B. Oudry, c'est le licier qui critique l'interprétation qui fut donnée du décor du peintre. Ce que l'on refuse entre 1937 et nos jours dans l'enseignement de la technique de la tapisserie, ce n'est pas tant l'asservissement du licier au carton, que la sujétion à la touche picturale, à ses variations infinies et au flou de ses coups de brosse, qui supposent en tapisserie l'emploi de nuances innombrables. Or le mythe de la "tradition médiévale", prétendument caractérisée par une palette restreinte et un nombre réduit de fils au centimètre, est né avec le mouvement connu sous le nom de "Renaissance de la tapisserie" dont le principal représentant est Jean Lurçat. Cet idéal mythique qui avait déjà tenté William Morris en Angleterre, se retrouve pour d'autres *media*, comme le vitrail, soupçonné lui aussi de "décadence" par dépendance à la peinture. Cependant, l'examen scientifique récent des pièces du XVIIIe siècle tissées d'après Oudry révèle que la technique employée est bien identique à celle des liciers médiévaux, avec franches hachures, "écriture technique" propre à la tapisserie. Ces tentures se révèlent en réalité beaucoup moins fines qu'il n'y paraît. Les nuances employées ne sont pas innombrables, mais en nombre limité au nécessaire, et juxtaposées en bandes, sauf pour les carnations de quelques visages de femmes, proches, de fait, de morceaux de peinture. Remarquable surtout est la simplicité des procédés spécifiques mis en œuvre pour produire un effet illusionniste à distance. Ici, le décor de peintre est donc véritablement soumis à interprétation dans un autre médium, qui revendique sa spécificité.

Le caractère permanent ou au contraire éphémère du décor

Anne Lajoix met l'accent sur le désir de conserver intactes les couleurs et les œuvres grâce à un support autre que la toile, le panneau, le parchemin ou le papier. Mosaïque, céramique, émail sont les *media* possibles de cette quête de l'inaltérabilité. En s'intéressant d'abord aux "arts décoratifs" sous le contrôle des peintres, Anne Lajoix s'interroge sur le sens à donner à la notion de "décor inaltérable" et sur sa raison d'être. Elle considère la céramique ou l'émail comme des tentatives de fixer et de pérenniser la peinture. Elle évoque aussi des procédés moins connus comme la peinture sur marbre, plaques de quartz ou autres pierres semi-précieuses qui permettent de tirer parti des irrégularités naturelles des minéraux, enduites d'un vernis fixant durablement la peinture. Elle rappelle également le souhait du pape Clément VIII de conserver une trace des peintures murales en voie de dégradation dans la basilique Saint-Pierre grâce à une autre technique : réalisée avec des tesselles de verre, la mosaïque paraissait devoir durer davantage et avait pour elle le prestige de l'Antiquité. Pourtant la peinture à fresque se révèle un procédé inaltérable dans des conditions de conservation optimales, et son intérêt a été bien compris par les concepteurs du musée des Monuments français dans les années 1930.

Se mettent en place des critères d'appréciation abandonnés pour la peinture quand elle tend à devenir art libéral : on ne paiera plus seulement en fonction des matériaux et du temps passé, mais davantage en fonction de l'habileté de l'artiste[4]. Ces critères vont en revanche devenir ceux des "arts décoratifs" : savoir-faire, caractère précieux et caractère onéreux du procédé.

Rappelons cependant l'accrochage alternatif des tentures tissées avec leurs cartons peints, moins sujets à l'altération, dans les chœurs d'église. Rappelons aussi le souhait contraire de décors éphémères, comme ceux des entrées royales qu'a évoquées Véronique Notin. Plus proche de nous est la solution trouvée par Nathalie Junod-Ponsard qui maîtrise à présent dans toute sa complexité la lumière colorée des LED afin de créer des décors non seulement éphémères, mais encore à l'innocuité optimale sur les façades des édifices.

Le primat du peintre ou sa soumission à l'architecte

Magali Bélime étudie la question de l'éventuel primat du peintre pour le XVIe siècle, avec l'exemple du château d'Ancy-le-Franc, édifié entre 1542 et 1550 d'après des plans de Sebastiano Serlio et décoré en deux temps, au milieu du XVIe siècle et à partir de la fin des années 1590. Serlio, architecte du château, a conseillé au commanditaire Antoine de Clermont des artistes bolonais pour les décors peints. Magali Bélime attribue aujourd'hui à Ruggiero de Ruggieri les sept médaillons de la Chambre des Arts, mais l'architecte a peut-être dicté les sujets : la marge de liberté du peintre est donc ici restreinte.

En revanche, un des apports essentiels de l'étude de Yoann Groslambert est de montrer qu'au XVIIIe siècle, Alexis Peyrotte (1699-1769), comme sans doute d'autres peintres décorateurs, travaille comme chef de chantier autant que comme exécutant d'ensembles prévus par ailleurs.

Le primat de l'architecte pour le choix du style et des thèmes se retrouve au XIXe siècle aux États-Unis lors de la "Renaissance d'outre-Atlantique", comme le montre très bien Pierre Sérié, qui relève, pour la peinture du XIXe et du début du XXe siècle, un idiotisme, l'anglais *mural*, substantif, là où nous attendrions "*mural*

4. Michael BAXANDALL, *L'œil du quattrocento*, Paris, Gallimard, 1985-1992 (1ère édition, Oxford, 1972).

painting". Cette expression, qui ne peut se substituer totalement à notre français "peinture (décorative) murale", révèle non seulement des usages différents ou une esthétique différente, mais toute une conception différente de la peinture. Les Américains parlent ainsi de *muralism* et de *muralists* pour désigner respectivement l'art de la peinture murale et les artistes qui s'en font les spécialistes. Ce terme apparaît au moment où la peinture murale tend à devenir, au-delà même de la peinture d'histoire, le grand genre en France, et où elle fait son apparition en Amérique, participant de ce que l'on a pu appeler *The American Renaissance,* avec Chicago comme nouvelle Florence et New York nouvelle Rome. Mais, outre-Atlantique, ces artistes sont subordonnés à l'architecture, qui règne en despote. La peinture y perd donc sa suprématie et devient "décorative". Ainsi le peintre en France est autonome, tandis que le *muralist* américain doit en passer par la volonté de l'architecte. De ce fait, un *mural* américain est bien autre chose qu'une peinture murale européenne : c'est la question du statut qui est en jeu ici.

L'intégration dans le lieu ou l'adaptation à l'objet

Le décor peut faire du peintre un véritable orchestrateur, de même que le lieu peut être rationnellement divisé. Ainsi, comme le révèle Magali Bélime, à Ancy-le-Franc, peu après l'achèvement du gros œuvre, les trois chambres situées au rez-de-chaussée des pavillons de Diane, de Ganymède et de Psyché ainsi que l'antichambre des Césars furent décorés selon un même schéma. La partie basse des murs était en effet ornée d'un lambris de bois d'environ deux mètres de haut ; la partie haute, entre lambris et retombée de voûte, d'un faux appareil de pierre ; les voûtes, de médaillons ou figures mythologiques sur un fond de grotesques.

Dans le même esprit de répartition ou partition du décor, citons avec Évelyne Thomas les décors des plafonds à poutres et solives, structure traditionnelle en France depuis la période médiévale. Les exemples subsistants sont rares et les archives d'un grand secours. Si les plafonds à caissons, introduits avec les ornements italiens à la Renaissance, les remplacent parfois, ils ne disparaissent pas cependant des châteaux français. Le renouvellement des décors peut s'observer vers le milieu du XVIe siècle, quand les peintures et les dorures se substituent aux moulurations inspirées des frises classiques, avec dans les premiers temps une prédilection pour les contrastes. Vers 1550, le succès d'un nouveau décor, le faux bois, qui abandonne le contraste au profit de l'unité de ton, devient évident, comme à Écouen dans la chambre du roi Henri II, dont le parti à contre-courant des caissons s'explique par la volonté d'harmonie avec l'ornementation des cheminées. L'effet global témoigne ici du souci d'intégration au lieu, que l'on retrouve dans l'idée des émaux sertis dans les lambris d'un cabinet imaginé pour Catherine de Médicis, comme nous le rappelle Véronique Notin.

Un cas intéressant d'adaptation au lieu est l'obligation pour le peintre de composer, aux deux sens du terme, avec un décor existant en préservant une harmonie générale. C'est ce que Magali Bélime observe à Ancy-le-Franc, où, dans la galerie de Pharsale, vers 1600, Nicolas de Hoey dut s'accommoder d'un décor existant et composer sur le mur opposé, en respectant l'harmonie colorée jaune de son prédécesseur, afin de préserver l'effet d'ensemble.

La question de l'intégration au lieu existant est abordée aussi par Annie Regond à propos de la figuration de la bataille de Lépante (1571). C'est la question du *medium* et de l'emplacement choisi pour ces peintures d'histoire récente au sein des palais, châteaux ou villas des vainqueurs ou de leurs proches qui intéresse notre sujet. Plusieurs possibilités furent explorées : à Caprarola, c'est dans le portique et non à l'intérieur du palais que deux scènes de la bataille trouvent place, tandis qu'à Castiglione del Lago, c'est sur les murs de la grande salle qu'elle est célébrée. Dans le premier cas elle est l'une des scènes figurées et en petites dimensions, dans le second, c'est une peinture monumentale, avec les contraintes de son architecture et de ses ouvertures. À Gênes, au palais Doria, c'est une tenture de Bruxelles de dix pièces datée 1581-1582 sur des cartons de L. Cambiaso qui évoque cette victoire, preuve d'un vrai "décor" amovible et haut en couleurs sur ce thème. Plus significatif encore est l'exemple de la très vaste *Sala Regia* du Vatican, où cette figuration commandée à Giorgio Vasari par le pape Pie V répond à des épisodes de la Saint-Barthélemy, dans un programme général de lutte contre infidèles et hérétiques. Plus qu'un décor, ce programme est une vaste démonstration politico-religieuse nécessaire au pontificat de Pie V.

Plus spectaculaire encore pour la question de l'intégration dans le lieu, comme le montre Wolf Burchard, sont les projets de Le Brun pour la grande galerie du Louvre, conceptions globales qui incluent sol, plafond et murs. Un tapis est perçu par le visiteur dans la profondeur et forcément déformé, au même titre que l'architecture dont il dépend, quelque orthogonale qu'elle soit au départ. Il doit être agréable aux yeux de près comme de loin, même dans des conditions d'exceptionnelle ampleur d'un volume. La particularité du décor de cette grande galerie est aussi, dans le projet initial, l'harmonie voulue entre l'ornementation des tapis et celle des jardins sur les dessins de C. Mollet (1557-1647), conception globale s'il en fut, qui lie l'intérieur à l'extérieur. Enfin, l'une des fonctions du tapis est de diviser l'espace et de réserver les surfaces à des fonctions spécifiques. Il est possible de comprendre un décor global de cette sorte en insistant sur le rôle de premier plan joué par la tapisserie, à hauteur de vue du courtisan, et celui de contrepoint rempli par le tapis, sensible au pied et à l'œil, complétant le décor mural et zénithal.

La matière que traite Christophe Henry se prête particulièrement à notre propos, qui est d'isoler la spécificité des décors conçus par des peintres, par opposition à ceux des spécialistes de ce que nous nommons les arts décoratifs, praticiens, industriels, artisans. Christophe Henry met en relations la commande de cartons aux successeurs de Le Brun et la gestion institutionnelle du stock royal dévolu à l'Académie de France à Rome, dont l'une des fonctions initiales était précisément de faire copier les chefs-d'œuvre de la peinture romaine pour les Gobelins. Dans cette correspondance ressort clairement le statut élevé de la tapisserie aux XVIIe et XVIIIe siècles, capable de contribuer à transformer Paris en une nouvelle Rome grâce des tentures reproduisant à l'échelle les chambres du Vatican ou les *Actes des Apôtres.* Ce sont les peintres formés à Rome à ce moment sous le directorat de Wleughels, Boucher, Natoire, Carle Vanloo, qui furent à l'origine du renouveau des cartons pour les Gobelins entre 1725 et 1755, et précisément les cartons exceptionnels réalisés alors qui font l'importance de la peinture française à cette époque, grâce à leur renouvellement conceptuel et leur vocation, jusque vers 1760, à s'intégrer de façon synchronique dans les appartements. Au fait des exigences de la technique, ces artistes, en particulier Boucher et Natoire, furent à même de concevoir un chromatisme adéquat apprécié par les liciers, fondé sur les tons rompus ocrés et rosés, appropriés aussi à la destination intérieure.

Tout changement d'attitude en matière d'usage entraîne donc inévitablement un changement de statut de la tapisserie, comme le montre en outre parallèlement la querelle qui se développe, dans la seconde moitié du XVIIIe siècle, à propos de l'antériorité de la tapisserie sur la peinture. L'enjeu de l'antériorité historique se double d'une supériorité ontologique cautionnée par les textes d'Homère et de Pline. Elle est par ailleurs absolument confirmée par l'estime dans laquelle la période médiévale et la Renaissance tenaient la tapisserie, toujours plus rémunérée que la peinture et précieusement conservée.

La prise en compte ou au contraire le déni, ou le mépris de l'accessoire

En ce qui concerne la question de l'accessoire, qu'il s'agisse de sa prise en compte ou de son déni, deux possibilités extrêmes se laissent entrevoir : soit le peintre imagine un décor qui se suffit à lui-même et dont le mobilier adventice détruit l'illusion, soit il conçoit l'ensemble des éléments de la décoration comme un tout global harmonieux.

Ainsi, au XVIIIe siècle, sous le directorat à l'Académie de France à Rome de Nicolas Wleughels, les tapisseries sont accrochées en vertu de véritables principes de décoration, prohibant les tableaux sur les tentures, leur interruption par des portes, ou leur utilisation comme arrière-plan de statues. Les pièces tissées dans les lambris sont insérées au pouce près. Ainsi, selon cette doctrine, la tapisserie se révèle autre chose qu'un meuble interchangeable et amovible. Elle participe de ce que Christophe Henry appelle une "réelle intégration symphonique du mobilier dans l'architecture", ce qui implique une "réflexion aboutie sur le choix des sujets et l'intensité chromatique". Mais à partir de 1765, sous le directeur des bâtiments royaux Marigny, c'est pourtant la conception de la tapisserie comme tableau et article "purement meublant" qui prévalut. L'expression "tableau en tapisserie" date de cette époque, et rend compte non pas d'une élévation de statut, mais au contraire de la réduction du tissage à un élément de décor interchangeable comme un autre, dont la nécessité n'est plus même assurée. La peinture se substitue alors au textile, qui tombe en disgrâce comme élément organique d'un décor sous le directorat de J.-M. Vien.

Dans le domaine du papier peint au XIXe siècle, un cas intéressant est celui de J.-F. Auburtin, qu'étudie Jérémie Cerman. Ce peintre compose pour Zuber un décor-paysage marin à plusieurs lés, *L'Île des pins*, revêtement mural de luxe supposant une surface adéquate et un recul suffisant pour un effet de profondeur, voire même, pour être vraiment à son avantage, une absence de mobilier et plus encore de tableaux.

Céline Paul pose à son tour la question du renouvellement des rituels de table par le décor au XXIe siècle. Dans ce domaine, le Centre de recherche sur les arts du Feu et de la Terre (CRAFT) est pionnier, qui enrôle des artistes étrangers à la porcelaine, pour tenter de rompre avec la tradition. L'invention du "paysage de table", avec J.-F. Dingjian et J. Quéheillard est audacieux, qui associe des objets en porcelaine et une table de haute technologie empruntée à celles de l'industrie aérospatiale ; le vocabulaire employé, "enclos", par exemple, est celui de la campagne et du paysage. La création d'un nouvel univers de la table s'apparente ainsi au *Land art* et ouvre la voie à un univers décoratif global.

La question de la prise en compte ou du déni de l'accessoire conduit à son tour à celle de la possible modulation du décor.

Le caractère amovible, modulable, transformable, réversible

Jérémie Cerman s'intéresse au rôle du peintre dans la production de papier peint. À la fin du XIXe siècle et au début du XXe, la grande majorité des motifs imprimés pour le papier peint est l'œuvre de dessinateurs industriels. Certains architectes parviennent à faire imprimer leurs inventions, mais les peintres, à l'exception de Thomas Couture, ont davantage de difficultés, comme en témoignent les tentatives vouées à l'échec de Maurice Denis et Paul Ranson, pourtant désireux de participer à la décoration murale. G.-É. Thurner et J.-F. Auburtin ont cependant réussi à faire admettre leurs propositions. Le premier, peintre connu surtout pour ses peintures de genre, ses paysages et ses natures mortes, mais professeur aux Gobelins à partir de 1880, fit imprimer son décor *Les Ondines* par la manufacture Grantil à Châlons-sur-Marne pour l'exposition universelle de 1900. Que ce décor puisse éventuellement être utilisé sur un plafond ouvre des perspectives intéressantes d'adaptation.

Dans le domaine de la céramique, selon Céline Paul, le brouillage des genres et la modification des usages sont réussis en céramique au XXIe siècle avec l'initiative originale de *Non sans raison*, une jeune maison de porcelaine de Limoges, qui invente de ranger les assiettes du service directement au mur, grâce à un aimant. La disposition peut se personnaliser au gré des envies, conciliant désormais décor mural, traditionnellement dévolu aux beaux-arts, et "arts de la table" associés voire uniquement "asservis" à la notion d'arts décoratifs.

Céline Paul pose enfin la question stimulante du rôle éventuel du convive dans le processus de création de l'œuvre. Cet aspect de la création est pris en compte par des artistes comme Sophie Calle, avec un service à visée narrative dont le texte diamétralement disposé sur le disque de l'assiette se poursuit de pièce en pièce, incitant le convive à transgresser les bonnes manières en se penchant pour lire la suite de l'histoire chez son voisin, et induisant également un ordre de disposition qui peut néanmoins être lui-même transgressé.

Reconnaissance, collaborations, et mutations du peintre au XXe siècle : vers une multiplicité de statuts nouveaux

La question essentielle est de savoir si un décor de peintre est reconnu comme tel ou au contraire nié et si le nom de l'inventeur figure sur l'article ou sur le contrat ; enfin s'il est un argument de vente ou non. Ainsi, au XVIe siècle, le nom des peintres cartonniers n'est-il jamais mentionné sur les contrats entre peintre verrier et commanditaire : le peintre verrier peut ou non faire appel à lui, mais ce recours le regarde, à moins que le commanditaire ne s'adresse à lui qu'en raison de sa collaboration notoire avec un peintre donné. La notion de collaboration, voire de sous-traitance, est donc essentielle. Il faut aussi savoir si le peintre est l'exécutant effectif ou s'il délègue l'opération de transposition à des ouvriers, d'autres artistes ou des artisans. Enfin, existe-t-il des transmissions de formules entre corps de métier ?

Guillaume Kazerouni met ainsi en évidence non seulement le caractère collectif du travail dans l'atelier de Simon Vouet, mais surtout la division des tâches entre peintres spécialisés dans les différents genres de la hiérarchie académique.

Dans le domaine du style rocaille, Yoann Groslambert nous apprend que Peyrotte travaille d'abord à Carpentras avec J.-G. Duplessis pour la fourniture de modèles destinés aux manufactures de tapisseries et de soieries lyonnaises. Il est ensuite actif à Lyon, puis Paris où il collabore avec les plus grands peintres, mais aussi les plus grands graveurs ; à Lyon, il est sollicité par R.-M. Pariset, éditeur, pour la gravure de ses modèles : la démarche est intéressante, de l'éditeur vers l'artiste et non l'inverse. Ainsi ce n'est pas l'artiste qui est en demande de reconnaissance, mais l'éditeur qui recherche de nouveaux recueils à publier, destinés aux bronziers, ébénistes ou orfèvres.

Vincent Bastien éclaircit pour sa part les modes de réalisation des tabatières ou boîtes à priser du XVIIIe siècle. Deux métiers collaborent ici : les orfèvres fabriquent et préparent la boîte, puis confient le décor coloré à un sous-traitant, le peintre émailleur, les ciseleurs et les lapidaires étant des sous-traitants au même titre. L'orfèvre, et non le peintre, est parfois à l'origine de la fourniture du modèle. L'un des rares dessins conservés, de l'atelier de J. Ducrollay, un décor de coquillages colorés (1742-1743), nous renseigne d'autant mieux sur les modalités de création, que la tabatière nous est également parvenue. C'est apparemment l'orfèvre qui soumet à l'émailleur le dessin, élaboré à partir d'estampes contemporaines.

Gwenn Gayet étudie la production faïencière quimpéroise, et en particulier l'essor considérable qu'elle connut à partir de 1870 grâce au peintre sur faïence Alfred Beau, inventeur d'une imagerie spécifiquement bretonne, qui passe aujourd'hui pour traditionnelle. La création de scènes idéalisées de la vie quotidienne paysanne, de vues pittoresques et de créatures du folklore local répond à la demande d'une clientèle de touristes et d'amateurs à laquelle la Bretagne devient accessible par voie de chemin de fer, et qui se trouve nouvellement célébrée en littérature et dans les Salons parisiens par des scènes de genre et des paysages. Comme les peintres du XVIe siècle, Beau invente ses modèles en s'inspirant d'autres sources, par exemple la *Galerie armoricaine* d'H. Lalaisse, en laissant l'exécution aux "peinteuses" de la manufacture Porquier-Beau. Ces motifs ou compositions sont appliqués sur des assiettes ou des plats, mais, exclusivité de la maison, Beau, à l'exemple de C.-N. Dodin au XVIIIe siècle pour la porcelaine tendre, imagine aussi des tableaux sur faïence encadrés : une telle entreprise témoigne du prestige de la peinture de chevalet, et du complexe développé à son égard par les artistes des arts décoratifs. Elle témoigne aussi d'une possibilité de transmission des formules décoratives d'un savoir-faire à l'autre, comme l'aller-retour entre émaux de Limoges et peintures murales que remarque Véronique Notin pour le XVIe siècle.

Catherine Cardinal étudie la carrière de P.-V. Grandhomme (1851-1944). Bon dessinateur, cet artiste publie en 1884 un recueil de douze planches à l'usage des orfèvres, mais aussi des émailleurs, céramistes et peintres verriers, qui se veulent de style Renaissance : il est donc à la fois auteur de modèles destinés à d'autres, et exécutant de ses propres inventions, tant en matière d'émail que de bijouterie. Sa carrière se caractérise par des collaborations avec d'autres artistes, en particulier des orfèvres-bijoutiers comme A. Fouquet ou L. Falize, ou le graveur en camées A. Garnier. Avec Garnier, Grandhomme réalise aussi des compositions d'après des maîtres anciens ou contemporains, se faisant ainsi le diffuseur d'inventions passées comme celles de Mantegna et Botticelli, qui rompent avec la suprématie de Raphaël, ou très récentes, en particulier des aquarelles de G. Moreau, d'ailleurs lui-même intéressé par la technique de l'émail au point de fournir des modèles à transposer dans ce médium.

Le cas de J.-F. Auburtin étudié par J. Cerman est révélateur du statut du décor inventé par un peintre. Cet artiste est connu pour ses grands décors peints ou ses marines, moins pour ses compositions pour les arts décoratifs. Il expose pourtant trois cartons pour papiers peints au Salon de la Société nationale des beaux-arts. Les critiques du temps considéraient de telles créations comme des "amusements", récréations du peintre entre deux toiles, et les motifs d'Auburtin, des aras sur des branches de marronniers, semblaient trop hauts en couleur pour des intérieurs domestiques. Pourtant la manufacture Zuber de Rixheim imprima effectivement en 1904 une frise de perroquets sur des branches de vigne, destinée à compléter un papier peint de feuilles de vignes assorti, créé cette fois par l'un des dessinateurs industriels de la firme, Stutz, qui copia les motifs du peintre. Or le nom de l'inventeur n'apparaît pas dans le document commercial : il n'est pas un argument de vente.

Isabelle Lecocq étudie de près, d'après des documents d'archives, la production de vitraux civils de l'atelier wallon Osterrath, actif à Tilff et Liège de 1872 à 1966, cherchant à comprendre la répartition des tâches, les exigences des commanditaires et la place du peintre au sein de l'équipe. Comme le montrent la riche collection de maquettes à échelle réduite et la correspondance d'Osterrath, cette entreprise s'assure la collaboration d'artistes capables d'apporter une nouvelle modernité dans la création de vitraux les plus divers, qui vont du vitrage d'administrations communales, d'hôpitaux ou d'agences bancaires, à l'enseigne publicitaire. La personnalité du "dessinateur" est bien distincte ici de celle du "peintre sur verre". On peut voir là une survivance d'un ancien état de fait : le dessinateur bénéficie de l'élévation des arts du dessin au rang d'arts libéraux depuis Vasari, en raison de son caractère intellectuel ; la peinture sur verre reste un travail d'artisan, rangé parmi les arts mécaniques. Ces artistes, engagés en qualité de "maquettiste dessinateur", doivent s'adapter à la commande dans cet atelier qui ne fait que du sur-mesure et ne publie pas de catalogue. Certains artistes, tel M. Weinling, sont éliminés pour leur absence de sens du "décoratif". D'autres, comme G. Chabrol, sont parfois préférés à la main d'œuvre locale en raison de leurs compétences de dessinateurs. L'efficacité du projet de vitrail de Chabrol pour le *lobby* de la banque internationale à Mexico

(1954) fait foi de ce talent : Chabrol imagine, dans un langage très graphique où le plomb prime sur la couleur, une impressionnante baie rectangulaire très étirée en largeur, sans meneaux ni traverses, dont la composition futuriste montre la banque comme un centre attractif et rayonnant, accessible aux foules par tous les moyens de transport modernes. Il importe donc d'être à la fois peintre, dessinateur, et d'avoir la profonde intelligence du vitrail nécessaire à son efficacité décorative.

Comme le rappelle Céline Paul, la disparition progressive des décors peints à la main dans la porcelaine de Limoges au cours de la seconde moitié du XIXe siècle au profit de nouvelles techniques comme les impressions, les chromos ou décalcomanies provoque la collaboration avec des artistes sollicités pour proposer de nouveaux modèles et de nouvelles formes.

Ces techniques cèdent la place au XXe siècle à la sérigraphie, à l'offset, et la programmation assistée par ordinateur ; avec elles, la notion de peintre s'est estompée au profit de celle d'artiste en général, puis de plasticien, designer, photographe, vidéaste, *etc.*

Le geste inaugural est peut-être celui de Bracquemond qui, aux dires d'Adrien Dubouché, fait de l'assiette une pièce de collection, un objet rare, détourné de sa fonction utilitaire.

D'autres étapes passent par l'existence d'un intermédiaire, comme le marchand d'art Siegfried Bing qui fait le lien entre l'entreprise GDA et Edward Colonna, contribuant ainsi à l'émergence de l'Art Nouveau sur le plan international.

L'exposition internationale des Arts décoratifs de Paris en 1925 joue aussi un rôle de catalyseur dans ce domaine, stimulant par exemple l'entreprise Haviland pour faire appel à des artistes renommés comme Jean Dufy ou Suzanne Lalique. Mais c'est avec la reprise économique des années 1960 que l'on voit apparaître de nouveaux acteurs, les "designers", tels R. Loewy ou R. Tallon pour Raynaud.

Il n'est donc plus pertinent après cette date de parler de "décors de peintres" : face à la diversité des pratiques artistiques, il est plus approprié de parler de collaborations avec des "artistes", designers, plasticiens et créateurs, qui s'adaptent à des exigences industrielles, ou au contraire renouvellent de façon souvent inattendue l'ensemble de la chaîne création-production-réception.

Quand le feu devient couleur : céramique, émail, vitrail

Première partie

2

Inaltérable ou le rêve de la trace éternelle, essai

Anne Lajoix

Résumé – Après avoir défini le terme "inaltérable", sa fortune critique sera retracée, du XVIe siècle à nos jours, ruban chronologique où s'inscrivent les supports picturaux autres que la toile : l'émail, la mosaïque, la peinture sur marbre, à l'encaustique, sur faïence et porcelaine. Simultanément, au sein de cette relation forte entre inaltérabilité et peinture, le rôle des acteurs de l'Europe savante cristallise cette compensation de l'absence, avec Caylus, Diderot, et Quatremère de Quincy, inventeur du terme polychromie, préparant l'essor de la chimie. On assiste alors à l'émergence de la notion de patrimoine européen et bientôt à celle de musée et donc de restauration, préoccupations mises au premier plan lors du retour des prises de guerre napoléoniennes. Peindre de manière inaltérable, c'est œuvrer pour les générations à venir. Restaurer, c'est encore préserver le futur.
Mots clés – inaltérabilité, émail, mosaïque, peinture sur marbre, peinture sur émail, peinture à l'encaustique, peinture sur porcelaine, chimie, patrimoine, musées, restauration.

Abstract – After properly defining "inalterability", I shall give an account of the way the notion evolved from the 16th century onwards in a kind of chronological panorama where pictorial media other than canvas are registered, like enamel, mosaic, marble painting, wax painting, and painting on pottery and china. Simultaneously, within this strong relationship between inalterability and painting, the role of stakeholders in the scholarly Europe crystallizes this compensation of lack, with Caylus, Diderot, and Quatremère de Quincy, the inventor of the term "polychrome", laying the ground for the rise of chemistry. The emergence of the notion of —European— heritage, which soon gave rise to the concept of "museum" and thus to the necessity of restoration, was highlighted at the time when spoils resulting from the Napoleonic wars were sent back to their original countries. Painting in an unalterable way is tantamount to working for the generations to come. Furthermore, restoration means preserving for the future.
Keywords – inalterability, enamel, mosaic, marble painting, wax painting, painting on porcelain, chemistry, heritage, museums, restoration.

Cet essai se propose de cerner la fortune critique de l'*inaltérabilité*, une propriété assidument recherchée afin de pérenniser les œuvres peintes, du XVIe siècle à nos jours. Pour répondre à l'intitulé de la présente partie de l'ouvrage, *Quand le feu devient couleur*, nous ne choisirons que des exemples où l'action du feu intervient, peu ou prou, en prenant garde de ne pas projeter la notion relativement récente d'*Arts du feu* sur les usages anciens de celui-ci : l'intervention du feu dans les *artefacts*, prise dans une acception large, est l'opération de cuire, mais aussi celle de "chauffer" à des températures très diverses[1]. Même si les quelques exemples ici présentés ne sont qu'illustratifs et non exhaustifs, nous tenterons de mettre en perspective, sur le temps long braudélien, ce que l'on n'appelle pas encore les *Arts du feu*.

Inaltérable

L'adjectif *inaltérable* apparaît avant le substantif; parmi les divers dictionnaires consultés, la rubrique consacrée par le Robert en neuf volumes est la plus détaillée. Elle date le mot de 1381, dérivé du latin médiéval *inalterabilis* et lui donne trois sens, dont seul le premier, physique, nous intéresse ici : "Qui ne peut être altéré, qui garde ses qualités. Corps inaltérable au feu, à la chaleur, l'humidité, à l'air. C'est le sens qu'il a pour l'or et qu'il peut avoir pour la peinture. Une couleur inaltérable, un revêtement inaltérable". Quant au substantif, *inaltérabilité*, daté de 1794, il est illustré par l'exemple, "le bleu inaltéré du ciel".

Notre expression "la trace éternelle" mérite quelques remarques préliminaires. Imaginez, sur le sable, menacées par la prochaine vague, des traces de pas en creux… est-ce une absence ou une présence ? La peinture joue ce rôle, tout d'abord

1. Anne LAJOIX, "Marie-Victoire Jaquotot (1772-1855), peintre sur porcelaine", *in* Jean TULARD (dir.), *Dictionnaire Napoléon*, Paris, Fayard, 1989, p. 1815-1816 ; "Portraits sur porcelaine par Marie-Victoire Jaquotot à la Manufacture de Sèvres : "la Tabatière" de Louis XVIII", *Bulletin de la Société de l'Histoire de l'Art Français*, 1990 (1991), p. 153-171 ; "Tableaux précieux en porcelaine", *L'Objet d'Art*, n° 247, mai 1991, p. 109-122 ; "La Palette aveugle du céramiste", *Revue du musée des Arts et Métiers*, 1992, p. 57-62 ; "Brongniart et la quête des moyens de reproduction en couleurs", *Bulletin des Amis du musée national de Céramique de Sèvres*, 1992, p. 64-73 & 1993, p. 52-58 ; "Gravure et porcelaine. (about 1760-1850)", *L'Immagine riflessa dalla stampa alla porcellana*, catalogue d'exposition, Museo degli Argenti, Museo delle Porcellane, Palais Pitti, Florence, 1997, 18 avril-18 juillet, Sillabe, p. 24-28 ; "Alexandre Brongniart, fellow and membre of Institut", *The Sevres Porcelain Manufactory: Alexandre Brongniart and the Triumph of Art and Innovation 1800-1847"*, catalogue d'exposition, New Haven, Yale University Press, New York, The Bard Graduate Center for studies in the Decorative Arts, et Manufacture nationale de Sèvres, 1997, p. 24-41 & p. 399-408 ; "Un souvenir inaltérable Sainte Cécile", *in Mélanges en souvenir d'Élisalex d'Albis*, s.l., 1999, p. 138-145 ; Catalogue, *Les plaques de porcelaine, un patrimoine à redécouvrir, Salon International de la Céramique et des Arts du Feu*, Hôtel Dassault, Champs-Élysées, Paris, 1999, 29 sept.-3 oct., p. 73-88 ; "Le tableau de Marie-Victoire Jaquotot, Masque funéraire de Napoléon", *Revue du Souvenir Napoléonien*, n° 458, 2005, avril-juin, p. 32-40 ; "Marie-Victoire Jaquotot (1772-1855), peintre sur porcelaine", *Archives de l'Art français*, t. 38, 2005 ; "Les bonheurs du marché de l'art", *Revue des Amis du musée national de Céramique*, Sèvres, n° 16, 2007, p. 106-111 ; "Abraham Constantin a Firenze, 1820-1825", *Lusso ed eleganza. La porcellana a Firenze tra dominazione napoleonica e restaurazione Lorenese (1800-1830)*, catalogue d'exposition, Museo degli Argenti, Palazzo Pitti, Florence, 2013, 19 mars-23 juillet, p. 30-37 & 266-292.

celle des portraits puis celle qui consacre les "chefs-d'œuvre" car, à la fois, le sujet et l'artiste sont là et absents. Il y a une relation forte entre inaltérabilité et peinture, c'est ce que nous appelons la compensation de l'absence. Peindre, c'était nommer et être nommé, c'était la garantie d'une continuité, du Fayoum à nos jours.

Selon Edgar Morin, l'originalité humaine, caractérisée par le langage et la conscience réflexive, permet de se penser mortel soi-même, comme se sont montrés mortels ceux que l'on a connus. L'être humain a acquis une conscience de la mort comme destruction de son individualité[2]: pas seulement sa destruction physique, mais la destruction de son *moi* ou de son *je*, de son être subjectif.

Au moins dès le XIIIe siècle, cette conscience donna lieu à des recherches et réflexions sur la pratique de l'alchimie *Alkemia* ou "chimie de Dieu". L'objet principal en était la composition d'élixir de longue vie et de la panacée universelle, disons dans une acception plus moderne, celle du *Dictionnaire de l'Académie* (1986), de permettre la sublimation de la réalité dans l'art par l'art. Des textes latins, comme *L'Ars moriendi* (L'art de bien mourir), de 1415 et 1540, proposaient d'aider à bien mourir, selon les conceptions chrétiennes de la fin du Moyen Âge. Ainsi court, au long des siècles, cette obsession de la mort, de la disparition, de l'absence.

La peinture sur émail

Répétons: si peindre, c'était nommer, être nommé et garantir une certaine pérennité, il fallut inventer des supports picturaux qui résisteraient aux aléas de la vie, aux transports, aux guerres et qui pourraient se transmettre — au moins — à la génération suivante. Au moment où la toile remplace le bois, d'autres supports — donc divers procédés — vont tenter de répondre à cette préoccupation, successivement ou simultanément: la peinture en émail, en mosaïque, celle à l'encaustique ou sur marbre, celle sur céramique...

C'est à l'émail que l'emploi du terme inaltérable est appliqué pour la première fois, ou plus exactement à la peinture en émail. À Limoges, aux émaux champlevés succèdent les émaux peints, production qui vaut à Limoges de retrouver sa primauté en Europe. Les premiers émaux peints sont réalisés entre 1480 et 1530[3], sur une plaque de cuivre emboutie, martelée et protégée par une première couche sur la face et un contre-émail sur le revers. L'émailleur le plus célèbre de la Renaissance française, Léonard Limosin (1505-1577 environ), fit du portrait l'une de ses spécialités. On en compte plus d'une centaine sortis de son atelier, certains ayant gardé leur cadre émaillé d'origine. Art somptuaire — au même titre que les

2. Interview en novembre 2013, d'Edgar MORIN, *Psychologies*; mais nous pourrions citer aussi Sylvaine de PLAEN, "L'Homme et la Mort. À propos du façonnement culturel des réalités biologiques", *Revue internationale de soins palliatifs*, 2/2003, vol. 18, p. 77-78.

3. Monique BLANC (dir.), *Émaux peints de Limoges, XVe-XVIIIe siècle. La collection du musée des Arts* décorat*ifs*, Paris, Les Arts décoratifs, 2011.

joyaux montés par les orfèvres — ces portraits représentent la famille royale et les membres des grandes familles, en format rectangulaire (environ 19 sur 13 cm) ou ovale. En dépit de sa présence à la Cour, Limosin s'inspirait rarement de manière directe des dessins des Clouet, leur préférant des copies gravées — les estampes — dont les contours, simplifiés par rapport au dessin et le modelé, plus sommaire, convenaient mieux à l'émail. Le recours au *medium* "estampe" est une constante chez les artistes des arts du feu : cette soumission au modèle gravé garantit la fidélité au modèle[4].

Comme les maîtres de l'émail cherchent à obtenir des effets proches de la peinture, c'est toujours l'aspect "opaque" qui permet d'en noter les premiers plans **[fig. 1]**. En outre, le fait de pouvoir peindre "à plat" et non plus en relief, avec des couleurs vitrifiables, permit de traiter les portraits au plus près des modèles peints. Parmi les plus célèbres peintres sur émail, Jean Toutin (1578-1644) ou Jean Petitot (1607-1691) ont transféré sur or des procédés déjà connus des émailleurs limousins[5]. C'est le fini et le précieux des portraits sur émail qui firent la réputation de Petitot et lui valurent les commandes de Louis XIV. L'histoire de la copie en émail est étroitement liée à celle de la miniature sur émail. Née au début du XVIIe siècle, elle trouva en France, à Paris et à Blois puis à Genève, un champ d'application très vaste en s'associant aux travaux des orfèvres.

Il semble que ce recours à la peinture sur émail ne se soit jamais démenti, même lorsque d'autres procédés furent trouvés et mis à la mode. Nous pensons à l'impressionnante collection, exécutée de 1814 à 1822, composée de soixante-dix-huit copies émaillées, des plus prestigieux tableaux de la galerie de Gian Battista Sommariva (c.1760-1826), homme politique et mécène, conservée à Milan, à la galerie d'Art moderne[6].

La peinture "à l'aide de la Nature" sur pierre

Avant d'aborder la peinture en mosaïque, notons qu'après une "invention" du florentin Sebastiano del Piombo, vers 1530, était venue l'idée de peindre sur marbre en se servant des veines naturelles, comme support onirique dicté par la Nature. L'idée se propagea au Nord de l'Italie vers les états allemands et l'on peignit aussi sur des plaques de quartz, d'ardoise ou des pierres dures veinées. Si ce procédé est évoqué ici, c'est que les ateliers mettaient au point des "vernis inaltérables" et que

4. Pour ce qui concerne les problèmes de taille, de grandeur, d'adaptation, d'encadrement, de présentation, cf. A. LAJOIX, voir note 1, Sèvres, 1992-1993.

5. Sophie BARATTE, *Léonard Limosin au musée du Louvre*, Paris, RMN, 1993 ; *Les émaux peints de Limoges*, Paris, 2000 ; Michèle BIMBENET-PRIVAT, *Les Toutin*, Paris, Bibliothèque de l'École des chartes, t. 141, 1983.

6. *Neoclassico e troubadour nelle miniature di Giambattista Gigola*, catalogue d'exposition, Milano, Museo Poldi Pezzoli, octobre 1978-janvier 1979. Citons les tableaux d'Angelica Kauffmann par Adèle Chavassieu en 1814, de Prud'hon par Abraham Constantin en 1817, de Girodet par "la" Chavassieu et Henri L'Évêque en 1822.

l'on chauffait les pierres qui servaient de support avant d'y déposer les pigments de peinture, provoquant une sorte de "carbonatation" en surface. Parmi les exemples de peinture sur marbre, on peut citer une œuvre de Piat-Joseph Sauvage (1744-1818), typique des travaux de décoration néoclassique en vogue dans la seconde moitié du XVIIIe siècle, en Europe de l'Ouest. Inspirée d'une fresque redécouverte à Stabia, près de Pompéi, elle montre une femme vendant à une autre jeune femme des cupidons gardés dans une cage[7].

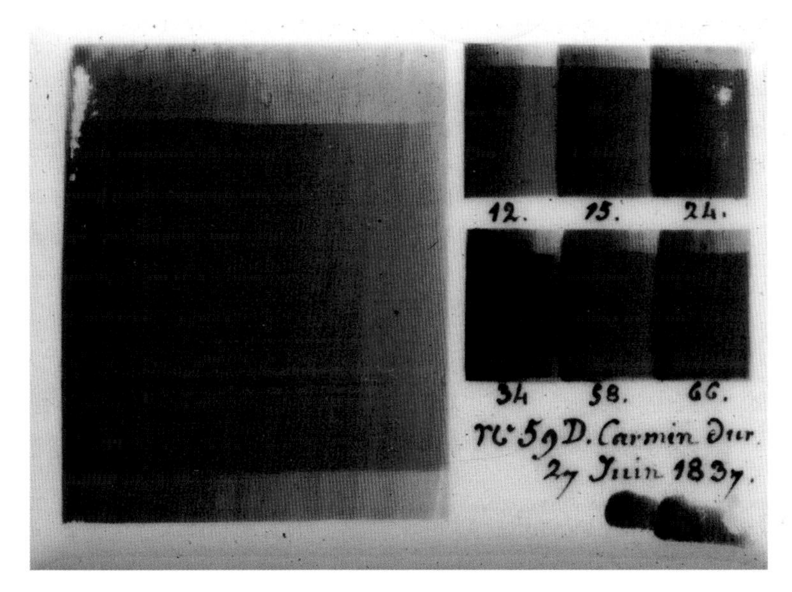

Fig. 1 : Plaque d'inventaire : *n° 59 D. Carmin dur/27 juin 1837.* Exemple illustratif pour obtenir l'opacité nécessaire à la différenciation des plans. Le peintre sur porcelaine n'a à sa disposition qu'une "*palette aveugle*" : le peintre avant la cuisson ne voit ses mélanges qu'avec une apparence blanchâtre, neutre. De là, la nécessité de procéder à des essais de couleurs ou "*inventaires*", réalisés sur de petites plaques de même porcelaine. Brongniart fit aussi dresser ces inventaires, datés et numérotés, appelés aujourd'hui à la Manufacture "*les petits feux*", H. 4 cm ; L. 7 cm, Laboratoire de la Manufacture nationale de Sèvres.

7. Londres, Victoria & Albert Museum, inv. 9120-1863, *The Sale of Cupids* (*la vente des Amours*), exposée avec ce commentaire : *made by nature, helped by the brush.* Peintre flamand formé à Anvers sous la direction de J. Geraerts et G. van Spaendonk, Sauvage était à Paris en 1774, il se spécialisa dans la grisaille et les peintures en trompe l'œil et fut reçu membre de l'Académie Royale en 1783.

Diffuser en couleurs pour l'Europe savante

À Rome, à la fin du XVIe siècle, un important atelier de mosaïque a été créé par le pape Clément VIII afin de copier les peintures à fresque qui se dégradaient sur les parois humides de la basilique Saint-Pierre. Le président Charles de Brosses, lors de son voyage italien de 1739 et 1740, se fait l'écho de ce procédé inusité en France, découvert à Rome. Cette mention est placée à la suite de remarques sur des peintures antiques que l'on vient de retrouver à Herculanum et que l'on cherche à préserver[8]. L'idée vint d'élaborer des tableaux de pierres dures, une variété savante et prodigieuse de la mosaïque, en raison de la rareté et de la dureté des matériaux. En septembre 1588 étaient reconnus et donc protégés, les ateliers florentins des *Pietre dure*[9]. De Brosses met l'accent sur la cherté du procédé, compte tenu de la taille des copies, de la matière nécessaire à leur confection — un assemblage de tesselles de verre — et donc du temps nécessaire à leur composition. Savoir faire, préciosité, cherté du procédé[10], ce sont des critères d'appréciation que nous retrouverons pour les grandes plaques peintes sur porcelaine.

Patrimoine européen, polychromie et modernité à Paris

Si l'on connaissait l'architecture et la sculpture, antiques, qu'en était-il de la grande peinture grecque ou romaine ? Les quelques traces atténuées de celles-ci semblaient trop rares car ses vestiges en étaient parvenus "seulement" au travers des vases peints ou des mosaïques, deux techniques relevant des arts où le feu était mis en œuvre.

Au cours des années 1750, l'agitation était à son comble à Paris, depuis l'intervention à l'Académie des Inscriptions et Belles-Lettres, le 15 novembre 1754, d'un anticolâtre, Anne-Claude de Caylus (1692-1765), qui avait présenté un mémoire sur la peinture à l'encaustique des Anciens. Comme il avait toujours mené ses expériences avec un médecin de la Faculté, Majauld, réputé pour sa curiosité et son sérieux, il affirmait que les couleurs étaient incorporées sur le

8. Charles DE BROSSES, *Lettres d'Italie: lettres familières écrites d'Italie en 1739 et 1740,* Paris, Éditions d'Aujourd'hui, 1976, t. 1, p. 162-163, et t. 2, p. 256-257: "Ce que l'on fait de mieux à présent, c'est d'ôter tous les tableaux des chapelles de Saint-Pierre, que l'humidité avait presque entièrement perdus, et d'en faire faire des copies en mosaïques, les plus belles qu'on ait jamais vues. S'il vous plaît, chaque tableau coûte quatre-vingt mille francs; ce qui devient moins surprenant quand, en les voyant travailler, on examine leur énorme grandeur, le temps nécessaire pour en faire un, et la matière qui y entre: ce sont des chevilles de verre coloré par le moyen des métaux qu'on y mélange dans la fusion." C. DE BROSSES, *ibid.*, t. 1, p.367: *Lettre au Président Bouhier, Mémoires sur la ville souterraine d'Ercolano, Rome le 28 novembre 1739.*

9. *Splendori di pietre dure. L'Arte di corte nella Firenze dei granduchi*, catalogue d'exposition, Palais Pitti, Florence, 30 décembre-30 avril 1988-1989.

10. Mêmes indications dans le dossier de Barberi, A.N., O3 /1427, pièce 104 : *Note sur la mosaïque & son emploi, signée le 4 avril 1830, rue des Tournelles, n° 32 au Marais.*

marbre par le "moyen du feu" (on le chauffait) et fixées grâce à un mordant. Ce mémoire fondé sur un texte de Pline le naturaliste, fut illustré par un tableau peint avec ce procédé par Vien. Mémoire et tableau firent sensation : Caylus et Vien avaient retrouvé un procédé antique et, de plus, un procédé pérenne qui permettrait aux œuvres de traverser les siècles. C'est alors qu'une polémique l'opposa à Jean-Jacques Bachelier, — peintre dont on connaît le rôle à la manufacture royale de Sèvres — qui prétendait avoir déjà fait, en 1749, des œuvres peintes à l'encaustique[11].

Ainsi au XVIIIe siècle, sous l'impulsion des Lumières, et bientôt avec une curiosité renouvelée pour l'étude de l'Antique — une étude au plus près des originaux si possible, notamment au cours du *Grand Tour* — se cristallise la notion de patrimoine européen.

Illustrant le rôle des archéologues dans cette Europe savante, Antoine Chrysostome Quatremère de Quincy (1755-1849), archéologue théoricien français qui a été à Paestum avec le peintre David, est dès les années 1780, au cœur du débat qui agite — et divise — l'Europe sur l'emploi de la polychromie, terme dont il est l'inventeur[12].

L'attention portée à la polychromie : matière, couleurs, patrimoine et sciences expérimentales

Au cours de la seconde moitié du XVIIIe siècle, deux directions majeures se dessinent et s'y adjoignent : la diffusion de la reproduction des chefs-d'œuvre peints éparpillés et inaccessibles en Europe, qui permettra l'accès à leur connaissance, leur étude *optima* grâce au respect de leur polychromie. Quatremère de Quincy est aussi un zélateur du "divin Raphaël" comme en témoigne son *Histoire de la vie et des ouvrages de Raphaël*, en 1824. Ce ne sont plus seulement les portraits des puissants qui doivent témoigner mais aussi les chefs-d'œuvre de la peinture, ceux de la Grande Renaissance qui deviennent de véritables icônes.

Comment bien connaître toutes ces merveilles, sans image, sans bonne reproduction colorée ? Pierre-Jean Mariette (1694-1774), dans sa préface du *Catalogue* de Pierre Crozat (1665-1740), souligne combien l'estampe est le seul moyen de visualiser un tableau "absent" et ajoute : "Ainsi dans le dessein

11. ENSBA, Bibl., CAYLUS, ms. 522-523, t.1, f°95-102 : *D'une des trois manières de peindre en encaustique, de sa pratique*; *ibid.*, ms. 522-523, t. 1, f°51-54, chap. "*De La Peinture sur le marbre*".

12. Antoine Chrysostome QUATREMÈRE DE QUINCY, *Essai sur la nature, le but et les moyens de l'Imitation dans les beaux-arts*, Paris, Strasbourg & Londres, Treuttel & Wurtz, 1823, réédition Bruxelles, Archives d'Architecture moderne, 1980.

de faire connoitre à tout le monde, & de conserver pour la postérité les chefs-d'œuvre de la Peinture, qui subsistent encore aujourd'huy, on a crû qu'il falloit necessairement avoir recours à la Graveure & faire une espece de corps d'Ouvrage des Estampes gravées d'après les Tableaux des bons Peintres[13]." La nouvelle attention à la polychromie motive les recherches de nouveaux procédés et se succèdent alors de nombreux procédés de mise en couleurs dont, en premier, l'invention de l'estampe en couleurs[14], pour une raison pratique, rationnelle, voire impérative: illustrer les traités médicaux et les recueils de planches anatomiques.

Dans la joute opposant Caylus, Vien et Bachelier, intervint un certain Denis Diderot, baptisé "l'aventurier du matérialisme" lors du récent colloque de la Fondation Gabriel Péri[15]. Sa pensée s'organise autour d'une thèse centrale: rien n'existe en dehors de la matière. Le corollaire en est le primat des sciences expérimentales sur les sciences mathématiques, à l'inverse de d'Alembert. Pour résumer, l'arbre encyclopédique s'organise autour de: 1-Mémoire, 2- Raison [alors la chimie], 3-Imagination. C'est à partir de là, de la raison, qu'il faut chercher l'essor de la chimie car, à la fin du XVIIIe siècle, les sciences étaient une terre à découvrir et à organiser. Que peut être la polychromie sans la mise au point de couleurs?

L'Europe savante, c'est donc aussi l'autorité des chimistes, autour de Lavoisier, dont les idées furent diffusées par Alexandre Brongniart (1770-1847), qui devint directeur de la Manufacture de Sèvres à la suite de la publication de son ouvrage, *Mémoire sur l'art de l'émailleur*, en 1800, poste qu'il conserva jusqu'en 1847[16]. Deux figures des Arts et de la Science ont parrainé l'avenir du jeune Brongniart: celle de l'architecte, au travers de son grand-père maternel et de son père, Alexandre-Théodore et celle du chimiste avec son autre grand-père, apparenté aux Fourcroy, et son oncle, Antoine-Louis, suppléant de C.-L. Berthollet au Jardin du Roi. On imagine combien la longue présence de l'éclectique et savant Brongniart à Sèvres a orienté les productions de la manufacture et de ses recherches. Notons que la chaire de chimie la plus

13. Pierre-Jean MARIETTE, *Recueil d'estampes d'après les plus beaux tableaux et d'après les plus beaux dessins, qui sont en France dans le cabinet du Roy, dans celuy de Mgr le Duc d'Orléans, & dans d'autres cabinets, divisé suivant les différentes écoles, avec un abbrégé de la vie des peintres et une description historique de chaque tableau...* Paris, de l'Imprimerie royale, MDCCXXIX-MDCCXLII, 1729-1742, t. 1, p. ij. Nous remercions chaleureusement Maxime Préaud qui a attiré notre attention sur cette préface.

14. *Anatomie de la couleur: l'invention de l'estampe en couleurs*, catalogue d'exposition Paris, BnF, 27 février-5 mai 1996, puis Lausanne, Musée olympique, 22 mai-1er septembre 1996. Cette étude retrace l'invention de la trichromie par Jacob Le Blon (1667-1741). Elle dévoile ensuite tous les secrets du procédé, relate l'aventure commerciale de Jacques-Fabien Gautier Dagoty (1716-1785), replaçant ses planches anatomiques dans le contexte de la recherche scientifique de l'époque.

15. Fondation Gabriel Péri, colloque du 27 mars 2013.

16. Pour la biographie détaillée d'Alexandre Brongniart et du rôle de sa famille, cf. A. LAJOIX, voir note 1, New York, 1997.

ancienne au Conservatoire des Arts et Métiers, datant de 1819, était intitulée *Chimie appliquée aux arts.*

Ainsi à la notion de patrimoine — européen — déjà évoquée, s'ajoute alors celle de musée (privé puis public) et donc celle de restauration, préoccupations qui prendront toute leur importance lors du retour des prises de guerre napoléoniennes.

Peindre de manière inaltérable, c'est œuvrer pour les générations à venir. Restaurer, c'est encore assurer le futur. L'aboutissement de cette logique : comment reproduire en couleurs, pour longtemps et plusieurs fois, est illustré par la réputation européenne de Marie-Victoire Jaquotot (1772-1855), au cours du premier tiers du XIXe siècle, dont la carrière éclatante fut rendue possible non seulement avec le soutien du savant Alexandre Brongniart mais aussi avec le consensus de tous ses contemporains, d'Alexandre Lenoir à Stendhal **[fig. 2]**.

Nous pourrions multiplier les citations qui attestent combien Marie-Victoire Jaquotot se sentit investie d'une mission : "Je suis le premier artiste qui soit parvenu à retracer dans ce genre [peinture sur porcelaine] les tableaux des grands maîtres pour en conserver l'image inaltérable à la postérité[17]." Même certitude lors de la rédaction de son testament où elle se présente comme l'"ancien premier peintre du roi en peinture inaltérable sur porcelaine[18]". Ou encore, lorsqu'elle souhaitait que ses restes fussent transportés au Père-Lachaise, près de son ami Girodet, avec cette simple épitaphe : "À madame Jaquotot, créateur de la Peinture inaltérable[19]."

17. Sèvres, Manufacture Nationale, archives, Personnel, dossier Ob 6 — *Personnel, n° 4: Intendance Générale de la Liste Civile direction Générale & Secrétariat général Personnel* [questionnaire pour registre du Personnel], *Copie des Renseignts donnés par Me Jaquotot & signés par elle sur la feuille adressée à l'Intendance G1e, Paris le 13 août 1841.*

18. Archives départementales Midi-Pyrénées et Haute-Garonne, Enregistrement des actes notariés, registre WQ 5544, f°77 v°, 8-9 août 1855, étude Fabre, en date du 15 mars 1853.

19. Sèvres, Manufacture nationale, archives, Personnel, dossier Ob 6, dossier Jaquotot — Cahier-mémoire.

Fig. 2 : Marie-Victoire Jaquotot, *Déjeuner Têtes de Madones*, d'après Raphaël, Porcelaine de Sèvres, 1813, Théière décorée de *La Vierge au diadème bleu*, fond or, collection particulière. Entré au magasin de vente de la Manufacture, le 24 décembre 1813. Livré aux Tuileries pour les fêtes de fin d'année. Présent de l'impératrice Marie-Louise à la duchesse de Montebello.

La vogue des plaques en céramique et leurs dérivés

Fig. 3: Marie-Victoire Jaquotot, Médaillons ovales destinés à la tabatière du Roi: *Charles VIII*, livré en mai 1820, la *Marquise de Sévigné*, livré le 24 janvier 1821, Paris, Musée du Louvre, département des Objets d'art, Ms 214.

Si, dès le XVIIe siècle, l'usage de plaques peintes sur faïence est attesté, il perdure au XVIIIe siècle[20].

La manufacture royale de Sèvres, à partir des années 1760, a réalisé de remarquables plaques dues au pinceau de Charles-Nicolas Dodin (1734-1803), ou peintes d'après Jean-Baptiste Oudry (1686-1755), comme les *Chasses du roi*. Quelques lignes publiées à propos de la boutique du marchand-mercier Simon-Philippe Poirier (1720-1785), retiennent aussi notre attention car on pouvait y trouver "des Tableaux de Porcelaine d'un éclat admirable, d'un coloris inaltérable dont on peut orner les Cabinets". Plus tard, lorsque le coulage de ces plaques fut davantage au point, Alexandre Brongniart notait à propos du décor du couvercle de la *Tabatière* de Louis XVIII **[fig. 3]** : "Les camées à peindre [...] devront être relatifs à l'idée qui l'a fait établir et à l'art dont lui et ce qu'il contient sont le produit, c.a.d. [*sic*] aux plus belles productions de la Peinture historique, rendues inaltérables par le concours de la terre, des métaux et du feu[21]".

À cette "attention au technique[22]" est sensible aussi un certain Étienne-Charles Le Guay (1742-1846), inscrit sur le Registre d'inscription des Élèves de l'Académie Royale de Peinture et de Sculpture, comme élève de Bachelier. Professeur et premier mari de Marie-Victoire Jaquotot, ce peintre, chez le manufacturier Dihl, célèbre porcelainier parisien,

20. En mai 1772, paraît cette réclame pour les produits de Niderviller : "[...] On a imaginé depuis peu de peindre à Niderviller des paysages en différentes couleurs sur des plaques de faïence émaillée. Le succès a dépassé l'attente. On croirait voir de superbes paysages en émail qui feraient le désespoir des émailleurs vu leur grandeur. On peut donner à ces plaques jusqu'à 18 pouces de long sur 12 de large [soit 45,72 cm x 30,48 cm]. On remédie à leur fragilité en mettant une bordure en bronze doré à ces nouveaux tableaux, qui réunissent la fraîcheur de l'émail à la vivacité des couleurs. Cette nouvelle découverte mérite l'accueil et l'encouragement des connaisseurs. On ne saurait en assigner le prix juste, puisqu'il est relatif à la grandeur des paysages et au nombre des figurines qui animent la scène [...]".

21. cf. A. LAJOIX, "Portraits sur porcelaine par MarieVictoire Jaquotot [...]", art. cit., voir note 1.

22. R. KLEIN, "L'art et l'attention au technique", *in* E. CASTELLI (dir.), *Tecnica e Casistica, Istituto di Studi filosofici*, Roma, 1964, p. 367 et *sq.*, rapporté par Jacques GUILLERMÉ, "Caylus technologue ; note sur les commencements d'une discipline", *Revue de l'Art,* n° 60, 1983, note 50, p. 1.

peignit aussi sur des panneaux en verre et sur glace. En ouvrant en 1828 un atelier de peinture sur verre, à la Manufacture royale de Sèvres, le pouvoir politique officialise ainsi cette technique, ou disons ces techniques, grâce auxquelles toute l'époque avait cru retrouver les secrets perdus des anciens et faire œuvre de modernité pour le futur.

Au fur et à mesure qu'apparaît une nouvelle génération, d'autres procédés "inaltérables" sont inventés et les expériences visant à la pérennité de la peinture se multiplient.

Ce sont les laves émaillées de l'architecte Hittorf et de ses suiveurs qui ornent aussi bien l'architecture civile que religieuse, notamment à Paris[23] **[fig. 4 à 8]** et, bien sûr, l'invention de la photographie et un de ses corollaires moins connus, la mise au point de la photographie inaltérable en 1855.

Fig. 4 : Façade, 1858, Paris, Anatole Jal, architecte, hôtel particulier pour le peintre Jules Jollivet (1794-1871), collaborateur de Hittorff. Décor sur plaques de lave de Volvic peintes et émaillées, reproductions réduites de celles de l'église Saint-Vincent-de-Paul. Six plaques ont été reposées sur la façade du porche par les successeurs du préfet Chabrol.

Fig. 5 : Anatole Jal, Jules Jollivet, 1858, Paris, Détail de la façade illustrant l'éclectisme et la polychromie à la mode.

23. *Hittorf*, catalogue d'exposition, musée Carnavalet, Paris, p. 298. On verra aussi Sèvres, Manufacture nationale, archives, carton U7, liasse 4, dossier 3, Expositions et recherches d'Alexandre Brongniart.

Fig. 6: Anatole Jal, Jules Jollivet, 1858, Paris, Détail de la façade, *La tentation*.

Fig. 7: Anatole Jal, Jules Jollivet, 1858, Paris, Cartel d'Anatole Jal, architecte, qui jouxte *La Création*.

Fig. 8: Anatole Jal, Jules Jollivet, 1858, Paris, Cartel d'Anatole Jal, architecte, qui jouxte *La Chute*.

En effet, un processus viable de photocéramique a été développé en 1854 par Alcide Lafon de Camarsac (1821-1905) qui indiquait que son procédé inaltérable, "pourrait rivaliser avec les peintures [sur porcelaine] de Sèvres[24]". **[fig. 9]**

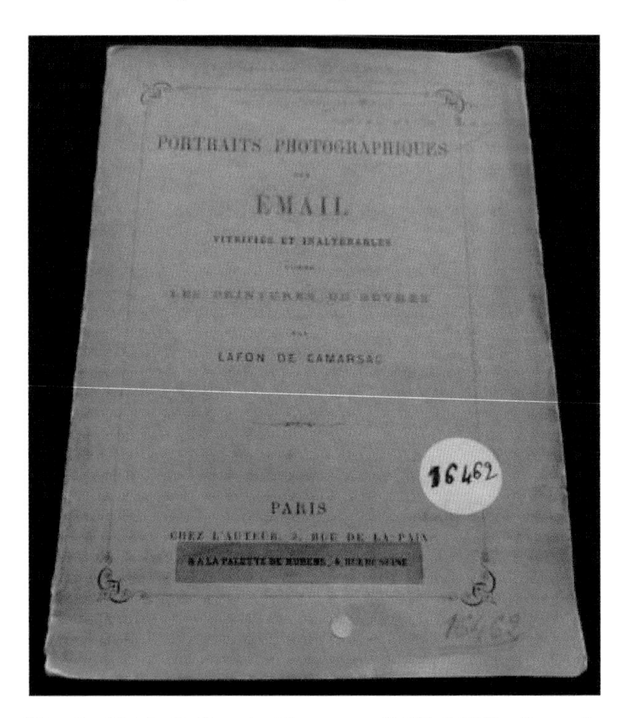

Fig. 9: Alcide Lafon de Camarsac (1821-1905), *Portraits photographiques sur émail vitrifié & inaltérable comme les peintures de Sèvres*, Paris, chez l'auteur [1867-1868]. Une copie de ce traité existait dans la bibliothèque de Regnault, directeur de la Manufacture de Sèvres.

Au XIXe siècle, siècle des "ingénieurs", toute invention a une application sur le terrain: naît alors l'usage des plaques peintes en porcelaine déposées sur les tombes des cimetières[25]. Elle continue de nos jours avec leur imitation bon marché, réalisée avec des photographies émaillées, inaltérables aussi puisqu'elles résistent aux intempéries. C'est la mise en abîme de l'imitation de l'imitation[26].

Avec le regain de la faïence dans la seconde moitié du XIXe siècle et le goût des expérimentations, on expose en 1864, dans la cour de l'École des beaux-arts à Paris, une sorte de *fresque* sur faïence mais découpée en de nombreux petits

24. *Portraits photographiques sur émail vitrifiés et inaltérables comme les peintures de Sèvres*, Paris, chez l'auteur, s. d. [1867-1868].

25. Michel VOVELLE, "Le cimetière de porcelaine", *F.M.R.*, n° 18, 1983, novembre, p. 88-100.

26. *Photo & Céramique*, catalogue d'exposition, musée de la Faïence, Sarreguemines, 22 juin-16 septembre 2012.

morceaux carrés, donc un procédé hybride entre mosaïque, à cause des morceaux découpés en tesselles, revêtement mural et céramique. Le tableau choisi est, bien entendu, un chef-d'œuvre de Raphaël, *L'Éternel bénissant le monde*. Il est exécuté par les frères Balze, Raymond (1818-1909) et Paul (1815-1884), élèves d'Ingres[27] et amis de Philippe Comairas (1803-1875), le fils de M.-V. Jaquotot.

Ce dernier exemple nous permet d'aborder un procédé non encore évoqué, celui de la fresque, qui est une peinture à la chaux, où intervient une forme de carbonatation de surface. Nous pourrions croire qu'au XXe siècle, la recherche de l'inaltérabilité faiblisse. Pourtant, l'idée de réunir en un lieu unique des œuvres jugées emblématiques et menacées, avec une visée pédagogique, transparaît chez les auteurs du musée des Monuments français dans les années 1930. Pour Paul Deschamps, la création du "musée de la Fresque" ou "département des Primitifs français" reflète l'exigence de garder souvenance de traces périssables, grâce au *medium* fresque, "afin de repousser le plus longtemps possible le caractère irrévocable de la disparition[28]".

En fait, de nombreux peintres, et aussi des sculpteurs, ont donné des modèles ou ont peint eux-mêmes sur céramique. Citons comme exemples un ensemble d'œuvres conservé par le musée Christofle[29] et celui réuni en 2012, au musée d'Art moderne de la ville de Troyes[30].

Voici à propos de la céramique de Picasso, la déclaration de Christian Zervos, en 1948 :

> *Dans le domaine de la céramique, la force de Picasso [...] se met [...] à l'épreuve que Léonard de Vinci a énoncé dans son* Parallèle de la Sculpture et de la Peinture, *à savoir qu'il n'est pas de limites à la durée des peintures, à condition de les travailler avec des matériaux entièrement consistants et permanents, tels que cuivre couvert d'émail blanc et la peinture exécutée avec des couleurs d'émaux passées au feu et cuites.*[31]

Enfin, le plus étonnant pour les occidentaux, héritiers lointains de l'École romantique, exaltant l'individu, habitués aux photographies et aux publications illustrées, même mal, est l'immense musée nippon, Otsuka Museum Art, à Narito,

27. MERCIER & TILLIER, rapporteurs, "Rapport sur la Peinture sur faïence de MM. Balze frères", *Annales*, Société libre des beaux-arts, [juin ?] 1864.

28. *Le dévoilement de la couleur relevés & copies de peintures murales du Moyen Âge & de la Renaissance*, catalogue d'exposition, Conciergerie, Paris, Momum, CTHS, 15 décembre 2004-28 février 2005.

29. A. LAJOIX, "De la céramique chez un orfèvre Christofle 1942-1975", *Bulletin des Amis du musée national de Céramique de Sèvres*, n° 5, Sèvres, 1996, p. 7-14.

30. *Céramique d'artiste*, catalogue d'exposition, musée d'Art moderne, Troyes, 30 juin-2 décembre 2012, A. Lajoix, Commissaire scientifique.

31. Christian ZERVOS, "Céramiques de Picasso", *Cahiers d'Art*, 1948, p. 73.

ouvert en 1998, qui a fait reproduire sur céramique, grandeur nature, les chefs-d'œuvre de l'histoire de l'art européen.

Peut-être nous accommodons-nous mal de ces traces de dévotion qui semblent s'être vidées de sens, car nous oublions qu'à l'origine de telles recherches, l'esprit qui a présidé à ces commandes de copies, voire à ces re-créations est moderne. Reproduire les couleurs originales avec fidélité est un problème technique auquel ont répondu les arts du feu, chacun à sa propre époque, selon les exigences ou les possibilités du temps et qui ne semble pas encore vraiment résolu. Si la conservation des chefs-d'œuvre a été un des vecteurs, l'idée lancinante de la survivance ou de l'éternité est profondément ancrée dans le terreau humain puisque, selon Ernest Renan, "L'homme peut vivre sans croire à l'éternité ; mais il faut qu'on y croie pour lui et autour de lui".

3

Charles-Nicolas Dodin (1734-1803), peintre de figures à la manufacture royale de porcelaine de Vincennes-Sèvres au XVIIIe siècle

Marie-Laure de Rochebrune

Résumé – Charles-Nicolas Dodin excella durant toute sa carrière à la manufacture de porcelaine de Vincennes-Sèvres dans la peinture de figures. Ce genre, situé alors à l'échelon le plus élevé de la hiérarchie, nécessitait des qualités de haut niveau. Pour exercer son art, Dodin disposait de gravures et inventait souvent la gamme de couleurs à utiliser pour les reproduire. La qualité de sa palette, qu'il maîtrisa très tôt avec une grande subtilité, contribua pour beaucoup à sa renommée. Dodin fut également capable de peindre des sujets historiés directement d'après des peintures de chevalet. L'exemple le plus emblématique de cet aspect très original de son œuvre est la plaque de *Renaud et Armide*, peinte en 1783, d'après le morceau de réception de François Boucher à l'Académie royale de peinture, tableau apporté tout spécialement à Sèvres pour l'occasion. Si l'œuvre de Dodin illustre bien les étroites correspondances qui existaient au XVIIIe siècle entre les arts, elle montre aussi les difficultés techniques auxquelles l'artiste se trouva confronté tout au long de sa carrière.
Mots-clefs – Peinture sur porcelaine tendre, gravures, manufacture de Sèvres-Vincennes, Dodin Charles-Nicolas, Watteau Antoine, Boucher François, Vanloo Carle, Oudry Jean-Baptiste, Carlin Martin, Louis XV, marquise de Pompadour, Versailles, XVIIIe siècle.

Abstract – Throughout his long career, Charles-Nicolas Dodin was an outstanding painter at the porcelain manufacture of Vincennes-Sèvres, specialized in miniature patterns. This specific and highly esteemed genre, placed on the top of the hierarchy, required remarkable skill. Dodin used engravings, and had to imagine the whole range of colours necessary to translate them onto porcelain. His fame was mainly achieved by mastering with amazing subtlety the high quality of his palette. He was also skillful enough to copy narrative paintings from direct sight. The most representative example of this genuine feature of his œuvre is the *Renaud and Armida* porcelain plate after the painting Boucher presented at the Académie royale, painting which was brought at Sèvres for the occasion. Dodin's œuvre perfectly accounts for the very close links that existed between the arts during the 18th century, and reveals the technical problems the artists had to cope with throughout their career.
Keywords – Painting on porcelain, miniature painter, engravings, manufacture of Vincennes-Sèvres, Dodin Charles-Nicolas, Watteau Antoine, Boucher François, Vanloo Carle, Oudry Jean-Baptiste, Carlin Martin, Louis XV, marchioness of Pompadour, Versailles, 18th century.

Évoquer la diversité des talents de l'un des peintres les plus doués de la manufacture de porcelaine de Vincennes-Sèvres, dans la seconde moitié du XVIIIe siècle, nous semble aujourd'hui une évidence. Or, jusqu'en 2012, date de la rétrospective qui lui a été consacrée au château de Versailles[1], l'œuvre de cet artiste, qui pourrait être comparé à celui d'un grand peintre de chevalet contemporain, n'avait jamais fait l'objet d'une étude et d'une présentation d'ensemble. Pourtant, ses talents de peintre, sa rapidité d'exécution et son inventivité avaient fait de Charles-Nicolas Dodin le plus grand peintre de figures de Sèvres et lui avaient permis de contribuer précocement aux commandes les plus exceptionnelles reçues en son temps par la Manufacture royale. L'exposition a permis la réunion d'ensembles dispersés, a confirmé l'importance sociale et historique des collectionneurs des œuvres de Dodin aux XVIIIe et XIXe siècles, a montré que l'artiste, qui recourait parfois aux mêmes sources iconographiques sur des pièces différentes, le faisait toujours avec une grande liberté d'interprétation. Enfin, elle a modifié notre vision des sources d'inspiration de l'artiste.

L'artiste a consacré l'essentiel de sa carrière à la peinture en miniature ou de figures, genre qui se situait à cette époque au sommet de la hiérarchie en vigueur à Vincennes puis à Sèvres et se trouvait confié, tout naturellement, aux meilleurs peintres car il nécessitait des qualités artistiques de haut niveau. Très tôt, ses œuvres ont figuré dans les collections de différents membres de la famille royale (Louis XV, madame Victoire, Louis XVI, le comte de Provence…), chez les plus grands amateurs français, comme madame de Pompadour ou le duc de Choiseul, mais aussi chez certains princes étrangers. Dodin n'a pas dédaigné non plus de peindre des armoiries, des trophées, appelés attributs dans les documents contemporains, et même des oiseaux, d'une grande qualité. Il a toujours peint sur pâte tendre et l'on peut dire qu'il incarne au plus haut point ce matériau au XVIIIe siècle. Il ne l'abandonna jamais, même après l'introduction de la pâte dure à la Manufacture royale. Il sut en tirer le meilleur parti, montrant à quel point la pâte tendre était un support particulièrement bien adapté à la peinture de figures.

Aux XIXe et XXe siècles, Dodin **[fig. 1]** était l'un des rares peintres de Sèvres dont le nom et la marque n'étaient pas tombés dans l'oubli mais, bien au contraire, recherchés par les grands connaisseurs, comme les Rothschild, le marquis de Hertford, le prince Demidoff, le baron Double... Sa notoriété était telle que ses œuvres se trouvent aujourd'hui dispersées dans les plus grandes collections internationales. Alexandre Brongniart, le directeur de la manufacture impériale de porcelaine de Sèvres dans la première moitié du XIXe siècle, disait de lui qu'il avait été le meilleur peintre de figures de l'établissement, dans la seconde moitié du siècle précédent.

1. Marie-Laure DE ROCHEBRUNE (dir.), *Splendeur de la peinture sur porcelaine au XVIIIe siècle / Charles-Nicolas Dodin et la manufacture de Vincennes-Sèvres*, catalogue d'exposition, Versailles, musée national des châteaux de Versailles et de Trianon, Éditions Artlys, 2012.

Mon propos est non seulement de témoigner de son habileté à se jouer des supports, mais aussi de décrire la diversité de ses sources d'inspiration et de tenter de montrer comment l'artiste a su s'approprier merveilleusement le matériau mis à sa disposition. Dodin a le plus souvent travaillé à partir de gravures, comme c'était l'usage dans la céramique européenne depuis la Renaissance. Mais, nous verrons également qu'il ne fut jamais un copiste servile, dépourvu d'imagination. Il a su aussi adapter les sources iconographiques qu'il avait à sa disposition à des supports concaves ou convexes, sachant toujours extraire l'essentiel du modèle qu'il avait sous les yeux. Il a su, enfin, tirer profit d'autres sources d'inspiration moins répandues: médailles, porcelaines de Chine ou émaux de Canton, cartons de tapisserie, peintures de chevalet...

Fig. 1 : Anonyme, *Portrait dessiné de Charles-Nicolas Dodin*, Sèvres, Cité de la Céramique, Archives.

Charles-Nicolas Dodin est né le 1er janvier 1734 à Versailles, 5, rue de Satory. Il fut baptisé le surlendemain en la chapelle Saint-Louis[2], construite en 1725 à l'emplacement de l'actuelle cathédrale, édifiée trente ans plus tard par Mansart de Sagonne, pour desservir ce quartier éloigné de l'église paroissiale Notre-Dame. Il était le fils de Nicolas Dodin, marchand épicier à Versailles, et de Marie de Nauroy. Apparemment, rien ne devait conduire Dodin à être embauché par la nouvelle manufacture de porcelaine, créée à Vincennes en 1740. Il avait auparavant étudié le génie militaire. Il fut pourtant embauché à Vincennes comme peintre de figures en avril 1754[3]. Dès le début de sa carrière, Dodin utilisa la lettre *k* pour marquer les pièces dont il était l'auteur. L'artiste épousa, le 24 avril 1762, en l'église Saint-Romain de Sèvres, Jeanne Chabry[4], la fille de Jean Chabry, maître sculpteur à l'Académie de Saint-Luc, et sculpteur à la manufacture de Sèvres. Cinq enfants naquirent de cette union. L'acte de mariage nous apprend que la demi-sœur cadette de l'époux, Françoise Barthélémy Dodin, avait épousé "Simon Pierre François Bailli Marchand Bijoutier fayancier à Paris". L'artiste avait donc pour beau-frère un marchand connu, François Bailly, qui fut, avec Lazare Duvaux, l'un des premiers marchands merciers accrédités par la manufacture de Vincennes. Peut-être est-ce lui qui y fit entrer Dodin, ayant décelé ses talents.

2. Archives départementales Yvelines, registres paroissiaux de l'église Notre-Dame, baptêmes, fol. 104, r°.

3. Sèvres, Cité de la Céramique, Archives (SCC, Arch.), série Y 8, fol. 80.

4. Archives municipales Sèvres, paroisse Saint-Romain, mariages, 24 avril 1762.

En 1756, Dodin suivit la Manufacture royale lors de son transfert de Vincennes à Sèvres [**fig. 2**] et il ne devait plus la quitter jusqu'à sa mort en 1803, après avoir accompli un œuvre immense. De son vivant, il vit son traitement augmenter régulièrement jusqu'en 1765, date à laquelle il gagnait le maximum possible, soit cent livres par mois. Il n'utilisa qu'un seul matériau, la porcelaine tendre, qu'il porta à son plus haut niveau.

Les quatre premières années de la carrière de Dodin ont été consacrées à l'exécution d'amours et d'enfants, peints d'après des gravures, exécutées d'après des œuvres de François Boucher (1703-1770). Ces premiers choix iconographiques illustrent le retentissement exceptionnel de l'œuvre de ce grand artiste dans la céramique française au XVIIIe siècle comme dans beaucoup d'autres domaines des arts décoratifs. L'examen des pièces ainsi décorées par Dodin montre que, dès 1754, ce dernier s'appropria si bien les sources graphiques dont il disposait qu'il sut en jouer et ne les copia jamais textuellement. Bien souvent, il n'hésitait pas à extraire un *Amour* d'une gravure et lui inventait un environnement totalement imaginaire. Il eut parfois recours aux mêmes sources qu'il déclina sur des pièces de formes diverses, avec une palette différente et une certaine fantaisie. Dodin cessa de peindre des amours et des enfants d'après François Boucher en 1757, à une date où ils commençaient à être démodés. Mais, dès le début des années 1760, il renoua avec le grand maître dont l'œuvre devint désormais l'une de ses principales sources d'inspiration, en matière de peinture de genre ou d'histoire.

De 1758 à 1761, Dodin s'intéressa aux sujets flamands, notamment par le truchement des gravures de Jacques-Philippe Le Bas (1707-1783), exécutées d'après les œuvres de David Téniers le jeune (1610-1690). Cette inspiration reflétait l'attirance des grands collectionneurs du temps, comme Choiseul ou La Live de Jully, pour les écoles du Nord. Une célèbre estampe de Le Bas, *La 4e fête flamande*[5], gravée d'après un tableau de Téniers et dédiée en 1751 à madame de Pompadour, lui servit souvent de modèle dans l'exécution de ses "tesnières". De 1760 à 1763, l'artiste exécuta, principalement à l'intention de Louis XV et de madame de Pompadour, des décors chinois, inspirés à la fois par les chinoiseries de Boucher et de ses émules, notamment de Gabriel Huquier l'aîné (1695-1772), et par des sources orientales originales, gravures sur bois, porcelaines de Chine ou émaux de Canton, qui n'ont pas encore été toutes identifiées avec précision aujourd'hui. Sur les vingt-sept pièces, à décor chinois, exécutées par Dodin pendant cette période, quinze le furent pour madame de Pompadour et cinq pour Louis XV. L'exposition a permis la réunion de quatre des cinq pièces à décor chinois, exécutées pour Louis XV, en 1761 [**fig. 3**], la cinquième n'est plus connue aujourd'hui. Ces quatre pièces ont été peintes d'après des sources gravées, françaises, bien identifiées aujourd'hui.

5. Celle-ci fut annoncée par le *Mercure de France* en 1751.

Fig. 2 : Pierre André Le Guay ou Étienne-Charles Le Guay, *Vue de la manufacture de Sèvres*, aquarelle et encre sur papier, vers 1814, Sèvres, Cité de la Céramique, inv. P§ 1814, n° 14.

Fig. 3 : Charles-Nicolas Dodin, *Quatre vases à décor chinois ayant appartenu à Louis XV*, Manufacture royale de porcelaine de Sèvres, porcelaine tendre, 1761, Détroit (Dodge Collection, inv. 71-246 et 71-247) et musée du Louvre (département des Objets d'art, inv. OA 11304 et OA 11305).

Elles comprennent les deux admirables vases pots-pourris "triangles" à fond "petit verd", conservés à Détroit dans la collection Dodge[6], et les deux pots-pourris "girandoles" ou "à bobèches" du Louvre[7]. Les deux vases de Détroit sont ornés de scènes chinoises, peintes d'après deux gravures de Gabriel Huquier, *Soldat et montreuse de curiosité*, et *Homme et femme chinois*. Les deux vases du Louvre ont été peints d'après *le Thé* et *Un couple lisant une lettre*. Ces quatre estampes appartiennent à une série de douze feuilles, nommées *Scènes de la vie chinoise*. Les revers des vases sont ornés de somptueux bouquets de fleurs orientales, dus également à Dodin. La maîtresse du Roi a, semble-t-il, eu une prédilection pour ce type de décor, peint sur des pièces d'un luxe inouï. Des quinze pièces qui lui ont appartenu, treize sont encore connues. La garniture à fond rose, destinée à sa chambre à l'hôtel d'Évreux, à Paris, est hélas incomplète aujourd'hui[8]. En revanche, la garniture à fond petit vert du château de Ménars est aujourd'hui bien identifiée, mais, dispersée entre le Louvre et la Walters Art Gallery, à Baltimore[9]. Ce même musée conserve l'extravagante paire de vases candélabres "à tête d'éléphant", à décor chinois, peinte également en 1760 pour madame de Pompadour[10].

Après le court épisode chinois, l'artiste revint à des sujets européens. À partir de 1760 et jusqu'à la fin de sa carrière, Dodin peignit des scènes de genre ou des sujets mythologiques et antiques d'après les plus grands maîtres de son siècle et du siècle précédent: Téniers, Wouvermans, Watteau, Oudry, Carle Vanloo, Boucher, Drouais, Greuze, Fragonard, Moreau le jeune ou Lagrenée...Cette diversité dans ses intérêts artistiques montre, de la part de l'artiste, une curiosité d'esprit évidente, une grande habileté et une grande faculté d'adaptation à des sujets constamment renouvelés. Avec un talent peut-être de mieux en mieux maîtrisé, Dodin oublie désormais les contours si caractéristiques des décors chinois et suggère les volumes avec une grande douceur, par petits traits parallèles ou par points, plus ou moins serrés et abondants. Parallèlement à l'évolution des sources d'inspiration, en vogue de son temps, Dodin parvient aussi, sans difficultés apparentes, à décorer des formes de vases complexes, en constante évolution. Le début des années 1760, sous l'impulsion du sculpteur Falconet et du peintre Bachelier, voit, en effet, l'apparition de formes antiquisantes, qui devaient mener précocement la Manufacture royale vers le goût "à la grecque", puis, à partir de 1774, vers un néo-classicisme plus sévère, à l'instigation du sculpteur, Boizot, ardemment soutenu, à partir de 1780, par le directeur des Bâtiments, le comte d'Angiviller.

Parmi les peintres français contemporains de l'artiste, François Boucher est sans doute le peintre dont les œuvres furent le plus reproduites par Dodin, en

6. Inv. 71-246 et 71-247.

7. Musée du Louvre, département des Objets d'art, inv. OA 11304 et OA 11305.

8. Cf. à son sujet M.-L. de Rochebrune, *Splendeur de la peinture [...], op. cit.*, p. 84-87.

9. *Ibid.*, p. 90-91.

10. Inv. 48.1796 et 48.1797.

particulier entre 1760 et le milieu des années 1770. Après les *Amours* du début de sa carrière, ce sont surtout les scènes galantes ou champêtres du grand maître qui l'inspirèrent. Dès le commencement des années 1760, Dodin copia par exemple, à deux reprises, la très célèbre estampe d'André Laurent (1708-1747), gravée en 1742 d'après *Le pasteur galant*, l'un des deux dessus-de-porte, peints par Boucher en 1738 pour la salle d'audience du prince de Rohan, à l'hôtel de Soubise, à Paris. Il reproduisit cette gravure une première fois, en 1761, sur un plateau "Courteille", conservé aujourd'hui au musée J. Paul Getty[11], puis, une seconde fois, sur un vase pot-pourri à fond rose, daté de 1763, qui figure dans les collections de Waddesdon Manor[12]. En 1764, Dodin fut inspiré par la non moins célèbre gravure de Pierre Aveline (1702-1760), *La bonne aventure*, exécutée d'après l'un des cartons de la suite des *Fêtes italiennes*, peint par Boucher pour la manufacture de Beauvais, notamment sur un très beau vase "à ruban", conservé au musée de Philadelphie[13].

En 1772, Dodin peignit une garniture de cinq vases de formes diverses, acquise la même année par madame Victoire (1733-1799), l'une des filles de Louis XV. Tous les cartouches, qui se détachent en réserve sur un fond vert, ont été peints d'après des gravures exécutées d'après des œuvres de François Boucher **[fig. 4]**.

Fig. 4: Charles-Nicolas Dodin, *Garniture de cinq vases à fond vert acquis par madame Victoire en 1772*, Manufacture royale de porcelaine de Sèvres, porcelaine tendre, 1772, musée national des châteaux de Versailles et de Trianon (inv. V.2012.22.1 à V.3012.22.3) et Metropolitan Museum à New York (inv. 58.75.72 ab et 58.75.73 ab.).

11. Inv. 70.DA.85.

12. Inv. P/2118.

13. Inv. 39-41-61 a,b.

Sur les deux vases "à feuilles de laurier", on distingue, à gauche, *Les amants surpris*, peints d'après une gravure de Gilles Demarteau (1722-1776) et à droite, *Le printemps*, peint d'après une planche de Jean Daullé (1703-1763), elle-même exécutée d'après un des quatre tableaux des *Saisons*, peints en 1755 pour madame de Pompadour (Frick Collection, à New York). Le vase central, dit "à baguettes", est orné d'un cartouche peint d'après un tableau plus ancien de Boucher, exécuté en 1737 pour Louis XV à Versailles, *Les Charmes de la vie champêtre* (musée du Louvre)[14]. Les deux vases "flacon à cordes" de la collection Kress, qui complètent la garniture[15], ont été décorés d'après deux estampes de Jacques Firmin Beauvarlet (1731-1797), gravées elles-mêmes d'après deux œuvres aujourd'hui perdues de Boucher, *La chasse* et *La pêche*. Cette unité thématique, sujets champêtres et galants à l'avant, se retrouve dans les cinq trophées pastoraux, peints au revers, et dans la dorure identique sur les cinq vases. Tous les cartouches sont encadrés par un épais filet d'or gravé, systématiquement souligné par un filet d'or plus mince.

Si, pendant cette quinzaine d'années, Boucher occupa le premier rang dans les sources d'inspiration chères à Dodin, ce dernier puisa aussi dans les œuvres d'autres peintres contemporains, notamment Fragonard, Carle Vanloo, Moreau le jeune, Eisen, Jean-Jacques Lagrenée et enfin, plus rarement Greuze et Drouais.

L'artiste sut aussi s'adapter admirablement à l'évolution des formes et des décors en usage à la Manufacture, depuis le style rocaille le plus affirmé jusqu'au néoclassicisme le plus abouti. Dodin fut par ailleurs un peintre remarquable de plaques en porcelaine tendre, plaques montées sur des meubles, dont le plus célèbre est la commode de madame Du Barry, mais aussi sur des pendules, des baromètres ou des petites boîtes. Dodin est aussi le premier artiste de Sèvres à avoir peint des plaques en porcelaine destinées à être accrochées au mur et encadrées comme de véritables toiles peintes, appelées dans les documents contemporains "tableaux" de porcelaine.

Dès leur exécution dans la seconde moitié du XVIIIe siècle, les œuvres de Dodin figurèrent dans les plus grandes collections d'œuvres d'art contemporaines, chez Louis XV et Louis XVI à Versailles, chez les maîtresses royales, madame de Pompadour et madame Du Barry, chez le comte de Provence et le comte d'Artois, chez Catherine II de Russie et enfin chez certains souverains étrangers bénéficiaires des somptueux cadeaux diplomatiques des souverains français comme le roi Christian VII de Danemark, la comtesse du Nord ou le duc de Saxe-Teschen. La qualité des propriétaires d'œuvres de Dodin au XVIIIe siècle était illustrée dans l'exposition par la présence de leurs portraits.

14. Ces trois vases ont été acquis en 2012 à la suite de l'exposition consacrée à Charles-Nicolas Dodin par le château de Versailles. Ils portent les numéros d'inventaire suivants : V.2012.22.1 à V.2012.22.3.

15. Metropolitan Museum of Art, New York, inv. 58.75.72 ab et 58.75.73 ab. Ces deux vases ont été très généreusement déposés au château de Versailles par le Metropolitan Museum of Art en septembre 2013, de façon à reconstituer la garniture de la chambre de madame Victoire à Versailles, dispersée à l'époque révolutionnaire.

Pour exercer son art, Dodin avait à sa disposition, comme ses collègues, un fonds de gravures en noir et blanc, réuni par les dirigeants de la Manufacture. Il inventait donc le plus souvent entièrement la gamme de couleurs qu'il mettait en œuvre. La qualité de sa palette, qu'il maîtrisa très tôt avec une grande subtilité, contribua pour beaucoup à sa renommée. Mais Dodin fut aussi capable de peindre des sujets historiés directement d'après des peintures de chevalet, sans recourir au truchement traditionnel de l'estampe. L'exemple le plus emblématique de cet aspect très original de son œuvre est sans conteste la plaque de *Renaud et Armide*, peinte en 1783 par l'artiste d'après le morceau de réception de François Boucher à l'Académie royale de peinture et de sculpture, tableau apporté tout spécialement à Sèvres pour l'occasion[16]. Si l'œuvre de Dodin illustre bien les correspondances profondes qui existaient au XVIIIe siècle entre les arts, elle montre aussi les difficultés techniques très complexes auxquelles l'artiste, à l'instar des autres peintres de la Manufacture royale, se trouva confronté tout au long de sa carrière.

Les talents remarquables, dont Dodin faisait preuve dans la peinture en miniature d'après les grands maîtres des XVIIe et XVIIIe siècles, lui valurent de participer à deux commandes exceptionnelles que reçut la Manufacture au cours du règne de Louis XVI. En 1778, l'artiste fut occupé à peindre quarante-cinq pièces du service à fond "bleu céleste" et à décor de camées antiques, commandé par l'impératrice Catherine II de Russie. Cet ensemble était évoqué à l'exposition de Versailles par douze pièces de formes diverses, décorées par Dodin, très généreusement prêtées par le musée de l'Ermitage, à Saint-Pétersbourg[17]. À partir de 1783, on fit de nouveau appel à l'artiste pour l'exécution du service à fond "beau bleu", peint de 1783 à 1792 pour Louis XVI. Cet ensemble a été étudié de manière extrêmement complète par Geoffrey de Bellaigue en 1986 et nous renvoyons bien sûr le lecteur à son ouvrage fondamental[18]. Malheureusement inachevé, ce service fut le plus savant de tous les services réalisés à Sèvres au XVIIIe siècle. Sa livraison aurait dû se poursuivre jusqu'en 1805 si la Révolution française n'avait interrompu brutalement son exécution. Ce service, qui aurait dû comporter au total trois cent soixante-deux pièces, est conservé pour la plus grande part dans les collections royales anglaises, depuis le règne de George IV. Composé aujourd'hui de cent soixante-deux pièces, il constitue l'un des derniers symboles les plus illustres de la production de porcelaine tendre de la Manufacture royale, à la veille de la Révolution française. Il fut exécuté par les meilleurs artistes de Sèvres d'après des sources très savantes qui, toutes, ont été identifiées par Geoffrey de Bellaigue. Ce

16. Cette plaque initialement insérée sur le dessus d'une table offerte par Louis XVI à son beau-frère, le duc de Saxe-Teschen, orne aujourd'hui l'abattant d'un secrétaire de Bernard Molitor qui figure aujourd'hui dans la Huntington Collection, à San Marino, en Californie (inv. 2722). Le tableau de Boucher est désormais conservé au musée du Louvre, au département des Peintures, inv. 2720.

17. Versailles, 2012, voir n° 63 du catalogue.

18. Geoffrey DE BELLAIGUE, *The Louis XVI Service*, Cambridge, Cambridge University Press, 1986.

dernier a pu reconnaître dans les cartouches peints les illustrations d'une édition des *Aventures de Télémaque* de Fénelon, publiée en 1773, les gravures d'une édition des *Métamorphoses* d'Ovide, publiée entre 1767 et 1771 et enfin, les illustrations de divers ouvrages traitant de l'histoire romaine. Dodin décora quarante éléments de l'ensemble, ce qui est considérable. Les pièces peintes par l'artiste sont, pour la plupart, conservées aujourd'hui dans les collections royales anglaises, mais aussi à Harewood House et à Upton House en Grande-Bretagne, dans une collection particulière à Washington, au musée de Copenhague et, enfin, au musée du Louvre.

Dodin fut, enfin, le premier artiste de Sèvres à peindre, dès 1760, des plaques de porcelaine tendre, destinées à être accrochées au mur comme des tableaux de chevalet, puis des plaques insérées dans des pièces de mobilier par les plus grands ébénistes du temps, notamment par Martin Carlin (1730-1785)[19]. Dès le XVIIIe siècle, ces tableaux de porcelaine figurèrent dans les plus grandes collections du temps, chez madame de Pompadour, chez le duc de Choiseul, le puissant ministre de Louis XV, chez le roi de Danemark, Christian VII, plus tard chez Louis XVI lui-même, à Versailles, ou chez son frère, le comte d'Artois. Certains d'entre eux furent suffisamment appréciés pour mériter, selon Poirier, d'orner les meubles à plaques de porcelaine les plus remarquables des vingt-cinq dernières années du siècle et être ainsi définitivement associés au nom de Martin Carlin qui exécuta les principaux meubles à plaques de porcelaine destinés à madame Du Barry.

La plaque centrale, qui orne le plateau du guéridon, livré en 1774 à la dernière maîtresse de Louis XV par Carlin, est par ses dimensions, l'une des plus remarquables et constitue une véritable prouesse technique **[fig. 5]**[20]. Cette grande plaque d'inspiration orientale a été peinte d'après un tableau peint en 1737 et présenté au Salon de la même année par Carle Vanloo pour Louis Fagon, le fils du médecin de Louis XIV, *Le concert du grand sultan*. Le tableau est conservé aujourd'hui à la Wallace Collection, à Londres[21]. Pour peindre la scène qui orne la plaque centrale, Charles-Nicolas Dodin a utilisé la gravure qui fut exécutée en 1766 par Claude-Antoine Littret, gravure qui est toujours conservée aujourd'hui aux Archives de la Manufacture de Sèvres. La gravure de Littret, exécutée d'après *Le concert du grand sultan* de Carle Vanloo, témoignait de l'attrait que l'Orient exerçait toujours chez les Européens dans la seconde moitié du XVIIIe siècle, et elle eut un succès certain en Europe dans les arts décoratifs. Le département des Objets d'art du musée du Louvre conserve ainsi deux tabatières en émail, datées des années 1780 qui portent

19. Cf. à ce sujet : Marie-Laure DE ROCHEBRUNE, "À propos de quelques plaques de porcelaine tendre de Sèvres peintes par Charles-Nicolas Dodin (1734-1803)", *Bulletin de la Société de l'Histoire de l'Art français*, 1998-1999, p. 104-130.

20. Voir à ce propos Marie-Laure DE ROCHEBRUNE, *Le guéridon de madame Du Barry*, Paris, collection Solo, musée du Louvre / RMN, 2002. Musée du Louvre, département des Objets d'art, inv. OA 10658.

21. Inv. P.451.

un décor inspiré de cette gravure[22]. On peut s'interroger sur le succès aussi tardif d'une source iconographique relativement ancienne dans le siècle. On remarque toutefois que Dodin l'a mise au jour en modifiant le texte inscrit sur la partition : air d'*Admète* d'Haendel sur le tableau original (1727), air des *Trois Sultanes ou Soliman Second*, comédie de Favart, donnée à Paris en 1761, sur la plaque de porcelaine[23]. En réalité, le goût turc ne s'éteignit jamais au XVIIIe siècle et connut même une sorte de *revival* dans les arts décoratifs dans les années 1770. En 1772, par exemple, le marquis de Marigny commanda à Amédée Vanloo les cartons d'une tenture destinée à être tissée aux Gobelins sur les *Usages et modes du Levant*.

Fig. 5 : Charles-Nicolas Dodin, Martin Carlin (1730-1785), *Guéridon de madame Du Barry*, 1774, musée du Louvre, département des Objets d'art, inv. OA 10658.

22. Inv. TH 1429 et OA 6849.

23. Information aimablement communiquée en 2006 par M. Vinciguerra.

Quelques années plus tard, en 1776-1777, la Reine et le comte d'Artois ordonnaient chacun l'aménagement de cabinets turcs au château de Fontainebleau, au palais du Temple à Paris et au château de Versailles. À la manufacture de Sèvres, Charles-Nicolas Dodin, lui-même, participa à ce mouvement de regain pour la turquerie, exécutant quelques pièces de service à décor de Turcs. On sait ainsi que l'artiste exécuta plusieurs tasses litron décorées de scènes turques.

Les six plaques cintrées à fond bleu céleste qui entourent la plaque centrale sont dites "échancrées" dans les archives. Ces six plaques sont mentionnées dans les *Travaux extraordinaires*, documents conservés aux Archives de la manufacture de Sèvres qui permettent de reconstituer une partie des travaux des artistes de Sèvres, exécutés en dehors des heures habituelles de travail, le plus souvent pour répondre à des commandes reçues dans l'urgence : "1774 Reçu Dodin 6 plaques échancrées pour la table a 48 [288][24]". Les sujets de ces plaques ont été identifiés et publiés pour cinq d'entre elles par Guillaume Glorieux[25]. Il s'agit de figures peintes par le biais de l'estampe d'après des œuvres d'Antoine Watteau. Les estampes, utilisées par Dodin, sont toujours conservées aujourd'hui à la manufacture de Sèvres. Le recours aux gravures d'après Watteau était usuel à la manufacture royale de porcelaine. Alors que celle-ci était encore établie à Vincennes, ses dirigeants avaient acquis, dès les années 1745, des estampes d'après Watteau pour les faire copier par les peintres sur porcelaine. L'exemple avait été donné quelque quinze ans auparavant par la manufacture de porcelaine de Meissen qui avait réuni très tôt un important fonds de gravures d'après le maître des fêtes galantes. Les six plaques sont décorées selon le même principe. Toutes les scènes qui comptent alternativement un ou deux personnages, entourés d'une guirlande de fleurs peinte au naturel, sont inscrites dans des réserves laissées en blanc, ménagées dans le fond bleu céleste et séparées de celui-ci par des chaînons et des fleurons peints à l'or. La dorure permet bien sûr de cacher la délimitation entre le fond blanc et le fond bleu céleste, par ailleurs rehaussé de rinceaux de fleurs peints à l'or. Cette couleur de fond, dont le nom évoque les porcelaines à fond bleu turquoise provenant de l'empire céleste, fut mise au point à Vincennes en 1753 pour l'exécution du service de Louis XV. Elle eut un immense succès à la Manufacture royale où elle fut en usage jusqu'à la fin du XVIIIe siècle.

On connaît aujourd'hui deux autres exemplaires de guéridons à plaques de porcelaine, attribués à Martin Carlin, qui présentent la même disposition décorative que le guéridon du Louvre. L'un d'entre eux est conservé au Palais Royal de Madrid. Il est orné, selon le même principe que notre guéridon, de sept plaques de porcelaine tendre peintes en polychromie et en grisaille sur le thème de l'histoire

24. SCC, Archives, registre des *Travaux extraordinaires des peintres*, Dodin, 1774.

25. Guillaume GLORIEUX, "Les arts décoratifs sous l'influence de Watteau, le rôle des estampes", *L'Estampille, L'Objet d'art*, n° 341, novembre 1999, p. 42-53.

d'Achille. Cette table, dite d'Achille, fut livrée en décembre 1780 par la Manufacture royale au comte de Vergennes pour 6000 livres[26], ce dernier étant chargé de la faire parvenir à la cour de Madrid où elle était destinée à la princesse des Asturies. Le troisième exemplaire connu de ce type de guéridon se trouve à Varsovie, au palais royal[27]. Acquis par le comte d'Artois en 1780, il fut offert en 1784 par celui-ci à la comtesse Grabowska. Le comte d'Artois l'avait acquis aux ventes de la Manufacture qui se tinrent à Versailles en décembre 1780. Il apparaît ainsi dans les registres de la Manufacture : à "Monseigneur le comte d'Artois au voyage de Versailles 1 table Mignature Thelemaque 6000 livres". La plaque centrale, datée de 1777, entourée de six plaques secondaires peintes en grisaille, fut montée selon le même principe par Martin Carlin. Les plaques sont de Dodin. La plaque centrale semble avoir été peinte non d'après l'estampe de Jacques Firmin Beauvarlet (1731-1797), comme nous le pensions avant l'exposition de ce meuble à Versailles en 2012[28], mais d'après le tableau de Jean Raoux (1677-1731) *Télémaque racontant ses aventures à Calypso*, exécuté pour le Régent et conservé désormais au Louvre[29].

Sous le règne de Louis XVI, Dodin peignit peut-être les plus belles plaques de sa carrière. Ainsi, en 1780 et 1781, avec quatre de ses confrères, les frères Pithou, Asselin et Castel, Dodin fut-il chargé de reproduire deux des neuf cartons de Jean Baptiste Oudry **[fig. 6]**, exécutés entre 1735 et 1746 pour la tenture des *Chasses* de Louis XV, tissée aux Gobelins[30]. Les circonstances de la commande des neuf tableaux de porcelaine demeurent aujourd'hui extrêmement mystérieuses. On peut penser que les cinq peintres se rendirent aux Gobelins et travaillèrent directement d'après les cartons d'Oudry dont les dimensions étaient pourtant gigantesques. En 1783, on apporta à Sèvres à l'intention de Dodin, le morceau de réception à l'Académie, en 1734, de François Boucher, *Renaud et Armide*[31]. Comme nous l'avons vu plus haut, Dodin reproduisit ce tableau directement sur une grande plaque de porcelaine, sans recourir au truchement habituel de la gravure. La plaque est, pour cette raison, fièrement signée sur l'endroit : *Dodin, d'après M. Boucher 1783.*

Après la mort de Dodin, Alexandre Brongniart (1770-1847), directeur de la manufacture de Sèvres de 1800 à 1847, devait lui décerner plusieurs hommages posthumes. Il écrivit notamment le 5 décembre 1817 "Le Sr Charles Nicolas Dodin peintre exceptionnel de 1ère classe et employé sans interruption à la Manufacture en cette qualité depuis l'année 1754 jusqu'à l'époque de son décès en mars 1803

26. SCC, Arch., série Vy 8, fol. 51, *Registres des ventes*, décembre 1780.

27. Inv. ZKW/1246.

28. M.-L. DE ROCHEBRUNE, *Splendeur de la peinture [...], op. cit.*, n° 86.

29. Inv. 7362.

30. Les neuf plaques sont conservées au château de Versailles dans la salle à manger des porcelaines. Cf. à leur sujet, Marie-Laure DE ROCHEBRUNE, "Les plaques des chasses de Louis XVI, une commande éblouissante", *Versalia*, n° 18, 2015.

31. Inv. 2720.

[en réalité le 9 février 1803], à l'âge de 68 ans ce qui lui donne 49 ans d'exercice continu [...] Mr Dodin s'est toujours fait remarquer par son talent, son exactitude et la modestie de ses prétentions[32]". Dans un autre document, Brongniart écrivait encore que "M. Dodin [...] un de ceux qui a perfectionné la Peinture en Miniature sur la Porcelaine tendre et à l'époque de sa mort était encore quoiqu'âgé de 68 ans le premier peintre en miniature de la Manufacture[33]".

Fig. 6 : Charles-Nicolas Dodin, *La Grande Curée du cerf en forêt de Saint-Germain-en-Laye en vue de l'abbaye de Poissy*, Manufacture royale de porcelaine de Sèvres, porcelaine tendre et bois doré, 1780, musée national des châteaux de Versailles et de Trianon, inv. MV 5415.

32. SCC, Arch., carton Ob 4.

33. Document mentionné par G. de Bellaigue, *The Louis XVI Service*, *op. cit.*, p. 57, note 3.

4

Tables d'artistes. La porcelaine de Limoges et les décors de peintres

Céline Paul

Résumé — En s'appuyant sur l'histoire de la porcelaine de Limoges depuis le XVIIIe siècle, cet article s'attachera à étudier la notion de "décors de peintres" dans le cadre d'une production industrielle. Il abordera dans un premier temps le rôle de l'artiste indépendant dans les manufactures de porcelaine, puis s'interrogera sur le statut de l'objet industriel marqué par l'intervention d'un artiste, avant d'envisager la place du décor dans la création de nouveaux rituels de table.
Mots-clefs — Porcelaine de Limoges, XIXe siècle, XXe siècle, XXIe siècle, Bracquemond Félix, Chamberlain John, Calle Sophie, Dingjian Jean-François, Dufy Jean, Gagnère Olivier, Lalique-Haviland Suzanne, Kosuth Joseph, Loewy Raymond, Sherman Cindy, Tallon Roger, Thurnauer Agnès, Manufacture Haviland, Manufacture Bernardaud, Manufacture Raynaud, Non Sans Raison, Centre de Recherche sur les Arts du Feu et de la Terre (CRAFT).
Abstract — Hand made decoration on plates disappeared in the course of the 19th century, to be replaced by prints, and nowadays by computer-aided programming. The relationships between manufacturers and painters have consequently been altered. The very notion of "painter" gave birth to such new characters as photographs or designers. After the economic resurgence of the 1960s, viewing the problem in terms of "painter's decorations" is no longer relevant: designers or artists either create for industrial production, or renew it, altering the relationship between creator, factory and customer. The alteration of categories, customs and table manners is completely achieved with such inventions as magnetized plates that can be directly stuck on the wall, or new kinds of interactive sets.
Keywords — Limoges chinaware, 19th century, 20th century, 21th century, Bracquemond Félix, Chamberlain John, Calle Sophie, Dingjian Jean-François, Dufy Jean, Gagnère Olivier, Lalique-Haviland Suzanne, Kosuth Joseph, Loewy Raymond, Sherman Cindy, Tallon Roger, Thurnauer Agnès, Haviland factory, Bernardaud factory, Raynaud factory, Non Sans Raison, Centre de Recherche sur les Arts du Feu et de la Terre (CRAFT).

Dans le monde entier, le nom de Limoges est intimement associé à la porcelaine, dont la surface blanche et lisse est l'un des lieux privilégiés de l'expression du décor. Dès le XIXe siècle, la ville se distingua par la qualité de sa production et par les collaborations fertiles que les industriels surent tisser avec des artistes afin d'apporter un souffle nouveau à leurs créations[1]. Ce succès n'eût pas été si brillant sans l'héritage du XVIIIe siècle, qui vit s'établir les fondements d'une tradition porcelainière à Limoges. La première manufacture y fut créée en 1771 à l'initiative de Turgot, alors intendant du Limousin. Non loin de Limoges, à Saint-Yrieix-la-Perche, venaient d'être découverts des gisements de kaolin, une argile d'une pureté et d'une finesse remarquables qui permettait de fabriquer de la porcelaine semblable à celle importée de Chine ou de Saxe. La Manufacture royale de Sèvres fut la première à acquérir des carrières de kaolin en Limousin et à se lancer dans la production de porcelaine kaolinique en France, sans abandonner tout à fait la production de porcelaine tendre[2]. Attentif au développement économique de la province dont il avait la charge, Turgot comprit tout l'intérêt qu'il y aurait à encourager une production locale de porcelaine et il convainquit les frères Massié de transformer leur faïencerie, créée en 1738, en une manufacture de porcelaine. L'intendant contribua aux recherches techniques indispensables à la mise en route de l'entreprise et l'une des premières pièces sorties des fours de la manufacture, un médaillon en biscuit, portait ses armes; cette pièce insigne est conservée depuis 1866 au musée national Adrien-Dubouché[3].

Les techniques de décor sur porcelaine

À partir de 1774, la manufacture fut placée sous la protection du comte d'Artois, le second frère de Louis XVI: elle put dès lors marquer ses pièces des initiales *CD* et contrevenir aux privilèges accordés à la manufacture royale de Sèvres — la réalisation de décors polychromes, l'usage de l'or et la fabrication de statuettes en ronde-bosse — sans craindre de poursuites. Vers 1780, elle comptait une trentaine d'employés, dont quatre peintres. La production était majoritairement orientée vers la porcelaine de table, une partie importante de la production étant laissée en blanc. Les pièces décorées portaient la plupart du temps des jetés de fleurs polychromes soulignés d'un filet doré dit en "dents de loup" **[fig. 1]**. En proie à

1. Chantal MESLIN-PERRIER et Marie SEGONDS, *Limoges. Deux siècles de porcelaine*, Paris, RMN/Éditions de l'Amateur, 2002.

2. La porcelaine tendre est une porcelaine sans kaolin qui se raye à l'acier, contrairement à la porcelaine kaolinique, également appelée porcelaine dure dans cet article. Pour ces questions techniques: Nicole BLONDEL, *Céramique. Vocabulaire technique*, Paris, Monum-Éditions du Patrimoine, 2001, p. 89-91.

3. Céline PAUL, *Guide de visite du musée national de porcelaine Adrien-Dubouché, Limoges*, Paris, Artlys, 2011, p. 50.

de sévères difficultés économiques, la manufacture dite "du comte d'Artois" fut rachetée par la manufacture de Sèvres en 1784. Elle bénéficia alors de la présence d'ouvriers de la manufacture royale, qui apportèrent leurs savoir-faire à Limoges. Grâce aux collections du musée national Adrien-Dubouché et aux inventaires de la manufacture, la production de cette période est relativement bien connue[4]. Si les décors historiés semblent rares, les décors floraux se diversifièrent : apparurent des décors "au barbeau" mis à la mode par la reine Marie-Antoinette ou encore des décors "au ruban" ou "aux guirlandes". La période révolutionnaire mit un terme à l'activité de la manufacture mais plusieurs des ouvriers formés en son sein transmirent leurs savoir-faire dans les fabriques de porcelaine créées à Limoges et en Haute-Vienne au lendemain de la Révolution.

Fig. 1 : *Assiette à décor floral*, Porcelaine dure, Manufacture du comte d'Artois, Limoges, 1784-1792, musée national Adrien-Dubouché, Limoges (ADL 10075).

En un demi-siècle, le nombre de manufactures de porcelaine de Limoges crût considérablement, passant de quatre fabriques en 1800 à près de 35 en 1850. À cette époque, la plupart des décors étaient peints à la main, mais plusieurs manufactures s'intéressèrent aux décors imprimés dans un souci de rentabilité. Dès la

4. Deux inventaires de la manufacture sont connus : le premier, établi en 1775, est conservé aux Archives départementales de la Haute-Vienne ; le second, conservé aux Archives nationales, fut dressé en 1784 lors du rachat par la manufacture royale de Sèvres. L'autre source est constituée des commandes livrées par la manufacture du comte d'Artois, devenue filiale de la manufacture royale de Sèvres (Archives départementales Haute-Vienne).

seconde moitié du XVIIIe siècle, les Anglais avaient en effet adapté la technique de la taille-douce au décor sur céramique, les décors imprimés étant transférés sur les pièces avant leur cuisson définitive **[fig. 2]**. Josiah Wedgwood fonda une part de son succès sur l'adoption de cette technique pour ses productions en faïence fine[5]. Actif sous la Restauration, le porcelainier Pierre Tharaud fut le premier à Limoges à utiliser ce type de décor. Il orna un service à café de décalcomanies signées du peintre miniaturiste parisien Bosselman : différentes scènes de genre traitées en grisaille se détachent sur le fond blanc de la porcelaine. Lorsqu'il offrit cet ensemble au musée en 1868, Adrien Dubouché prit le soin d'en préciser la date (1824) et de signaler qu'il s'agissait de pièces ornées d'un "sujet noir imprimé[6]". Ces décors monochromes dont la manufacture de Creil fit également un large usage furent désignés à Limoges sous le terme de "décors collés", avant que les termes de "chromos" et de "décalcomanies" ne soient adoptés plus tardivement.

Fig. 2 : Galerie des techniques du musée national Adrien-Dubouché, Limoges. Au 1er plan, à droite : *presse à taille-douce*. Manufacture E. Chaput, Limoges, XIXe siècle. Au 1er plan, à gauche : *presse chromolithographique*. Manufacture Voiron, Paris, fin du XIXe siècle. Musée national Adrien-Dubouché, Limoges (ADL 9573 et 10008).

5. Laurence MACHET, *Les Wedgwood : de la poterie à l'art de la table*, Paris, Éditions du Comité des travaux historiques et scientifiques (CTHS), 2008, p. 99-100.

6. Chantal MESLIN-PERRIER, *Chefs-d'œuvre de la porcelaine de Limoges*, Paris, RMN, 1996, p. 110.

Les décors imprimés se généralisèrent dans la seconde moitié du XIXe siècle. À la suite de l'entreprise Haviland[7], les principales manufactures de porcelaine de Limoges se dotèrent en effet d'ateliers de chromolithographie. Les presses chromolithographiques furent adaptées au décor sur porcelaine : la pierre gravée n'était pas encrée mais couverte d'un vernis approprié sur lequel on pressait la couleur sous forme de poudre **[fig. 2]**. La disparition progressive des décors peints à la main dans les usines suscita des regrets, mais elle eut d'autres vertus puisque les économies liées à la reproduction industrielle des décors permirent de solliciter des artistes réputés pour proposer de nouveaux modèles, tant au niveau des formes que des décors. En effet, les modèles de décors étaient la plupart du temps dus à des artistes indépendants, peu de maisons pouvant occuper un décorateur régulièrement ou à demeure. Dès les années 1870, ces collaborations se firent nombreuses et contribuèrent à la réputation de la porcelaine de Limoges.

Les techniques d'impression ont évolué au cours du XXe siècle : l'apparition de la sérigraphie et (de façon marginale pour la porcelaine) de l'offset, puis le développement de la programmation assistée par ordinateur (PAO) ont modifié les modes de fabrication et d'impression des décors, mais sans remettre en cause l'intervention de l'artiste au sein de ce *process* industriel[8]. Aujourd'hui encore, où la notion de peintre s'est estompée au profit de celle de plasticien, de photographe, de vidéaste…, certains porcelainiers de Limoges continuent de s'adresser à des artistes extérieurs au monde de la porcelaine pour transformer l'un des objets emblématiques de Limoges, l'assiette, et, de façon plus générale, la table, en un véritable champ d'expression artistique, où la liberté, l'innovation, voire l'humour, sont largement présents.

À partir de ce constat se posent plusieurs questions, dont la première tient à la naissance du décor : quelle est la place de l'artiste dans une manufacture de porcelaine ? Comment parvient-il à concilier ses aspirations artistiques et les contraintes d'une production industrielle ?

En un deuxième temps, il conviendra de s'interroger sur l'usage et le statut de ces objets industriels marqués par l'intervention d'un artiste : trouvent-ils place dans un contexte quotidien ou finissent-ils par échapper à leur statut d'objet industriel manufacturé pour entrer dans le champ de l'art ?

Enfin, il paraît pertinent de considérer le rôle du décor dans la création de nouveaux rituels de table en s'attachant à la production contemporaine en porcelaine de Limoges.

7. Nathalie VALIÈRE, *Un Américain à Limoges : Charles Edward Haviland porcelainier*, Tulle, Éditions Lemouzi, n° 123, bis, 1992, p. 112.

8. Wilhelm SIEMEN (dir.), *People and Potteries*, Hohenberg an der Eger, Deutsches Porzellanmuseum, 2007, p. 34-38.

La naissance du décor : quelle est la place de l'artiste dans une manufacture de porcelaine ?

C'est à partir de la seconde moitié du XIXe siècle que les porcelainiers de Limoges firent appel à des artistes afin de renouveler les formes et les décors de leur production, largement orientée vers les services de table. À cette époque, le service de table ordinaire variait entre 74 pièces pour le service simple, et plus d'une centaine de pièces quand il comprenait le service à dessert[9]. Pour répondre à une demande en forte augmentation et faire face à la concurrence internationale, les porcelainiers de Limoges firent des efforts considérables pour mécaniser les différentes étapes de la fabrication. En 1869, l'ingénieur Paul Faure élabora une machine qui permit d'industrialiser le façonnage des assiettes grâce au calibrage et d'augmenter notablement la production : avec la "machine Faure", un ouvrier pouvait réaliser non plus 100, mais 500 assiettes par jour **[fig. 3]**. Parallèlement, le tournage à la main des pièces de forme fut peu à peu remplacé par le coulage, qui permettait d'obtenir des pièces particulièrement fines. Le décor entra lui aussi dans un processus de mécanisation, et il est significatif que l'École des arts décoratifs de Limoges ait choisi de dispenser aux élèves un enseignement sur les décors imprimés dès les années 1870[10].

Fig. 3 : Galerie des techniques du musée national Adrien-Dubouché, *Machine à calibrer les assiettes, dite "machine Faure"*, Société Faure, Limoges, 1869, musée national Adrien-Dubouché, Limoges (ADL 9958).

9. Zeev GOURARIER, "Le siècle des gastronomes", *in* Bruneau GIRVEAU (dir.), À *table au XIXe siècle*, Paris, RMN, 2001, p. 124-134.

10. Bénédicte SARDIN, *L'École nationale des arts décoratifs de Limoges des origines* à *1914. Création, apogée, déclin*, mémoire de maîtrise sous la direction de M. EL GAMMAL, Faculté des Sciences et Lettres de l'université de Limoges, 1997, p. 36.

La manufacture Haviland mit à profit toutes ces nouveautés. Entre 1868 et 1871, elle se dota de machines à calibrer les assiettes et de presses chromolithographiques. C'est dans ce contexte que Charles-Édouard Haviland créa l'atelier d'Auteuil, dirigé par Félix Bracquemond. Cette collaboration contractuelle qui débuta en 1872 et prit fin avant terme en 1881, naquit, semble-t-il, à l'initiative de Bracquemond[11]. Artiste indépendant proche des impressionnistes, ce dernier convainquit le capitaine d'industrie d'ouvrir un atelier de création à Paris, chargé de fournir de nouveaux modèles pour Limoges. L'ambition de Charles-Édouard Haviland en ouvrant cet atelier était de produire pour un large public : "Nous ne décorons pas à Sèvres pour donner aux souverains. Nous travaillons à Auteuil pour vendre aux bourgeois ; [...] il faut chercher, par l'économie en tout, à produire à un prix qui tente les "couches" inférieures" dit-il à ce propos[12].

Bracquemond était quant à lui désireux de développer une expérience artistique originale, s'éloignant quelque peu des considérations économiques de son employeur. C'est dans ce contexte que fut élaboré le *Service parisien*, mêlant plusieurs procédés de décoration : les traits à l'eau-forte, la chromolithographie et la peinture à la main. S'affranchissant d'une conception classique du décor marquée par la symétrie, le service fut considéré comme la première interprétation du japonisme à Limoges. Adrien Dubouché le décrivit en ces termes : "Le bijou de ce service, qui compose à lui seul une collection d'objets d'art, est une douzaine d'assiettes où Bracquemond a représenté avec quelques lignes fines et quelques tons légers des sujets d'une poésie rare : le brouillard, la neige, la pluie, le soleil couchant[13]".

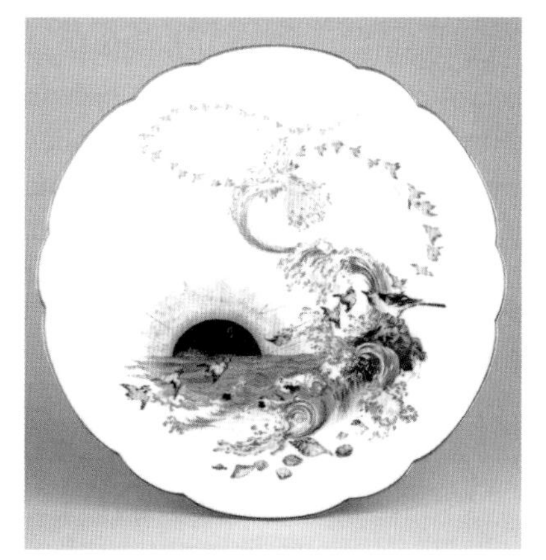

Fig. 4 : Félix Bracquemond, Assiette du *Service parisien* : *Soleil couchant*, manufacture Haviland, Limoges, 1876, musée national Adrien-Dubouché, Limoges (ADL 2822).

Par ces mots, Adrien Dubouché suggérait que la main de l'artiste modifiait le rapport à cet objet usuel qu'est l'assiette en la transformant en pièce de collection **[fig. 4]**. D'un prix élevé, le *Service parisien* fut d'ailleurs d'emblée considéré comme un service d'esthète, où "l'intention d'art" dominait pleinement, comme en témoigne l'apposition du monogramme de l'artiste sur chacune des pièces. Quelles conclusions tirer de cet exemple de collaboration entre un artiste et un industriel de Limoges ? La correspondance

11. Jean-Paul BOUILLON, "L'atelier d'Auteuil et la maison Haviland, 1872-1881", *in* Jean-Paul BOUILLON (dir.), *Félix Bracquemond et les arts décoratifs*, Paris, RMN, 2005, p. 84-86.

12. *Ibid*, p. 85.

13. C. MESLIN-PERRIER et M. SEGONDS, *Limoges [...], op. cit.*, p. 214.

entre les deux hommes témoigne d'une relation ombrageuse, où les exigences de l'artiste semblent se heurter constamment aux préoccupations techniques et financières de l'industriel. Mais si elles aboutirent à la rupture du contrat entre les deux hommes en 1881, ces tensions furent également à l'origine d'une véritable révolution esthétique à Limoges, car, sous la direction éclairée de Bracquemond, de nombreux artistes apportèrent leur concours à l'entreprise limousine. À cet égard, l'atelier d'Auteuil préfigura le mode privilégié de collaboration entre les artistes et les manufactures de Limoges, proposant un modèle encore valide de nos jours : au cœur même de cette initiative se trouve en effet la volonté de valoriser une production industrielle grâce à des collaborations artistiques[14].

À l'orée du XXe siècle, l'entreprise limousine GDA (du nom de ses propriétaires : Gérard, Dufraisseix et Abbot) s'est illustrée en éditant un service d'après un modèle d'Edward Colonna, participant ainsi à l'émergence de l'Art Nouveau sur la scène internationale[15]. Pour autant, l'entreprise limousine ne fut pas à l'origine de ce projet : elle répondit là à une commande du marchand d'art Siegfried Bing, qui choisit de lui confier ses éditions en porcelaine pour son magasin parisien *L'Art Nouveau* après avoir admiré les savoir-faire de l'entreprise lors de l'Exposition universelle de Chicago en 1893. L'entreprise s'était spécialisée dans la réalisation de décors cuits à des températures très élevées, dits "décors de grand feu". Cette technique avait bénéficié des recherches d'un chimiste, Édouard Peyrusson, qui enseignait à l'École nationale des Arts décoratifs de Limoges et avait significativement enrichi la palette des couleurs. Bing comprit donc qu'il pourrait s'appuyer à Limoges sur des savoir-faire parfaitement maîtrisés. Il fut le lien entre la manufacture, d'une part, et l'artiste, de l'autre.

La première guerre mondiale marqua une rupture profonde, dont l'industrie de la porcelaine se ressentit durement. Mais quelques années après la fin du conflit, les collaborations entre les artistes et les manufactures de Limoges se renforcèrent à l'occasion de la préparation de l'Exposition internationale des Arts décoratifs qui se tint à Paris en 1925. La manufacture Théodore Haviland profita de cette occasion pour faire appel à des artistes de renom. Fondée en 1892 par le frère de Charles-Édouard Haviland, Théodore, un homme cultivé très introduit dans les milieux parisiens, la manufacture était réputée pour ses services de luxe. Théodore passa plusieurs contrats d'exclusivité avec des artistes et son fils William poursuivit cette politique, ce qui permit à l'entreprise de connaître un véritable succès en 1925. Elle y présenta notamment des services de Jean Dufy, frère du peintre Raoul Dufy et peintre lui-même : citons le service *Pivoine*, où l'aile est traitée à la manière d'une aquarelle avec un dégradé de couleurs particulièrement difficile à obtenir,

14. Nestor PERKAL (dir.), *Présence de l'objet, créations céramiques au CRAFT Limoges*, Limoges, Éditions du CRAFT, 2000.

15. Gabriel P. WEISBERG, Edwin BECKER et Évelyne POSSÉMÉ (dir.), *Les Origines de l'Art Nouveau. La Maison Bing*, Anvers, Éditions Fonds Mercator, 2005.

ou encore le service *Châteaux de France*, dont la composition originale dérouta plus d'un critique. Suzanne Lalique, fille du célèbre verrier, qui connut elle-même une double carrière de peintre et de décoratrice, proposa à William Haviland une trentaine de décors[16]. Pour le service *Arbre vert et raisins*, où se déploient les courbes souples d'un cep de vigne, William Haviland proposa que le décor fût réalisé en chromos, craignant que ses peintres ne soient pas en mesure de le reproduire avec fidélité. Dans ces deux exemples, la relation entre le porcelainier et les artistes fut très étroite : des liens d'amitié unissaient en effet Jean Dufy et William Haviland. Ce dernier était par ailleurs le cousin par alliance de Suzanne Lalique, qui avait épousé Paul Burty, l'un des fils de Charles-Édouard Haviland. Ces relations amicales et familiales n'empêchèrent pas qu'un contrat fût signé entre l'artiste et son commanditaire.

La crise économique des années 1930 vit plusieurs entreprises importantes fermer leurs portes et la Seconde Guerre mondiale toucha gravement l'industrie porcelainière limousine. Ayant surmonté les difficultés de l'après-guerre marqué par des investissements importants dans les outils de production, les manufactures purent enfin se consacrer au renouvellement des formes et des décors à partir des années 1960. La reprise économique créa un contexte favorable à la consommation ; pour renouveler leurs productions, plusieurs sociétés firent appel à des créateurs contemporains. Parmi eux, Raymond Loewy, l'un des pères du design américain qui avait ouvert un atelier de création à Paris, dessina en 1970 pour la manufacture Bernardaud le *Service Ariès*, qui reçut différents décors. Le designer français Roger Tallon, professeur à l'École nationale des arts décoratifs de Paris, travailla quant à lui avec le porcelainier Raynaud. Il créa en 1973 un ensemble baptisé *3T* qui comprenait un service en porcelaine et, dans des formes apparentées, de l'argenterie et un service de verres réalisé chez Daum. Roger Tallon a magnifié la blancheur de la porcelaine en s'attachant à la création de nouvelles formes, dont celle de la soupière, dépourvue d'anses.

Depuis les années 1960, la notion de décors "de peintres" semble donc peu appropriée pour rendre compte de la diversité des collaborations entre les porcelainiers de Limoges et les artistes : face à la diversité des pratiques artistiques et aux exigences d'une production industrielle, sans doute est-il préférable de parler de collaborations avec des "artistes", des "designers", des "plasticiens", des "créateurs".

Depuis le XIXe siècle, les liens entre les artistes et les manufactures de Limoges ont reposé sur plusieurs modalités : certaines initiatives sont nées de la volonté d'un artiste ou d'un tiers, soucieux de donner une suite industrielle à un projet artistique ; d'autres ont été développées à l'initiative de l'entreprise, désireuse de mener une politique de création contemporaine. Qu'en est-il aujourd'hui ?

16. Jean-Marc FERRER (dir.), "Suzanne Lalique-Haviland et la porcelaine de Limoges : une décoratrice du sensible", *Suzanne Lalique-Haviland, 1892-1989, le décor réinventé*, Limoges, Les Ardents éditeurs, 2013, p. 81-99.

Quel est le statut de l'objet industriel en porcelaine de Limoges marqué par l'intervention d'un artiste ?

Une large partie de sa production étant, depuis ses origines, liée aux arts de la table, la porcelaine de Limoges est traditionnellement associée à l'univers domestique, où les objets manufacturés sont destinés à être utilisés. De ce fait, le décor ne peut être dissocié de la forme, et il est naturel que les artistes s'emparent de cette question.

Interrogé sur sa première collaboration avec la manufacture Bernardaud en 1993, Olivier Gagnère est revenu sur la création de la tasse *Ithaque*, dont la singularité est de pouvoir s'assortir à toutes les tables et à tous les usages. Bousculant les conventions, la tasse n'est en effet ni une tasse à thé, ni une tasse à café. L'anse en forme de queue de cheval conjugue quant à elle une dimension ergonomique — tenir la tasse en évitant de se brûler — avec une dimension esthétique. Cette tasse connut un véritable succès, au point de devenir emblématique de la manufacture. Considérant ce succès, Olivier Gagnère l'analyse ainsi : "Cette tasse synthétise tout ce que recherche un porcelainier : la facilité d'usage, l'élégance, et [...] la capacité de s'intégrer aussi bien dans un intérieur classique que contemporain[17]."

Il évoque également le choix de la manufacture de s'éloigner de l'image convenue du service de mariage en ne créant pas de verseuse assortie à la tasse. En cela, l'artiste et le porcelainier surent prendre en compte les changements de la société, et le fait que l'on puisse désormais marier différents styles sur une même table, à rebours d'une approche traditionnelle des arts de la table.

Dans ces mêmes années 1990, l'association *Artes Magnus* chercha à introduire l'art dans le quotidien au travers d'éditions limitées en porcelaine de Limoges créées par des artistes contemporains de notoriété internationale. La plupart n'avaient aucun lien avec la céramique, mais tous ont proposé des services originaux qui reflètent leur démarche. Inspirée par l'aura de la porcelaine du XVIIIe siècle, Cindy Sherman a proposé le service *Madame de Pompadour née Poisson* (1721-1764). Sur des formes classiques obtenues à partir de moules anciens, elle s'est mise en scène en marquise de Pompadour dans des cartels typiques de la peinture sur porcelaine du règne de Louis XV. Le rendu photographique des décors tient à l'utilisation de la sérigraphie, qui permet d'obtenir un grand nombre de couleurs. Ce service nous plonge dans un univers où l'artiste devient un objet consommable : Cindy Sherman reprend ainsi les clichés de la représentation féminine pour mieux les dénoncer.

La référence au passé est également visible dans la proposition de Joseph Kosuth, qui a pris le parti de reproduire les formes des grands services historiques

17. Propos rapportés dans le *Carnet d'émotion* publié par la maison Bernardaud à l'occasion de ses 150 ans en 2013, p. 8.

de Limoges, tout en ne conservant de leur décor que le seul titre: *Comte d'Artois 1773, Service Cérès 1855, Neige 1862, Art Déco 1927, Élite 1957…* Maître d'une réflexion sur l'art dans son rapport au langage, l'artiste s'est montré ici fidèle à la démarche qu'il déploie sur d'autres supports: l'idée ou le concept prime sur sa réalisation. Il s'agit d'éditions limitées, et chaque pièce du service est soigneusement authentifiée par l'estampille de la manufacture, la signature de l'artiste et un numéro **[fig. 5]**.

Fig. 5: Joseph Kosuth, Estampille d'une assiette du service *Forme appliquée historique* (détail), Manufacture Haviland et Parlon, 1991, musée national Adrien-Dubouché, Limoges (ADL 11390-4).

Le plasticien John Chamberlain, qui utilisait des carrosseries de voiture pliées pour ses sculptures, a également été sollicité par *Artes Magnus*: pour le service *Tasted snow*, il a transformé des fragments automobiles en coupes et en assiettes après les avoir moulés. Quant au centre de table *As in the Sink* d'Arman (limité à cinquante exemplaires), il se présente, non sans humour, comme une accumulation de vaisselle au fond d'un évier. Il y a donc une forte similitude entre le travail entrepris par chacun de ces artistes autour de la porcelaine et leur œuvre de photographe, de peintre, de sculpteur, de plasticien, même si le medium est très différent. Par ailleurs, le fait qu'il s'agisse d'éditions limitées singularise l'objet au sein d'une production industrielle et le fait basculer dans le champ de l'art[18].

Dans ce contexte, l'objet conserve-t-il sa valeur d'usage? Est-il encore un objet ou devient-il un objet d'art? Singulièrement, même lorsqu'il n'est pas signé par un artiste, un service de table en porcelaine de Limoges est manipulé et utilisé avec déférence, surtout lorsqu'il incarne un héritage familial. Aujourd'hui encore, où la plupart des services contemporains passent au lave-vaisselle et au four, le "Limoges" semble réservé à des circonstances qui sortent du quotidien, telles que dîners amicaux et fêtes familiales. Une pièce de service, l'assiette, semble emblématique

18. L'édition limitée confère une valeur supplémentaire à l'assiette: à défaut de pouvoir acquérir l'œuvre d'un artiste (toile, photographie, sculpture…), du moins peut-on se constituer une collection d'objets portant sa signature.

de cette problématique : dès la Renaissance, les majoliques historiées ne tendaient-elles pas à être regardées comme des peintures[19] ?

En 2008, l'artiste Agnès Thurnauer a réalisé un service de table de 42 pièces pour la maison Bernardaud, *Collection*, sur lesquelles sont reproduits à l'aide d'un oxyde argenté les titres des tableaux les plus fameux de la peinture occidentale (*Mona Lisa, Impression Soleil levant, Le radeau de la Méduse, La Ronde de Nuit, Monochrome, Sans titre*...). Faisant fi du décor et de l'ornement, l'artiste bouscula les bonnes manières en invitant les convives à retourner leur assiette afin d'y lire l'histoire de l'œuvre. Elle s'appuya donc sur un geste familier, qui consiste à retourner les assiettes afin d'y lire l'estampille et de s'assurer que c'est bien "du Limoges". Évoquant récemment l'utilisation de ce service, elle rapporte comment il fut détourné de son usage initial : "Je sais pour les avoir signées personnellement que plusieurs acheteurs ont accroché leurs assiettes au mur[20] !"

Or l'on peut se demander si le terme d'*acheteur* ne peut pas ici être remplacé par celui de *collectionneur*.

Avec malice, une jeune maison de porcelaine de Limoges fondée par Bertille Carpentier et Martial Dumas, Non Sans Raison, s'appuie justement sur la tradition des assiettes accrochées au mur pour en faciliter l'usage quotidien. Elle a ainsi mis au point un concept de vaisselier mural développé au sein d'une ligne spécifique dénommée *Wall Plates* qui a fait l'objet d'un dépôt de brevet, où les assiettes sont fixées au mur grâce à un aimant : au moment de dîner, les assiettes sont décrochées pour être installées sur la table. À l'issue du dîner, elles passent au lave-vaisselle, puis retournent sur le mur, ce qui pose différemment la question du "rangement" du service. Ce concept permet à chacun de créer son propre décor intérieur à partir d'objets du quotidien. Pour *Barillet Wall Plates*, l'entreprise s'est associée au designer graphique Étienne Bardelli, *alias* Akroe **[fig. 6]**. Le décor de chaque assiette, très architecturé, est composé de formes géométriques qui créent un subtil jeu d'ombres et de lumière ; l'encrage noir, volontairement minimal, a été sérigraphié sur le blanc lumineux de la porcelaine. Le titre lui-même évoque l'œuvre de Louis Barillet, un maître-verrier de l'entre-deux-guerres qui, s'appuyant sur la technique traditionnelle du vitrail, proposait des constructions graphiques d'une grande modernité. Accroché au mur, ce service devient une œuvre composée d'une constellation d'assiettes. La porcelaine participe ainsi d'une mise en scène du repas qui s'affranchit de l'espace de la table pour devenir un élément du décor intérieur.

19. Françoise BARBE et Thierry CRÉPIN-LEBLOND (dir.), *Majolique, la faïence italienne au temps des humanistes*, Paris, RMN, 2011.

20. BERNARDAUD, *Carnet d'émotions*, *op. cit.*, 2013, p. 53.

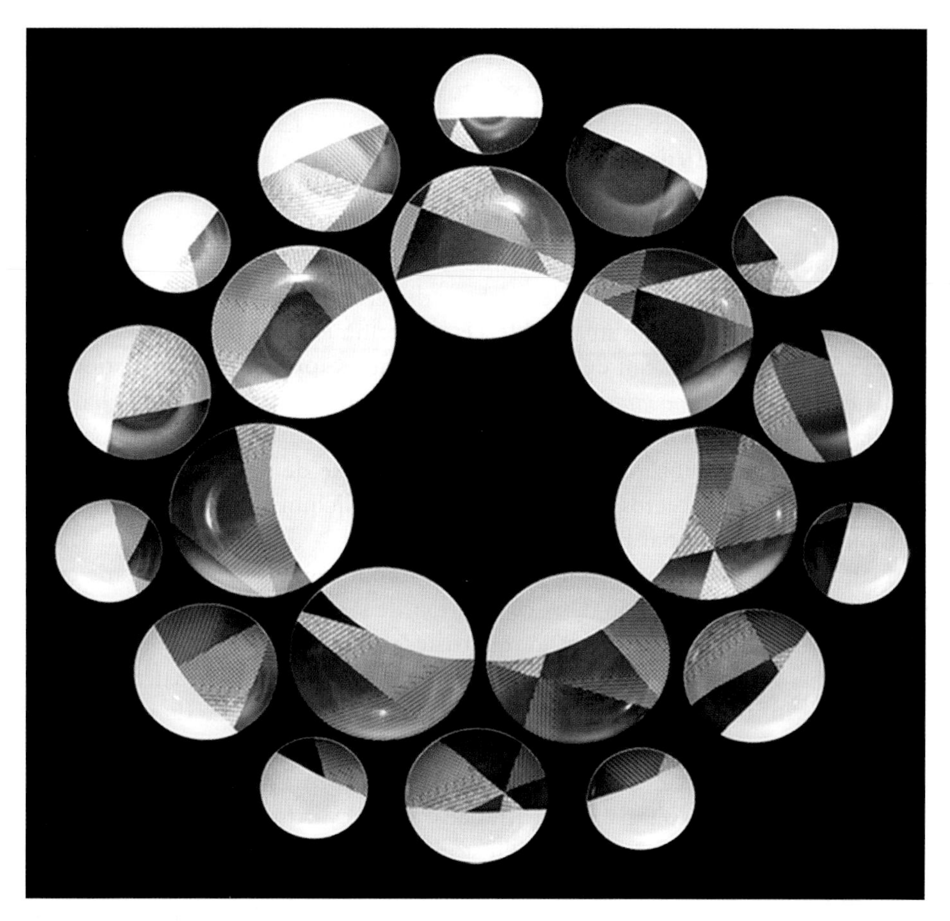

Fig. 6 : Non Sans Raison et Étienne Bardelli, *alias* Akroé, *Barillet Wall Plates*, Porcelaine dure, Limoges, 2013.

Dans quelle mesure le décor contribue-t-il à la création de nouveaux "rituels de table" ?

Mettre la table semble un geste aussi quotidien qu'anodin. Pourtant, ce geste établit un rapport direct entre l'objet et le convive, qui peut à cet égard être considéré comme un "spectateur", voire comme un "acteur" de cette installation[21].

Le Centre de Recherche sur les Arts du Feu et de la Terre, connu sous l'acronyme de CRAFT, est un centre de recherche situé à Limoges qui propose à des artistes non céramistes de découvrir les possibilités d'expression de la porcelaine. Étrangers à cette matière, ces artistes l'abordent avec un esprit neuf, ce qui permet

21. Cette problématique a notamment été explorée à l'occasion de l'exposition "Petits bouleversements au centre de la table" organisée en 2008 au musée des Arts décoratifs de Paris en partenariat avec la Fondation Bernardaud.

d'en repousser les limites[22]. Entre 2003 et 2006, le CRAFT a invité le designer Jean-François Dingjian à imaginer un projet. La plupart des artistes invités au CRAFT sont sortis du champ des arts de la table, mais Jean-François Dingjian a au contraire souhaité s'inscrire dans cette tradition propre à Limoges. Le fruit de cette réflexion à laquelle participa Jeanne Quéheillard, spécialiste de design, fut *Paysage de table*[23]. Deux types d'objets s'y confrontent, issus de deux types d'industries : les objets en porcelaine sur la table, incarnant une production industrielle en grande série, et la table, issue de l'univers des céramiques techniques. La façon dont les objets sont disposés sur la table a été déterminée par l'artiste : ainsi, *l'enclos* s'apparente à un surtout qui délimite un espace que s'approprie l'imagination. Le titre même de *Paysage de table* rapproche l'œuvre d'une création picturale ou d'une installation de *Land Art*. Les pièces en porcelaine ont connu un développement industriel[24], mais la table, qui est née d'une technique de pointe utilisée notamment dans l'industrie aérospatiale (le carbure de silicium), a été éditée en cinq exemplaires seulement par Boostec Industries (Tarbes).

Dans quelle mesure le convive peut-il être impliqué dans le processus de création de l'œuvre ? À l'occasion de la célébration de ses 150 ans en 2013, la manufacture Bernardaud a demandé à douze artistes de créer des assiettes "*accessibles à tous les amoureux de l'art qui aiment recevoir*[25]". L'originalité de cette démarche est d'avoir créé un lien direct entre les créateurs et le public à l'aide de supports de communication variés : brochure intitulée *Carnet d'émotion*, site internet dédié à cet anniversaire… Intitulée *L'Art de la table, regards d'artistes*, cette série de services de table est ainsi éclairée par des entretiens avec les artistes et des vidéos tournées au sein de la manufacture. Pour l'historien de la porcelaine de Limoges, cette démarche est une véritable aubaine, car elle permet de documenter la création à partir de sources contemporaines. Sophie Calle par exemple s'est inspirée du rituel du repas. Elle a proposé un service appelé *Le Porc*, où six assiettes blanches sont ornées en leur centre d'une ligne d'écriture dorée qui raconte une histoire **[fig. 7]**. La dimension biographique est naturellement à l'origine de ce projet narratif. Les phrases relatent en effet la rencontre de Sophie Calle avec un homme qui finit par lui dire : "De toute façon, vous mangez comme un porc[26] !"

22. Nestor PERKAL, Jeanne QUÉHEILLARD et Laurence SALMON, *L'Expérience de la céramique. Centre de Recherche sur les Arts du Feu et de la Terre, CRAFT*, Paris, Bernard Chauveau, 2007.

23. J. QUÉHEILLARD, Jean-François DINGJIAN, *Paysage de table,* Limoges, CRAFT, 2006.

24. Il s'agit de la collection *Paysages*, un service de table composé de sept pièces développé et distribué par Ligne Roset et Revol Porcelaine.

25. Propos de Michel Bernardaud recueillis dans le *Carnet d'émotion* publié en 2013, *op. cit.*, p. 28. Ont participé à cette entreprise Jean-Michel Alberola, Julian Schnabel, Marco Brambilla, Sophie Calle, Fassianos, Jeff Koons, Michael Lin, David Lynch, Marlène Mocquet, Nabil Nahas, Prune Nourry & Jr, et Sarkis.

26. *Carnet d'émotion, op. cit.*, p. 40.

C'est une histoire déraisonnable. J'avais trente ans. Un homme m'a contactée pour me dire que nous avions des projets similaires. J'ai accepté

Fig. 7 : Sophie Calle, Assiette à dîner *Le Porc*, Collection Bernardaud 150 ans.

Pour présenter sa démarche, Sophie Calle analyse le déroulement du repas :

> *Ce qui me plaît beaucoup avec ces assiettes, c'est de créer une sorte de rituel pour compliquer la vie des gens, les obliger à s'asseoir dans l'ordre, à être 6 à table, à ne jamais en casser.*[27]

Elle dit également que ces assiettes permettent de bousculer les bonnes manières, en regardant ce qui est écrit dans l'assiette du voisin. Le service n'est donc plus seulement un contenant, mais un processus qui implique l'imaginaire de celui qui l'utilise. Ce matériau traditionnel qu'est la porcelaine s'inscrit dès lors dans une dynamique conceptuelle, où l'artiste imagine un scénario impliquant le convive dans son installation.

27. *Ibid.*

Conclusion

La porcelaine de Limoges s'inscrit à la croisée de l'industrie, du design et des arts plastiques. Le décor abolit les limites de ce matériau en l'affranchissant d'un rôle purement utilitaire et révèle son statut ambigu oscillant constamment entre l'objet utilitaire et l'objet d'art.

Si la notion de décors de "peintres" s'avère adaptée pour les créations du XIXe siècle et de la première moitié du XXe siècle, elle perd de sa pertinence au cours de la seconde moitié du XXe siècle où les pratiques artistiques se diversifient. Sans doute vaudrait-il mieux aujourd'hui parler de décors d'artistes, en considérant que le travail sur le décor est indissociable de celui mené sur la forme. La tasse *Un café dans les nuages* éditée par la maison Non Sans Raison d'après un modèle de Quentin Vaulot et Goliath Dyèvre s'inscrit pleinement dans cette démarche **[fig. 8]**. Un article récent consacré à cette tasse en soulignait le caractère surréaliste, tout en la prenant pour illustration du dynamisme de la porcelaine de Limoges[28]. La forme constitue ici le décor tout en assumant une fonction utilitaire. En effet, la volute en porcelaine qui coiffe la tasse matérialise l'arôme du café et le maintient au chaud. Elle fait également office de soucoupe car, émaillée à l'intérieur, elle permet de déposer sa cuillère maculée de café en évitant les taches.

Fig. 8 : Quentin Vaulhot, Goliath Dyèvre et Non Sans Raison, Tasse *Un Café dans les Nuages*, Porcelaine dure, Limoges, 2012.

Les pratiques actuelles nous montrent ainsi que, loin d'être un perpétuel hommage au passé, la porcelaine de Limoges s'inscrit dans les pratiques artistiques de son temps. Sans doute est-ce là l'une de ses principales caractéristiques, et celle qui lui permit, depuis le XIXe siècle, de surmonter les crises du marché.

28. Xavier DE JARCY : "La Tasse *Un café dans les nuages*", *Télérama*, n° 3346, 26/02/2014, p. 61.

5

Alfred Beau à Quimper (1829-1907), "peintre de tableaux sur faïence". Une production novatrice

Gwenn Gayet

Résumé — L'année 1870, Alfred Beau s'installe à Quimper et trouve un emploi de peintre faïencier. Cette arrivée marque le renouveau de la faïence quimpéroise, tant par ses sujets et ses supports, que par sa qualité stylistique. En charge de la création de modèles nouveaux, il offre aux manufactures bretonnes une visibilité nouvelle. L'arrivée de la ligne de chemin de fer à Quimper, et donc du tourisme, tend à le faire innover en proposant des sujets bretons. Paysages de l'Odet, vues de Quimper, chemins creux, retours de troupeaux, scènes quotidiennes, décors botaniques et scènes historiques occupent les fonds de plats et assiettes de faïence qui, désormais, servent de décoration artistique. Le résultat final, encadré, constitue un aspect original de la production quimpéroise.
Constituant aujourd'hui un rassemblement particulièrement éloquent et unique en Bretagne, la collection Astor du manoir de Kerazan illustre la vitalité des manufactures de Quimper qui produisirent une faïence de qualité durant tout le dernier tiers du XIXe siècle.
Mots-clefs — Peinture, céramique, Bretagne, collection, décoration, Kerazan, Beau Alfred.

Abstract — In 1870 Alfred Beau moved to Quimper where he found a job as a painter. His arrival proved to be the beginning of the revival of Quimper ceramics, in terms of subjects and media as well as stylistic quality. His creation of new patterns gave a new attraction to the manufacture. The arrival of the railway in Quimper, and therefore of tourism, stimulated his inventive genius and led him to propose new subjects: landscapes, views of Quimper, paths, scenes of everyday life, historical scenes, or botanical subjects are depicted on plates, which since then served as artistic decoration. The final result, framed, is a specific aspect of Quimper products. The Astor collection in Kerazan manor is clear evidence of the vitality of the Quimper manufactures which produced articles of quality in the course of the last third of the nineteenth century.
Keywords — Painting, ceramics, Brittany, collection, decoration, Kerazan, Beau Alfred.

Né à Morlaix en 1829 et décédé en cette même ville en 1907, Alfred Beau apprend la peinture avant de devenir photographe. Il se forme au dessin aux côtés de Camille Flers et Eugène Isabey. Le premier appartenait à l'école de Barbizon et aimait tout particulièrement représenter des vues avec effets d'eau. Le second fut, quant à lui, l'un des premiers peintres à découvrir la Bretagne en 1824. Y séjournant régulièrement, il en réalisait des vues imprégnées de romantisme, ce qui dut influencer le jeune Alfred Beau. Sans doute attiré par le regain d'intérêt pour la céramique qui émergea sous le Second Empire, ce dernier ne semble pourtant pas avoir fréquenté d'atelier, ni d'école d'art, mais fit pourtant preuve d'un solide métier et collabora, entre autres, à la revue bimensuelle illustrée *Le magasin pittoresque*[1]. Si son éducation nous est mal connue, il semble qu'il ait appris à peindre quasiment uniquement sur un support céramique. Qu'en est-il donc aujourd'hui de l'œuvre du peintre Alfred Beau ?

En 1870, l'artiste s'installe à Quimper et trouve un emploi de peintre faïencier au sein de la manufacture de La Hubaudière ; mais Théophile Fougeray, directeur de la firme, ne tolère pas, sur ses productions, d'autres marques que la sienne. Les signatures d'Alfred Beau devinrent alors un motif d'arrêt de collaboration. Deux années plus tard, en 1872, Beau se présenta à la manufacture concurrente, celle de Porquier, dirigée par Marie-Augustine Caroff veuve d'Adolphe Porquier. Beau et Caroff s'unirent par un accord passé le 1er février 1875. Leur association dura plus de quinze années et avait pour objectif la création de faïences artistiques. Ainsi naquit le sigle le plus célèbre de Quimper, PB (Porquier-Beau), mais surtout, une marque recherchée.

Beau dirigeait alors l'atelier de "peinteuses" qui utilisaient comme modèles ses aquarelles en même temps qu'il composait des œuvres uniques et signées.

Les compositions d'Alfred Beau remportant un franc succès, les amateurs recherchèrent de plus en plus ses modèles, ainsi que ses gouaches ou aquarelles. Ces études furent à l'honneur lors de plusieurs ventes publiques[2]. Deux de ces dessins sont aujourd'hui conservés au manoir de Kerazan à Loctudy (Finistère), tout comme trois peintures de l'artiste[3].

Dès lors, la production de la faïencerie s'est considérablement accrue, il ne s'agissait plus d'un art "secondaire" : il s'agissait de mettre en valeur la production quimpéroise, par le biais d'expositions comme d'articles nombreux.

---

1. Antoine LUCAS, *L'art céramique à Quimper, Faïences, Grès, Terres vernissées*, Luçon, Éditions Ouest France, 2006.

2. Bernard-Jules Verlingue, *Les faïences de Quimper*, Paris, Massin, 1990.

3. Arch. Institut de France, 2 J 5 ; extrait de note rédigée par Joseph-Georges Astor, en novembre 1922 : "*Dessins de Mr. Alf. Beau — Ces dessins m'ont été offerts par Mlle Porquier en octobre 1922. Parmi ces dessins figuraient* "La nuit" *Aquarelle* d'étude pour le plat de faïence qui fait partie des collections du musée de Limoges et "La fillette de Loc-Maria" *étude au crayon et* à l'*aquarelle, et deux études encadrées*".

Jusqu'aux années 1860, la production de céramiques quimpéroises présentait une décoration ordinaire d'oiseaux, de fleurs ou de dessins géométriques **[fig. 1]**.

Fig. 1 : Alfred Beau, *Plat décoratif à décor botanique, dit "L'oiseau mouche"*, peinture sur émail cru, H. 33 cm ; L. 44 cm ; P. 3,5 cm, Entre 1870 et 1872, Chapelle du manoir de Kerazan, Loctudy.

Les faïences dites "artistiques" apparaissent comme étant très peu abondantes au début du XIXe siècle, production qui ne semble se développer qu'à compter de 1870, avec la venue d'Alfred Beau. Le développement de la ligne de chemin de fer à Quimper, et donc du tourisme, tendit à le faire innover en reprenant les sujets bretons extraits de la *Galerie Armoricaine* d'Hippolyte Lalaisse. Dès son entrée dans la manufacture, Beau apporta ses motifs novateurs, illustrant le quotidien breton. Son succès fut d'autant plus grand que ses productions étaient jugées esthétiques, dans un moment où le public découvrait une Bretagne pittoresque et où les touristes souhaitaient rapporter des souvenirs locaux[4].

Nous pouvons remarquer une nette hausse de la qualité technique de la production céramique quimpéroise dès l'arrivée de Beau, en 1870. Ce dernier fut donc probablement initié pendant son apprentissage à la fabrication de céramiques soignées, et le centre faïencier vint participer de façon surprenante à l'embellissement et à la gloire de la ville de Quimper. Les plaques de faïence en terre cuite, peintes sur émail cru, sont désormais encerclées d'un encadrement à pans

4. B.-J. VERLINGUE, *Les faïence […], op. cit.*

coupés puis présentées comme des tableaux de chevalet. On parla désormais des "tableaux de faïence" d'Alfred Beau[5]. En s'exprimant par l'émail, il a bouleversé le genre classique jusqu'ici en vigueur dans le quartier de Loc-Maria où s'érigeaient les faïenceries quimpéroises[6] **[fig. 2]**.

Fig. 2 : *Plat décoratif, Lever du jour à Quimper*, Alfred Beau, peinture sur émail cru, vers 1880, (H. 44,5 cm ; L. 36 cm ; P. 3,5 cm), conservé dans la chapelle du manoir de Kerazan, Loctudy.

Dès le début de la collaboration Porquier-Beau, est créée une série botanique japonisante. En corrélation avec les courants artistiques de l'époque, se retrouvent les caractères plastiques des estampes japonaises, dans ses compositions céramiques. Mais très vite, la manufacture fut stimulée par une demande croissante de produits locaux, qui devint à compter de ce moment, le véritable moteur de la création à Quimper. Province originale, voire exotique, mais aussi plus facilement accessible à compter de 1860, la Bretagne était de plus en plus présente aux salons parisiens par des scènes de genre et paysages, des peintures réalistes et académiques. La littérature celtique intéressait tout autant, et dans un tel contexte, les scènes bretonnes séduisaient. La maison Porquier dut embaucher dix-huit "peinteuses" pour répondre à la nouvelle demande[7]. Beau partit alors à la recherche d'un art spécifiquement breton, et pour répondre à cette attente, il jeta les bases du décor au "petit breton", appelé à devenir, indissociable de l'image faïencière de Quimper. Ces décors furent d'abord peints d'une manière académique et, au fil du temps, le traitement se simplifia, les figurations humaines et florales se schématisèrent. Ce genre, inspiré des lithographies de *la Galerie Armoricaine* de François-Hippolyte Lalaisse et des légendes bretonnes, reçut un succès considérable lors d'une première exposition rétrospective, organisée à Quimper en 1876[8].

Paysages de l'Odet, vues de Quimper, chemins creux, retours de troupeaux, scènes quotidiennes ou pittoresques, dans l'esprit de Barbizon, décors botaniques ou scènes historiques, occupent les fonds de plats et assiettes de faïence qui, désormais, servent de support artistique. Le résultat final, encadré, constitue un aspect

5. La plupart de ces tableaux de Beau se trouvent au manoir de Kerazan.

6. A. LUCAS, *L'art céramique [...], op. cit.*

7. Colette JEHL, *Les faïences de* Quimper, *Trois siècles d'histoire, de passion et de savoir-faire*, Éditions Faïenceries de Quimper, HB Henriot, Quimper, 1996.

8. A. LUCAS, *L'art céramique [...], op. cit.*

original de la production quimpéroise. Voilà donc qui justifiait la spécialisation de Beau comme "peintre de tableaux sur faïence", à la suite d'expositions de nombreux et divers types d'œuvres.

Alfred Beau composa des modèles issus de scènes de genre pittoresques. La Bretagne, dans son contexte d'exploration et de découverte littéraire comme imagée était en vogue; les peintres affluaient pour immortaliser des scènes de marchés, de pardons ou plus simplement les calvaires et costumes locaux. Pour la manufacture, Alfred Beau élabora ses modèles selon le goût du temps, et le succès fut au rendez-vous. Il créa un style nouveau en utilisant pour support la céramique. Ses "tableaux" sur faïence, dont les sujets sont locaux, illustrent les goûts de l'artiste pour la peinture mimétique, où les performances techniques l'emportent sur la seule esthétique[9]. La plus grande partie de son succès rejaillit alors sur la manufacture Porquier.

Fig. 3: Alfred Beau, *Plat décoratif. Portrait de l'Amiral de Coligny, 1570*, peinture sur émail cru, L. 39 cm; H. 60,5 cm; P. 3 cm, Vers 1872, Chapelle du manoir de Kerazan, Loctudy.

Avec Alfred Beau, la manufacture fournit de véritables œuvres d'art, sous forme de tableaux: plats, assiettes, soupières se voient ornées de décors floraux, personnages et scènes religieuses ou historiques. Les réalisations de l'artiste furent d'ailleurs comparées à de véritables photographies d'époque, par leur décor réaliste, leur sens du détail humain, ou leur dessin souple et plein de vie. Beau réalisa également des services à décors d'animaux, de poissons, d'insectes et de fleurs de cet émail gris bleuté bordé de jaune, si caractéristique de la faïencerie Porquier[10] **[fig. 3]**.

Conséquemment, ses créations — avec la faïencerie Porquier — se font remarquer lors de l'Exposition universelle de 1878. Un article du journal *Le Finistère* se fait écho des journaux parisiens et nous confirme que la production Porquier-Beau présentait en supplément de nombreux instruments de musique[11]. Outre

9. A. LUCAS, *L'art céramique [...], op. cit.*

10. Marjatta TABURET, *La faïence de Quimper*, Rennes, Ouest-France, 1992.

11. Arch. privées, Kerazan, réserves; Prix des instruments de musique vendus en 1887 par la manufacture Porquier-Beau: "*Clarinette, 20 Francs / Cor de chasse, 100 Francs / Corne de Roland, 60 Francs / Flûte, 15 Francs / Serpent, 60 Francs / Trompette, 50 Francs / Violon, 75 Francs*".

des sujets et supports nouveaux, Beau poussa l'illusionnisme jusqu'à créer des instruments en faïence.

Effectivement, parmi les productions d'Alfred Beau, il convient de distinguer un violoncelle, dont la fabrication, entre 1875 et 1876, exigea plus de seize essais, car les pièces, de grandes dimensions et de formes complexes, se brisaient à la cuisson. L'œuvre qui sortit du four, intacte, fut récompensée d'une médaille d'argent à l'Exposition universelle de 1878, et représente aujourd'hui encore une prouesse technique. Cette pièce, unique au monde, a figuré en 1985 lors d'une exposition d'instruments de musique en céramique au musée de Blois, puis au Grand palais à Paris. Le manche présente un décor d'arabesques sur fond bleu. La table comporte des ouïes, mais n'a ni la queue ni le chevalet. Outre un ruban plié jaune qui suit le contour de la table, la décoration est faite de groupes d'amours aux quatre angles. Ceux des angles inférieurs jouent d'instruments de musique. Au centre, près des ouïes, un bouquet de feuilles vertes souligne la signature de Beau [**fig. 4**].

Fig. 4: Alfred Beau, *Violoncelle grandeur nature*, Peinture sur émail cru, Hauteur totale: 118 cm / corps: H. 75 cm; L. 44,5 cm; P. 12 cm, 1875-1876, chapelle du manoir de Kerazan, Loctudy.

À la suite de ce succès, Alfred Beau devient membre de la sous-commission du musée des Beaux-Arts de Quimper. Devenu notable, conseiller et grand ami du maire de Quimper et futur sénateur Joseph Astor II, Beau fut nommé conservateur du musée des Beaux-Arts de Quimper dès 1880, et conseiller municipal. L'artiste eut ainsi l'occasion de produire des pièces uniques, cadeaux ou plaques commémoratives d'événements de son temps, comme pour la construction du viaduc de Morlaix[12].

Pourtant malgré ses talents novateurs, le faïencier devint bien vite concurrencé, et ses rivaux quimpérois n'eurent de cesse de reproduire les décors qu'il a inventés; à la fin du siècle, de plus en plus plagiée, la manufacture est en difficulté. Porquier commence à décliner après le départ d'Alfred Beau en 1894 et s'arrête complètement quelques dix années plus tard.

12. Archives municipales Quimper, 1 D 21 et 1 D 22.

Décédé en 1907, le peintre et ami de Joseph Astor II laisse derrière lui une importante production de peintures sur émail cru. Plusieurs d'entre elles avaient acquises auprès d'artistes, en salle des ventes ou auprès de galeries, par le sénateur Joseph Astor II[13] et son fils Joseph-Georges Astor, propriétaires du manoir de Kerazan **[fig. 5]**. Joseph-Georges compléta la collection familiale en entretenant de réguliers rapports avec la faïencerie Porquier[14].

Fig. 5 : Vue du manoir de Kerazan, Institut de France, Loctudy, 2012.

Les relations que Joseph Astor II entretenait avec la famille Porquier guidèrent l'un de ses membres à offrir à Joseph-Georges Astor deux dessins d'Alfred Beau : une aquarelle intitulée *La nuit*, ainsi qu'une aquarelle et crayon, la *Fillette de Locmaria*, en vue de compléter le rassemblement entrepris par le sénateur[15].

À partir de 1921, des correspondances entretenues avec Arthur Porquier illustrent la volonté de Joseph-Georges Astor d'égayer son vestibule d'entrée de Kerazan par des faïences de Beau :

> *Vous me témoignez le désir de faire l'acquisition de quelques nouvelles pièces de Faïence et de Poterie, œuvres de Mr Beau, pour la décoration de votre vestibule. Je serais très heureux de vous céder parmi ceux qui me restent encore, les modèles qui pourraient vous convenir pour cette décoration. Ainsi que vous me le demandez, je vous établis d'autre part la*

13. Archives départementales Finistère, 60 J 106, en témoigne un inventaire de 1896.

14. Archives Institut de France, 2 J 5.

15. Arch. Institut de France, 2 J 5.

liste à peu près complète des différentes pièces qui me restent en magasin ou à mon bureau, avec décors, dimensions et prix, pour vous permettre d'arrêter votre choix avant la nouvelle visite que vous me proposez de me faire dans le courant du mois. Tout ce que je vous ai fait voir est à vendre car j'ai le plus vif désir de terminer ma liquidation et de régler tous mes comptes avec Mme Beau, avant qu'elle disparaisse. (Elle doit avoir actuellement 84 ans si je ne me trompe). J'excepte toutefois de cette vente, ainsi que je vous en ai informé, les 4 pièces qui se trouvent encore à mon bureau, à savoir: 2 faïences — Effet de Neige — Marine; et 2 plats en poterie: Paysage (sous bois) et Vieille maison (du XVIe *siècle) de la rue Basse à Locmaria. Je me suis réservé ces 4 pièces pour la décoration de ma salle à manger, en souvenir de Mr Beau. Vous pouvez donc faire votre choix parmi tous les autres modèles, sans être retenu par la crainte de m'en priver. La seule chose que je regrette c'est de n'avoir plus à vous offrir aucune pièce réellement artistique portant la signature de Mr Beau, pour vous permettre de compléter la belle collection que vous vous êtes assurée de ses œuvres.*[16]

Dès 1923, date à laquelle Joseph-Georges Astor prend des dispositions testamentaires afin que sa collection familiale conservée à Kerazan devienne publique, nous constatons une nette hausse d'achats relatifs aux objets d'art. Il semble que le collectionneur consacra les années suivantes — jusqu'en 1928 — à compléter l'état de son legs. C'est donc auprès de la veuve et du fils d'Alfred Beau tout comme auprès de la famille Porquier que Joseph-Georges Astor tente de parfaire sa collection de céramiques quimpéroises. Émile Beau, fils d'Alfred, remercie d'ailleurs grandement Joseph-Georges Astor des soins avec lesquels il rassemblait l'œuvre de son père[17]:

Il est encore une chose dont il faut que je te remercie, car elle me touche beaucoup, c'est le soin pieux avec lequel tu rassembles toutes les œuvres de mon père. Il m'est doux de penser que ces faïences, produit de son labeur incessant et de son génie inventif, ne sont pas dispersées entre des mains indifférentes et sont contemplées par quelqu'un qui voit en elles comme un reflet de celui qui les a créées. J'en possède aussi quelques-unes, mais les plus belles, c'est toi qui les as et cela me fait grand plaisir, qu'il en soit ainsi. [...][18]

16. Arch. Institut de France, 2 J 5; extrait de lettre d'Arthur Porquier à Joseph-Georges Astor, en date du 06 décembre 1921.

17. Aujourd'hui, nous pouvons compter près d'une cinquantaine de faïences issues de la manufacture Porquier-Beau présentées à Kerazan.

18. Arch. Institut de France, 2 J 5; extrait d'une lettre d'Émile Beau à Joseph-Georges Astor en date du 15 octobre 1922.

Attaché aux productions artistiques locales, le dernier descendant de la famille Astor acquit de nombreuses faïences de la manufacture Porquier-Beau à l'issue de la Grande Guerre. À tel point qu'aujourd'hui, la plupart des pièces d'Alfred Beau sont conservées à Kerazan. Plaques, assiettes de faïences, plats décorés encadrent le fameux violoncelle de faïence. Cette collection ainsi recomposée par les soins d'un collectionneur averti n'a pas encore trouvé à ce jour d'équivalent en Bretagne et présente des œuvres uniques, rares tant par leurs qualités artistiques, que par leur témoignage historique. Aujourd'hui, une cinquantaine de faïences quimpéroises participe de la collection de Kerazan, et toutes semblent être passées entre les doigts créateurs d'Alfred Beau.

Pour conclure, nous pouvons dire que les fabrications de la manufacture Porquier-Beau furent très diverses comme de très grande qualité ; il y eut une quantité très imposante de modèles que nous devons au génie créateur du peintre faïencier. Des assiettes richement décorées dont le décor reprend le blason de la Bretagne, aux vues de villes de la région, aux portraits de paysans ou scènes bibliques, nous ne devons pas oublier ses créations de lutins ou farfadets illustrant les légendes bretonnes.

Aujourd'hui, le manoir de Kerazan met en valeur sa collection de faïences quimpéroises en utilisant une salle entière. Cet ensemble illustre le souvenir d'une ville, Quimper, qui produisit plus que jamais une faïence de qualité durant tout le dernier tiers du XIXe siècle. Ces créations sont actuellement valorisées par une démarche pédagogique visant à regrouper les productions par séries. Séries botaniques ou paysages, mais surtout, les essais de couleurs trouvent leur place au même titre que les œuvres d'art. Il s'agit de pièces diverses, uniques, mais surtout, qui ne furent jamais étudiées.

C'est véritablement l'âge d'or des faïences quimpéroises dû aux initiatives d'Alfred Beau, qui est représenté dans la toute dernière pièce de la demeure. Tandis que les musées de la région doivent davantage se satisfaire d'allusions à cette époque, Kerazan le vit et le fait vivre à ses visiteurs ; et très tôt dans le XXe siècle, les achats de Joseph-Georges Astor allaient en ce sens **[fig. 6 et 7]**.

Les pièces uniques d'Alfred Beau sont encore aujourd'hui particulièrement recherchées, à l'instar des essais de couleurs qui sont eux, des éléments prospectés par les musées pour leur rareté et leurs dimensions pédagogiques. Les études stylistiques comme celles de coloris qui en émanent restent des témoins des essais aménagés en vue de la réalisation de chefs-d'œuvre. Comme une esquisse préparatoire, ils rappellent la naissance de pièces extraordinaires, et leur apparente simplicité nous permet d'appréhender le quotidien de son auteur. Aussi, il nous semble aujourd'hui indispensable de conserver cette collection unique, telle qu'elle apparaît aujourd'hui au visiteur des lieux.

En s'éloignant du manoir pour franchir les grilles du parc, les visiteurs de Kerazan éprouvent souvent des impressions mélangées: tout d'abord celle d'avoir pénétré dans la demeure d'une famille bourgeoise du siècle dernier et d'avoir pendant quelques instants partagé son intimité, son histoire et les goûts de ses occupants successifs; ensuite d'avoir fait deux découvertes, celle des céramiques d'Alfred Beau et celle des peintures et des dessins d'Auguste Goy[19].

Fig. 6: Alfred Beau, *Assiette. Second essai de manganèse*, 16 avril 1885, diamètre: 23,5 cm; P. 2 cm, Chapelle du manoir de Kerazan, Loctudy.

Fig. 7: Alfred Beau, *Assiette. Essai de couleurs bleu, vert et jaune*, 24 août 1893, diamètre: 23,5 cm; P. 2 cm, Chapelle du manoir de Kerazan, Loctudy.

19. Manoir de Kerazan, *Auguste GOY: un peintre de Cornouaille au siècle dernier*, Catalogue d'exposition, Archant, Briec-de-l'Odet, 26 juillet-1er octobre 1995, p. 2.

6

Léonard Limosin,
émailleur, peintre, valet de chambre du roi[1]

Véronique Notin

Résumé — Léonard Limosin est le plus célèbre émailleur limousin de la Renaissance. Il est aussi le seul dont on ait conservé une peinture (peinte sur bois) et une série de gravures. Il est ainsi possible de tenter d'analyser son tempérament d'artiste à partir de sa pratique de diverses techniques, grâce à l'examen détaillé de quelques-unes de ses œuvres et leur confrontation avec des exemples contemporains. Interprète de modèles gravés, comme la plupart des émailleurs et autres artistes de son époque pratiquant les arts décoratifs, Léonard Limosin nous a également laissé des compositions de son invention.
Mots-clefs — Peinture, émail peint, gravure, Limosin Léonard, Limoges, Renaissance.
Abstract — Léonard Limosin is the most famous Limousine enameller of the Renaissance. He is also the only one who left one painting (on wood) and a series of engravings. It is thus possible to make an attempt to analyse his artistic disposition through his personal practice of several techniques, by examining and confronting some of his works in detail with other contemporary examples. In keeping with the usual practice among enamellers and craftsmen of the time, Léonard Limosin translated in enamel engraved models; nevertheless, he left some very personal creations as well.
Keywords — Painting, painted enamel, engraving, Limosin Léonard, Limoges, Renaissance.

1. Cet article est largement redevable aux observations, aux analyses et aux échanges menés avec Béatrice Beillard, restauratrice des musées de France, lors de ses interventions de nettoyage et de restauration menées à Limoges sur les émaux peints du musée des Beaux-Arts.

Léonard Limosin est sans conteste la figure la plus remarquable pour illustrer l'art de l'émail peint à Limoges à la Renaissance. Son œuvre prolixe, variée, souvent d'une extrême qualité, est accompagnée de quelques éléments de documentation, relatifs en particulier à certaines commandes royales dont il a été honoré : ils permettent notamment de mesurer la part de son intervention, comme émailleur, dans l'élaboration d'œuvres prestigieuses telles que les monumentales figures d'apôtres d'Anet[2] ou les retables de la Sainte-Chapelle[3]. Mais on a également conservé, à côté des émaux qui lui sont attribuables, une série de gravures ainsi qu'un important panneau peint, datés et signés de sa main, qui offrent la possibilité rare d'interroger plus précisément la manière d'un artiste pratiquant l'émail peint, en la confrontant à son expérience personnelle d'autres médiums, plus communément exercés.

Les premiers émaux peints réalisés à Limoges à la fin du XVe et dans les premières années du XVIe siècle, au sujet desquels on a légitimement proposé des rapprochements avec la miniature contemporaine pratiquée dans la ville[4], se caractérisent par une mise en couleurs que l'on pourrait qualifier sommairement de "coloriage" : l'émail coloré translucide est posé de manière uniforme et relativement "plate" sur une sous-couche émaillée blanche, sur laquelle le tracé du dessin reste lisible par transparence, les effets de relief étant rendus par des rehauts d'or, par exemple pour les plis des vêtements. Sur ces œuvres raffinées, seules les carnations offrent un traitement modulé en valeurs : l'émail opaque utilisé pour les réaliser peut, selon son épaisseur, être d'un blanc intense ou se teinter par transparence de gris ou de violacé, en fonction de la couleur de la sous-couche sombre sur laquelle il est posé.

Les plus anciens émaux connus de Léonard Limosin, datés de 1533-1534, s'imposent d'emblée, en comparaison, par leur qualité véritablement picturale. Il s'agit de plaques de dimensions moyennes (environ 17 x 14 cm) illustrées de divers épisodes de la vie du Christ d'après la *Petite Passion* sur bois de Dürer[5]. Tout en respectant assez fidèlement le tracé de son prestigieux modèle, l'artiste parvient

2. Sophie BARATTE, *Les XII apôtres de Léonard Limosin : les Collections du musée des Beaux-Arts de Chartres*, Chartres, Musée des Beaux-Arts, s. d. [1999].

3. S. BARATTE, *Léonard Limosin au musée du Louvre*, Paris, RMN, 1993, p. 50-51, 78, pl. 1-2 ; *Les émaux peints de Limoges*, catalogue d'exposition, musée du Louvre, département des Objets d'art, Paris, RMN, 2000, p. 179-183 ; Guy-Michel LEPROUX, "Les retables de la Sainte-Chapelle commandés en 1553 à Léonard Limosin", *Commission du Vieux Paris*, 2001-7, p. 120-123.

4. Marvin CHAUNCEY ROSS, "The Master of the Orléans Triptych, enameler and painter", *The Journal of the Walters Art Gallery*, IV, 1941, p. 9-25.

5. Le musée des Beaux-Arts de Limoges en possède quatre : *Adam et Ève chassés du Paradis, la Descente aux limbes* (inv. 392-393 — V. NOTIN, *Trésors d'émail*, Limoges, musée municipal de l'Évêché, 1992, p. 145-146, n° 19-20), *Jésus chassant les marchands du temple* (inv. 2007.13.1 — V. NOTIN, "Les acquisitions du musée municipal de l'Évêché de Limoges 2007", *Bulletin de la Société archéologique et historique du Limousin*, t. 137, 2008, p. 204), *le Baiser de Judas*, (inv. 2011.12.1, don de M. E. P. Decoster 2011 — V. NOTIN, "Les acquisitions du musée des Beaux-Arts de Limoges 2011", *Bulletin de la Société archéologique et historique du Limousin*, t. 140, 2012, p. 183-185) ; dans cette dernière notice est proposé un point sur les plaques de la Passion de Léonard Limosin, aujourd'hui dispersées, composant vraisemblablement à l'origine quatre retables distincts.

cependant à enrichir les images en démultipliant les effets de la polychromie par divers procédés. S'il fait, comme ses prédécesseurs, usage de l'or en rehauts pour marquer reliefs et lumières, il généralise son emploi pour souligner des détails par un trait d'une incroyable souplesse, notamment en garnissant de broderies certains costumes. Toutefois, quelle que soit la virtuosité du pinceau qui l'applique, l'éclat de la dorure reste toujours égal et ne peut être nuancé. Très habilement, pour compléter et équilibrer les touches dorées, l'artiste exploite également les capacités de valeurs que lui offre l'émail blanc, en jouant sur l'épaisseur de sa matière : il diversifie ainsi ses effets en apposant, sur certaines zones colorées d'émail translucide, un rehaut blanc subtilement travaillé, finement tracé ou plus largement étalé selon les cas, passant d'une matière plus dense à un voile léger, qui accroche davantage la lumière et module les reliefs. Parallèlement, il teinte ses carnations de lavis rosé et mélange ses poudres au cœur d'un motif, créant des moires et des glissements de teinte. Enfin, il peut aussi poser son émail coloré sans base blanche, directement sur le cuivre, pour tirer parti de l'éclat métallique du support **[fig. 1-2]**. C'est ainsi qu'au lieu d'un dessin colorié, de zones colorées nettement séparées et de coups de lumière découpés, il propose une véritable peinture en émail, dans laquelle le geste de l'artiste s'impose avec une magistrale liberté.

Fig. 1 : Léonard Limosin, *Jésus chassant les marchands du Temple* (détail), Émail peint sur cuivre, Limoges, vers 1535, Limoges, musée des Beaux-Arts, inv. 2007.13.1.

Fig. 2 : Léonard Limosin, *Adam et Ève chassés du Paradis* (détail), Émail peint sur cuivre, Limoges, 1534, Limoges, musée des Beaux-Arts, inv. 392.

À la fin de sa carrière encore, dans les années 1570, Léonard Limosin reste curieux de nouveaux effets, produits par un usage personnel des couleurs. En 1571, il réalise une troisième série de plaques illustrées d'épisodes de la légende de Psyché d'après les gravures du Maître au Dé et d'Agostino Veneziano[6] — il est déjà l'auteur de deux séries sur le même thème, exécutées en grisaille respectivement en 1534-1535 et 1542-1545 — qu'il harmonise de manière originale[7]. Après avoir d'abord, dans les années 1560, proposé cette nouvelle palette de tonalité pastel sur un fond sombre[8], il la développe ici en s'appuyant sur une dominante blanche très affirmée, qu'il illumine d'un magnifique turquoise et tonifie en l'acidulant de vert pomme et de jaune soufre. Cette coloration audacieuse caractérise divers émaux que l'on peut tous situer à la même époque comme les deux plaques, dont une monogrammée et datée de 1572, illustrées du thème des travaux des mois ou des saisons[9], ou trois plaques attribuables à l'artiste, consacrées à l'histoire de Joseph[10]. Sur toutes ces plaques, la composition est d'abord mise en place par un jeu subtil de blanc modelé et ombré, à la manière d'une grisaille très claire au dessin plus ou moins appuyé, puis relevée par la couleur. Celle-ci est employée largement ou avec parcimonie selon les œuvres, le plus souvent limitée au fond de paysage, à quelques éléments du décor et certaines pièces du costume des personnages : elle est posée en lavis, par endroits au pinceau, par endroits en voile vaporeux ne laissant pas deviner l'outil dont l'émailleur s'est servi. Les larges réserves blanches, correspondant aux zones en relief ou éclairées du motif, peuvent ainsi apparaître opportunément comme décolorées par la lumière **[fig. 3-4]**. L'usage de la couleur en rehauts est ici à l'opposé de celui du blanc mis en œuvre par l'artiste à ses débuts, produisant des effets différents, mais d'une efficacité tout aussi convaincante.

6. V. NOTIN, "Le conte d'Amour et de Psyché", *La Rencontre des héros*, Limoges, musée municipal de l'Évêché, 2002, p. 123-139.

7. Trois plaques de cette série sont conservées au Herzog Anton Ulrich Museum de Brunswick (inv. Lim 47-49 — Irmgard MÜSCH, *Maleremail des 16. und 17. Jahrhunderts aus Limoges*, Braunschweig, 2002, p. 146-150, n° 57-59, pl. 13). Très récemment deux autres plaques, ayant appartenu à Gustave de Rothschild, ont été présentées sur le marché de l'art (Christie's, Paris, 5.11.2014, n° 36).

8. Par exemple pour la plaque du musée d'Écouen ornée de Thésée et la reine des Amazones, datée de 1563, qui déroule sa scène sur un fond de ciel noir (inv. Ec 16 — S. BARATTE, *Léonard Limosin [...]*, *op. cit.*, p. 72, pl. 32). L'invention de cette palette revient vraisemblablement à Jean II Pénicaud, qui la développe sur les plaques illustrées d'épisodes de la légende de saint Martial pour Saint-Martial de Limoges, dans les échappées sur le paysage : ces plaques datent peut-être de 1544 (V. NOTIN, "Les acquisitions du musée des Beaux-Arts de Limoges en 2014", *Bulletin de la Société archéologique et historique du Limousin*, t. 143, 2015, p. 257-272.).

9. Deux plaques ovales barlongues, *le Mois de février* ou *l'Hiver* et *le Mois de mai* ou *Le Printemps* au musée du Louvre (inv. MR 2548 et OA 953 — S. BARATTE, *Les émaux peints [...]*, *op. cit.*, p. 148-149).

10. Deux plaques ovales oblongues avec *La Naissance d'Ephraïm et Manassé* et *Joseph offrant un banquet à ses frères* d'après Bernard Salomon au musée des Beaux-Arts de Lille (inv. A 187-188) et une plaque ovale barlongue, *Joseph et la femme de Putiphar*, d'après la même source graphique, au musée des Beaux-Arts de Limoges (inv. 21). Je remercie Laetitia Barragué-Zouita, conservatrice du patrimoine, en charge du département du Moyen Âge et de la Renaissance du musée des Beaux-Arts de Lille de m'avoir très aimablement communiqué images et informations disponibles sur les deux émaux de ce musée.

Fig. 3-4: Léonard Limosin (attr.), *Joseph et la femme de Putiphar* (détails), Émail peint sur cuivre, Limoges, vers 1570, Limoges, musée des Beaux-Arts, inv. 21.

La manière toute picturale de Léonard Limosin est également perceptible dans son traitement personnel de la grisaille, en particulier lorsqu'il transpose des gravures en émail avec cette technique développée par les artistes limousins à partir des années 1530. Son exact contemporain et autre important émailleur de Limoges, Pierre Reymond, est resté célèbre pour les nombreuses pièces de vaisselle d'apparat émaillées en grisaille, produites dans son atelier. Si on examine de près, par exemple, les assiettes composant le fameux service exécuté pour Jean-Jacques de Mesmes et son épouse Geneviève Dolu, en 1567-1568, qui reproduit les gravures de René Boyvin illustrant en vingt-six scènes la conquête de la Toison d'or et l'union funeste de Jason et Médée[11], il apparaît que la version émaillée

11. V. NOTIN, "Jason et la Conquête de la Toison d'or", *La Rencontre [...]*, *op. cit.*, p. 73-83. Quatre assiettes de ce service sont conservées au musée de Limoges: n° 16: *Les Marins rapportent au roi Aétès les membres de son fils Absyrtos* (inv. 93.500), n° 19: *Médée sacrifie un bélier devant l'autel d'Hécate et Hébé* (inv. 96.542), V. NOTIN, *ibid.*,

prouve une parfaite observation par l'émailleur du modèle gravé, un respect fidèle de l'estampe, jusque dans le graphisme acéré du dessin et des ombrages. Un jeu de fins traits griffés dans l'émail blanc de surface pour laisser remonter la sous-couche noire permet à Pierre Reymond de rendre les exacts effets du burin : les lignes s'entrecroisent, se chevauchent, s'écartent, densifiant l'ombre ou révélant la lumière, comme le fait l'encre sur le papier **[fig. 5]**. À l'inverse, ainsi que le montre par exemple la belle plaque ornée du *Combat des Centaures et des Lapithes* d'après une gravure d'Aeneas Vico[12], Léonard Limosin s'écarte de l'écriture graphique et privilégie le velouté de sa matière, en modulant avec rondeur mais sans mollesse, délicatement, insensiblement, les passages de l'ombre à la lumière et du creux au relief **[fig. 6]**. Contrairement à Pierre Reymond qui construit sa composition au trait et cerne d'abord ses motifs, Léonard Limosin élabore la sienne en modelant la matière picturale, ici réduite à la couleur blanche. L'un travaille par le contour, l'autre par les valeurs de la teinte, tous deux faisant la démonstration, dans une approche radicalement différente, d'une parfaite maîtrise technique et de leur profonde intelligence du potentiel et des spécificités de leur médium.

Fig. 5 : Pierre Reymond, *Médée sur son char* (détail), Émail peint sur cuivre, Limoges, 1568, Limoges, musée des Beaux-Arts, inv. 2007.1.1.

n° 16-17, p. 84-86 ; n° 18 : *Médée voit venir à elle un char conduit par des dragons ailés* et n° 26 : *Poursuivie par Jason, Médée s'enfuit dans les airs* (inv. 2007.1.1-2) — V. NOTIN, "Les acquisitions du musée municipal de l'Évêché de Limoges en 2007", *Bulletin de la Société archéologique et historique du Limousin*, t. 126, 2008, p. 300-302.

12. Musée des Beaux-Arts de Limoges, inv. 243 (OAR 361 : œuvre saisie par les troupes alliées en 1945).

Fig. 6 : Léonard Limosin, *Le combat des Centaures et des Lapithes* (détail), Émail peint sur cuivre, Limoges, milieu XVIe siècle, Limoges, musée des Beaux-Arts, inv. OAR 361 (œuvre récupérée par les Alliés).

Fig. 7 : Pierre Reymond, *Je suis Samson* (détail), Émail peint sur cuivre, Limoges, vers 1535, Limoges, musée des Beaux-Arts, inv. 320 (don Mme Guillat 1970).

Il semble donc logique, en conséquence, de retirer du corpus de Léonard Limosin les plaques losangiques aux armes de Jean de Langeac représentant les portraits de couples mythologiques, qui lui ont été si longtemps attribuées et dont le musée de Limoges possède les figures d'Hélène et de Samson, pour les rattacher désormais plutôt aux années de jeunesse de Pierre Reymond [**fig.** 7]. La qualité graphique de ces pièces relève en effet davantage de la sensibilité de ce dernier qu'elle ne correspond à celle mise en évidence pour Léonard Limosin.

Celui-ci se distingue également des autres émailleurs de sa génération par sa capacité à concevoir et créer ses propres compositions au-delà du recours, bien connu, à des modèles dus à d'autres artistes. On dispose ainsi de quelques gravures de sa main, des eaux-fortes, signées ou monogrammées, et datées 1544. Seuls de rares tirages ont été conservés de cette série consacrée à la Passion du Christ, par ailleurs incomplète[13]. La plupart trouvent un écho fidèle dans une série de plaques ovales émaillées en couleurs, chronogrammées pour certaines 1556 ou 1557, dont il est également l'auteur[14]. La comparaison entre gravures et émaux permet de vérifier la juste compréhension par l'artiste des qualités propres à chaque technique : pour la gravure, il construit sa composition par le trait, insistant dans son tracé sur les contours et les ombres qu'il griffe vigoureusement, tandis qu'il ménage de larges plages vides — le blanc du papier — pour les zones éclairées ; pour l'émail, il laisse au contraire la profondeur d'une couleur évoquer les ombres et il la rehausse de touches claires soigneusement modulées en surface pour marquer les reliefs et accrocher quelques coups de lumière, complétant au besoin l'équilibre chromatique avec l'or **[fig. 8-9]**. C'est un procédé comparable que révèle l'examen du panneau peint, exposé au musée des Beaux-Arts de Limoges, qui provient de la chapelle familiale des Limosin dans l'église Saint-Pierre-du-Queyroix où il a été conservé jusqu'à la Révolution[15]. Le grand tableau est aujourd'hui privé des deux volets, décrits en 1760 et dont il était encore doté au début du XIXe siècle[16]. Représentant *l'Incrédulité de saint Thomas* **[fig. 10]**, il montre au premier plan à senestre un apôtre, considéré comme un autoportrait, qui tient un livre fièrement signé *LEONARD / LIMOSIN / ESMAILEIVR / PEINTRE / VALET DE / CHAMBRE / DV ROY / 1551*. Cette œuvre rare est l'unique œuvre peinte conservée de l'artiste, mais cette activité, revendiquée par la signature, est également attestée dans la documentation : ainsi Léonard Limosin est chargé des décors pour l'entrée du roi Charles IX et de sa mère à Bordeaux le 9 avril 1564, en compagnie de ses deux fils et de deux autres émailleurs de Limoges, qualifiés de peintres dans le contrat, Jean Pénicaud et Jean Miette[17].

13. Huit planches sont localisées, dont trois en double exemplaires : *l'Annonciation* (New York, Metropolitan Museum), *la Nativité* (Bruxelles, Bibliothèque royale), *l'Entrée du Christ à Jérusalem* (New York, Metropolitan Museum, Paris, BnF), *le Jardin des Oliviers* (Bruxelles, Bibliothèque royale, Paris, BnF), *le Baiser de Judas* (Bruxelles, Bibliothèque royale, New York, Metropolitan Museum), *la Cène* (New York, Metropolitan Museum), *le Christ et Caïphe* (Paris, BnF), *la Résurrection* (Paris, BnF) — André DEMARTIAL, "Léonard Limosin, émailleur et graveur", *Revue de l'Art chrétien*, t. 62, 1912, p. 18-28.

14. *L'Arrestation du Christ* est conservée à la Walters Art Gallery de Baltimore (inv. 44.213) — Philippe VERDIER, *Catalogue of the Painted Enamels of the Renaissance*, n° 107, Baltimore, The Walters Art Gallery, 1967, p. 175-177, *la Crucifixion* au musée des Beaux-Arts de Limoges monogrammée *LL* et datée *1556* (inv. 442) — Madeleine MARCHEIX, "Une Crucifixion de Léonard Limosin", *Revue du Louvre et des musées de France*, n° 4-5, 1986, p. 264-267, douze autres plaques au musée national de la Renaissance à Écouen : l'*Annonciation*, l'*Entrée du Christ à Jérusalem*, *la Cène* (signée *LEONARD L* et datée *1557*), *le Christ et Caïphe*, *le Christ devant Pilate*, *la Flagellation*, *le Couronnement d'épines*, *l'Ecce homo*, *le Portement de croix*, *la Déposition de croix* (signée *LEONARD L*), *la Descente aux limbes*, *la Résurrection* (inv. ECl 904).

15. Inv. P. 172 — Louis BONNAUD, "L'Incrédulité de saint Thomas", *Revue du Louvre et des musées de France*, 1965-1, p. 9-14.

16. "[...] On voit encore aujourd'hui un tableau peint par lui [Léonard Limosin] en 1551 ; il est à la chapelle du Petit-Séminaire. Ce qui méritait plus particulièrement l'attention de ce monument de l'ancienne peinture, c'étaient les quatre médaillons peints sur les panneaux mobiles qui fermaient ce tableau..." (Maurice ARDANT, "Des émaux de Limoges", *Bulletin de la Société royale d'Agriculture, des Sciences et des Arts de Limoges*, t. 7, 1828, p. 94).

17. L'engagement prévoit qu'ils doivent "dessiner et paindre les ornements et estrades, faire tous les ornements, paínctures, pourtraictz et autres choses de leur art nécessaires pour ladite entrée" et qu'outre armoiries et devises

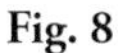
Fig. 8

Fig. 9

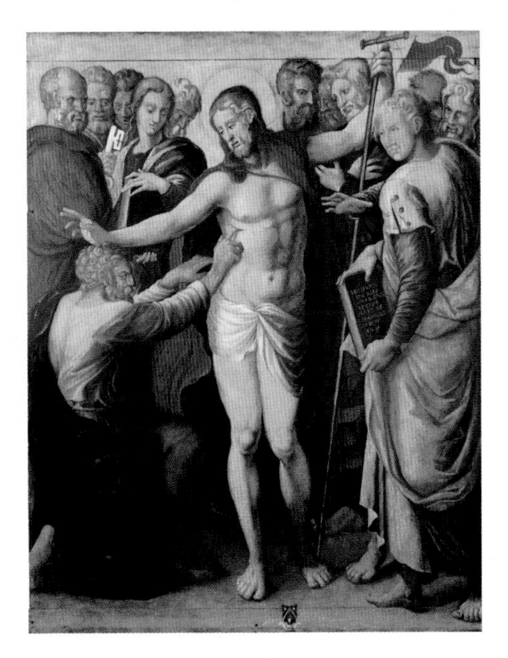

Fig. 10

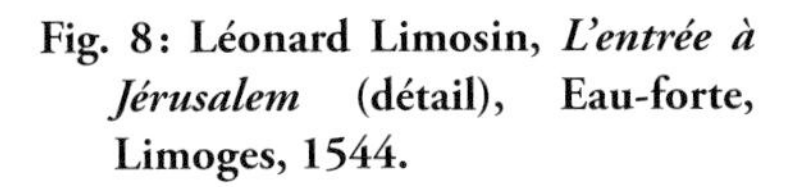
Fig. 8: Léonard Limosin, *L'entrée à Jérusalem* (détail), Eau-forte, Limoges, 1544.

Fig. 9: Léonard Limosin, L'*entrée à Jérusalem* (détail), Émail peint sur cuivre, Limoges, 1556, Écouen, musée national de la Renaissance, inv. ECl 904b.

Fig. 10: Léonard Limosin, *L'Incrédulité de saint Thomas*, Huile sur bois (châtaignier), Limoges, 1551, Limoges, musée des Beaux-Arts, inv. P. 172.

royales, ils doivent peindre une allégorie de la foi: "une image en figure de femmes ayant robbe de diverses couleurs tenant un calice en une main et une hostie en l'autre, et une croix où estoit escript *In hoc signo vinces*" (André LECLER, "Nouveaux documents sur les artistes limousins", *Bulletin de la Société archéologique et historique du Limousin*, t. 29, 1881, p. 319-331).

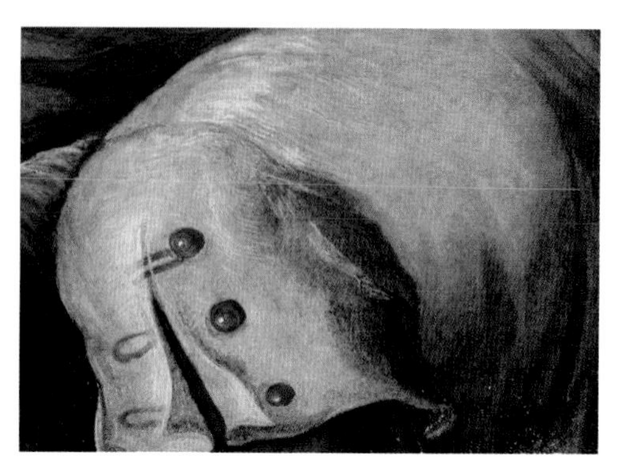

Fig. 11 : Léonard Limosin, *L'Incrédulité de saint Thomas* (détail), Limoges, 1551, Limoges, musée des Beaux-Arts, inv. P.172.

Le traitement des costumes sur le tableau s'apparente à celui observé sur les émaux avec une couleur de fond relevée par des touches claires pour marquer les arêtes et le volume des plis [**fig. 11**].

Abstraction faite de la différence d'échelle, certains visages correspondent assez précisément à ceux des figures d'apôtres peintes en émail provenant du château d'Anet, aujourd'hui présentées au musée des Beaux-Arts de Chartres[18]. La comparaison est flagrante pour la tête de saint Pierre, particulièrement bien conservée sur le tableau. La série émaillée est bien documentée puisqu'on a conservé la mention du paiement vers 1545, pour le compte des Bâtiments du roi, à "Michel Rochetel, paintre, pour avoir par luy fait douze tableaux de paintures de coulleurs sur pappier, chacun de deux pieds et demy, et en chacun d'iceux paint la figure de l'un des apôtres [...], pour servir de patrons à l'esmailleur de Lymoges, esmailleur pour le roi, pour faire sur iceux patrons douze tableaux d'esmail[19]". Les pièces sont livrées en 1547 par Léonard Limosin au château de Saint-Germain-en-Laye et aussitôt offertes (à Diane de Poitiers) : elles seront installées dans la chapelle du château d'Anet consacrée en 1553, prenant place dans les lambris commandés au menuisier Scibec de Carpi en octobre 1552[20]. On ignore dans quelles conditions la série a été dupliquée, entièrement ou partiellement seulement : les deux figures de saint Paul et saint Thomas, aujourd'hui conservées au musée du Louvre, ont la particularité de prendre respectivement les traits de Galiot de Genouillac, grand maître de l'artillerie, et de François Ier, au lieu d'être dotées des visages stylisés de la série précédente[21]. Les drapés ont de longue date été mis en correspondance avec deux dessins à la sanguine rehaussée de craie, attribués au Primatice, laissant à penser que Michel Rochetel n'a vraisemblablement fait que transcrire, pour l'émailleur, des projets conçus par le maître italien. Quatre autres dessins à la mine de plomb rehaussée de craie, portant pour certains des traces de carroyage, ont été récemment mis en

18. Inv. D.50.1-12. Je remercie Philippe Bihouée du musée des Beaux-Arts de Chartres de m'avoir communiqué le numéro d'enregistrement de ces plaques, classées Monument historiques et déposées au musée par l'État.

19. S. BARATTE, *Les XII apôtres [...], op. cit.*, p. 7.

20. *Ibid.*, p. 8-9.

21. Anne-Marie LECOQ, "Portrait de François Ier en saint Thomas", *Revue de l'Art*, 91, 1991-1, p. 81-82 ; S. BARATTE, *Les émaux peints [...], op. cit.*, p. 157-159 ; S. BARATTE, "Les plaques des Feuillantines du musée du Louvre", *Henri II*, Actes du colloque, Écouen, 1997, Paris, 2003, p. 181-187.

correspondance avec les apôtres d'Anet : ils sont attribués à Michel Rochetel[22]. On y reconnaît l'articulation générale des silhouettes et des drapés de quatre apôtres, la position des pieds et des mains, même si les attributs, sauf le calice de saint Jean, sont absents sur ces compositions ; les têtes en revanche présentent des proportions réduites par rapport au corps et les traits des visages n'offrent pas la remarquable ampleur de la transcription émaillée, qu'il faudrait donc plutôt mettre au crédit de l'émailleur.

En marge de la similitude entre les visages de saint Pierre sur la série émaillée et sur le tableau de Limoges, la confrontation entre le même saint Pierre peint et le portrait émaillé de Galiot de Genouillac du musée de Limoges[23], inversé en miroir, est également troublante surtout si l'on tient compte de la différence de taille entre le visage peint, quasi grandeur nature, et le portrait émaillé, trois à quatre fois plus petit **[fig. 12-13]**. On peut noter la même manière de dessiner le nez, avec une arête franche et un aplat marqué et, à sa racine, des bourrelets cintrés qui accompagnent les rides naissant sur le front, formant une sorte de boucle en prolongement du sourcil, des ridules aux coins de l'œil ou encore, malgré leur différence d'épaisseur, la lèvre des deux vieillards traitée d'un même trait horizontal de lavis carmin clair entre barbe et moustache. Les deux personnages ont le même regard perçant, éclairé d'une petite touche blanche, sous la courbe noire, nette, du bord de la paupière supérieure.

Fig. 12 : Léonard Limosin, *L'Incrédulité de saint Thomas* (détail), Limoges, 1551, Limoges, musée des Beaux-Arts, inv. P. 172.

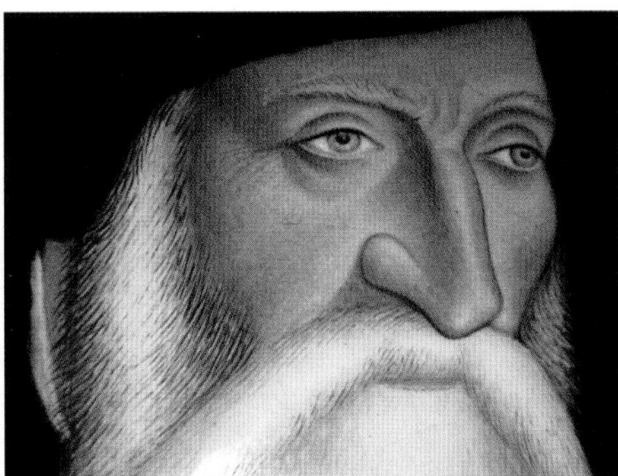

Fig. 13 : Léonard Limosin, *Portrait de Galiot de Genouillac* (détail inversé), Émail peint sur cuivre, Limoges, entre 1540 et 1546 ?, Limoges, musée des Beaux-Arts, inv. 446.

22. Ces dessins sont accessibles sur le site Internet du musée du Louvre — Cabinet des dessins (fonds des dessins et miniatures inv. 18365, 18366, 18367, 33648). Leur existence a été signalée en novembre 2013 par Stéphanie Deprouw-Augustin sur son blog *Apprendre à voir*, à la rubrique *Léonard Limosin : l'apogée de l'émail peint (1)*.

23. Inv. 446 (v. Notin, Trésors d'émail, 1992, *op. cit.*, n° 23, p. 148-149, pl. 22 ; V. NOTIN, *La Rencontre [...]*, *op. cit.*, n° 60, p. 203).

Léonard Limosin s'est largement distingué comme portraitiste de la cour de France[24]. Mais il est encore difficile, dans cette production nombreuse, parfois multiple et de qualité inégale, de faire la part de l'œuvre autographe du maître et de ce qui revient à son atelier ou à ses successeurs immédiats, tout comme de dater les émaux par rapport à leur modèle graphique. Sans revenir sur ces questions qui ont récemment fait l'objet d'une précieuse mise au point, faisant notamment apparaître l'importance d'un recueil de dessins qui pourrait avoir été utilisé dans l'atelier de l'émailleur[25], il convient de rappeler la valeur ornementale de ces portraits émaillés, au besoin teintés de mythologie, dans le décor des grandes demeures, à l'instar des figures d'apôtres insérées dans les lambris de la chapelle d'Anet. Le portrait en émail peint est en effet documenté dans un environnement lambrissé, ainsi les "trente-deux portraictz d'environ ung pied de hault de divers princes, seigneurs et dames, enchassez pareillement dans ledict lambris", mentionnés dans l'inventaire de Catherine de Médicis en 1589[26], aux côtés des "trente-neuf petitz tableaux d'émail de limoges en forme ovalle, enchassez dans le lambris dudict cabinet[27]", dont l'iconographie n'est pas précisée.

La salle des blasons au château de Villeneuve-Lembron (Puy-de-Dôme), a conservé son décor peint, daté entre 1581 et 1593[28]. On y voit dans les ébrasements des fenêtres, installés dans une délicate composition de grotesques, les armoiries et les monogrammes des propriétaires alternant avec des médaillons ovales encadrés de moulures en trompe l'œil : ces médaillons sont ornés de scènes mythologiques polychromes sur fond clair, ou de scènes de bataille en camaïeu sur fond noir évoquant précisément les grisailles en émail peint, à l'imitation probable des cabinets princiers dont la reine Catherine de Médicis a pu donner l'exemple **[fig. 14]**. Ces peintures gardent donc le souvenir de l'effet visuel que pouvaient offrir les plaques en émail peint enchâssées dans un décor mural, mais elles suggèrent également que les décors peints à grotesques sur fond clair, mis à l'honneur en France à

24. Louis BOURDERY, Émile LACHENAUD, *Œuvre des peintres émailleurs de Limoges. Léonard Limosin, peintre de portraits d'après les catalogues de ventes, de musées et d'expositions et les auteurs qui se sont occupés de ces émaux*, Paris, s. n., 1897.

25. *De la lettre à l'émail*, Écouen, musée national de la Renaissance, RMN, 2010 et Stéphanie DEPROUW, "Léonard Limosin et l'art du portrait émaillé", *L'Objet d'art*, n° 456, avril 2010, p. 64-71 ; S. DEPROUW, "Portraits émaillés du musée Condé : de nouvelles pistes", *Bulletin des Amis du musée de Condé, Chantilly*, n° 67, déc. 2010, p. 2-9. Je remercie Stéphanie Deprouw-Augustin, conservatrice du patrimoine, actuellement en poste au sein de la filière peinture au C2RMF à Versailles, d'avoir répondu avec diligence à mes sollicitations.

26. Edmond BONAFFÉ, *Inventaire des meubles de Catherine de Médicis en 1589, Meubles, tableaux, objets d'art, manuscrits*, n° 843, Paris, s. n., 1874, p. 156. Je remercie Christine Duvauchelle, responsable du service de Documentation au musée national de la Renaissance à Écouen, de m'avoir transmis par retour de mail la copie des pages relatives aux émaux dans cet ouvrage.

27. *Ibid*, n° 842, p. 155.

28. Annie REGOND, *La peinture murale du XVIe siècle dans la région Auvergne*, Clermont-Ferrand, Institut d'Études du massif Central, Fascicule XXIII, 1983, p. 176-204. Je remercie Renaud Serrette, chargé d'études et de gestion scientifique au Service Inventaire-Récolement-Acquisitions des Monuments nationaux de m'avoir aimablement transmis des photographies de détail de ces peintures.

la suite de leur large développement dans l'Italie renaissante, ont aussi pu être une source d'inspiration pour les émailleurs : le fond clair de certaines compositions émaillées, et les tonalités douces recherchées par certains émailleurs, en particulier Léonard Limosin, ou le choix d'un format ovale comme support de certains émaux, ne pourraient-ils pas être une tentative de transcription, dans une matière pérenne et précieuse, des tableautins historiés ou chargés de devises et de blasons apparaissant fréquemment dans ces décors peints à fresque ? Ainsi la Vénus du Louvre représentée en 1555 par Léonard Limosin sous les traits de *Lady Fleming accompagnée de l'Amour*[29], ou les scènes de l'histoire de Joseph rattachées à l'activité tardive de l'émailleur, aujourd'hui conservées à Lille et Limoges[30] sont-elles peut-être les vestiges d'un décor mobilier, comme l'hypothèse en a été proposée pour la célèbre série de l'*Énéide*[31]. Le rapport entre peinture et émail peint peut ainsi être analysé comme un jeu de miroirs multiples, source d'inspiration mutuelle et terrain d'expériences croisées, dans lequel Léonard Limosin, par sa pratique avérée de l'une et l'autre techniques, apporte son témoignage exemplaire et singulier.

Fig. 14 : Château de Villeneuve-Lembron (63), salle des blasons (1581-1593) (détails).

29. Inv. MR R 274 (S. Baratte, *Les émaux peints [...]*, *op. cit.*, p. 147).

30. Cf *supra* note 9.

31. Sophie Baratte, "La série de plaques du Maître de l'Énéide", *Études d'histoire de l'art offertes à Jacques Thirion*, Matériaux pour l'histoire publiés par l'École des chartes (3), Paris, 2001, p. 133-148.

7

LES SOURCES ICONOGRAPHIQUES DES ÉMAILLEURS MINIATURISTES SUR LES BOÎTES EN OR ET LES OBJETS DE LUXE PARISIENS DU XVIIIE SIÈCLE

Vincent Bastien

Résumé — Au XVIIIe siècle, les tabatières en or et tous les petits objets précieux étaient l'accessoire indispensable dans le quotidien de tout homme de goût. Dès 1740, les ateliers des orfèvres parisiens, soucieux de suivre la mode, décidèrent d'orner leurs œuvres de peinture sur émail. Des fleurs et autres coquillages peints au naturel prirent alors place pour agrémenter les pièces d'orfèvrerie. Grâce à une très large diffusion des estampes, ces motifs naturalistes cédèrent la place, vers 1750, à des thèmes inspirés des œuvres des grands maîtres comme François Boucher ou David Téniers, et même à des portraits miniatures des souverains ou à celui d'un être cher. Les orfèvres avec l'aide des plus talentueux émailleurs de la capitale, comme Aubert, Liot, Le Sueur ou Hamelin réalisèrent ainsi des objets de grand luxe à l'iconographie très variée, où l'esthétique n'a de rivale que la remarquable qualité d'exécution.
Mots-clefs — Ducrollay Jean, Aubert Louis-François, Le Sueur Pierre, Hamelin, Orfèvre, tabatière, émail.

Abstract — In the course of the 18th century, gold snuffboxes as well as various kind of tiny precious items were paradoxically what could be called "essential accessories" in the lives of every man of taste. By 1740 in Paris, the goldsmiths' workshops, anxious to follow fashion, decided to adorn their works with painting on enamel. Natural flowers and various kinds of shells thus decorated those golden works of art. Thanks to the large circulation of engravings, these naturalistic patterns were replaced in 1750 by themes inspired by works of old masters such as François Boucher and David Teniers, and even by miniature portraits of kings or some cherished members of the patrons' family. Parisian goldsmiths, with the help of the most talented enamelers, as Aubert, Liot, Le Sueur or Hamelin, made many luxury items with various iconographical themes, where aesthetics were assisted by a remarkable quality of execution.
Keywords — Ducrollay Jean, Aubert Louis-François, Le Sueur Pierre, Hamelin, goldsmith, snuffbox, enamel.

Si l'on devait caractériser par un objet la France du XVIIIe siècle, l'exemple le plus pertinent serait sans nul doute la tabatière, car ce petit objet, un peu oublié aujourd'hui, bénéficiait à l'époque d'une extraordinaire popularité. En effet, depuis la fin du règne de Louis XIV, la boîte à priser en or était devenue l'un des accessoires de grand luxe indispensable dans le quotidien des hommes et des femmes du Siècle des Lumières.

Les orfèvres parisiens ont mis en œuvre de très nombreuses tabatières aux formes et aux techniques variées. D'abord en or, en argent ciselé ou en écaille piquée, c'est probablement sous l'influence des grands marchands-merciers et pour répondre à une clientèle toujours avide de nouveautés, que les boîtes à priser furent ensuite parées de miniatures ou de cartels émaillés. Les orfèvres collaborèrent alors avec les peintres sur émail les plus talentueux du moment pour relever de nombreux défis techniques et esthétiques.

Si le foyer artistique de l'orfèvrerie parisienne occupe la proximité immédiate de la Place Dauphine, sur l'île de la Cité, les peintres émailleurs les plus habiles sont disséminés dans la capitale, où ils reçoivent les pièces confiées par les orfèvres. Les émailleurs n'étaient pas rattachés à un unique atelier d'orfèvrerie, de même, ils ne dépendaient pas de la communauté des orfèvres-bijoutiers ou des orfèvres-joailliers. Pour la décoration de ces objets de luxe (tabatières, bonbonnières, boîtes à mouche, flacons, étuis, boîtiers de montres, lorgnettes…) deux techniques sont communément utilisées : l'émail en basse-taille et la peinture sur émail.

Les boîtes en or parisiennes agrémentées de scènes peintes sur émail apparaissent au début des années 1740. L'orfèvre est le metteur en œuvre de la future boîte, c'est-à-dire qu'après un travail de réflexion, il a imaginé, puis dessiné la future tabatière, avant de proposer le projet à son client, s'il s'agit d'une commande importante. Le peintre émailleur est un sous-traitant pour l'ornement décoratif, comme peuvent l'être les ciseleurs et les lapidaires.

Produite dans l'atelier de l'orfèvre Jean Ducrollay (1710-1787), une belle tabatière rectangulaire en or, datée de 1742-1743, conservée dans une collection particulière, est ornée de peinture sur émail "en plein" et en "basse-taille" dépeignant des coquillages et coraux[1] au naturel **[fig. 1]**. Traités avec une palette variée, ces éléments marins se détachent du fond en or sablé de la boîte. Autrefois dans la collection David David-Weill[2], le dessin attribué à l'atelier d'orfèvrerie des Ducrollay, qui servit de modèle à la mise en œuvre de la tabatière, se révèle un témoignage unique pour comprendre le procédé de fabrication **[fig. 2]**.

1. Vincent BASTIEN, "Jean Ducrollay et l'orfèvrerie à Paris au XVIIIe siècle", *in* Stéphane CASTELLUCCIO (dir.), *Le Commerce du luxe à Paris aux XVIIe et XVIIIe siècles. Échanges nationaux et internationaux,* Berne, Peter Lang, 2009, fig. 19, p. 137. Vente Sotheby's, Londres, le 21 juin 1982, lot 47, collection particulière.

2. V. BASTIEN, "Jean Ducrollay et l'orfèvrerie […]", art. cit., p. 137. Ancienne collection David David-Weill ; vente Sotheby's, Genève, le 14 novembre 1984, lot 206, collection particulière.

Fig. 1 : Jean Ducrollay, Louis-François Aubert (émailleur ?), *Tabatière*, or, émail, Paris, 1742-1743, H. 3,5 cm ; L. 7,8 cm ; l. 5,9 cm, collection particulière.

Fig. 2 : Jean Ducrollay (attribué à), *Dessin à l'aquarelle sur papier*, Paris, vers 1740-1742, H. 6,5 cm ; L. 8,3 cm, collection particulière.

L'orfèvre a préparé le support pour l'émailleur en lui réservant les espaces destinés à être ornés. Cet exemple témoigne de la complexité de la production des tabatières, car le peintre sur émail doit faire face à de multiples contraintes techniques : la petitesse de la surface, savoir adapter l'effet visuel du cartel en fonction de la forme de la tabatière, faire preuve d'une grande dextérité lors de la pose des couleurs et imaginer son effet final révélé lors de la cuisson.

L'intervention de l'émailleur dans l'élaboration d'une petite pièce d'orfèvrerie reste un sujet vaste et très complexe qui soulève de nombreuses problématiques. Aussi, nous allons tenter de mettre en lumière plusieurs aspects, en évoquant en premier lieu, le succès des grandes sources iconographiques transposées en émail. Ensuite, nous dresserons un catalogue sommaire des prestigieux émailleurs des pièces d'orfèvrerie ; enfin nous explorerons l'aspect singulier des portraits miniatures employés sur les tabatières.

Les grandes sources iconographiques des sujets émaillés

Sous le règne de Louis XV, le peintre François Boucher (1703-1770) se révèle un artiste prolifique qui inspira profondément l'ornement des arts décoratifs. Les orfèvres parisiens suivent cet engouement et dès le début des années 1750, les scènes de genre remplacent les cartels floraux émaillés des objets de luxe parisiens. Les peintres émailleurs adaptent savamment leurs compositions parmi un riche choix d'estampes qu'ils peuvent copier très fidèlement. Parfois au contraire, ils n'hésitent pas à emprunter des éléments dans plusieurs gravures pour agencer une scène originale.

Le Metropolitan Museum of Art de New York conserve une tabatière rectangulaire de Noël Hardivilliers datée de 1753-1754[3]. Malheureusement anonymes, les cartels émaillés reprennent des œuvres gravées d'après François Boucher. Ainsi, le sujet *Pensent-ils au raisin*[4] *?* gravé par Jacques-Philippe Le Bas (1707-1783) orne le dessus du couvercle, et *La poésie pastorale*[5] par Claude Duflos le Jeune (1700-1786), le dessous.

L'orfèvre Paul Robert est l'auteur d'une tabatière rectangulaire datée de 1759-1760 conservée à la Wallace Collection à Londres[6] **[fig. 3]**. Les ors de couleur ciselés servent de cadres aux émaux qui interprètent des estampes de la suite *Des amours pastorales* d'après Boucher éditée par Claude Duflos le Jeune ou Nicolas-Dauphin de Beauvais (1787-1763). On y retrouve : *Ce Pasteur amoureux chante sur sa musette*[7], *Ne plaignons point le sort de ces bergers…*[8], *Le sommeil interrompu*[9]. Sur cette boîte, le peintre émailleur a réinterprété les sujets en transposant les figures du paysage de Boucher dans des scènes d'intérieur.

Fig. 3 : Paul Robert, *Tabatière décorée d'après François Boucher*, or, émail, Paris, 1759-1760, H. 3,5 cm ; L. 7 cm ; l. 5,1 cm, Wallace Collection, Londres.

3. Francis J. B. WATSON, *The Wrightsman Collection, Volume III : Furniture, Snuff Boxes, Silver, Bookbindings*, n° 9, New York, 1970, p. 140-143. Inv. 1976.155.5.

4. Pierrette JEAN-RICHARD, *L'œuvre gravé de François Boucher dans la collection Edmond de Rothschild*, Paris, Éditions des musées nationaux, 1978, n° 1344-1346, p. 323-234.

5. P. JEAN-RICHARD, *L'œuvre gravé de François Boucher […], op. cit.*, n° 928, p. 239-240.

6. Charles TRUMAN, *The Wallace Collection. Catalogue of Gold Boxes*, n° 23, London, 2013, p. 120-122. Inv. G 30.

7. P. JEAN-RICHARD, *L'œuvre gravé de François Boucher […], op. cit.*, n° 929, p. 241-241.

8. *Ibid.*, n° 932, p. 241-241.

9. Planche de Nicolas-Dauphin de Beauvais. P. JEAN-RICHARD, *L'œuvre gravé de François Boucher […], op. cit.*, n° 281, p. 96-97.

Les scènes galantes de François Boucher rivalisaient avec ses allégories mythologiques et ses petits Amours sur des nuées brandissant des trophées ou des attributs.

L'orfèvre Louis-Philippe Demay réalisa en 1764-1765 la tabatière ovale présentée à la Wallace Collection[10]. Le cartel polychrome émaillé sur le couvercle s'inspire de l'*Amour désarmé* gravé par Étienne Fessard (1717-1777)[11]. La bâte est ornée de putti gravés par Jean Daullé (1703-1763), symbolisant *Les quatre éléments* comme *La terre*[12] sur la face, ou encore *L'air*[13].

D'un style plus néoclassique, la tabatière rectangulaire de l'orfèvre Pierre-François Drais, datée de 1763-1770 et conservée à la Wallace Collection[14], se caractérise par la présence de petites miniatures émaillées en grisaille sur un fond rose soutenu. L'enfant se reposant au milieu de deux bovidés, est tiré de la planche de Pierre Aveline (1702-1760) *Deux enfants dormant avec des moutons*[15]. Ici encore, l'émailleur adapte sa composition en sélectionnant uniquement quelques éléments de la gravure.

Fig. 4: Hubert Cheval, *Tabatière à décor chinois d'après François Boucher*, or, émail, Paris, 1749-1750, H. 3,2 cm; L. 7 cm; l. 5,1 cm, Wallace Collection, Londres.

Pendant une plus courte période, les arts décoratifs furent influencés par une série d'estampes d'inspiration chinoise dont les modèles furent encore fournis par François Boucher. La tabatière rectangulaire de l'orfèvre Hubert Cheval, datée de 1749-1750, de la Wallace Collection[16] témoigne de cet engouement pour les décors chinois **[fig. 4]**.

Les six faces de la boîte sont inspirées de la suite d'estampes gravées par Gabriel Huquier (le Père, 1695-1772), *Scènes de la vie chinoise,* parmi lesquelles on reconnaît: *La pêche au cormoran*[17], *Le flûtiste*[18], *Le*

10. C. TRUMAN, *The Wallace Collection [...], op. cit.*, n° 32, p. 148-151. Inv. G 39.

11. P. JEAN-RICHARD, *L'œuvre gravé de François Boucher [...], op. cit.*, n° 999, p. 249-250.

12. *Ibid.*, n° 539, p. 160.

13. *Ibid.*, n° 533-534, p. 159-160.

14. C. TRUMAN, *The Wallace Collection [...], op. cit.*, n° 31, p. 145-147. Inv. G 47.

15. P. JEAN-RICHARD, *L'œuvre gravé de François Boucher [...], op. cit.*, n° 246, p. 88-89.

16. C. TRUMAN, *The Wallace Collection [...], op. cit.*, n° 5, p. 68-71. Inv. G 8.

17. P. JEAN-RICHARD, *L'œuvre gravé de François Boucher [...], op. cit.*, n° 1128, p. 277-278.

18. *Le flûtiste et enfant timbalier, ibid.*, n° 1126, p. 277-278.

carillon[19], *La toilette*[20], la *Chinoise assise tenant un plat*[21], ou encore *L'eau* de Pierre Aveline[22].

Il semble que l'atelier de Jean Ducrollay et celui de l'orfèvre Charles-Martin Wattiaux se soient adressés au même émailleur pour la décoration de deux tabatières, car les sujets sont similaires et d'une facture très proche. De forme rectangulaire allongée, la boîte de Ducrollay avec le bec rehaussé de diamants, détenue dans une collection particulière[23], datée de 1753-1755, présente sur son dessous un personnage ramant dans une barque, comparable à celui placé, à droite, sur le couvercle de la boîte fabriquée par Wattiaux, datée de 1754-1755, conservée au musée Cognacq-Jay[24]. Sur les deux tabatières, les surfaces émaillées se détachent du fond en or guilloché formé de chevrons.

Le musée Cognacq-Jay possède aussi une ravissante petite boîte ovale en or de l'orfèvre Henri Delobel, datée de 1761-1762[25]. Les surfaces émaillées en grisaille sur un fond carmin inspirées de F. Boucher attestent de la diversité du savoir-faire des émailleurs parisiens.

Les orfèvres généralisèrent, dans les années 1775, l'emploi du tour à guillocher, et les peintres émailleurs durent s'appliquer à renouveler techniquement leur art, comme pour le dessus d'une bonbonnière de l'orfèvre Delobel, datée 1777-1778[26] et appartenant à une collection particulière. L'émail translucide du motif est appliqué sur le fond guilloché composé de cercles concentriques. Le sujet s'inspire, là encore, de l'estampe de Gabriel Huquier, *Chinois assis et chinoise portant un poisson*[27] de la série des *Scènes de la vie chinoise*.

L'autre grande source iconographique est le peintre David Téniers le Jeune (1610-1690), car les grands cabinets de peintures des collectionneurs du Siècle des Lumières renfermaient tous des œuvres de ce maître flamand. Gravées par Jacques-Philippe Le Bas (1707-1783), les fêtes flamandes constituent une source d'inspiration fertile pour tous les émailleurs.

19. P. JEAN-RICHARD, *L'œuvre gravé de François Boucher [...], op. cit.*, n° 1125, p. 276-277.

20. *Ibid.*, n° 1130, p. 277-278.

21. *Ibid.*, n° 1129, p. 277-278.

22. *Ibid.*, n° 233, p. 85-86.

23. V. BASTIEN, "Jean Ducrollay et l'orfèvrerie [...]", art. cit., p. 137, fig. 7. Ancienne collection du baron Mayer Carl von Rothschild (1820-1886), Francfort-sur-le-Main. Puis par descendance, Lord Rothschild, G.B.E., G.M., F.R.S. ; sa vente Christie's, Londres, le 30 juin 1982, lot 54 (30 240 £). Galerie Sapjo, Monaco puis un collectionneur Européen ; sa vente Christie's, Genève, le 14 novembre 1995, lot 105. Galerie Sapjo, Monaco ; acquise en 1999 par Dr Anton C.R. Dreesmann (inv. n° F-234) ; The Dr Anton C.R. Dreesmann Collection, Christie's, le 11 avril 2002, lot 883 (91 750 £), collection particulière.

24. Christiane GRÉGOIRE, José DE LOS LLANOS, *Musée Cognacq-Jay, catalogue des collections : Boîtes en or et objets de vertu*, n° 51, Paris, Paris-Musées, 2011, p. 156-159. Inv. J. 443.

25. C. GRÉGOIRE, J. DE LOS LLANOS, *Musée Cognacq-Jay, catalogue [...], op. cit.*, n° 37, p. 124-125. Inv. J 469.

26. Par Jean Delobel, fils d'Henri Delobel. Vente Christie's, Londres, 22 novembre 1999, lot 136.

27. P. JEAN-RICHARD, *L'œuvre gravé de François Boucher [...], op. cit.*, n° 1132, p. 277-278.

De forme rectangulaire, les faces d'une tabatière en or de l'orfèvre Jean-Marie Tiron de Nanteuil[28], datée 1755-1756, témoignent de cette influence. Il est en de même pour la tabatière rectangulaire de Jean Ducrollay, datée de 1757-1758, exposée au Metropolitan Museum of Art à New York[29], qui présente également des peintures sur émail d'après David Téniers.

L'atelier des orfèvres Jean et Jean-Charles Ducrollay s'était, semble-t-il, spécialisé dans ce type d'ornement pour leurs créations. Le Rijksmuseum à Amsterdam conserve deux tabatières des orfèvres datées de 1758-1760. De forme ovale, la tabatière de Jean-Charles Ducrollay[30], présente sur le couvercle un cartel reprenant des éléments dans *Le flûteur* (pour le personnage à gauche) et *La femme jalouse* (pour le couple à droite). Pour la tabatière de forme rectangulaire réalisée entre 1758 et 1760 par Jean Ducrollay[31], l'émailleur a intégralement puisé dans la *Noce de Village* d'après Téniers. Il a déplacé les personnages en y ajoutant des éléments pour agrémenter les six faces, comme sur le couvercle, avec le groupe emprunté à l'extrême gauche de la *Noce de Village*.

Les estampes d'après Jean-Honoré Fragonard (1732-1806), furent également très appréciées par les émailleurs parisiens. Le Rijksmuseum présente une tabatière ovale poinçonnée par l'orfèvre Noël Hardivilliers[32], datée 1760-1762, sur le couvercle de laquelle le miniaturiste a placé *Le Colin-Maillard* gravé par Jacques-Firmin Beauvarlet en 1760 (1731-1797), d'après la composition originale de Fragonard peinte en 1755. Cette même composition apparaît également sur le revers d'une des montres de la collection Olivier au musée du Louvre[33]. Le boîtier de cette montre de luxe en or renferme un mouvement de l'horloger Abraham Bartholony (reçu maître en 1746).

Le peintre Charles-André dit Carle Vanloo (1705-1765) a réalisé plusieurs compositions dans le goût turc. Conservée dans une collection particulière, la magnifique tabatière ovale de style néoclassique de l'orfèvre Ambroise-Nicolas Cousinet[34], datée de 1763-1764, présente de superbes cartels émaillés dans le goût oriental.

28. *The J. Ortiz-Patiño Collection, Part. II, Highly Important French Gold Boxes,* Vente Christie's, Londres, le 27 juin 1973, lot 17 (Adj. 33 000 £ à S. J. Phillips). Sur l'une des faces émaillée de cette tabatière, on relève la signature : "Maillée, pinxit" pour Pierre-Victor-Nicolas Malliée (Maillié) actif à Paris entre 1748 et 1774.

29. Inv. 54.38. Sur cette boîte, on relève la signature "Constant A Paris" sur la miniature sur couvercle.

30. Reinier BAARSEN, *Paris 1650-1900, Decorative Arts in the Rijksmuseum*, n° 58, Londres et Amsterdam, 2013, p. 242-245. Inv. R.B.K. 17142.

31. R. BAARSEN, *Paris 1650-1900 [...], op. cit.*, n° 60, p. 250-255. Inv. R.B.K. 17185.

32. *Ibid.*, n° 62, p. 260-265. Inv. R.B.K. 17141.

33. Catherine CARDINAL, *Les montres et horloges de table du musée du Louvre, tome 1 — La collection Olivier,* Paris, RMN, 2000, n° 126, p. 127. Inv. OA 8346.

34. *The J. Ortiz-Patiño Collection, Part. II, Highly Important French Gold Boxes,* Vente Christie's, Londres, le 27 juin 1973, lot 13 (Adj. 21 000 £ à Peal). C. TRUMAN, *The Wallace Collection [...], op. cit.*, fig. 28.1 et 28.2, p. 137.

Fig. 5 : Noël Hardivilliers, et les cartels attribués à Le Sueur, *Tabatière décorée d'après Carle Vanloo*, or, émail, Paris, 1757-1758, H. 3,5 cm ; L. 7 cm ; l. 5,1 cm, Wallace Collection, Londres.

Vers 1752-1753, pour orner les dessus-de-porte de son Salon de compagnie au château de Bellevue, la marquise de Pompadour passa commande auprès de Carle Vanloo d'une suite de quatre toiles sur le thème des allégories des arts. Ces œuvres gravées furent largement diffusées, et trouvèrent un écho particulier dans les arts décoratifs.

Datée de 1757-1758, la Wallace Collection à Londres possède une tabatière rectangulaire de Noël Hardivilliers[35], qui présente sur ses faces les allégories de la *Musique* (couvercle), de la *Peinture* (dessous), de l'*architecture* (face), de la *Sculpture* (à l'arrière) **[fig. 5]**.

Sous Louis XVI, l'allégorie de la *Peinture* orne encore le couvercle d'une bonbonnière, appartenant à une collection particulière, de l'orfèvre Pierre-François Drais, datée de 1774-1775[36]. Le médaillon peint en grisaille, d'après Étienne Fessard (1714-1774) est bordé d'une frise de feuillages en émail translucide vert.

Aujourd'hui au Palais de Pavlovsk, *L'amour menaçant*, présenté au Salon de 1761 a été gravé en 1765 par Christian de Mechel (1737-1817). Ce modèle apparaît immédiatement sur de nombreux objets d'art, et le peintre de la manufacture royale de Sèvres Charles-Nicolas Dodin (1734-1803) transposa l'œuvre sur une plaque de porcelaine destinée au roi danois Christian VII[37]. Au musée du Louvre, la tabatière ovale allongée de l'orfèvre Jean-Joseph Barrière[38], datée de 1765-1766, émaillée de bleu lapis, offre sur le couvercle une miniature avec l'amour ailé prêt à tirer sa flèche avec son arc, sur un fond de paysage.

Lors des expositions aux Salons, Carle Vanloo était salué par les critiques et commenté par Denis Diderot. Les œuvres du peintre Jean-Baptiste Greuze (1725-1805) s'imposèrent également dans l'ornement des arts décoratifs.

---

35. *Ibid.*, n° 16, p. 100-103. Inv. G 24.

36. Ancienne collection Thomas C. Amory, New York. Vente Christie's à Genève, *European Silver, Objects of Vertu, Miniatures,* le 15 novembre 1988, lot 144, collection particulière ; puis collection de la galerie de monsieur Bernard de Leye, Bruxelles.

37. Marie-Laure DE ROCHEBRUNE, *Charles-Nicolas Dodin et la manufacture de Vincennes-Sèvres. Splendeur de la peinture sur porcelaine au XVIIIe siècle*, Versailles, musée national des châteaux de Versailles et de Trianon, catalogue d'exposition, n° 72, 2012, p. 173-174.

38. Serge GRANDJEAN, *Catalogue des tabatières, boîtes et étuis des XVIIIe et XIXe siècles du Musée du Louvre,* n° 11, Paris, 1981, p. 40-41. Inv. OA 7734.

Dès 1763-1764, l'orfèvre Pierre Cerneau réalisa la petite tabatière ovale aujourd'hui conservée à la Wallace Collection[39]. Toutes ses faces s'inspirent d'estampes d'après Greuze par Jacques-Firmin Beauvarlet comme *La Bonne mère*, *La maman*, ou *La marchande de marrons*....

L'orfèvre Louis Roucel, un élève de Jean Ducrollay, semblait avoir une prédilection toute particulière pour les sujets émaillés d'après J.-B. Greuze car ils apparaissent sur plusieurs boîtes portant son poinçon. Ainsi, de forme rectangulaire à pans coupés, la tabatière émaillée en or de la Wallace Collection[40], datée de 1766-1767, est ornée de *L'accordée de Village* d'après l'estampe de Jean-Jacques Flipart (1719-1782). De même forme, la tabatière du musée du Louvre[41], datée de 1770-1772, offre un médaillon avec *Le Ramoneur* gravé par Nicolas-Joseph Voyez (1742-1806), et *L'Écureuse* de Jacques-Firmin Beauvarlet (1731-1797) sur le dessous. Les médaillons ovales placés sur le pourtour de la bâte sont comparables aux scènes figurées sur la tabatière ronde de la collection Thurn und Taxis[42]. Réalisée dans l'atelier de Roucel entre 1771 et 1771, la tabatière circulaire enrichie de diamants présente sur le couvercle un médaillon avec *L'oiseau mort* d'après J.-B. Greuze[43] **[fig. 6]**.

Fig. 6: Louis Roucel, *Tabatière avec médaillon d'après J.-B. Greuze*, or, émail, diamants, Paris, 1770-1771, H. 3,9 cm; diamètre: 7,6 cm, collection Thurn und Taxis, Bayerisches National Museum, Munich.

Ce panorama des grands maîtres démontre la grande variété des sujets transposés par les peintres émailleurs. Il est frappant de constater que parmi les exemples énumérés jusqu'ici, certains ateliers d'orfèvrerie privilégient souvent les mêmes thèmes. La présence de signature sur ces cartels peints se révèle rare et nous voulons maintenant dresser un catalogue sommaire des principaux peintres sur émail qui collaborèrent fréquemment avec les grands orfèvres spécialisés dans la production d'objets précieux.

39. C. Truman, *The Wallace Collection [...], op. cit.*, n° 30, p. 142-144. Inv. G 38.

40. *Ibid.*, n° 37, p. 162-164. Inv. G 44.

41. S. Grandjean, *Catalogue des tabatières [...], op. cit.*, n° 184, p. 152-153. Inv. OA 6770.

42. Lorenz Seelig, *Golddosen des 18. Jahrhunderts aus dem Besitz der Fürsten von Thurn und Taxis*, n° 10, Munich, Hirmer, 2007, p. 170-177 et 342-345. Inv. 93/224.

43. Planche par Jean-Jacques Flipart (1719-1782) dédiée à madame la duchesse de Gramont.

Les principaux émailleurs des objets de luxe parisiens

Outre un relevé systématique des signatures des peintres apposées sur les objets de luxe parisiens, il est également possible d'attribuer des ensembles à des artistes spécialisés dans les sujets figurés, la peinture de fleurs ou de natures mortes.

Dans les années 1740, la vogue est aux décors de fleurs au naturel. On attribue généralement au "Peintre en émail du Roi" Louis-François Aubert (†1755) les plus beaux émaux en relief. Aubert est probablement l'auteur des ornements de la boîte de Jean Ducrollay datée de 1742-1743[44] **[fig. 1]**, et de ceux de la tabatière de l'orfèvre Paul Robert, datée 1747-1748[45], appartenant à une collection particulière. En 1738, le marchand-mercier Lazare Duvaux lui commande une tabatière d'écaille à garniture en or émaillé de roses pour madame de Pompadour (1721-1764). Entre 1751 et 1753, l'administration royale des Menus-Plaisirs achète auprès du mercier parisien Simon de La Hoguette[46], cinq tabatières décorées de fleurs émaillées en relief par Aubert.

Plusieurs tabatières présentent également un décor de fleurs au naturel réalisé en basse-taille, où les émailleurs rivalisent d'ingéniosité pour faire ressortir avec talent des compositions florales parfois soulignées de bordures en émail translucide. Un très bel exemple exécuté en 1754-1755, sous la direction de l'orfèvre Jean Frémin, orne les faces d'une tabatière rectangulaire en or ciselé provenant de l'ancienne collection Wartski à Londres[47].

L'analyse des relations commerciales de l'atelier des orfèvres Ducrollay nous a permis de retrouver aux Archives Nationales des actes notariés de transports pour des paiements effectués à des sous-traitants, dont des émailleurs[48].

Le musée du Louvre expose une tabatière, datée de 1753-1754, qui porte sur le couvercle la signature de l'émailleur "Liot[49]". Cette boîte en or de Jean Ducrollay est ornée de sujets peints sur émail, inspirés de François Boucher, comme *La Pêche* sur le couvercle ou *L'agréable leçon*, sur la face de la bâte. En 1754, l'*Almanach des beaux-arts* mentionne "Liot" parmi les meilleurs peintres sur émail parisiens.

---

44. Vente Sotheby's, Londres, le 21 juin 1982, lot 47, collection particulière.

45. Ancienne collection David David-Weill. Vente Mes Ader Picard Tajan, Paris, Palais Galliera, 4 juin 1971, lot 62. Vente Christie's, Genève, 13 novembre 1984, lot 38, collection particulière.

46. Alexandre Pradère, "Simon-Henri Delahoguette, *Au Roy de la Chine*. Les faillites à répétition de l'un des grands marchands bijoutiers parisiens", *Revue de l'art*, n° 152, 2006-2, p. 53-64.

47. A. Kenneth Snowman, *Eighteenth century gold boxes of Europe*, Woodbridge, Suffolk, 1990, fig. 340-350, p. 155, collection particulière.

48. Vincent Bastien, *Étude de la production et de la diffusion des tabatières et des objets de luxe à Paris sous Louis XV et Louis XVI. L'exemple de l'atelier des orfèvres Ducrollay, Drais et Ouizille*, thèse de doctorat inédite soutenue le 29 novembre 2013 à l'université de Paris 4.

49. S. Grandjean, *Catalogue des tabatières [...], op. cit.*, n° 98, p. 92-94. Inv. OA 6751.

Autre artiste talentueux, actif au milieu du XVIIIe siècle, Pierre Le Sueur collabore avec des orfèvres renommés comme Jean Frémin, Jean Ducrollay ou Noël Hardivilliers.

La Wallace Collection à Londres présente une tabatière rectangulaire de Jean Frémin inspirée de l'œuvre de François Boucher, datée de 1750-1751, signée sur le couvercle : *Le Sueur*[50]. La palette employée pour ces miniatures est caractéristique de l'émailleur qui exposa aux Salons parisiens de 1741 à 1753. Ce style pictural pour des compositions d'après François Boucher apparaît sur plusieurs tabatières rectangulaires de l'atelier de Jean Ducrollay, comme celle de 1750-1751 du Victoria and Albert Museum à Londres[51], ou celle de 1754-1755 de la Wallace Collection[52]. Grâce au don de la duchesse de Windsor en 1973, le musée du Louvre conserve une tabatière rectangulaire allongée en or, exécutée entre 1755 et 1756, avec des émaux en basse-taille et des peintures sur émail également signées de Le Sueur[53].

Pour une tabatière rectangulaire en or, l'orfèvre Jean Ducrollay s'adressa à un peintre sur émail nommé "Constant" pour la réalisation de cartels inspirés de l'œuvre du peintre David Téniers le Jeune. Datée de 1757-1758, cette boîte aujourd'hui exposée au Metropolitan Museum of Art de New York[54] est parée d'émaux colorés présentant les fameuses fêtes flamandes.

L'atelier de Jean Ducrollay collabora également avec l'émailleur François-Joseph Bourgoin (actif de 1754 à 1786) qui réalisa des émaux "en plein" sur une tabatière ovale, datée de 1758-1759, conservée au Rijksmuseum à Amsterdam[55]. Les scènes mythologiques avec *Ariane et Bacchus*, sur le couvercle et *Le Repos de Diane* sur le dessous sont complétées par une scène bachique formant une frise continue sur tout le pourtour ovale de la bâte. La haute qualité des panneaux émaillés signés "f. Bourgoin inv. pinx. 1759" sont mis en valeur par la monture en or ciselé de l'orfèvre. Cette réalisation constitue une prouesse technique de la part de l'émailleur, car la frise déployée qui court sur tout l'extérieur de la bâte s'inscrit comme le seul exemple de ce type retrouvé dans l'art de Jean Ducrollay. François-Joseph Bourgoin collabora également avec l'orfèvre Jean Formey (1754-1791), puisqu'il

50. C. TRUMAN, *The Wallace Collection [...], op. cit.*, n° 7, p. 75-77. Inv. G 14.

51. Ancienne collection du marquis de Granby, offerte à Brice Fisher (d'après une inscription à l'intérieur de la boîte "John, Marquis of Granby to Brice Fisher Esq., 1764"), collection Jones léguée en 1882 au Victoria and Albert Museum de Londres, Victoria and Albert Museum, Londres. Inv. 1910.1882.

52. C. TRUMAN, *The Wallace Collection [...], op. cit.*, n° 10, p. 83-85. Sir Richard Wallace fit l'acquisition de cette tabatière en 1872. Inv. G 19.

53. S. GRANDJEAN, *Catalogue des tabatières [...], op. cit.*, n° 101, p. 95-96. Inv. OA 10877. Vente à Paris, Hôtel Drouot, *Collection A. Febvre,* du 17 au 20 avril 1882, lot 224. Collection Charles J. Wertheimer, sa vente à Londres, Christie's, les 8-9 mai 1912, lot. 35 (la notice du catalogue indique une provenance de la vente C.H.T. Hawkins en 1904). Don en 1973, de madame la duchesse de Windsor au musée du Louvre, Paris.

54. Clare LE CORBEILLER, *European and American Snuff Boxes 1730-1830,* New York, Viking Press 1966, Fig. 80. Inv. 54.38.

55. R. BAARSEN, *Paris 1650-1900 [...], op. cit.*, n° 59, p. 246-249. Inv. R.B.K. 17153.

est l'auteur des miniatures appliquées sur une tabatière moins ambitieuse datée de 1762-1763[56].

Dans un autre registre d'ornement décoratif, les compositions de natures mortes signées par Hamelin sont d'une prouesse technique rare. Deux tabatières rectangulaires de Jean Ducrollay de la fin des années 1750 portent sa signature. La première, enrichie de diamants, datée de 1758-1759, est exposée à Cincinnati[57] **[fig. 7]** ; la seconde mise en œuvre entre 1759 et 1760 est présentée à la Wallace Collection[58]. Hamelin collabora également pour la réalisation de l'émail qui orne le boîtier d'une montre de l'horloger Ferdinand Berthoud[59], et les panneaux émaillés d'une tabatière rectangulaire datée 1759-1760, marquée de l'orfèvre Claude Perron qui appartient à une collection particulière[60]. Pour tous ces bouquets de fleurs ou de fruits dans des vases ou des corbeilles, aucun ne semble directement copié d'après un modèle gravé. Hamelin compose entièrement ses créations, comme le peintre émailleur Philippe Parpette (1738-1793).

Fig. 7 : Jean Ducrollay, *Grande tabatière rectangulaire par Hamelin*, or, émail, diamants, Paris 1758-1759, H. 4,6 cm; L. 9,2 cm; l. 6,4 cm, Taft Museum of Art, Cincinnati.

Parpette eut une double activité. Émailleur, il fit aussi carrière comme peintre de fleurs à la manufacture royale de Sèvres (1755-1757 ; 1773-1806). Le musée du Louvre présente une tabatière ovale de l'orfèvre Paul Robert[61], datée de 1763-1764, avec une nature morte signée. On lui attribue généralement l'ornement d'un grand nombre d'objets de luxe émaillés dont un rare petit nécessaire à écrire en or réalisé

56. Vente Sotheby's, Londres, le 6 juin 2002, lot 67.

57. Taft Museum of Art, Cincinnati. Inv. 1932.11 (Truman, 2013, fig. 25.1, p. 129). *Grande tabatière rectangulaire en or, émail "en plein" et diamants* par Hamelin, 1758 et Jean Ducrollay, Paris 1758-1759. Collection de Sir Henry Hawkins ; sa vente Christie's, Londres, le 24 mars 1904, lot 396, collection Duveen Brothers, New York de 1904 à 1905. Entré le 28 janvier 1905 au Taft Museum of Art, Cincinnati.

58. C. TRUMAN, *The Wallace Collection [...], op. cit.*, n° 25, p. 127-129. Inv. G 32.

59. Collection particulière.

60. Vente Christie's, Genève, 10 novembre 1987, lot 392. Vente Christie's, Londres, 12 juin 2006, lot 18 (C. TRUMAN, *The Wallace Collection [...], op. cit.*, fig. 25.3).

61. S. GRANDJEAN, *Catalogue des tabatières [...], op. cit.*, n° 182, p. 150. Inv. OA 6773.

par l'orfèvre Jean Ducrollay en 1755-1756[62], ou encore une précieuse lorgnette des collections du musée Cognacq-Jay[63]. Les cartels de plusieurs tabatières portant le poinçon de Jean Ducrollay sont attribués à Philippe Parpette. Parmi ces derniers, on citera la tabatière ovale, datée de 1755-1756, conservée à Richmond[64] ; la nature morte de la grande boîte rectangulaire exécutée entre 1756 et 1757, offerte au musée du Louvre par le legs Basile de Schlichting en 1914[65] ; la tabatière rectangulaire en or, diamants et cartouches contournés du musée national de l'Ermitage[66], datée de 1760-1761.

Après cet aperçu des plus grands émailleurs parisiens, intéressons-nous maintenant aux portraitistes.

Les boîtes en or ornées de portraits miniatures émaillés

L'usage de la boîte à portrait, adopté sous Louis XIV, perdura bien au-delà de l'Ancien Régime. Souvent destinées à être offertes en cadeau, les tabatières ornées du portrait miniature d'un souverain, des membres d'une même famille, ou d'une personne chère sont assez fréquentes. Les médaillons peints sur vélin ou sur ivoire furent produits en grand nombre. Les portraits peints sur émail demeurent les plus raffinés et précieux.

À l'extrême fin du règne de Louis XV (1715-1774), l'orfèvre Pierre-François Drais fit appliquer sur le couvercle d'une tabatière une miniature ovale reprenant un détail du portrait représentant le souverain en grand habit d'après le tableau officiel peint par Vanloo. Cette belle boîte conservée au musée du Louvre est datée de 1768-1770[67].

Sous Louis XVI et Marie-Antoinette, les peintres miniaturistes François Dumont (1751-1831) ou encore Joseph Boze (1745-1826) donnèrent des modèles qui furent copiés sur émail par Louis-Marie Sicard dit Sicardi (1746-1825).

Une collection particulière possède une tabatière ovale de l'orfèvre Charles Ouizille, datée de 1787-1788[68], présentant un portrait de Louis XVI cerclé de

62. Musée des Arts décoratifs, Paris, inv. 26595. V. Bastien, "Les Ducrollay, de prestigieux orfèvres parisiens au XVIIIe siècle", *L'Estampille. L'Objet d'Art*, n° 415, juillet-août 2006, p. 68.

63. C. Grégoire, J. de Los Llanos, *Musée Cognacq-Jay, catalogue [...], op. cit.*, n° 54, p. 163-164. Inv. J 663.

64. Don d'Alisa Mellon Bruce en 1900 au Virginia Museum of Fine Arts, Richmond. Inv. 70.9.5.

65. S. Grandjean, *Catalogue des tabatières [...], op. cit.*, n° 102, p. 96. V. Bastien, "Les Ducrollay, de prestigieux orfèvres [...]", *op. cit.*, p. 69. Inv. OA 6753.

66. A. K. Snowman, *Eighteenth century gold boxes [...], op. cit.*, fig. 350, p. 176. Inv. E-4487.

67. S. Grandjean, *Catalogue des tabatières [...], op. cit.*, n° 81, p. 83-84. Inv. OA 6783.

68. Selon une tradition familiale la boîte aurait été offerte par Louis XVI en 1791 à Antoine-Omer Talon, marquis du Boulay et de Tramblay-le-Vicomte (1760-1811) par descendance jusqu'à la vente Sotheby's à Londres, *Important Silver, Gold Boxes*, le 18 décembre 2007, lot 48 ; adjugé 26 900,00 £, collection particulière.

diamants d'après Boze **[fig. 8]**. Pour sa part, la boîte ovale du musée Cognacq-Jay, par Étienne-Joseph Blerzy, offre un splendide portrait de la reine Marie-Antoinette vers 1776-1777[69].

Fig. 8 : Charles Ouizille, *Tabatière de forme ovale, ornée d'un portrait miniature de Louis XVI*, or, email, diamants, Paris, 1787-1788, L. 8,4 cm, collection particulière.

Enfin, les orfèvres de l'époque néoclassique remettent à l'honneur les anciens portraits émaillés des membres de la famille royale du XVIIe siècle. Souvent attribués à l'atelier de Jean Petitot (dit Jean Petitot II, 1653-1699), cette référence au Grand Siècle était appréciée des collectionneurs éclairés. L'atelier de l'orfèvre Charles Ouizille, le successeur de l'orfèvre Pierre-François Drais, réemploya une effigie de *Louis XIV cuirassé* ou encore le médaillon d'une dame de qualité, sur deux tabatières de 1778-1779[70] et de 1784-1785[71] exposées au musée du Louvre.

Les tabatières et les objets de luxe parisiens affichent tous une remarquable qualité d'exécution. L'art des peintres émailleurs suit constamment la vogue des arts décoratifs et le répertoire ornemental à succès. Toutefois, pour ces objets précieux, les artistes savent aussi faire preuve d'une grande imagination et créer des tableaux originaux.

Ces multiples raisons expliquent la renommée du savoir-faire parisien qui était pour les amateurs français et étrangers de l'Ancien Régime, le gage du meilleur goût, celui d'un art toujours à la pointe de la modernité.

69. C. Grégoire, J. de Los Llanos, *Musée Cognacq-Jay, catalogue [...], op. cit.*, n° 27, p. 104-106. Inv. J 492.

70. S. Grandjean, *Catalogue des tabatières [...], op. cit.*, n° 168, p. 139-140. Inv. OA 6817.

71. *Ibid.*, n° 171, p. 142. Inv. OA 7633. La boîte est signée sur la gorge : "*Ouizille et Drais, Bijoutier du Roy à Paris*".

8

Paul-Victor Grandhomme (1851-1944), peintre-émailleur

Catherine Cardinal

Résumé — "L'émail des peintres" est en faveur dans la deuxième moitié du XIXe siècle. Des artistes se forgent une réputation dans cette technique au sein des salons et expositions internationales. La présente étude s'attache à mettre en lumière l'un d'eux, Paul-Victor Grandhomme. Outre un savoir technique d'émailleur, de bijoutier et de graveur, il possède une formation de dessinateur et de peintre. Marquée par des commandes de collectionneurs et des collaborations avec des orfèvres, la carrière de Grandhomme se révèle brillante. Ses thèmes d'inspiration trouvent une expression originale grâce aux techniques qu'il perfectionne jusque vers 1900. Dispersée dans les musées et les collections privées, sa production est composée de bijoux, plaques décoratives, tableaux en émail. Ces derniers, sur lesquels porte principalement notre intérêt, sont soit des transcriptions d'après des maîtres anciens ou contemporains, soit des compositions personnelles.
Mots-clefs — Peinture en émail, basse taille, Grandhomme Paul-Victor, Popelin Claudius, Garnier Alfred, Moreau Gustave, Corroyer Edouard, Hayem Charles, Marx Roger, Paris, Saint-Briac-sur-mer, XIXe siècle.

Abstract — "Painters' enamel", was particularly popular during the second half of the 19th century. Artists specialized in this technique, and built reputations in the salons and international exhibitions. The present study is concerned with one of them — Paul Victor Grandhomme. He combined mastery of the enamelers', jewellery-makers' and engravers' skills with a solid grounding in drawing and painting. Grandhomme had a brilliant career, punctuated by commissions from collectors and collaborations with goldsmiths; the themes that inspired him found original expression thanks to the techniques that he had perfected by c.1900. Scattered between museum and private collections, his œuvre is made up of jewelry, decorative plaques, and pictures in enamel. The latter, which are chiefly of concern here, are either realized after works by old or contemporary masters, or are his own compositions.
Keywords — Painted Enamels, "basse taille", Grandhomme Paul-Victor, Popelin Claudius, Garnier Alfred, Moreau Gustave, Corroyer Edouard, Hayem Charles, Marx Roger, Paris, Saint-Briac-sur-mer, 19th century.

dessinateur par talent,
coloriste par sentiment
et émailleur par goût

(Taxile Doat)[1]

L'émail fascine dans la deuxième moitié du XIXe siècle les amateurs d'art mais aussi les poètes. Pour José Maria de Heredia, l'émailleur est un alchimiste s'affairant dans le silence du soir auprès de son four :

Ce soir, au réduit sombre où ronfle l'athanor,
Le grand feu prisonnier de la brique rougie
Exalte son ardeur et souffle sa magie
Au cuivre que l'émail fait plus riche que l'or.[2]

Pour Théophile Gautier, l'émailleur se rapproche du sculpteur à cause des difficultés qu'il doit vaincre pour maîtriser la matière ; il observe :

Oui, l'œuvre sort plus belle
D'une forme au travail
Rebelle,
Vers, marbre, onyx, émail.[3]

Parmi les nombreuses techniques de l'émail, l'une intéresse particulièrement les artistes : l'émail peint, spécialité de Limoges sous la Renaissance. À partir des années 1850, des bijoutiers, des orfèvres et des peintres tentent de redécouvrir les secrets de la technique des émailleurs limousins. Se fondant à la fois sur l'examen des créations anciennes et sur des expériences personnelles, ils réalisent des œuvres qui reflètent les modes de leur temps[4]. Une bonne dizaine d'émailleurs se distingue dans les salons et les expositions[5]. Dans ce groupe qui compte Claudius Popelin,

1. Taxile DOAT, "Causeries d'un émailleur", *Revue des arts décoratifs,* t. 12, 1891-1892, p. 78.

2. José-Maria de HEREDIA, "Rêves d'émail", *Les Trophées,* Paris, Lemerre, 1893, p. 105.

3. Théophile GAUTIER, "L'art", *Émaux et Camées,* Paris, Charpentier, 1872 (édition définitive), p. 223-226, cit. p. 225.

4. Voir Catherine CARDINAL, "Le goût de l'émail dans la seconde moitié du XIXe siècle", *in* Rossella FROISSART, Laurent HOUSSAIS, Jean-François LUNEAU (dir.) *Du Romantisme à l'Art Déco, Mélanges offerts à Jean-Paul Bouillon,* Rennes, Presses universitaires de Rennes, 2011.

5. La première manifestation importante à laquelle ils prennent part est le Salon des Beaux-Arts de 1864. Voir Alfred DARCEL, "la Peinture vitrifiée et l'architecture au Salon de 1864", *Gazette des Beaux-Arts,* t. 17, p. 80-94. Voir aussi Daniel ALCOUFFE, "Les émailleurs français à l'Exposition universelle de 1867", *Antologia di Belle Arti,* Torino, 1980.

Alfred Meyer, Frédéric de Courcy, Serre, figure Paul Victor Grandhomme, associé quelques années à Alfred Garnier. Les émaux de Grandhomme sont admirés et recherchés à partir de l'exposition universelle de 1889. En 1891, Taxile Doat affirme: "Le succès de M. Grandhomme ne peut que grandir jusqu'au jour où, ne s'inspirant de rien d'autre que de ses conceptions personnelles, il deviendra le chef d'une nouvelle école[6]".

Formations et savoir technique

Comme plusieurs de ses contemporains le remarquent, le talent de Paul-Victor Grandhomme, "peintre-émailleur" ainsi qu'il se désigne, tient à sa maîtrise de plusieurs techniques.

Sa première formation est celle de bijoutier. Né en 1851, à Paris, il entre en apprentissage chez un bijoutier parisien, s'exerçant à la ciselure et à la gravure, deux pratiques qu'il adjoindra, une vingtaine d'années plus tard, à celle de l'émail. Avant la guerre de 1870, nous dit Lucien Falize, il réalise de "délicats ouvrages" de bijouterie[7].

Réfugié à Épernay pendant la Commune (mars-mai 1871), il découvre sa vocation d'émailleur non pas dans un atelier mais en consultant un manuel, *L'émail des peintres* de Claudius Popelin (1825-1892), publié en 1866. "Ce livre fut sa grammaire" rapporte Falize. Revenu à Paris, ayant installé un four dans sa chambre, il s'initie à la technique de l'émail de Limoges auprès de l'émailleur Gagneré qui peut lui révéler les procédés de Popelin puisqu'il prépare et cuit pour lui des plaques. Dès cette époque, il livre des plaquettes en émail peint aux bijoutiers.

Une rencontre décisive a lieu chez Gagneré: celle de l'orfèvre Auguste Mollard (1836-1916), engagé dans des recherches sur les émaux. Il ouvre au jeune artiste son laboratoire, lui fait partager ses découvertes et lui passe des commandes. Falize note: "C'est donc chez M. Mollard que Grandhomme a utilement travaillé d'abord, bénéficiant des découvertes de celui-ci qui, pour lui, n'était ni un patron, ni un maître, mais plutôt un émule et un ami."

Le premier aboutissement personnel de cette formation est un portrait de *Vittoria Colonna* qu'il expose, en 1874, au Salon de la Société des Artistes français, en se signalant comme élève d'Eugène-Edmond Midy.

Peu après cette exposition, soucieux de mieux faire, il entre dans l'atelier de Puvis-Chavannes, prend aussi des conseils auprès de Jules-Élie Delaunay et de

6. T. Doat, "Causeries d'un émailleur", art. cit., p. 79.

7. Lucien Falize, "Claudius Popelin et la renaissance des émaux peints", *Gazette des Beaux-Arts*, t. 11, 1894, p. 130-132 pour les éléments biographiques donnés ici et ci-dessous. Falize entretint d'étroites relations avec Grandhomme et fournit des renseignements précis sur sa carrière jusqu'au début des années 1890.

son camarade d'atelier Raphaël Collin (1850-1916)[8] **[fig. 1]**. En 1885, reconnaissant envers ses maîtres, il se présente au Salon comme "élève de MM Puvis de Chavannes, Delaunay et Collin". Grâce à ses progrès en dessin, dès la fin des années 1870, Paul-Victor Grandhomme peut composer des figures originales sur les plaquettes en émail qu'il livre aux maisons de bijouterie[9]. Son talent de dessinateur apparaît pleinement dans le recueil de douze planches qu'il publie en 1884 dans le goût Renaissance[10] **[fig. 2]**.

Fig. 1 : Raphaël Collin (1850-1916), *Portrait de Paul-Victor Grandhomme,* Huile sur toile. Signé "A mon ami Grandhomme... R COLLIN"., H. 24, 5 cm ; L. 18 cm sans cadre, Paris, vers 1875, Les Arts décoratifs, Paris. Legs Germain Bapst. inv. 22587 bis.

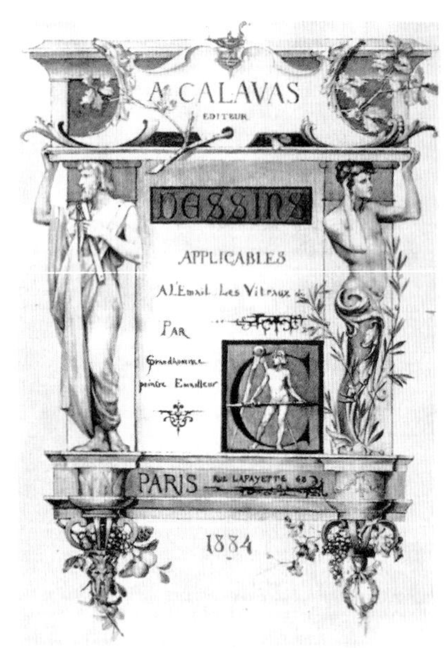

Fig. 2 : Paul Victor Grandhomme, Frontispice du portfolio *Dessins applicables A l'Email. Les* [sic] *Vitraux etc Par Grandhomme peintre Emailleur, Paris, rue Lafayette 68, 1884, A Calavas, éditeur,* Collection of The John and Mable Ringling Museum of Art Library.

La conjonction de ces diverses compétences permet à Paul-Victor Grandhomme de pratiquer sa technique préférée, l'émail, en s'aventurant dans la création de compositions originales. Maurice Pilard-Verneuil dans une étude parue dans *Art et*

8. Raphaël Collin a exécuté un portrait de l'émailleur portant la dédicace "À mon ami Grandhomme...R. Collin", conservé aux Arts décoratifs (Inv. 22587 bis) datant de cette période. On y reconnaît aisément la finesse des traits du peintre et la profondeur de ses yeux bruns que l'on retrouve dans des portraits plus tardifs.

9. L. FALIZE, "Claudius Popelin [...]", art. cit., note 6, p. 133.

10. GRANDHOMME, *Dessins applicables à l'émail, aux vitraux, aux arts céramiques.* Paris, A. Calavas, 1884.

décoration, en 1904, analyse en connaisseur son œuvre depuis l'exposition de 1889 et souligne la pluralité des talents de Paul Grandhomme :

> *La science du dessinateur et du ciseleur s'allie à la connaissance parfaite des procédés d'émaillage artistique. Car Grandhomme n'est pas émailleur dans le sens restreint et strict du mot. Bien souvent telle pièce d'orfèvrerie émaillée est sortie toute entière* [sic] *de ses mains. Il en a modelé et ciselé les figures ou les ornements, aussi bien qu'il en a composé l'ensemble et émaillé le métal. Bien peu pourraient se vanter d'une telle compétence et d'une connaissance aussi approfondie de leur art. Grandhomme ne s'en vante pas. Mais il suffit à sa modestie de travailler paisiblement, un peu à l'écart même ; mais il est sûr aussi que l'on vient recourir à lui pour l'exécution de telle pièce difficile* [...].[11]

La carrière de Grandhomme : collaborations, commandes

La carrière de Paul-Victor Grandhomme est le contraire de celle d'un artiste isolé ; elle est ponctuée de collaborations et de rencontres avec des orfèvres, des émailleurs, des collectionneurs. Au sein même de sa famille, il est entouré de sa femme miniaturiste, de sa fille graveur, de son gendre orfèvre.

À partir du milieu des années 1870, les débuts de son activité d'émailleur sont marqués par des commandes d'orfèvres-bijoutiers.

Alphonse Fouquet (1828-1900) triomphe à l'exposition universelle de 1878, à Paris, avec des bijoux de goût Renaissance dont plusieurs offrent des portraits peints en émail par Grandhomme. Encore assisté de ce dernier, le bijoutier obtient le même succès à l'exposition d'Amsterdam en 1883 et à l'exposition internationale de Paris, en 1889. Conquis par le talent de Grandhomme, l'orfèvre-bijoutier Lucien Falize (1839-1897), associé entre 1882 et 1892 à Germain Bapst (1855-1921), bijoutier-joaillier, lui demande de collaborer à des pièces importantes[12].

Malgré la reconnaissance de ses mérites, Paul Grandhomme connaît des jours difficiles jusqu'à une nouvelle opportunité. En 1877, Grandhomme avait rencontré Alfred Garnier (1848-1908 ?). Ce graveur en camée, impressionné également par le manuel de Popelin, *L'émail des peintres*, demanda à Grandhomme de l'instruire dans cet art ; "celui-ci lui apprit tout ce qu'il savait, il ne lui cacha rien du métier[13]". Dix ans après, vers 1888, alors qu'il n'a plus de four, Grandhomme

11. Maurice PILLARD-VERNEUIL, "L'émail et les émailleurs", *Art et décoration,* t. 15, 1904, p. 162.

12. Henri VEVER, *French Jewelelry in the 19th Century (1800-1900),* Genève, Antiquorum, 2000, t. 3, repr. des bijoux de Fouquet et Falize p. 43, 46, 53, 161, 168.

13. L. FALIZE, "Claudius Popelin [...]", art. cit., p. 141.

s'adresse à Garnier pour pouvoir réaliser une commande de l'architecte Édouard Corroyer, représentant *La Musique*, composition originale de l'artiste souligne Falize[14]. Garnier l'accueille dans l'atelier qu'il vient d'aménager rue Couesnon; à partir de ce moment-là, les deux hommes s'associent et obtiennent immédiatement un grand succès. **[fig. 3]**

Fig. 3: Paul Grandhomme, Alfred Garnier, *Desdémone*, émail peint sur cuivre signé "PGrandhomme AGarnier Emailleurs Inv et Pinx 1893", H. 14,5 cm; L. 12 cm (sans le cadre), Paris, 1893, Collection d'arts industriels de l'École d'arts appliqués-La Chaux-de-Fonds (Suisse).

Soucieux de faire un portrait véridique d'un aristocrate, peintre émailleur par passion, le romancier Hector Malot cherche un artiste; il ira vers 1890 "rue Couesnon, bien loin, derrière la gare Montparnasse, où dans un petit jardin je trouvai un atelier de peintre émailleur avec un four pour la cuisson, et l'occupant

14. L. FALIZE, "Claudius Popelin [...]", art. cit., p. 142.

deux jeunes artistes, MM. Grandhomme et Garnier qui se mirent à ma disposition avec une entière bonne grâce, en me permettant d'assister à leur travail [...][15]".

Leurs premiers ouvrages conjointement signés, présentés à l'Exposition universelle internationale de 1889, leur valent une médaille d'or[16]. Ce sont des plaques en émail copiées d'après des maîtres anciens ou contemporains mais aussi des compositions originales. Cette fructueuse association est marquée par de nombreux émaux réalisés d'après des aquarelles de Gustave Moreau. En 1891, 1892, 1894, 1895, les deux émailleurs exposent avec un égal succès à la Société nationale des beaux-arts.

Après 1895, Paul-Victor Grandhomme travaille seul l'émail. Jusqu'à la veille de la guerre, le peintre-émailleur participe régulièrement à des expositions. En 1897, 1898, 1899, 1901, 1902, 1905, et chaque année jusqu'en 1912, il présente des œuvres à la Société nationale des Beaux-Arts[17]. En 1902, il est présent dans l'exposition de la Société industrielle de Mulhouse. Ses œuvres figurent à l'exposition universelle de 1900, dans des expositions internationales, à Saint-Louis, en 1904, à Turin, en 1911. On le trouve dans le comité de la Société des artistes décorateurs et dans un groupe d'artistes désireux de régénérer les arts de la maison, "La poignée[18]".

Durant cette troisième phase de sa carrière, il développe une collaboration particulière avec l'orfèvre Jules Paul Brateau (1844-1923), abordée en 1893 avec la coupe *Les ivresses*. Les deux maîtres produisent des pièces d'orfèvrerie vivement admirées dans les salons dont plusieurs font l'orgueil de collectionneurs avisés, souvent des personnalités en vue.

Architecte renommé, historien de l'architecture médiévale, collectionneur connu pour son goût des émaux, Édouard Corroyer (1835-1904) est sans doute son commanditaire le plus fidèle. Dès 1888, il lui passe une commande qui lui permet de "redémarrer" sa carrière d'émailleur après une période difficile. Dans sa collection, figurent *La nymphe des grèves*, une version de la *Minerve d'Athènes*, *Le printemps* d'après Botticelli, la coupe *Les ivresses,* déjà citée. Notons que le collectionneur lui-même imagina la composition de pièces réalisées par Grandhomme telles qu'un gobelet et son plateau, en 1899, auxquels Brateau collabora, une boîte à poudre et son plateau en 1901[19].

15. Hector MALOT, *Mondaine,* Paris, Flammarion, 1896, Voir p. 382-383.

16. M. J. LOEBNITZ, "Classe 20, céramique. Rapport du jury international", *Exposition universelle internationale de 1889 à Paris. Rapports du jury international, groupe III, Mobilier et accessoires. Classes 17 à 29.* Paris, Imprimerie nationale, 1891, p. 298-299.

17. Se référer notamment à Pierre SANCHEZ, *Dictionnaire des céramistes, peintres sur porcelaine, verre et émail, verriers et émailleurs exposant dans les Salons, expositions universelles, industrielles d'art décoratif et des manufactures nationales, 1700-1920,* Dijon, L'échelle de Jacob, 2005.

18. Roger MARX, "Petites expositions", *La Chronique des arts et de la curiosité,* n° 40, 20 décembre 1902, p. 318-319.

19. M. PILLARD-VERNEUIL, "L'émail et les émailleurs", art. cit., p. 163-164. Voir également ci-dessous, p. 132.

Parmi les admirateurs de Grandhomme, figure Roger Marx (1859-1913), critique d'art, inspecteur des musées départementaux, rédacteur en chef de la *Gazette des beaux-arts* (1902-1913), membre actif dans l'organisation des expositions universelles de 1889 et 1900. Des reçus, attestant d'achats auprès de l'émailleur entre 1897 et 1909, révèlent que le collectionneur portait son choix sur des interprétations d'œuvres de Gustave Moreau. En 1897, c'est *La Chimère,* en 1899, *L'Amour et les muses,* en 1904, *Les Voix du soir* et *Les Sirènes* puis en 1909, *Les Licornes*[20]. Dès 1890, et jusqu'en 1909, ses écrits sur les salons et les expositions témoignent de son admiration pour Paul-Victor Grandhomme, qu'il soit associé à Garnier et Brateau ou seul.

Brillant collectionneur, ami de Gustave Moreau, Charles Hayem (1839-1902) fut l'un des premiers à s'intéresser aux travaux de Grandhomme associé à Garnier. Dans l'ensemble qu'il a légué au musée du Luxembourg, en 1899, se trouvent trois plaques, maintenant conservées au musée d'Orsay, *L'Amour et la Chasteté* (1890), *Hélène* d'après Moreau (1893), *Minerve* d'après Mantegna (1895)[21]. On remarque aussi *La Chimère,* exposée en 1891 ; celle-ci a sans doute été exécutée d'après une aquarelle lui appartenant, datée de 1879, qui reprenait la composition d'une peinture datée de 1867[22]. Autre fervent admirateur de Gustave Moreau, Antoni Roux possédait plusieurs transcriptions en émail d'aquarelles du peintre, réalisées par Grandhomme, comme *Europe,* datant pour l'aquarelle **[fig. 4]** et la plaque de 1897[23]. D'autres collectionneurs marquent leur intérêt pour les émaux de Grandhomme et de Garnier transcrivant des œuvres de Moreau[24]. On peut citer Georges Berger (1834-1910), très actif dans l'organisation des expositions universelles à Paris et dans le développement des musées, auquel appartenait une interprétation d'*Hercule et ses douze travaux* d'après Moreau[25], exposée en 1892 et le coffret *Le secret* qui suscita l'admiration en 1897 lors de son exposition, “lequel s'impose entre tous les objets d'art présents au Salon par l'importance du travail comme par la beauté du décor” remarquait Roger Marx[26].

20. Nous remercions Catherine Méneu de nous avoir communiqué les copies de ces reçus, précisant les dates des paiements. Voir aussi Pierre-Louis MATHIEU, *Gustave Moreau monographie et nouveau catalogue de l'œuvre achevé,* Paris, 1998, n°s 513, 514, 515, 516, 517.

21. Musée d'Orsay, Paris, inv. OAO 194, OAO 192, OAO 191.

22. P.-L. MATHIEU, *Gustave Moreau,* Fribourg, Bibliothèque des arts, 1976, n° 186.

23. Petit-Palais, musée des Beaux-Arts de la ville de Paris, inv. PPO03703. Voir P.-L. MATHIEU, avec la collaboration de Françoise Siess, *Gustave Moreau supplément au nouveau catalogue de l'œuvre achevé,* n° 525 Paris, ACR Édition. Pour l'aquarelle, se référer au n° 463 de la monographie par P.-L. MATHIEU, *Gustave Moreau [...], op. cit.*

24. Par exemple, Serge Chtchoukine. Voir Geneviève LACAMBRE, “Les fruits de l'exposition Gustave Moreau ou Gustave Moreau et l'Europe”, *La revue du musée d'Orsay,* n° 9, automne 1999, p. 87-94.

25. Il s'agit de l'œuvre, signée par Grandhomme et Garnier, donnée en 2011 au Metropolitan Museum of Art, New-York, inv. 2011.357.

26. R. MARX, “Les salons de 1897. VI Les arts décoratifs”, *Le Voltaire,* 2 juillet 1897, p. 2. Marx consacre une longue description du coffret en ivoire, œuvre de l'orfèvre Brateau en collaboration avec Grandhomme et Garnier pour les émaux, donné aux Arts décoratifs (Paris) en 1910, inv. 17461.

Fig. 4 : Gustave Moreau (1826-1898), *Europe*, aquarelle, gouache, rehauts d'or, Inscription : "1897 Email Europe", H. 13,2 ; L. 8,4 cm, Paris, 1897, musée des Beaux-Arts de Rouen, donation Henri et Suzanne Baderou.

Les thèmes d'inspiration

Les préférences thématiques du maître s'affirment dans les œuvres d'émail conservées ou documentées mais aussi dans une suite de dessins dont le nombre est relativement considérable. Grâce à eux, il est possible d'entrevoir ses goûts et d'examiner les interprétations qu'il donne des modes de son temps.

Fig. 5: Paul Victor Grandhomme, planche gravée représentant, dans une composition de grotesques, deux profils féminins en médaillon et une figure de Vénus accompagnée de Cupidon. Portfolio *Dessins applicables à l'émail, aux vitraux, etc. par Grandhomme, peintre, emailleur. A. Calavas*, Paris, 1884, H. 51 cm, Paris, 1884, Collection of The John and Mable Ringling Museum of Art Library.

Les célébrités de la Renaissance, héros mythologiques, figures romanesques, poètes, princes, composent un répertoire commun à de nombreux peintres du Second Empire et de la Troisième République. Paul-Victor Grandhomme n'échappe pas à cette vogue: en 1884, il publie un recueil de douze planches de dessins offrant des compositions variées, profils de femme casquée, pages, chevaliers, allégories, figures à l'antique[27] **[fig. 5]**. Comme le titre l'indique, ses dessins sont applicables "à l'émail, aux vitraux, aux arts céramiques, etc.". L'aisance dans la mise en page, la précision du trait, la fertilité de l'invention témoignent de la formation acquise auprès de ses maîtres. Il est aisé de reconnaître les figures qu'il peint en émail, à la même époque, pour les bijoux de Fouquet et de Falize.

Dans un sonnet des *Trophées*, Heredia évoque les profils des héroïnes de Popelin qui inspirent aussi Grandhomme.

> *Inscris un fier profil de guerrière d'Ophir,*
> *Thalestris, Bradamante, Aude ou Penthésilée.*
> *Et pour que sa beauté soit plus terrible encor,*
> *Casque ses blonds cheveux de quelque bête ailée*
> *Et fais bomber son sein sous la gorgone d'or.*[28]

27. Voir note 9.

28. J.-M. Heredia, "Rêves d'émail", art. cit., p. 104.

Le goût Renaissance de l'époque trouve une parfaite expression dans un émail représentant *Vittoria Colonna*, signé du monogramme de l'émailleur PG, daté de 1888, résultant d'une commande de Vever qui l'enrichit d'un cadre en bronze spécialement composé en 1891[29].

Le portefeuille de dessins conservé au Cabinet des dessins des Arts décoratifs est un autre témoignage des qualités de dessinateur et de coloriste du peintre-émailleur[30]. Il est aussi la preuve du soin qu'il apportait à la préparation de ses ouvrages en émail. Au total, ce sont plusieurs dizaines de dessins collés sur treize planches auxquels s'ajoutent quelques gouaches et aquarelles. Certains dessins sont signés du monogramme P G, d'autres du nom entier de l'émailleur.

Les sujets mythologiques ont largement inspiré le dessinateur, fidèle à l'enseignement qu'il a reçu. Vénus et Cupidon, Neptune et Amphitrite, L'Enlèvement d'Europe, Diane, Sapho, Pégase sont quelques-unes des figures choisies par Grandhomme sans compter les amours, les nymphes et les danseuses antiques qu'il représente dans de multiples compositions[31] **[fig. 6]**.

Fig. 6: Paul Victor Grandhomme, projet d'émail, dessin sur papier, crayon, gouache, fusain, H. 19 cm; L. 26,5 cm, Les Arts décoratifs, Paris, cabinet des dessins, inv. CD 1841 B.

29. Les Arts décoratifs, inv. 24488. Le cadre est signé: "Louis Bottée, sculpteur 1891, Vever, orfèvre, ALiard, fondeur". L'émail porte les signatures "G Callot P / Vever Di" et le monogramme GP. Sur le contre-émail, on lit "Vittoria Colonna 1888" et les noms de "Garnier Grandhomme".

30. Fonds de dessins de Paul Grandhomme, Cabinet des dessins, Les Arts décoratifs, Paris. Inventaire CD 1831 à 1894, don de Julie Nozal, fille de l'émailleur, en 1949 à la bibliothèque des Arts décoratifs puis reversé en 2010 au Cabinet des dessins.

31. Se référer notamment aux planches 1, 2 et 3 du portefeuille regroupant des dessins destinés à des médaillons, pendentifs, plaquettes en émail.

L'ensemble des Arts décoratifs révèle la vivacité de son imagination et la part de sa création personnelle. En effet, il prend appui sur les modèles académiques mais il élabore des compositions adaptées aux réalisations qu'il envisage. Ses dessins, remarquablement finis, sont autant de modèles pour pendentifs, médaillons, couvercles de boîte, revers de miroir, coupes **[fig. 7]**. La précision du trait, l'habileté pour disposer les lumières, l'harmonie des compositions sont des qualités qui ressortent de cette suite. Nous ressentons, en outre, le plaisir du créateur qui multiplie les formules pour enfin aboutir à un projet. Ainsi, une scène représentant *La Vision de saint Hubert* est précédée de quatre ou cinq esquisses dessinées, avant d'être choisie pour orner une coupe de Falize[32] **[fig. 8]**.

Fig. 7 : Paul Victor Grandhomme, projet d'émail "pour une glace à pied", crayon, gouache sur papier, signé du monogramme P G, diamètre du portrait : 18,3 cm, Les Arts décoratifs, Paris, cabinet des dessins, inv. CD 1890.

Les figures de femmes solitaires et mystérieuses hantent l'imaginaire de nombreux peintres de la seconde moitié du XIXe siècle. Des gouaches, également conservées aux Arts décoratifs, montrent que Grandhomme est tout aussi sensible à leur charme ensorcelant que ses contemporains. Les personnages féminins qu'il imagine s'apparentent aux déesses de Jules-Élie Delaunay, Amaury Duval (1808-1885), Paul Baudry (1828-1886). Remarquons ainsi, au bord de la mer, une jeune femme nue, surgissant d'un coffre empli de joyaux, dont la silhouette peut être directement rapprochée d'un tableau de Paul Baudry, présenté au Salon de 1859, *La Toilette de Vénus*[33] ; la mise en scène dans un cadre naturel sauvage, les tons précieux, les parties rougeoyantes rappellent, quant à eux, les plaques d'émail sur cuivre réalisées d'après Gustave Moreau **[fig. 9]**.

L'amour particulier de Paul-Victor Grandhomme pour les paysages de la Bretagne où il choisira de s'installer, s'accorde à cette veine d'inspiration. Dès les années 1880, il porte son choix sur des créatures de la mer ou de la forêt, naïades,

32. CD, inv. 1838 A, B, C, D (planches 8 et 9).

33. CD, inv. 1894. Pour la peinture, voir à Baudry dans Olivier Lépine, "*Équivoques*". *Peintures françaises du XIXe siècle*, Paris, musée des Arts décoratifs, 1973.

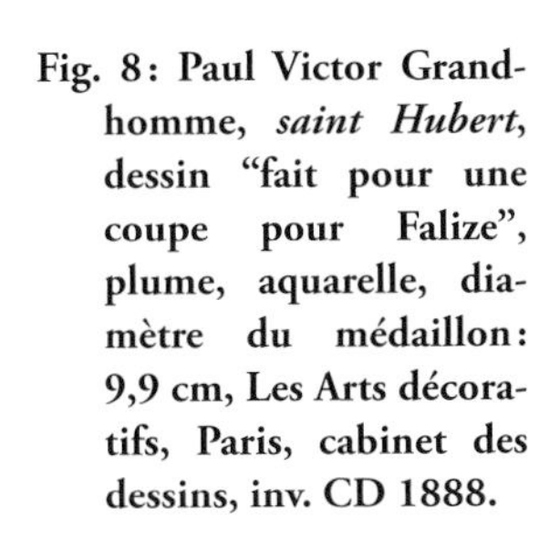

Fig. 8: Paul Victor Grandhomme, *saint Hubert*, dessin “fait pour une coupe pour Falize”, plume, aquarelle, diamètre du médaillon: 9,9 cm, Les Arts décoratifs, Paris, cabinet des dessins, inv. CD 1888.

Fig. 9: Paul Victor Grandhomme, projet d’émail, crayon, gouache sur papier, H. 25 cm; L. 17,5 cm, Les Arts décoratifs, Paris, cabinet des dessins, inv. CD 1894.

néréides, océanides, nymphes. La *Nymphe des grèves* et la *Naïade*, exposées en 1889, la *Nymphe des bois*, exposée en 1898, en sont des exemples[34].

Une autre catégorie d'ouvrages révèle l'indépendance de Grandhomme à l'égard des modèles, ce sont les portraits. Pillard-Verneuil notait: "Lorsque Grandhomme fait un portrait, il le dessine et il le peint. Il est portraitiste et non pas seulement émailleur[35]..." Parmi les premiers en date, remarquons le charmant portrait de sa jeune épouse Julie Leblanc, vue à mi-corps, de profil, en robe rouge à parements blancs[36] **[fig. 10]**. Ensuite, nous pouvons remarquer celui de Lucien Falize présenté à l'exposition universelle de 1900.

Fig. 10: Paul Victor Grandhomme, *Portrait de madame Grandhomme (Julie Leblanc)*, email peint sur cuivre, signé "Grandhomme" (en bas, à droite), portant le monogramme JGL en lettres d'or (en haut, à gauche), Paris, vers 1880, Les Arts décoratifs, Paris, inv. 38649.

Les techniques mises en œuvre

Paul-Victor Grandhomme utilise, tout en l'adaptant, le procédé hérité des émailleurs de Limoges que Claudius Popelin prend soin de nommer "émail des peintres" pour lui donner toute sa valeur artistique. Dans son traité, paru sous ce nom en 1866, il affirme: "Seul il atteint à la hauteur de la peinture d'histoire, réunissant au même degré la science du trait perspectif, le modelé puissant des clairs-obscurs savamment dégradés [...][37]".

34. M. Pillard-Verneuil, "L'émail [...]", art. cit., reproductions p. 159 et 162. Pour *La nymphe des grèves*, voir ci-dessous.

35. *Ibid.*, p. 164.

36. Les Arts décoratifs, inv. 38649. Nous notons outre la signature "Grandhomme" le monogramme de la jeune femme, JLG (Julie Leblanc-*Grandhomme*). Née en 1858, elle est décédée le 27 octobre 1914 dans la villa *Les Émaux*, à Saint-Briac-sur-mer, maison où l'émailleur poursuivit ses travaux jusqu'à la fin de sa vie, notamment entouré de sa fille Julie Nozal (1880-1966), graveur sur bois. C'est là qu'il décède le 3 mai 1944.

37. Claudius Popelin, *L'émail des peintres*, Paris, A. L évy, 1866, p. 21. Sur Popelin, on peut se reporter à l'article de C. Cardinal, "Le goût de l'émail", art. cit.

Le peintre-émailleur développe son art d'abord dans la réalisation de plaquettes destinées à être montées dans des bijoux. Il réalise des petites plaques en camaïeu bleu destinées à des pendentifs, à des bagues, présentant une figurine à l'antique. Pour des bijoux plus élaborés, richement ciselés, il peint des bustes de femmes inspirés de la Renaissance, comparables à ceux qui composent son recueil de dessins publié en 1884. Les Arts décoratifs conservent trois bijoux d'Alphonse Fouquet, dans le goût Renaissance, pour lesquels Grandhomme a exécuté les portraits et les ornements peints[38]. On peut les rapprocher d'un bracelet portant la marque de Bapst et Falize, réalisé en 1890, orné de bustes féminins personnifiant les quatre saisons[39].

Sa technique est alors proche de celle des émailleurs de la Renaissance. Lucien Falize, l'un des principaux bijoutiers qu'il fournit, apporte son appréciation :

> *Il s'appliquait à en faire les dessins et les composait lui-même quand on ne lui imposait pas un modèle à copier. Les blancs, plus fondus, plus modelés, supportaient l'examen à la loupe* [...] *Jusque dans ces mignonnes* peintures *en camaïeu, il s'efforçait de retrouver les procédés de gravure et l'enlevage des hachures que pratiquaient les Limousins. Rarement il usait des plaques d'or, par économie peut-être et aussi parce qu'il couvrait ses fonds de cuivre d'un ton brun plus opaque ou parfois même de l'émail noir ou bleu des anciens.*[40]

Grandhomme, comme Garnier, a notamment appris la technique de l'émail peint en suivant les instructions de Claudius Popelin qui eut le souci de les publier[41]. Avec une spatule ou un pinceau, les poudres d'émail translucide — plus rarement opaques — sont posées au mouillé sur le cuivre laissé apparent, seulement couvert d'un fondant (un émail incolore), afin de donner le maximum d'éclat aux couleurs. Les figures en grisaille sont couvertes au préalable d'un émail brun puis modelées avec un émail blanc, dilué avec une essence. La composition de l'émail blanc a été l'objet de nombreuses recherches afin de parvenir à la qualité de celui utilisé par les anciens émailleurs limousins[42]. Falize rapporte que Grandhomme est parvenu à employer un blanc de qualité assez satisfaisante pour rendre l'ivoire de la peau en travaillant sur des figures

38. Les Arts décoratifs, Paris, inv. 14851 A, C, D. Voir Évelyne POSSEMÉ, "L'émail et la bijouterie dans la seconde moitié du XIXe siècle", *in L'émail français au XIXe siècle,* Biennale internationale des arts du feu, Limoges, juin-août 1994.

39. http://www.wartski.com/Falize

40. L. FALIZE, "Claudius Popelin [...]", art. cit., p. 133-*134*.

41. Outre son traité *L'émail des peintres,* il publia en 1868 *L'art de l'émail, leçon faite à l'Union centrale des Beaux-Arts.* Voir C. CARDINAL,"Le goût de l'émail [...]", art. cit., p. 165-166.

42. Rappelons à ce propos les efforts d'Alfred MEYER ; voir son ouvrage *L'art de l'émail de Limoges ancien et moderne,* Paris, l'auteur, 1895, p. 32-33.

copiées d'après Gustave Moreau et Bastien-Lepage[43]. L'élaboration d'un émail peint par Grandhomme et Garnier peut être observée grâce à un cadre composé de cinq médaillons correspondant chacun à une phase du travail[44] **[fig. 11]**.

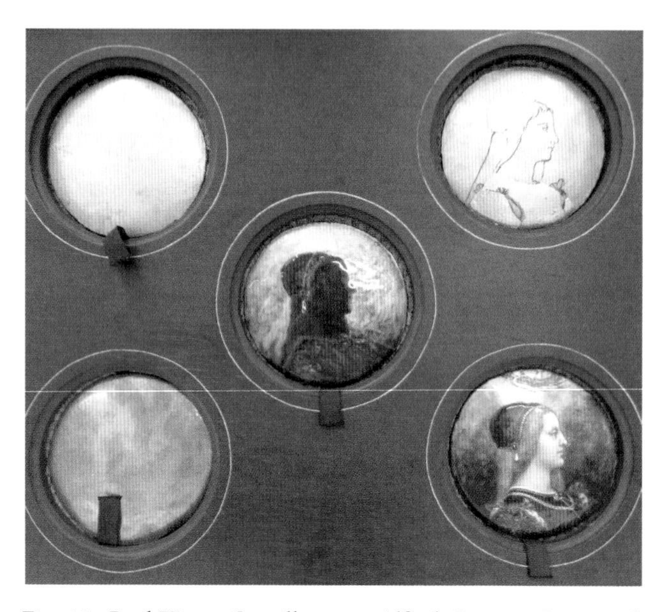

Fig. 11 : Paul Victor Grandhomme, Alfred Garnier, *Portrait de femme vue de profil dans le goût Renaissance*, cadre composé de cinq médaillons correspondant aux phases successives de la réalisation d'un émail peint sur cuivre, H. 37 cm ; L. 47 cm, Paris, vers 1889, Les Arts décoratifs, Paris, don Grandhomme et Garnier, 1890 inv. 5789.

Le médaillon final est le buste, de profil, d'une femme vêtue à la mode de la Renaissance. La plaque circulaire en cuivre est découpée, légèrement emboutie, puis couverte d'un fondant. À ces deux opérations, succède la mise en place du dessin et le collage de deux paillons, or et argent, pour intensifier l'éclat du vêtement et de la coiffe. La quatrième opération consiste à poser les poudres d'émail transparent pour représenter la végétation et le costume ; un émail brun est posé sur le visage et le décolleté. Le résultat final montre le modelé délicat des chairs en émail blanc et le rendu minutieux de la chevelure et de la parure. Cette manière d'émailler trouvera, nous le verrons, une parfaite expression dans les transcriptions des œuvres de Gustave Moreau comme dans les compositions originales du peintre.

43. L. FALIZE, "Claudius Popelin [...]", art. cit., p. 137.

44. Les Arts décoratifs, inv. 5789 (don de Grandhomme et Garnier, 1890).

À partir de 1897, Grandhomme utilise son habileté de graveur pour réaliser des travaux en émaux de basse-taille. Il modèle en léger relief, sur une plaque en or ou en cuivre, ses figures puis les couvre d'émail. Ainsi, il réalise pour Corroyer une boîte à poudre et son plateau ornés de danseuses antiques[45]. Selon Verneuil, "M. Corroyer traça les lignes générales mais Grandhomme modela, grava, cisela et émailla l'ornementation. Là tout est en basse-taille, les figures émaillées de blanc, le fond finement gravé, simplement glacé d'émail." Roger Marx fait allusion à ce type de travail lorsque citant, en 1902, un "nouveau groupe d'artistes jaloux de régénérer les arts du foyer et de la vie", il mentionne "M. Grandhomme, l'auteur d'un précieux émail sur or gravé[46]." Une plaque conservée aux Arts décoratifs, faite en 1901 pour Corroyer, permet d'admirer la dextérité de l'émailleur dans ce genre de travail : sur l'or gravé de rinceaux fleuris, couvert d'un émail incolore, ressortent en léger relief trois danseuses nues modelées en émail blanc, portant des draperies suggérées par une fine couche d'émail blanc. Une guirlande de roses, émaillée en rouge et vert, apporte une délicate touche colorée comme le sol suggéré par un émail orange translucide[47] **[fig. 12]**.

Fig. 12 : Paul Victor Grandhomme, *Les trois Grâces* (détail), émail sur or gravé en basse-taille, H. 2 cm ; L. 5 cm, au dos de la plaque : "Fait pour Monsieur Corroyer en 1901 par Grandhomme", Paris, 1901, Les Arts décoratifs, Paris, legs Marie Corroyer, inv. 23869.

45. M. Pillard-Verneuil, "L'émail [...]", art. cit., p. 164.

46. R. Marx, "Petites expositions", *La Chronique des arts et de la curiosité*, 20 décembre 1902, p. 318-319.

47. Les Arts décoratifs, inv. 23869 (legs Marie Corroyer, 1924). Au dos de la plaque : "Fait pour Monsieur Corroyer en 1901 par Grandhomme".

En 1899, Corroyer demande à Grandhomme l'exécution d'un gobelet assorti d'un plateau dont il livre le modèle. Sur le gobelet, Brateau fut chargé de réaliser en repoussé des têtes de lions entre lesquelles "court une frise en basse-taille émaillée avec une finesse et une perfection inouïes par Grandhomme". Exécuté en or, ce précieux objet a été vendu par Christie's, à New York, le 15 octobre 2008 pour plus de 88 000 dollars.

Les tableaux en émail et les plaques décoratives

Les dessins et gouaches du portefeuille des Arts décoratifs peuvent suffire à mesurer la part des compositions originales dans l'œuvre de Grandhomme. Deux allégories de la Vérité[48] peuvent ainsi être rapprochées d'un miroir passé en vente[49] et d'un "Miroir avec la Vérité" présentée en 1908 à la Société nationale des Beaux-Arts (2453). Avec de telles figures, l'artiste s'intègre parfaitement dans la production de son époque[50] **[fig. 13]**.

Fig. 13: Paul Victor Grandhomme, *La Vérité, projet d'émail, plume et aquarelle sur papier*, diamètre du médaillon: 17,8 cm, Signé du monogramme PG. Au revers du dessin renforcé par un carton: "Email fait", Les Arts décoratifs, Paris, cabinet des dessins, inv. CD 1887.

A l'exposition universelle de 1889, le peintre-émailleur présentait une "œuvre très personnelle" appartenant à Édouard Corroyer qu'il intitula *La nymphe des grèves*[51]. Dans son rapport sur l'exposition, Lucien Falize mentionnait "de Grandhomme une plaque représentant les grèves du Mt-St-Michel avec une jolie figure de femme assise parmi les vagues et les blanches mouettes[52]". Soulignons que cette œuvre avait déclenché l'intérêt de Falize qui favorisa auprès de Grandhomme et de son associé, Garnier, la commande des Arts décoratifs d'un émail d'après l'aquarelle de Gustave

48. Les Arts décoratifs, Cabinet des dessins, inv. 1885 et inv. 1887. Notons sur le revers du dessin représentant la Vérité de ¾ face, assise au bord d'un puits, la mention "Email fait"; la dimension du projet, 178 mm, laisse supposer qu'il avait été fait à la dimension de la pièce réalisée.

49. http://catalogue.gazette-drouot.com (reproduction miroir la vérité).

50. Les allégories de la Vérité présentées dans les salons de la Troisième-République sont nombreuses. Voir *La Vérité nue*, catalogue d'exposition, musée Anne de Beaujeu, Moulins, 2012.

51. L. FALIZE, "Claudius Popelin [...]", art. cit., p. 143.

52. L. FALIZE, *Exposition universelle de 1889. Orfèvrerie, rapport de la classe 24,* Paris, 1891, p. 74.

Moreau, appartenant au collectionneur Edmond Taigny, *Les Voix*, également exposée en 1889. *La nymphe des grèves*, antérieure à la plaque d'après Moreau, pourrait être l'émail daté de 1888, portant les initiales EC [Édouard Corroyer] avec la signature de Grandhomme[53] **[fig. 14]**. La description de Falize dans la *Gazette des Beaux-Arts* (p. 143) lui correspond "C'est une figure nue, assise sur les rochers et qu'enveloppe un vol de mouettes blanches." La silhouette délicatement modelée en émail blanc de Limoges est mise en valeur sur un fond de rochers et de ciel suggéré par les poudres d'émail translucide, bleu, brun et jaune d'or. De tels accords de couleurs et un nu se dégageant à l'avant-plan pouvaient à juste raison évoquer, pour Falize, les œuvres de Moreau.

Les côtes de la Manche habitées par des créatures imaginaires et séduisantes n'ont pas cessé d'inspirer l'émailleur. La peinture en émail, *Océanide*, signée et datée "Grandhomme Paul /1900", conservée au musée d'Art et d'Histoire de Genève, est un exemple de la constance de son inspiration renouvelée par ses séjours à Saint-Briac-sur-mer[54] **[fig. 15]**.

Fig. 14: Paul Victor Grandhomme, *La nymphe des grèves*, émail peint, H. 10, 4 cm; L. 9 cm (avec le cadre), Sur le contre-émail, un blason dans lequel est inscrit: "Grandhomme fecit E.C. 88", Paris, 1888, Vente aux enchères, Hôtel Drouot, Paris, Étude Millon, 7 avril 2006, lot 1.

Fig. 15: Paul Victor Grandhomme, *Océanide*, émail peint sur cuivre signé et daté "Grandhomme Paul 1900", H. 18 cm; L. 11,5 cm, Paris, 1900, musée d'Art et d'Histoire, Genève, achat à l'artiste en 1900, inv. E 148.

53. Vente aux enchères Millon, Paris, Drouot, 7 avril 2006, lot 1.

54. Musée d'Art et d'Histoire, Genève, inv. E 0148 (achat à l'artiste).

Elle peut être rapprochée de la gouache conservée au Cabinet des dessins des Arts décoratifs, déjà citée, elle-même proche d'une peinture de Baudry[55]. À la fin du siècle, Grandhomme s'adonne à la technique de l'émail en basse-taille et l'adapte justement à une figure similaire à la divinité marine achetée par le musée genevois[56].

Même si la carrière de Paul-Victor Grandhomme n'a pas suscité d'étude particulière, son nom ne pouvait pas sombrer dans l'oubli car il est associé à celui de Gustave Moreau (1826-1898). Avec le concours d'Alfred Garnier, puis seul, il signa vingt-quatre tableaux en émail d'après des œuvres du peintre. Les onze tableaux portant sa seule signature, réalisés entre 1897 et 1909, prouvent l'intérêt que suscita sa manière de transposer l'univers raffiné et mystérieux de Moreau. L'émailleur Doat appréciait la manière de Grandhomme quand il copiait Moreau : "Assurément, bien des qualités du tableau original disparaissent, mais, en revanche, il y a dans ses émaux, des richesses ignorées du peintre. Ces profondeurs lumineuses, ces dessous brillants, ces translucidités, ces reflets vitreux [...][57]"

Moreau suivait les transcriptions en émail de ses œuvres comme en témoignent des lettres signées par Grandhomme et Garnier, conservées au musée Gustave Moreau. L'une, datée du 23 mars 1893, souligne sa participation active : "Monsieur Taigny nous a confié votre aquarelle de Pasiphae pour que nous en fassions un émail. Il a été convenu avec lui que nous vous soumettrons des Essais avant de commencer l'exécution définitive afin d'avoir votre avis et votre apreciation [*sic*] sur ce que nous vous proposons de faire [...]". L'intérêt de Moreau pour l'émail n'était pas nouveau puisque son ami Frédéric Charlot de Courcy exposa entre 1866 et 1870 des émaux d'après ses aquarelles. Celles-ci sont parfois spécialement conçues, et assorties d'un cadre, pour être transcrites en émail peint. L'inscription "dessin pour émail" notée sur certaines ne laisse aucun doute sur leur destination. Citons *La Péri, Les Plaintes du poète, Europe, Pasiphaë*[58]. L'art du peintre, qui fut comparé à celui d'un joaillier ou d'un lapidaire, est parfaitement adapté au travail des émaux dont les couleurs profondes et translucides évoquent celles des pierres précieuses.

La magistrale interprétation de l'aquarelle *Les Voix*, réalisée sous la direction de Lucien Falize, marque le début de la production des émaux de Grandhomme, associé à Garnier, d'après Moreau[59]. Laissons Falize décrire l'émail : "l'émail [...] est

55. Voir ci-dessus et note 33.

56. Bibliothèque des arts décoratifs, Paris, album Maciet 285/11, *Émaux*. L'émail est daté 1898.

57. T. Doat, "Causeries d'un émailleur", art. cit., p. 78.

58. *La Péri* et *Les Plaintes du poète* sont au département des Arts graphiques du musée du Louvre, *Europe* au musée des Beaux-Arts de Rouen, *Pasiphaë* dans une collection particulière (P.-L. Mathieu, *Gustave Moreau, op. cit.*, n° 47)

59. Les Arts décoratifs, inv. 4911 (achat à Grandhomme). Notons le monogramme PG, en bas à droite, similaire à celui que nous trouvons sur les dessins du portefeuille des Arts décoratifs, l'inscription LES VOIX, la signature

exquis, il emprunte à ses dessous d'or fin une chaleur douce, la beauté de l'aquarelle s'est doublée du charme de l'émail et cette plaque est digne d'être mise à côté des émaux anciens, non pas comme une répétition, mais comme une œuvre originale et forte[60]."

Au salon de 1895, les deux émailleurs présentent six plaques reproduisant des œuvres de Moreau: *Hercule* appartenant à Georges Berger (Arts décoratifs, Paris), *Léda* acquise par l'État pour le musée du Luxembourg (musée d'Orsay), *Sapho*, *La Jeunesse et l'Immortalité* (Arts décoratifs, Paris), *La tête d'Orphée*, *Œdipe et le Sphinx*[61]. À partir de 1897, Paul-Victor Grandhomme réalise seul des plaques copiées d'après Moreau. De l'année 1897, datent *Europe*, commande d'Antoni Roux auquel le peintre avait offert l'aquarelle, *La Chimère*, commandée par Roger-Marx. Réalisés durant la même période, on peut citer *Le Poète mort porté par un centaure* d'après une aquarelle du musée Gustave Moreau[62], les petits tableaux reproduisant les aquarelles de Moreau inspirées des *Fables* de La Fontaine[63] **[fig. 16]**.

La technique de l'émail peint permet de subtiles transpositions des œuvres réalisées à l'huile ou à l'aquarelle. Les paillons d'or et d'argent, le cuivre couvert de fondant incolore, laissé visible en certains endroits, accentuent l'éclat des émaux transparents. L'émail blanc, travaillé par couches successives, et subissant autant de cuissons nécessaires, rend à la perfection le velouté des corps modelés à l'imitation des reliefs antiques.

Gustave Moreau GM. Au dos, l'inscription mentionne "L. Falize dirxit / Grandhomme Garnier Emailleurs 1889 Paris". L'aquarelle est conservée au musée Thyssen (Madrid).

60. L. FALIZE, "Exposition universelle de 1889. Les industries d'art. I. L'Émaillerie", *Gazette des Beaux-Ats*, 1889, p. 73-88, p. 86. Remarquons la reproduction gravée p. 85, signée Grandhomme di[...], avec la légende "Email peint par M. Grandhomme, d'après Gustave Moreau."

61. *Sapho*, appartenant à Charles Hayem, fut acquise par le musée d'Orsay en 1988 (OAO 1169). *Œdipe et le Sphinx* figurait dans la vente Cheval-Robert, Drouot Richelieu, 4/11/1992 (lot 16); dans la même vente, se trouvait une version de *La tête d'Orphée* seulement signée par Garnier (lot 19).

62. Voir C. CARDINAL, "Le goût de l'émail", art. cit., p. 163, note4, fig. 4 et planche couleurs fig. 11. Signé "Grandhomme émailleur Gustave Moreau Pinx", cet émail était dans la galerie de Mohammad Handjani, Diva Fine Art, en 2011.

63. Vente Tajan, 26 juin 2002, espace Tajan, Paris, nos 63 à 66.

Fig. 16 : Paul Victor Grandhomme, *La souris métamorphosée en fille*, émail peint sur cuivre, signé "Gustave Moreau Pinxit" et "Grandhomme", H. 19 cm ; L. 13,5 cm. Réalisé d'après une aquarelle de Gustave Moreau datant de 1881. L'aquarelle et sa transcription en émail ont été commandées par Antoni Roux, Vente aux enchères Tajan, Espace Tajan, Paris, 26 juin 2002, lot 63.

Conclusion

L'habileté technique de Paul-Victor Grandhomme ne sert pas seulement des transpositions d'œuvres, notamment celles de Moreau. Son talent de dessinateur peut aussi être apprécié, nous l'avons vu, dans des compositions personnelles qui s'inscrivent dans l'art de son temps. En dehors des formes, la part d'invention de l'émailleur se révèle dans la recherche d'effets nouveaux permis par les techniques qu'il maîtrise, en particulier l'émail en basse taille. Utilisant aussi bien l'émail dans la bijouterie et l'orfèvrerie que comme moyen d'expression picturale, Grandhomme offre un œuvre représentatif de la diversité des usages de l'émail et de sa vogue à la fin du XIXe siècle, une production qui reflète bien l'unité des arts revendiquée par maints artistes contemporains[64] **[fig. 17]**.

Fig. 17: Élisabeth Chaplin, *Portrait de Paul Victor Grandhomme* (détail), huile sur toile, Signé, daté 1934, Collection particulière.

64. Mon étude a été facilitée dans les collections par Hélène Andrieux et Agnès Callu (Cabinet des dessins, Les Arts décoratifs, Paris), Catherine Corthésy (École d'arts appliqués, La Chaux-de-Fonds), Élise Dubreuil (musée d'Orsay), Estelle Fallet (musée d'Art et d'histoire, Genève), Marie-Cécile Forest et Samuel Mandin (musée Gustave Moreau), Dominique Morel (Petit-Palais, Paris), Evelyne Possémé et Julie Ruffet-Troussard (Les Arts décoratifs, Paris). Je leur exprime ma vive reconnaissance.

9

La création et la réalisation de vitraux civils par l'atelier Osterrath (Tilff et Liège, 1872-1966)

Isabelle Lecocq

Résumé — La firme Osterrath, la plus ancienne à s'être établie sur le territoire de l'actuelle Wallonie, a été active à Tilff et à Liège sur deux générations, de 1872 à 1966, et se distingue par l'importance de son activité. Sur le siècle de son existence, elle s'est progressivement ouverte à la création de vitraux pour des espaces profanes. Cette ouverture a contribué à une diversification de la production et à la collaboration avec des artistes peintres qui ont apporté une nouvelle "modernité". Cet article mettra l'accent sur des acteurs et des jalons importants de ce cheminement, en prenant en compte le contexte de la commande (e. a. le rôle des architectes). Elle s'appuiera sur les archives de l'atelier en cours d'étude, et principalement les projets à échelle réduite, les notes de travail et la correspondance, documents où les sensibilités sont le mieux exprimées et les points de vue explicités.
Mots-clefs — Osterrath Joseph (Senior), Osterrath Joseph (Junior), Chabrol Guy, Rets Jean, Vitrail, vitraux civils, Belgique, Wallonie.

Abstract — The Osterrath firm, the oldest established on the territory of the present Wallonia, has been active in Tilff and Liège, for two generations, *i. e.* from 1872 to 1966, and its activity was important. Over the years, the production gradually opened up to the creation of stained glass for secular buildings. This trend has contributed to the diversification of the production and to collaboration with artists who have brought a new "modernity". In my paper, I shall focus on the actors and the important steps of this evolution, taking into account the context of the command (e. g. the role of the architects). I shall rely on the archives of the workshop, currently under study, and chiefly on the reduced scale projects, the working notes and correspondence, all documents in which sensibilities are best expressed and points of view clarified.
Keywords — Osterrath Joseph (Senior), Osterrath Joseph (Junior), Chabrol Guy, Rets Jean, stained-glass windows, domestic stained glass, Belgium, Wallonia.

L'atelier le plus important et le plus ancien pour l'art du vitrail en Wallonie de 1872 à la fin des années soixante — la firme Osterrath — s'est, à côté d'une importante production pour le vitrail religieux, impliqué dans la création d'œuvres pour des espaces profanes[1]. Deux générations se sont succédé à la tête de l'atelier : Joseph Osterrath (1845-1898) et son fils également prénommé Joseph (1878-1958). Le fondateur de l'atelier, Joseph Osterrath, est né en 1845 à Magdebourg et s'est installé à Tilff en 1872, après avoir suivi une formation chez Jean-Baptiste Bethune (1821-1894), promoteur d'un renouveau des arts sacrés en Belgique dès le milieu du XIXe siècle. À son décès, son fils Joseph reprend les affaires et s'associe en 1922 à André Biolley (1887-1957), un maître-verrier verviétois, pour former l'association de fait "Osterrath & Biolley". L'atelier s'installe alors à Liège, au n° 4 de la rue de l'Évêché, avant de revenir à Tilff en 1956, dans un bâtiment aujourd'hui détruit. L'atelier cesse ses activités en 1966, après avoir œuvré sur environ 400 sites, non seulement en Belgique mais également à l'étranger, en Europe, en Asie, en Amérique et en Afrique.

La production de l'atelier a été importante et variée. Des archives actuellement en cours d'étude sont déposées au musée du Grand Curtius à Liège ; elles rassemblent pêle-mêle divers documents administratifs, un millier de dossiers et plusieurs milliers de projets. Malheureusement, les archives ne sont pas conservées de façon égale : si la collection de maquettes est relativement complète, les cartons manquent et les dossiers documentent l'activité de l'atelier principalement entre 1920 et 1966.

Un secteur d'activité de la firme était réservé au vitrail civil. L'atelier était au départ spécialisé dans le vitrail religieux et on ignore à partir de quel moment précisément Joseph Osterrath a commencé à produire des vitraux destinés aux espaces

1. Voir principalement Régine REMON, "Vitrail", *in* Albert LEMEUNIER (dir.), *Le Néogothique dans les collections du musée d'Art religieux et d'Art mosan,* catalogue d'exposition, Liège, musée d'Arts religieux et d'Art mosan, Liège, 1990, p. 34-38 ; R. REMON, "Het glazeniersatelier Osterrath", Jean VAN CLEVEN (dir.), *Neogotiek in België*, Tielt, 1994, p. 209-213 ; Séverine LAGNEAUX et Martin PIROTTE, "Les ateliers Osterrath et leur production de vitraux religieux", *Art, technique et science : la création du vitrail de 1830 à 1930* (Colloque international, Liège, Le Vertbois, 11-13 mai 2000), Dossier de la Commission royale des Monuments, Sites et Fouilles, n° 7, 2000, p. 117-128 ; Isabelle LECOCQ, L'atelier Osterrath, un grand atelier liégeois de l'entre deux guerres aux années soixante : des vitraux à joints de plomb aux compositions en dalles de verre à joints de béton (Actes du Forum international pour la conservation des vitraux, *Stained Glass after 1920: Technology and Conservation*, Lisbonne, septembre 2011). Deux mémoires de fin d'étude sont à l'origine de la contribution de Séverine Lagneaux et Martin Pirotte : Séverine LAGNEAUX, *Joseph Osterrath, maître verrier (1845-1898)*, mémoire de licence, université catholique de Louvain, Louvain, 1999 ; M. PIROTTE, *Inventaire de vitraux créés entre 1898 et 1966, par les Ateliers Osterrath, pour les églises de Liège, d'après les projets conservés dans le fonds Osterrath du musée d'Art Religieux et d'Art Mosan à Liège*, mémoire de licence, université de Liège, Liège, 1999. Une notice sur l'atelier a été rédigée à l'occasion de l'exposition *La Verrerie d'Art dans la région de Tilff, les vitraux des Ateliers Osterrath*, à l'abbaye de Brialmont, à Tilff, en août 2009. Au-delà de ces études ponctuelles, l'auteur de la présente contribution a entrepris une étude sur l'ensemble de l'activité de l'atelier depuis la fin de l'année 2009. Cette étude mènera à terme à d'importantes publications : un essai sur l'atelier centré sur l'histoire de celui-ci, les personnalités qui y ont œuvré, le contexte, les conditions et l'organisation du travail dans un premier temps et, dans un second temps, un catalogue systématique des œuvres conservées. L'auteur de la présente contribution remercie chaleureusement Messieurs Albert Lemeunier (†) et Philippe Joris, conservateurs au musée du Grand Curtius à Liège, pour leur attention bienveillante et leur soutien efficace à sa réalisation.

profanes. Tous les "catalogues" et "réclames" de l'atelier mettent en évidence ce type de production. La charnière des XIXe et XXe siècles est marquée par l'affranchissement des styles historicistes pour accueillir une plus grande diversité de styles, comme l'indiquent ces deux en-têtes de documents de la fin du XIXe siècle et des années 1905-1908 : "Vitraux d'art pour églises et appartements du XIIe au XVIIe siècles. — Vitraux en grisaille, mosaïque, avec figures et groupes. — Verres anglais, cathédrales et antiques. Tous les matériaux sont garantis de première qualité. — La peinture se fait uniquement à la main, sans intervention mécanique ni impression[2]" ; "Vitraux d'églises ; vitraux pour appartements & monuments civils en tous styles. Verres églomisés. — Solidité garantie. — Matériaux de première qualité[3]".

Les plus anciennes maquettes de vitraux civils de l'atelier sont datées de la fin du XIXe siècle **[fig. 1]**. Durant l'entre-deux-guerres, la production de vitraux civils prend de l'ampleur. Une publicité diffusée à l'occasion de l'Exposition des Arts décoratifs de Paris (1925) précise que des "Ateliers spéciaux" ont été adjoints aux "ateliers de peinture sur verre [...] pour la fabrication des vitraux d'appartements, cages d'escaliers, salles de fêtes et de réunions, villas, restaurants, cafés, magasins, etc. Disposant de dessinateurs spécialisés, attachés à la maison et d'un personnel nombreux et éprouvé, nous sommes à même de vous fournir, dans les meilleures conditions de prix et de rapidité, des travaux réellement artistiques en tous styles[4]". À la fin des années 1950, l'offre de l'atelier connaît un renouveau avec les compositions en dalles de verre à joints de béton.

Fig. 1 : Projet de vitraux civils, s. d., Liège, Grand Curtius, fonds d'archives de l'atelier Osterrath.

2. Liège, Grand Curtius, fonds d'archives de l'atelier Osterrath, dossier de divers (articles, prospectus, imprimés publicitaires), carte de l'atelier Osterrath, s. d, imprimée à Bruges chez Beyaert.

3. *Ibid.*, prospectus de publicité de "Joseph Osterrath. Peintre verrier. Tilff-lez-Liège (Belgique). Ateliers de peinture sur verre. Maison fondée en 1872", différentes éditions entre 1905 et 1908.

4. *Ibid.*, *Exposition des arts décoratifs — Paris. Pavillon d'honneur*, feuillet de présentation des ateliers Jos. Osterrath et A. Biolley.

La collection de maquettes à échelle réduite et la correspondance d'Osterrath conservées au Grand Curtius fournissent divers exemples représentatifs de vitraux civils qui pouvaient être commandés à l'atelier. Elles éclairent également le contexte de la commande et le processus de réalisation. En d'autres termes, elles permettent de répondre à ces questions: qui s'adresse à l'atelier? Que demande-t-on et dans quels termes? Comment l'atelier répond-il aux commandes qui lui sont adressées?

Les commanditaires

Les commanditaires individuels[5] appartiennent pour la plupart à des classes sociales aisées et privilégiées. Ils sont issus de la bourgeoisie et de la noblesse; ils exercent parfois des professions libérales (architectes, notaires, médecins, pharmaciens). Ce sont aussi des artisans et des commerçants qui assurent des services aux particuliers (bouchers, pâtissiers, cabaretiers), des détenteurs du pouvoir au niveau communal ou régional. Au niveau collectif[6], ce sont le plus souvent des administrations communales **[fig. 2]**, des établissements d'enseignement, des banques et des sociétés industrielles qui se manifestent. Dans tous les cas, le vitrail affiche le statut de son commanditaire et contribue au prestige du lieu. Plus modestement, il joue parfois le rôle d'enseigne publicitaire ou apporte une simple touche décorative colorée et lumineuse.

Le commanditaire s'adresse à l'atelier directement ou via un intermédiaire. Celui-ci peut être un architecte, une entreprise de vitreries ou une miroiterie.

5. Dans le fonds d'archives de l'atelier Osterrath, voir notamment: Middelkerke, villa sancta Maris d'Alfred Delhaise (dossier n° 826, 1924); Pepinster, Château des Mazures (dossier n° 947, 1950); Froidcourt, château de Froidcourt de Charles de Harenne (dossier n° 486, 1935); projet de vitraux pour le monument funéraire du comte de Bourcier de Montureux (maquette, 1907); Ath, projet de vitraux pour l'architecte Fourdin (maquette); Verviers, étude du notaire Mathieu Boland (dossier n° 330, 1921); Verviers, chez le Docteur Groulard, 9 avenue Léopold II (dossier n° 1232, 1956-57); Bellemaison (Marchin), pharmacie Alph. Dubois (maquette, 1937); Mechelen-aan-de-Maas, pharmacie François (dossier n° 1075, 1930); Liège, boucherie de monsieur Nuls, rue Bonne Femme 46 (dossier n° 922 et maquette, 1949); Tongres, café La Lanterne (dossier n° 571, 1947-50); La Gleize, taverne "Aux Écuries de l'Empereur" (dossier n° 1258); Liège, café Charlemagne (dossier n° 952, 1949); Liège, taverne Saint-Paul (maquette, 1954); Ambly Lez Maestricht, habitation du bourgmestre Hermens (maquette, 1927); Villers Saint Siméon, immeuble du sénateur Nihoul (dossier n° 1118, 1951).

6. Dans le fonds d'archives de l'atelier Osterrath, voir notamment: Arlon, hôtel du Gouvernement Provincial (dossier n° 792, 1948-1949); Bressoux, maison communale (dossier n° 1151, 1953); Chênée, maison communale (dossier n° 1106, 1951); Huy, hôtel de Ville (dossier n° 956, 1949-1950); Liège, palais provincial (dossier n° 459, 1909-1938); Monceau-sur-Sambre, hôtel de ville (maquette, 1925); Mons, institut supérieur de commerce (dossier n° 944, 1949); Jemeppe, siège de la banque de l'Union du Crédit (dossier n° 440, 1924-1925); Liège, banque Dubois (maquette); Liège, banque Union du Crédit (maquette); Liège, siège de la banque de Bruxelles (maquette); Malmedy, vestibule de l'immeuble de la caisse d'épargne régionale (dossier n° 976 et maquette, 1938-1939); Herstal, hall de l'immeuble de la Fabrique nationale (dossier n° 1221, 1955-1965); Liège, magasins de la SA "Le métal autogène", rue Saint-Léonard 490 (dossier n° 939, 1949); Seraing, château Cockerill (dossier n° 654, 1925-1952); Hollogne-aux-Pierres, la SA des Mines & Fonderies de Zinc de la Vieille Montagne (dossier n° 852, 1928-1929); Verviers, filature de laine (dossier n° 1334, 1953).

Les architectes sont des intermédiaires privilégiés. L'atelier a été en contact avec certains d'entre eux sur une longue période, par exemple, l'architecte Urbain Roloux pendant plus de trente ans[7]. Pour les commandes hors de la Belgique, l'atelier est souvent représenté par des commerciaux avec lesquels il est régulièrement en contact et ces commerciaux ont parfois eux-mêmes affaire à des relais, comme des architectes et des entrepreneurs.

Fig. 2 : Projet de vitrail pour l'hôtel de ville de Monceau sur Sambre (réalisé avec adaptations), 2 avril 1925, Liège, Grand Curtius, fonds d'archives de l'atelier Osterrath.

L'objet de la commande

Les données évidentes sont souvent précisées d'emblée, comme le nombre de vitraux, les sujets et la destination (une façade [porte d'entrée, imposte, brise-vue, etc.], un salon, un espace de réception, un hall, une cage d'escalier, un lanterneau, une salle de bains, une véranda, etc.). Un vitrail modifie la luminosité d'un lieu et, souvent, le commanditaire précise la gamme de tons souhaitée. Par exemple, pour la chapelle de l'hôpital d'Esch sur Alzette, au Luxembourg, l'architecte municipal demande en janvier 1928 huit vitraux de mises en plomb, simples et très claires,

7. Liège, Grand Curtius, fonds d'archives de l'atelier Osterrath, dossier n° 100, correspondance de la maison Jos. Osterrath et A. Biolley avec l'architecte Urbain Roloux, rue de Campine 468, à Liège.

sans peintures ou du moins très peu, "le choix des couleurs et l'arrangement" étant laissé à la "liberté" et au "goût artistique" d'Osterrath[8].

Aussitôt la commande formulée, un projet dessiné est établi, le plus souvent par un dessinateur de l'atelier. Le statut de celui-ci sera examiné plus loin. Le choix du type de vitrail se fait parfois sur la base de différents modèles dessinés proposés au client. L'atelier Osterrath ne dispose pas d'un catalogue à proprement parler ; il met un point d'honneur à faire du "sur mesure" et à personnaliser les commandes. Dans une lettre du 10 juin 1928, le commercial qui représente Osterrath au Luxembourg déplore cette absence d'un catalogue en bonne et due forme :

> *Comme je n'aie* [sic] *ni album ni catalogue avec dessins, pour présenter aux intéressés, il est difficile que ceux-ci me font connaître l'idée de ce qu'ils désirent. D'ailleurs la plupart n'ont aucune idée des prix pour ces travaux, de sorte qu'il me reste la seule possibilité pour leur présenter un devis, c'est de vous demander vos projets et prix. Les ateliers pour vitraux : Linster, Mondorf, Altwies, Remich, ont des albums de 40/20 cm dans lesquels ils reproduisent les différents vitraux. Avec ces albums ils peuvent présenter leurs modèles et leurs idées aux intéressés. En outre je recommande toujours aux architectes de ne pas passer vos projets aux mains des concurrents.*[9]

Néanmoins, l'atelier présente à ses clients des modèles sous d'autres formes : un petit fascicule, sans doute antérieur à la première guerre mondiale et manifestement envoyé en guise de publicité à des architectes **[fig. 3]** ; des dessins de divers types de vitraux d'appartement, assemblés sur des feuilles.

Le projet dessiné sert de base à la discussion et peut être modifié et adapté. Des variantes au projet initial sont parfois proposées par l'une des deux parties, mais, dans bien des cas, ces démarches ne sont pas couronnées par une commande. Par exemple, en janvier 1928, un client luxembourgeois demande à Osterrath pour l'une des fenêtres du balcon, "une petite guirlande dans la partie supérieure, et une corbeille ou bouquet en bas ou au milieu, petite fleur aux coins[10]". Pour une autre fenêtre de ce même balcon, il désire "le bas de la fenêtre bien garni et la partie supérieure très peu". Finalement aucun des dix projets proposés par l'atelier **[fig. 4]**, par l'intermédiaire du commercial Kauth, ne plaît et il est convenu que le client passe lui-même à l'atelier. Autre exemple : la commande de quatre vitraux et de deux lanterneaux pour le salon de consommation de la

8. Liège, Grand Curtius, fonds d'archives de l'atelier Osterrath, dossier n° 100, correspondance de la maison Jos. Osterrath et A. Biolley avec E. Kauth, d'Esch sur Alzette, relativement à des travaux au Luxembourg : lettre de E. Kauth adressée à Osterrath le 10 janvier 1928.

9. *Ibid.*, lettre du 10 juin 1928 de E. Kauth à la maison Jos. Osterrath et A. Biolley.

10. *Ibid.*, lettre de E. Kauth à la maison Jos. Osterrath et A. Biolley du 30 janvier 1928.

8

Ateliers de Peinture sur Verre de Joseph OSTERRATH à Tilff-lez-Liège

Vitraux d'appartements

Style Louis XV.

9

Ateliers de Peinture sur Verre de Joseph OSTERRATH à Tilff-lez-Liège

Vitrail Style Modern-Viennois. Porte et Lanterneau

Vitrail d'appartement. Sujet de Chasse

Fig. 3: Prospectus de publicité, extrait, "Joseph Osterrath. Peintre verrier, Tilff-lez-Liège (Belgique), ateliers de peinture sur verre, maison fondée en 1872", Anvers, De Vos & v.d. Groen, p. 8-9 (sur 24 p.), s. d., Liège, Grand Curtius, fonds d'archives de l'atelier Osterrath.

Fig. 4: Projets de vitraux pour la pâtisserie Namur à Luxembourg, non réalisé, 20 février 1928, Liège, Grand Curtius, fonds d'archives de l'atelier Osterrath.

pâtisserie Namur, Grand Rue à Luxembourg, adressée à la maison Osterrath, en février 1928, est libellée dans ces termes :

> [...] *les motifs demandés doivent être très riches et très nobles et tenu* [sic] *dans le genre de votre prospectus ci-joint. Vous pouvez aussi y ajouter quelques fruits pendants. Surtout un travail digne d'un chic salon de consommation, et vu que l'aristocratie et les étrangers passent couramment dans ce salon ce sera une bonne réclame pour vous.*[11]

Le projet est jugé trop cher et trop classique ; à la place, Osterrath est chargé d'étudier un projet dans le goût viennois, mais finalement le projet de placement de vitraux est abandonné. Les architectes sont les plus exigeants et formulent précisément leurs demandes. En 1930, l'architecte Hallen demande à Osterrath un prix pour la fourniture et le placement d'un vitrail dont il joint le croquis, tout en prenant soin de détailler la localisation et les conditions d'éclairage dudit vitrail[12]. En avril 1958, l'architecte Roloux commande à l'atelier une trentaine de panneaux, en "cristaux de couleur du Val-Saint-Lambert, enrobés dans le béton[13]", pour éclairer une cage d'escalier :

> [...] *il n'y a pas lieu de tenir compte de sujets bien déterminés* [...], *il s'agit exclusivement de jeux de lumière à obtenir avec des éléments de dimensions irrégulières, en majorité grands ou en majorité petits, selon que vous l'estimez le plus économique, car ceci est également un facteur à prendre en considération : le prix* [...].[14]

Les architectes fournissent généralement une ébauche, parfois suffisamment précise pour servir d'esquisse, et des recommandations sur la technique d'exécution (types de verre, qualité et couleur, verres peints ou mis en plomb). L'architecte Sélerin a fait réaliser par Osterrath, sur la base de ses plans, des vitraux pour les devantures des boutiques *Aux Genets*[15] **[fig. 5]** et *Au Faisan doré*[16], propriétés respectives de Messieurs Denis et Bertrand à Liège. Les architectes sont également exigeants sur

11. *Ibid.*, lettre du 15 février 1928 adressée par E. Kauth à la maison Jos. Osterrath et A. Biolley.

12. Liège, Grand Curtius, fonds d'archives de l'atelier Osterrath, dossier n° 463, lettre adressée le 4 juin 1930 par l'architecte Godefroid Hallen à Osterrath & Biolley.

13. Liège, Grand Curtius, fonds d'archives de l'atelier Osterrath, dossier n° 467, lettre adressée le 28 avril 1958 par l'architecte Urbain Roloux à Osterrath & Biolley.

14. *Ibid.*

15. Liège, Grand Curtius, fonds d'archives de l'atelier Osterrath, dossier n° 864, correspondance avec l'architecte Émile Sélerin au sujet de réalisation de nouveaux vitraux : étude à l'échelle 5 % des étalages de la propriété sise boulevard d'Avroy 261, appartenant à monsieur Denis rue Wazon à Liège.

16. *Ibid.*, étude à l'échelle 5 % de l'entrée de la propriété de monsieur Bertrand, rue Cathédrale à Liège (projet de transformation).

le plan stylistique : l'architecte Conrardy demande à Osterrath "quelque chose de moderne", car les dessins de celui-ci correspondent généralement trop "à l'ancien style[17]". Il demande à Osterrath s'il connaît "les nouvelles éditions en vitraux d'après le genre allemand et autrichien, qui serait très à la hauteur[18]". En avril 1929, l'architecte Rossi demande une offre pour deux lanterneaux : "un lanterneau très moderne, dans le genre de la peinture futuriste (feuilles de diverses teintes et dimensions pêle-mêle) exécuté en verres imprimés et aussi des dessins pour des fenêtres très modernes (dessins linéaires)[19]" ; un lanterneau "qui doit être exécuté en verres gravés, dessins en blanc ou en verre opalescent, destiné pour un grand magasin d'ameublement. La couleur du lanterneau ne doit avoir aucun effet de couleurs sur les étoffes[20]".

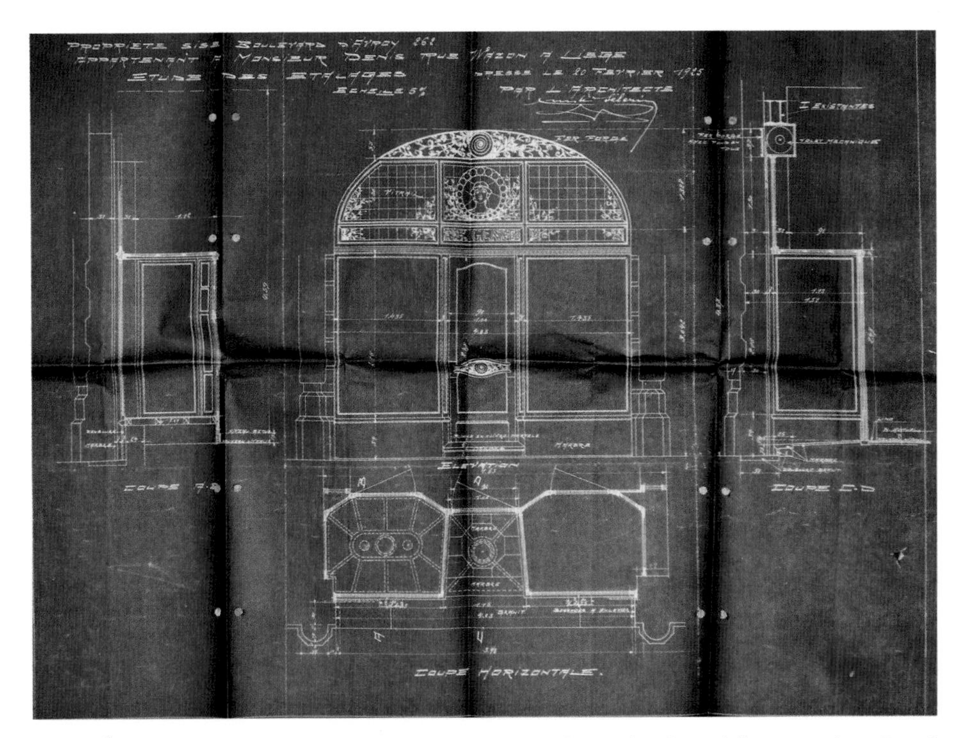

Fig. 5 : Étude à l'échelle 5 % des étalages de la propriété du 261 boulevard d'Avroy, Liège, Grand Curtius, fonds d'archives de l'atelier Osterrath.

17. Liège, Grand Curtius, fonds d'archives de l'atelier Osterrath, dossier n° 100, lettre adressée par E. Kauth à Osterrath et Biolley le 26 décembre 1928.

18. *Ibid.*

19. Liège, Grand Curtius, fonds d'archives de l'atelier Osterrath, dossier n° 100, lettre adressée par E. Kauth à Jos. Osterrath & A. Biolley le 8 avril 1929.

20. *Ibid.*

Parfois, grâce à l'appui du commanditaire, Osterrath a été heureux de se distancier des projets d'architectes "qui prévoyaient des genres de techniques trop variées" et d'établir ses propres compositions[21].

Le traitement de la commande

Le vitrail est une œuvre de commande très spécifique, destinée à un cadre déterminé dans un environnement bâti. Des données d'ordre technique comme les dimensions doivent être précisées d'emblée. Une fois la commande validée, le processus de réalisation proprement dit est enclenché. Les différentes étapes sont l'agrandissement de la maquette pour concevoir un carton à grandeur d'exécution, la coupe des verres, la peinture et la cuisson des verres, la mise en plomb, le masticage des panneaux et, enfin, le placement. D'une manière générale, le commanditaire de l'œuvre n'intervient plus une fois la maquette acceptée, sauf à sa demande expresse, comme pour le vitrail commandé en 1929 par Théo Weymerskirch pour son entreprise à Luxembourg et représentant "la Métallurgie". Osterrath est invité à soumettre à Weymerskirch, pour approbation, le carton "en grandeur naturelle sur papier[22]". À cette occasion, il fait remarquer qu'il faut nécessairement qu'on fasse confiance à l'artiste dans l'interprétation et l'exécution de son œuvre, que lorsqu'un vitrail est achevé, il est entièrement monté en atelier et tout ce qui "paraît critiquable" est refait, que "toute modification éventuelle au travail achevé devrait être facturée séparément[23]". Commanditaire exigeant, Weymerskirch se plaint de la transposition du projet à échelle réduite **[fig. 6]** ; il estime qu'il faut une forte imagination pour reconnaître dans le carton le petit croquis "qui n'était pas mal[24]". Osterrath recommence donc le carton, à la plus grande satisfaction de Weymerskirch.

Plusieurs personnes interviennent dans le processus de réalisation : l'"employé-dessinateur" ; le "coupeur et monteur" ; l'"ouvrier, peintre sur verre" ; le "vitrier, monteur en plomb" ; l'"ouvrier placeur[25]". Tout ce personnel est employé régulièrement par l'atelier. Pour certaines commandes, Osterrath confie à des collaborateurs

21. *Ibid.*, lettre adressée par E. Kauth à Jos. Osterrath & A. Biolley le 26 décembre 1928.

22. *Ibid.*, lettre adressée par E. Kauth à Jos. Osterrath & A. Biolley le 4 septembre 1929.

23. *Ibid.*, lettre adressée par Jos. Osterrath & A. Biolley à E. Kauth le 6 septembre 1929.

24. *Ibid.*, lettre adressée par Théo Weymerskirch à la maison J. Osterrath le 26 novembre 1929 : "Votre dessin ne me plaît pas du tout. Il y a un manque de perspective et il représente toute [*sic*] autre chose que la métallurgie. Il faut avoir une forte imagination pour reconnaître votre proposition avec votre petit croquis qui n'était pas mal. [...] J'avais donné dans le temps mon accord pour l'exécution suivant ce croquis et j'ai bien crû, que dans l'exécution en grandeur naturel [*sic*] que les différentes parties peuvent trouver encore un plus grand fini, qui était très difficile à faire sur cette toute petite feuille."

25. Liège, Grand Curtius, fonds d'archives de l'atelier Osterrath, registres du personnel ouvrier (I. 1878-1952 ; II. 1952-1960).

extérieurs des tâches extrêmement spécifiques, comme des travaux de peinture sur verre à des artistes peintres.

La personnalité du "dessinateur" est bien distincte de celle du "peintre sur verre". Le premier intervient dans la conception, dans l'invention d'une composition, ou encore l'agrandissement d'une maquette, tandis que le second intervient dans l'exécution, la transposition des données du carton sur le verre. Néanmoins, ces tâches peuvent être prises en charge par un seul individu ou par des personnes distinctes. En 1947, la notice rédigée à l'occasion des 75 ans de l'atelier Osterrath et Biolley précise que "les ateliers se sont toujours tenus à la hauteur du mouvement d'évolution actuel, et pour répondre à ces tendances, se sont attachés des collaborateurs de première valeur, diplômés, de différentes écoles[26]". Elle cite en exemple Jacques de Géradon, lauréat de l'Académie des beaux-arts de Liège.

Fig. 6 : Projet de vitrail pour monsieur Weimerskirch à Luxembourg, 22 août 1929 (réalisé), Liège, Grand Curtius, fonds d'archives de l'atelier Osterrath.

26. Liège, Grand Curtius, fonds d'archives de l'atelier Osterrath, dossier de divers (articles, prospectus, imprimés publicitaires), "1872-1947. 75e anniversaire. 75 ans d'expérience et de succès. Notice sur les ateliers Osterrath et Biolley" [19 décembre 1947].

De nombreux autres artistes ont mis leur talent au service des ateliers Osterrath. Les signatures des projets ou les archives révèlent l'intervention d'une vingtaine de personnalités. Mais seulement près d'un quart d'entre elles sont intervenues dans le domaine du vitrail civil : Jacques de Géradon, Guy Chabrol, Charles André François Gilbert, René Julien et Jean Rets.

C'est certainement à Guy Chabrol (1920-?) et à Jean Rets (1910-1998) que l'on doit les œuvres les plus réussies de l'atelier dans le domaine profane, toutes périodes confondues. Tous deux se sont illustrés brillamment dans la technique des compositions en dalles de verre à joints de béton. Jean Rets[27] est l'auteur de projets de diverses compositions destinées à des habitations et des immeubles résidentiels à Liège, mais surtout de la conception de la grande "dalle de verres" de la façade Est de l'ancienne gare des Guillemins à Liège (24 m^2) **[fig. 7]**. Malheureusement, les archives ne détaillent pas les modalités de sa collaboration avec la firme Osterrath. Elles sont plus loquaces pour Guy Chabrol[28].

Le Français Guy Chabrol a travaillé chez Gabriel Loire, peintre verrier décorateur à Chartres, d'octobre 1941 à mai 1954, en qualité de "maquettiste dessinateur[29]". À côté de nombreux travaux publicitaires, il a abondamment peint et réalisé des projets de tapisseries et de vitraux. Il travaille pour les ateliers Osterrath d'octobre 1954 à septembre 1957, en qualité d' "employé dessinateur". Sa rémunération de 12 000 francs est particulièrement élevée, en comparaison des autres salaires versés à l'atelier au même moment : par exemple, pour 48 heures de travail par semaine, le peintre Émile Pirotte est gratifié d'environ 4800 francs par mois, rémunération comparable aux salaires

27. *Jo Delahaut — Jean Rets, Zwei belgische Konstructivisten der Gruppe "art abstrait"*, catalogue d'exposition, Aachen, Suermondt-Ludwig Museum, 16.09.1990-04.11.1990), Aachen, 1990. Léon Wuidar, "Jean Rets", *Annuaire de l'Académie royale de Belgique*, Bruxelles, Académie royale de Belgique, 2002, p. 109-115. Gaspard Hons et Léon Wuidar, *Hommage à Jean Rets. 1910-1998*, catalogue d'exposition, Verviers, musée des Beaux-Arts, 26 février-10 avril 2005, Liège, 2004.

28. Liège, Grand Curtius, fonds d'archives de l'atelier Osterrath, dossier n° 1159, correspondance entre Guy Chabrol (Chartres) et Guy Huyttens de Terbecq.

29. Liège, Grand Curtius, fonds d'archives de l'atelier Osterrath, dossier n° 1159, certificat délivré le 31 août 1954 par Gabriel Loire, "Maître Verrier Décorateur Sociétaire de la Société nationale des Beaux-Arts" : "[…] Je n'ai eu qu'à me louer de ses services [de Guy Chabrol] et j'ai pu pendant 13 ans apprécier son talent et son travail. Il a participé aux études faites pour les vitraux de la Basilique de Mattaincourt dans les Vosges, de St. Omer de Blain en Loire Infér., d'Alhambr[a] en Californie, de Santiag[o] au Chili (Basilique N.D. de Lourdes) etc. En foi de quoi je lui délivre avec mes compliments le présent certificat établi à Chartres le 31 août 1954. Guy Chabrol, né en 1920 — études secondaires jusqu'en 1939 — Après la guerre en 1941 entre à l'atelier de décoration religieuse de M. Loire, 10 rue Chantault à Chartres. Y apprend la décoration religieuse en général (peinture murale, affiches, ameublement, illustration, imagerie). En 1945 M. Loire fonde son atelier de vitraux d'art. Guy Chabrol y travaille comme dessinateur cartonnier. Depuis cette date et jusqu'en juin 1954 il y continue son travail en participant aux études et réalisations de très nombreux vitraux pour des églises de France et de l'étranger. Personnellement, comme peintre pur, participe aux Salons des Tuileries 1947, de l'École Française 1947, 48, 49, au Salon de l'Imagerie 1946-1947, aux Salons de la Beauce et du Perche 1947, 48, 49, 50, au Salon des Provinces françaises 1943. Expositions particulières à Chartres et Dreux. Œuvres principales : Fresque pour le Foyer des Vieux à Chartres, Chemin de croix pour la chapelle du Lycée de Chartres, Peinture murale pour la Chambre de Commerce de Chartres, Décoration du groupe scolaire de Dammarie, etc. De nombreuses toiles dans les collections particulières en France et à l'étranger."

des autres ouvriers, et l'administrateur Guy Huyttens de Terbecq reçoit 7500 francs bruts, équivalant alors à 6732 francs nets.

Osterrath a dû justifier auprès de l'administration l'engagement de main-d'œuvre étrangère :

> *Les ateliers Osterrath s'occupant exclusivement des travaux de peinture sur verre (vitraux d'art et mosaïques de verre) de caractère artistique doivent s'attacher un artiste connaissant parfaitement la technique de fabrication en plus d'un grand talent de dessinateur. Plusieurs élèves de nos académies ou des écoles St Luc belge, formés à grand frais dans nos ateliers, nous ont quittés pour voler de leurs propres ailes. Ayant eu l'occasion de connaître Mr Guy Chabrol et d'apprécier sa compétence et son très grand talent nous lui avons demandé de dessiner pour nous des maquettes de vitraux qui ont été favorablement appréciées notamment par la commission des monuments et des sites. Afin d'éviter le renouvellement des déboires que nous avons eus antérieurement nous avons décidé d'attacher par contrat Mr Guy Chabrol, qui accepte, à nos ateliers d'une façon permanente. Mr Guy Chabrol a travaillé depuis la guerre dans les ateliers de décoration de Mr Loire, 10 rue Chantault à Chartres, le haut lieu de la peinture sur verre universellement apprécié. Nous ne trouverions pas en Belgique un jeune artiste ayant semblable formation* [sic].[30]

Effectivement, les ateliers ont eu beaucoup de déboires pour trouver des dessinateurs qui s'adaptent à leurs exigences et à leur cadence. En juin 1945, un dénommé Ranson fait faux bond à Osterrath, car il n'est pas en mesure de respecter les délais impartis :

> *Je n'ai pu exécuter les trois dessins que je devais vous remettre ce lundi. Le temps m'a totalement manqué. Un seul est terminé et les deux autres esquissés* [...]. *Comme je crois vous l'avoir dit je suis occupé une partie de la semaine à des travaux publicitaires et autres. J'aurais désiré les abandonner petit à petit pour pouvoir vous consacrer tout mon temps. Je reçois à l'instant une série de travaux très urgents que dans les conditions présentes il ne m'est pas possible de refuser. Je me vois donc contraint de vous dire qu'il ne me sera pas possible de continuer mes dessins.*[31]

30. *Ibid.*, "Note justificative de notre demande d'emploi de main d'œuvre étrangère" [23 août 1954].

31. Liège, Grand Curtius, fonds d'archives de l'atelier Osterrath, "Correspondance relative au personnel", lettre adressée par un nommé Ranson à Osterrath & Biolley le 4 juin 1945.

Il écrit dans une autre lettre :

> *Vous m'aviez accordé à peine une semaine pour faire les projets, et à mon avis j'aurais dû disposer de trois fois plus de temps, j'avais commencé ceux-ci avec le plus grand soin, et les étudier tant au point de vue du dessin, de la ligne que de la couleur. Puis est venu l'imprévu des travaux publicitaires très urgents.* [...] *Voyant que je n'arriverais pas à temps et vous satisfaire j'ai laissé tout là. Si l'un des dessins est virtuellement terminé, je préfère ne pas vous le montrer parce qu'il ne répond pas à ce que j'aurais voulu réaliser. Tout serait à refaire et je n'en ai ni le temps ni le courage.*[32]

En 1947, Osterrath cherche un "bon peintre" et entre en contact avec un peintre sur verre qui lui a été recommandé, un dénommé Marcel Weinling, employé depuis six ans par la firme strasbourgeoise Ott Frères. Il demande à cet employé, alors âgé de 22 ans, depuis combien d'années il travaille la peinture sur verre et le genre de travaux qu'il est à même d'exécuter (ornements, figures, trait ou ombres, etc.). L'employé strasbourgeois envoie des maquettes par la poste. Le jugement d'Osterrath est sévère :

> *Nous avons été tout à fait déçus en les voyant [les maquettes]. Nous avions espéré que vous pourriez nous présenter un travail, peut-être quelque peu incorrect au point de vue du dessin que vous n'avez pas étudié, mais dénotant une certaine imagination dans la composition, un certain sens du décoratif, un certain goût de coloris, des qualités, en un mot, qui dénoteraient un don réel capable de corriger les inconvénients de votre jeunesse et de votre inexpérience. Hélas, nous n'avons trouvé dans votre essai qu'un faible travail de débutant très insuffisant pour la production artistique habituelle de nos ateliers.*[33]

En janvier 1948, Osterrath ne retient pas la candidature de Joseph Van Tuerenhout de Malines qui lui avait soumis sept dessins et un tableau ; il estime que le candidat n'a guère d'atouts "dans le genre de dessin très spécial et linéaire du vitrail et dans la composition décorative[34]" et que ce ne serait qu'après une très longue étude qu'il pourrait adapter son travail aux besoins de l'atelier.

Guy Chabrol a réalisé pour l'atelier des projets de vitraux tant religieux que profanes. Et parmi ceux-ci, il s'agit autant de compositions en dalles de

32. *Ibid.*, lettre adressée par Ranson à Osterrath & Biolley le 8 juin 1945.

33. *Ibid.*, lettre adressée par Osterrath & Biolley à Marcel Weinling le 2 janvier 1948.

34. *Ibid.*, lettre adressée par Osterrath à monsieur Van Tuerenhout le 22 janvier 1948.

verre à joints de béton que de vitraux au plomb. Il est certainement le meilleur dessinateur, concepteur et inventeur qu'ait eu l'atelier. Les maquettes et les œuvres conservées témoignent de son talent ; le projet du vitrail destiné au lobby du nouvel immeuble de la banque internationale à Mexico **[fig. 8]**, daté de 1954, est particulièrement spectaculaire, mais il n'a malheureusement pas été réalisé. Divers éléments de la figuration ont dû être modifiés par Chabrol afin de satisfaire le commanditaire, comme la personnification de la banque pour substituer à l'idée de bâtiment bancaire celle de "réalisation universelle de l'organisation financière[35]".

Une année après le départ de Guy Chabrol pour Chartres, apparemment suite à un différend avec l'atelier, Joseph Osterrath Junior décède[36]. L'atelier se maintient quelques années encore, grâce au beau-fils de celui-ci, Guy Huyttens de Terbecq (1909-1972). La production de compositions en dalles de verre à joints de béton assure une dernière gloire à l'atelier qui ferme définitivement en 1966.

35. Liège, Grand Curtius, fonds d'archives de l'atelier Osterrath, dossier n° 1199, Mexico — Banco Internacional, lettre de Guy Huyttens de Terbecq à Luis Montès de Oca, président du *Banco Internacional* de Mexico, datée du 23 décembre 1954.

36. Joseph Osterrath Junior décède à Liège le 4 février 1958.

Fig. 7

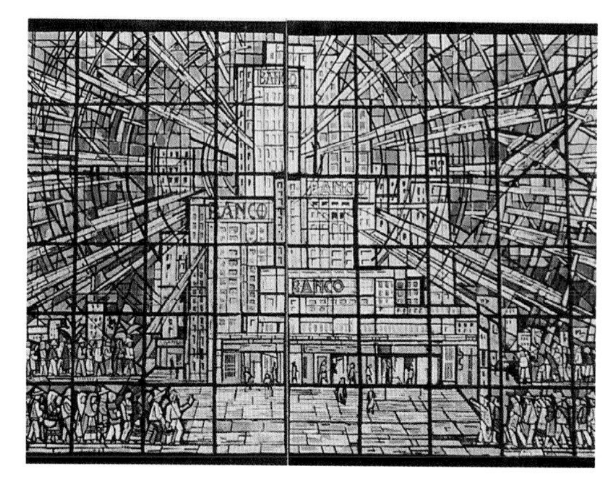

Fig. 8

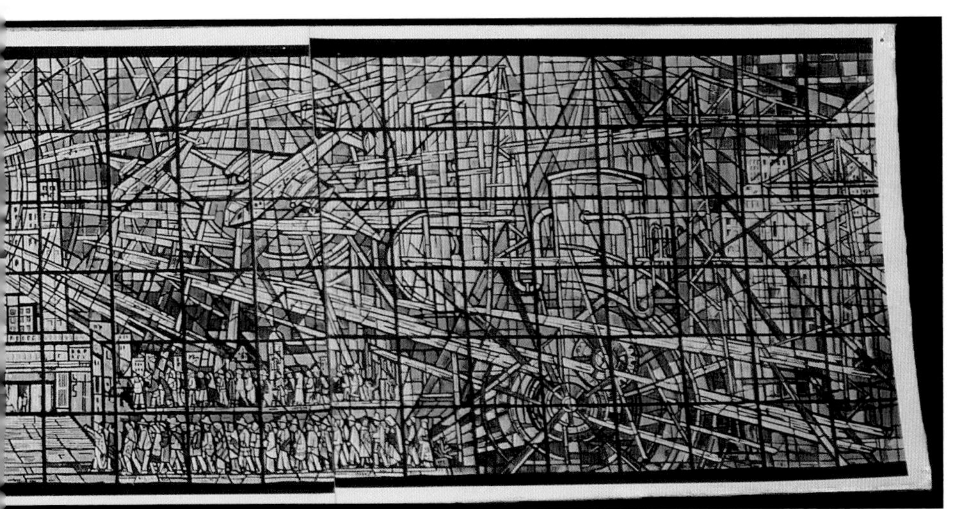

Fig. 7 : Jean Rets, projet de composition en dalles de verre à joints de béton réalisée pour l'ancienne gare des Guillemins à Liège (déposée), 1956-1958, Liège, Grand Curtius, fonds d'archives de l'atelier Osterrath.

Fig. 8 : Guy Chabrol, projet de vitrail pour la banque internationale de Mexico, 1954 (non réalisé), Liège, Grand Curtius, fonds d'archives de l'atelier Osterrath.

La broche comme pinceau : tapis et tapisserie

DEUXIÈME PARTIE

10

Simon Vouet et la tapisserie. Cartons ou fragments de décors. Réflexions autour de quelques peintures

Guillaume Kazerouni

Résumé — L'activité des peintres dans le cadre des arts décoratifs est souvent délicate à appréhender. Les difficultés auxquelles se heurtent aujourd'hui les historiens de l'art dans le cas précis des œuvres produites par Simon Vouet et son atelier en lien avec des tapisseries en offrent un exemple éloquent. Le propos de cette communication ne porte pas sur les tapisseries elles-mêmes mais sur la nature complexe de quelques peintures de l'atelier de Simon Vouet en relations avec des compositions tissées. En effet, la destruction presque intégrale de l'œuvre décoratif de Vouet, l'absence ou l'imprécision des archives, le fonctionnement peu documenté de son atelier et, enfin, la conservation parfois incomplète des tentures elles-mêmes, empêchent non seulement de bien saisir la genèse des cycles tissés mais aussi la situation et la nature des peintures qui y sont rattachées.
Mots-clefs — Tapisserie, peinture, cartons, modèles, Vouet Simon, Louis XIII, Gobelins.

Abstract — It is often difficult to form an accurate idea of the true nature of the painter's activity in the decorative arts field. In the precise case of Simon Vouet's œuvre as well of that of his workshop related to tapestry, the difficulties encountered by art historians prove to be a particularly remarkable example. The present paper doesn't deal with tapestry in itself, but rather with the complex nature of some paintings from Vouet's workshop related to woven compositions. Indeed, the almost absolute destruction of Vouet's decorative settings, the comparative lack of archives, the almost unknown management of his workshop and the often bad condition of the tapestries prevent us not only to understand the genesis of the woven cycles properly, but also the status and the very nature of the paintings related to them.
Keywords — Tapestry, painting, cartoons, Vouet Simon, Louis XIII, Gobelins manufactory.

La composition de modèles destinés à la tapisserie est au XVIIe siècle une pratique qui compte parmi les plus recherchées par les grands peintres d'histoire. Si le genre a ses particularités et ses règles, il s'apparente, par son ampleur, à la grande peinture décorative ou aux commandes de retables monumentaux pour les églises. Il présente les mêmes enjeux dans la carrière des artistes. Ainsi parmi les artistes de quelque ambition il ne s'en trouve pas un, de Rubens à Le Brun, qui ne se soit pas confronté à cet exercice. La conception des cartons offrait en effet des avantages non négligeables : les formats imposants des œuvres nécessitaient des compositions monumentales et riches ; le tissage en plusieurs exemplaires de chaque tenture donnait la possibilité de diffuser plus largement les inventions du peintre.

En France, l'essor des ateliers de lissiers durant la première moitié du XVIIe siècle, sous l'impulsion d'Henri IV et de Louis XIII — précédant la création des manufactures royales des Gobelins et de Beauvais sous Louis XIV — marque un âge d'or de la tapisserie. Les études portant sur ce domaine ont considérablement évolué depuis la monumentale synthèse de Maurice Fenaille publiée en 1923 et l'importante exposition organisée par Jean Coural en 1967 à l'Orangerie du château de Versailles[1]. Cette dernière manifestation, et surtout le très riche catalogue qui l'accompagnait, faisait le point sur nombre de tentures clefs dont les modèles étaient dus à des peintres dont l'œuvre était alors en pleine réévaluation, tels que Champaigne, Michel I Corneille, Laurent de la Hyre ou Charles Poerson. Le catalogue soulignait plus particulièrement le rôle central de Simon Vouet dans le renouveau des modèles destinés aux lissiers. Le premier peintre de Louis XIII, dont l'œuvre avait fait l'objet en 1962 d'une première étude complète par William Crelly, émergeait alors comme une figure centrale du monde de la tapisserie dans les années 1630-1640. Depuis, la place importante donnée aux modèles pour la tapisserie n'a cessé d'être documentée, confortée et étayée. Malgré ce constat et les rares informations transmises par les archives et les auteurs anciens, comme Félibien, la méthode qu'employait Vouet pour concevoir ses cartons se heurte encore à de nombreuses interrogations. Comme l'ont parfaitement résumé Denis Lavalle en 1990 et Isabelle Denis en 1996, nous savons que Simont Vouet surveillait avec une très grande attention la transcription en tapisserie des cartons qu'il concevait[2]. Ces derniers, peints à l'huile ou à la détrempe — dont aucun exemplaire ou fragment n'est identifié avec certitude aujourd'hui — étaient prêtés aux ateliers qui devaient les restituer au maître après usage. Ce dernier opérait de deux façons

1. Maurice FENAILLE, *État général des tapisseries de la manufacture des Gobelins depuis son origine jusqu'à nos jours, 1600-1900. Les ateliers parisiens au dix-septième siècle,* 1601-1662, Paris, 1923 ; *Chefs d'œuvre de la tapisserie parisienne*, 1597-1662, Versailles, Orangerie du château, 1967.

2. Denis LAVALLE, *Vouet,* catalogue d'exposition, Paris, galeries nationales du Grand Palais, 1990-1991, p. 487-525 et Isabelle DENIS, *Lisses et délices. Chefs d'œuvre de la tapisserie de Henri IV à Louis XIV*, catalogue d'exposition, château de Chambord, 7 septembre 1996-5 janvier 1997, p. 143-197.

pour créer les cycles que l'on lui commandait. Pour sa première tenture, celle de *L'Ancien Testament*, Vouet a inventé six compositions spécifiques. Pour trois autres, le peintre remploie, en les adaptant, des cycles qu'il avait exécutés pour des décors privés : la *Tenture de Renaud et Armide* reprend le décor du château de Chessy[3] ; la *Tenture d'Ulysse*, une partie des compositions de la galerie de l'hôtel de Bullion[4] ; la *Tenture de Théagène et Chariclée*, un cycle de ce sujet peint au château de Wideville[5]. Enfin, la cinquième tenture, relatant les *Amours des dieux*, parfois mise en relation, sans preuves irréfutables, avec un cycle similaire (détruit) réalisé pour le château de Chilly, pourrait être issue d'une réunion de couples divins provenant de tableaux aux destinations diverses que l'artiste a décidé de réunir pour former une série[6]. En étudiant cette dernière tenture, Isabelle Denis a montré que les historiens y avaient parfois mêlé des tapisseries provenant de deux ensembles aux sujets similaires. Elle a ainsi redéfini une seconde série appelée la *Tenture des Métamorphoses* pour la différencier de la première[7]. Celle-ci est plus probablement due à un ou plusieurs peintres de l'entourage de Vouet, comme nous le verrons plus loin.

Après ce résumé du corpus tissé des œuvres de Vouet, précisons que notre propos ici ne porte pas sur les tapisseries elles-mêmes mais sur la nature complexe de quelques peintures en relations avec ces dernières. En effet, la destruction presque intégrale de l'œuvre décorative de Vouet, l'absence ou l'imprécision des archives, le fonctionnement peu documenté de son atelier et, enfin, la conservation parfois incomplète des tentures elles-mêmes, empêchent non seulement de bien saisir la genèse des cycles tissés, mais aussi la situation et la nature des peintures qui y sont rattachées.

Répétitions, reprises, adaptations de composition : un corpus difficile à définir

En 2005, lors de l'exposition-dossier consacrée au *Loth et ses filles* de Vouet au musée des Beaux-Arts de Strasbourg, nous avions présenté avec Dominique Jacquot une toile conservée au musée de Montbéliard montrant *Neptune et Cérès*

3. Décor comportant 12 sujets, réalisé vers 1630-32. Voir D. Lavalle, *Vouet [...], op. cit.*, p. 512-517.

4. Décor comportant 15 sujets, réalisé vers 1634. Voir I. Denis, *Lisses [...], op. cit.*, p. 156-166.

5. Décor en 12 sujets, réalisé vers 1624-35. Voir D. Lavalle, *Vouet [...], op. cit.*, (note 2), p. 518-525.

6. Décor commandé par Antoine Coiffier, marquis d'Effiat et de Chilly, premier écuyer de la Grande Écurie. Les descriptions conservent le souvenir des sujets suivants sur les parois de la galerie : *Diane et Endymion, Neptune et Amphitrite, Andromède, Europe, Pan et Syrinx* et d'autres non décrites. La tenture regroupe les sujets suivants d'après les tapisseries retrouvées à ce jour : *Jupiter et Sémélé, Neptune et Cérès, L'Enlèvement de Proserpine, Mars et Vénus, Vénus et Adonis, Bacchus et Ariane, Hercule et Omphale, Aurore et Céphale, Jupiter et Callisto, Diane et Endymion*. Sur les tapisseries voir I. Denis, *Lisses [...], op. cit.*, p. 170-189.

7. I. Denis, *Lisses [...], op. cit.*, p. 191-198.

[fig. 1][8] qui résumait bien le problème que pose aujourd'hui tout un groupe de compositions peintes liées aux tapisseries conçues par Vouet ou dans son orbite. Mis en relation avec l'œuvre de Vouet lors de sa restauration au début des années 2000[9], le tableau présente dans un cadrage resserré le dieu des mers accompagné de la déesse de la terre et des moissons.

La composition du tableau de Montbéliard correspond dans ses grandes lignes à celle de l'une des tapisseries de la *Tenture des amours des dieux* dont un tissage est conservé au château de Châteaudun **[fig. 2]**[10]. Les sources et descriptions anciennes nous apprennent également l'existence de ce sujet dans le décor du château de Chilly consacré aux sujets de la fable (détruit et mentionné par Félibien). Comme nous l'avons rappelé plus haut, ce décor est parfois considéré comme le modèle de la tenture dont il est question ici. Cela est toutefois impossible à vérifier avec certitude pour le moment. Par conséquent, avec un état si lacunaire des connaissances, comment juger l'œuvre de Montbéliard ? S'agit-il d'un élément de décor (provenant de Chilly ?), d'un modèle ou carton de tapisserie ou bien d'une œuvre autonome périphérique à la réalisation des deux premières commandes ? Cette dernière solution est tout à fait envisageable au regard d'autres compositions de Vouet dont nous possédons aujourd'hui des variantes par son atelier. Le cadrage ainsi que le point de vue d'en dessous du tableau laissent penser que l'œuvre a probablement été conçue pour être vue un peu en hauteur et peut être incluse dans un groupe de peintures de Vouet ou de son atelier présentant des sujets similaires. Les angles du tableau avaient probablement une autre forme à l'origine. Ils devaient être coupés, à l'exemple des peintures du cycle de *Renaud et Armide* du château de Chessy, en partie conservées aujourd'hui dans une collection particulière[11]. Par sa présentation et son format, le tableau de Montbéliard peut être versé dans un corpus de tableaux mythologiques de formats similaires et présentant les mêmes interrogations quant à leur destination. Apparues progressivement depuis les années 1960, ces tableaux sont particulièrement difficiles à étudier car souvent en main privée et en grande partie remployés dans des décors de plafond au XIXe ou au XXe siècle. Nous en donnons ici la liste : *Aurore et Céphale* (Paris, plafond du Cabinet des Muses de l'hôtel Lambert), *Diane et Endymion* et *Neptune et Amphitrite* (montés dans un plafond de la Hearst Castel à San Simeon en Californie), *Bacchus et Ariane* (collection particulière), **[fig. 3]**, *Aurore et Céphale* (collection particulière), **[fig. 4]**.

8. Montbéliard, musée du château, inv. N° 880-1857. Huile sur toile ; H. 164 cm ; L. 100 cm. Don Jean Gigoux en 1880. Voir Dominique Jacquot et Guillaume Kazerouni, *Éclairages sur un chef-d'œuvre. Loth et ses filles de Simon Vouet*, catalogue d'exposition, Strasbourg, musée des Beaux-Arts, 20 octobre 2005-22 janvier 2006, n° 24, p. 132 et 165.

9. Rapport de restauration de Patricia Vergez.

10. H. 340 ; L. 260 cm. Atelier d'Amiens, vers 1630-1650.

11. Cycle intégralement reproduit dans la monographie de William Crelly en 1962.

Fig. 1

Fig. 2

Fig. 3

Fig. 4

Fig. 1: Simon Vouet (et atelier ?), *Neptune et Cérès*, huile sur toile, Montbéliard, musée du château, inv. N° 880-1857.

Fig. 2: Ateliers d'Amiens d'après Simon Vouet, *Neptune et Cérès*, Châteaudun, château.

Fig. 3: Simon Vouet, *Bacchus et Ariane*, huile sur toile, France, collection particulière.

Fig. 4: Simon Vouet, *Aurore et Céphale*, huile sur toile, Paris, hôtel Lambert, plafond du Cabinet des Muses.

Parmi ces tableaux, trois se retrouvent tissés en tapisserie: *Aurore et Céphale, Bacchus et Ariane, Neptune et Cérès*. À chaque fois, la principale différence entre le tableau et la tapisserie réside dans un cadrage bien plus large et la présence d'un grand paysage dans la version tissée. À cette série, nous pouvons ajouter une quatrième composition représentant *L'Éducation de l'Amour*. Actuellement deux versions peintes sont repérées pour cette composition. La première est apparue en vente chez Phillips à Londres le 10 avril 1990 sous le nom de Michel Dorigny **[fig. 5]**[12]. La seconde, de format ovale, qui présente quelques variantes dans le placement du jeune dieu de l'Amour et dans la pose de Mercure, est passée en vente à Cheverny en juin 1997 sous le nom de Jean Mosnier, un autre élève de Simon Vouet **[fig. 6]**[13]. Utilisant la même invention, ces deux tableaux d'une très belle qualité sont par leur style de deux artistes bien distincts. Ils ne peuvent revenir à Vouet lui-même et leur attribution traditionnelle, surtout pour celui donné à Mosnier, n'est pas recevable au regard des œuvres certaines de ce dernier conservées au château de Cheverny et au musée de Blois. Leur format laisse également penser à des usages probablement bien différents: le premier pourrait être un tableau de chevalet alors que le second est certainement un élément de décor.

Fig. 5: Michel Dorigny (attribué à), *L'Éducation de l'Amour*, huile sur toile, commerce de l'art.

Fig. 6: Peintre de l'entourage de Simon Vouet, *L'Éducation de l'Amour*, huile sur toile, collection particulière.

12. Huile sur toile, H. 152,4 cm; L. 119,4 cm. Vente Phillips à Londres le 10 avril 1990, n° 72 (Michel Dorigny).

13. Huile sur toile, H. 200; L. 116,5 cm. Vente Me Ph. Rouillac, Cheverny, 31 mai-01 juin 1997, n° 92 (Jean Mosnier). La notice du catalogue de vente cite l'avis de Jacques Thuillier qui mettait ce tableau en relation avec le décor de Chilly.

Nous avons identifié il y a quelques années une tapisserie conservée au château du Lude où l'on retrouve le même groupe mythologique au milieu d'un paysage [**fig.** 7]. La tapisserie, non répertoriée à notre connaissance, est peut-être une nouvelle pièce à ajouter à la *Tenture des Amours des dieux*. Les figures de la tapisserie correspondent très précisément à celles de la version peinte ovale. Cette dernière a également été reprise par un graveur anonyme pour l'un des frontispices des *Contes aux heures perdues du sieur d'Ouville*, édité à Paris chez Toussaint Quinet en 1644 [**fig. 8**][14].

La composition de *L'Éducation de l'Amour* avec ses deux versions peintes et ses deux interprétations tissées et gravées, tout comme le *Neptune et Cérès*, pose la question difficile de la circulation des modèles, de leur remploi par le maître, et de leur reprise par ses élèves. Est-ce qu'une partie de ces toiles ont fait partie du décor de Chilly ou d'une autre demeure? Est-ce que ces œuvres ont bien été réalisées sous la conduite de Vouet alors qu'aucune ne peut lui être donnée directement? Précisons que pour le moment aucun dessin original de Vouet n'a encore été retrouvé pour ces sujets. Il est en tout cas certain que le peintre de Louis XIII est bien l'inventeur de certains de ces sujets et que ses élèves et collaborateurs ont parfois repris et transformé les idées de leur aîné dans des œuvres inspirées par lui jusque dans leur facture.

Fig. 7: Atelier d'Amiens (?), d'après Simon Vouet ou un membre de son atelier, *L'Éducation de l'Amour*, château du Lude.

Fig. 8: Anonyme d'après Simon Vouet ou un membre de son atelier, *L'Éducation de l'Amour*, frontispice des *Contes aux heures perdues du sieur d'Ouville*, collection particulière.

14. Catalogue n° 69 de la galerie Pierre Berès, *Dix-septième siècle: Romans, poésies, etc.*, Paris, 1977, n° 371 (repr.).

La figure de Cérès par exemple se retrouve presque à l'identique dans plusieurs compositions sorties de l'atelier de Vouet. Elle est notamment présente dans une très belle *Allégorie de l'Été* conservée à la National Gallery de Londres sous le nom de Vouet et que Sylvain Laveissière a proposé en 1999 d'attribuer à Nicolas Chaperon, l'un des élèves et proches collaborateurs de Vouet au milieu des années 1630[15].

Toutes ces œuvres présentent les mêmes variantes avec leur exemplaire tissé : dans les tapisseries, les figures sont systématiquement placées sur des fonds de paysage plus larges, alors que dans les tableaux le cadrage est plus resserré et le fond de paysage souvent maigre, voire, comme ici, inexistant. Le seul élément commun entre toutes les compositions peintes citées plus haut est que nous en retrouvons la composition en tapisserie. Les tableaux ont tous des cadrages resserrés sur les figures alors que ces dernières s'inscrivent toujours dans de vastes paysages dans les tissages. Ces paysages sont un ajout pour adapter les groupes issus de décors peints au format monumental de la tapisserie. Ce principe de composition inscrite dans une nature luxuriante, rythmée par les diagonales des troncs d'arbres et le foisonnement des feuillages, a été mis en place par Vouet dès la *Tenture de l'Ancien Testament* dans la célèbre scène montrant *Moïse sauvé des eaux*[16].

Retrouver l'identité de l'exécutant : une quête impossible ?

Parallèlement à la définition de la destination de ces peintures liées aux processus encore bien nébuleux du fonctionnement et de la production des ateliers, l'autre difficulté à laquelle l'historien de l'art se trouve confronté est la question de l'attribution touchant à la personnalité bien floue de l'exécutant, surtout dans un cas où ce dernier n'est très certainement pas l'inventeur de la composition. Les œuvres citées plus haut, même si elles peuvent appartenir à un même décor pour certaines, ne peuvent pas toutes être considérées de la même main quant à leur exécution. Nous savons que Vouet avait mis en place un atelier très actif où de nombreux praticiens s'affairaient à des tâches les plus variées. Certains collaborateurs de confiance et de talent tels que François Perrier se voyaient confier l'exécution de parties entières de décors comme dans le cas de la commande pour le château de Chessy pour le cycle de *Renaud et Armide*. D'autres réalisaient des parties précises de compositions telles que les paysages qui demandaient des compétences particulières. Dans ce cadre de travail collectif intimement lié à la production d'œuvres décoratives, on peut de fait imaginer que pour ses cartons de tapisseries Vouet fournissait essentiellement

15. NG 6292. Huile sur toile, H. 145,5 cm ; L. 188 cm. Au sujet de cette œuvre mise en relation avec le décor de l'hôtel de Bullion, voir Humphrey WINE, *National Gallery catalogues. The Seventeenth Century French Paintings*, Londres, National Gallery, 2001, p. 402-409.

16. Premier tissage conservé au musée du Louvre, inv. OA 6086.

les figures telles que nous les voyons dans les peintures montrant les amours des dieux et qu'un Belin ou qu'un Patel par exemple était chargé de mettre en place le fond de verdure sous la direction de Vouet.

Il est aujourd'hui tout à fait impossible dans la plupart des cas de tenter avec certitude une identification des mains dans le cadre de ces grandes entreprises collectives menées par Vouet. En revanche, nous pouvons, comme nous le faisons ici pour quelques compositions, constituer des groupes par rapprochement. Ainsi, notons que le Mercure présent dans *L'Éducation de l'Amour* cité plus haut est particulièrement proche de deux figures de bergers placées dans l'une des compositions de la *Tenture de Théagène et de Chariclée*. Une peinture reprenant partiellement cette composition est jadis passée en vente sous une attribution à François Perrier et titrée *Herminie et les bergers* **[fig. 9]**[17]. Cette œuvre, que nous connaissons uniquement par la photographie, pose des questions similaires au groupe de tableaux dont nous avons parlé plus haut. Il ne s'agit ni d'un fragment du décor du château de Wideville ni d'une étude pour la tapisserie. La facture, tant que l'on puisse en juger d'après la photographie, est bien celle d'un suiveur de Vouet, mais toute tentative d'attribution semble ici vaine. Ce cas de figure, où une œuvre se compose d'une partie d'une composition de Vouet ou d'un mélange d'éléments provenant de plusieurs compositions, est assez fréquent et désigne peut-être des dérivations réalisées par des membres de l'atelier pour une demande privée. Certaines de ces œuvres pourraient aussi très bien être des exercices réalisés par des élèves lors de leur formation.

Fig. 9: Peintre de l'entourage de Simon Vouet, *Herminie chez les bergers* ou une *Scène de l'histoire de Théagène et de Chariclée*, huile sur toile, Localisation actuelle inconnue.

17. Huile sur toile. H. 88.2; L. 93. Vente Sotheby's, Londres, 22 juillet 1983, n° 7 (*Herminie et les bergers*, attribué à François Perrier).

Nous terminerons par un dernier exemple tout à fait significatif dans ce sens. Il s'agit d'une œuvre inédite que nous ne connaissons qu'à travers une photographie. Le tableau représente *Mercure et les Grâces* et se trouve, d'après une annotation au dos de la reproduction qui nous a été signalée, dans un château en Pologne près de Poznan **[fig. 10]**[18]. La découpe des angles de la partie supérieure incite à penser à un tableau ayant autrefois été placé dans un décor de lambris. La composition correspond, une fois inversée en partie, à une gravure de Michel Dorigny datée de 1642, reproduisant une œuvre de même sujet peinte par Simon Vouet et aujourd'hui perdue **[fig. 11]**. Si l'esprit général de la composition est le même dans les deux cas, le tableau polonais ne peut se confondre avec celui de la gravure dont il semble dériver. Cette variation sur l'œuvre de Vouet, très probablement due à Michel Dorigny, peintre et graveur mais aussi gendre de Vouet, montre bien comment se déclinaient les œuvres du maître avec des variations plus ou moins importantes.

Fig. 10 : Michel Dorigny (attribué à), *Mercure et les Grâces*, château près de Poznan, Pologne.

18. Huile sur toile. H. 172 cm ; L. 137 cm. Localisation précise inconnue. Nous remercions Jean Aubert de nous avoir signalé cette photographie.

Fig. 11 : Michel Dorigny d'après Simon Vouet, ***Mercure et les Grâces*****, eau-forte, collection particulière.**

Si les quelques exemples que nous avons présentés ici ne permettent pas d'apporter des réponses définitives aux questions que posent les œuvres en lien avec les tapisseries de Vouet, elles permettent toutefois d'enrichir le "dossier" de certaines compositions tissées et d'en éclairer encore davantage toute la complexité. La réapparition d'œuvres nouvelles, de dessins et d'archives et l'accumulation de ces dernières permettront progressivement de mieux cerner ces vestiges qui ont perdu, lorsqu'ils ont quitté leur première demeure, une grande partie de leur identité. Enfin, ces peintures nous font également mesurer toute la difficulté et les risques que présentent aujourd'hui les tentatives d'attribution et d'identification d'œuvres issues d'un travail d'atelier dont le fonctionnement et les méthodes nous échappent en grande partie.

11

Les décors tissés de Charles Le Brun : les Gobelins et la Savonnerie

Wolf Burchard

Résumé — En tant que directeur de la manufacture des Gobelins, Le Brun est connu pour avoir projeté et surveillé la production de plusieurs tentures importantes, notamment *L'Histoire d'Alexandre le Grand* et *L'Histoire du roi*. Tandis que l'implication de l'artiste avec les Gobelins a engendré des enquêtes scientifiques étendues, ses liens avec la manufacture de la Savonnerie ont été beaucoup moins étudiés. Cependant, ce sont précisément les ressemblances ainsi que les différences entre ses modèles pour tapisseries et pour tapis qui démontrent la compétence de Le Brun à créer deux types différents de décors tissés. Le présent article examine ces ressemblances et différences.
Mots-clefs — Histoire de l'art moderne, arts mécaniques, arts libéraux, histoire des manufactures royales, manufacture royale des Gobelins, manufacture royale de la Savonnerie, tapisseries, tapis, France, Paris, Versailles, la Grande Galerie du Louvre, XVIIe siècle, règne de Louis XIV, Le Brun Charles, Colbert Jean-Baptiste, Louis XIV, Jans Jean fils, Francart François, Yvart Baudren, Nivelon Claude, Félibien André, Furetière Antoine.

Abstract — As director of the Gobelins manufactory, Le Brun is known to have designed and overseen the production of several major tapestry series, most notably *The History of Alexander the Great* and *The History of the King*. Whilst the artist's involvement with the Gobelins has triggered extensive scholarly investigations, his affiliation with the Savonnerie manufactory has been subject to much more limited research. It is, however, precisely the similarities and the differences between his designs for tapestries and carpets that shed light on Le Brun's ability to create two different types of woven decorations. The present article explores these similarities and differences.
Keywords — History of art, mechanical arts, liberal arts, history of the royal manufactories, Royal manufactory of the Gobelins, Royal manufactory of the Savonnerie, tapestry, carpets, rugs, France, Paris, Versailles, Grande galerie du Louvre, 17th century, reign of King Louis XIV of France, Le Brun Charles, Colbert Jean-Baptiste, Louis XIV, Jans Jean fils, Francart François, Yvart Baudren, Nivelon Claude, Félibien André, Furetière Antoine.

La détermination et l'enthousiasme avec lesquels Jean-Baptiste Colbert — dont l'historiographie a incorrectement fait le fils de marchands drapiers[1] — se lança dans l'administration de la production textile française durant les années 1660, engendrèrent le tissage de tapisseries aux Gobelins et de tapis de pieds "à la turque" à la Savonnerie, dont la qualité fut d'une extraordinaire envergure **[fig. 1 et 2]**. Colbert semble avoir intégralement confié la direction artistique de ces prestigieuses entreprises à Charles Le Brun, Premier peintre du roi, chancelier de l'Académie royale de peinture et de sculpture et directeur des Gobelins. Bien que techniquement et visuellement proches, l'histoire, le statut et l'usage de tapis et de tapisseries s'avèrent très différents. Destinés aux espaces les plus illustres, ces ouvrages tissés visaient à amplifier visiblement des décors souvent déjà grandioses, ne serait-ce que temporairement pour une célébration monarchique ou religieuse. Cependant, tandis que la plupart des tapisseries des Gobelins continuèrent à être utilisées comme parures murales amovibles et facilement transportables d'une pièce ou d'un château à l'autre, les tapis de la Savonnerie des années 1660 et 1670 furent conçus pour des espaces très précis, prenant soigneusement en compte l'iconographie et le style du cadre auxquels ils furent associés.

Charles Le Brun est l'un des rares exemples de peintres dont nous savons qu'il a conçu et surveillé la production de tapisseries et de tapis. La comparaison entre les deux grandes séries de *L'Histoire d'Alexandre* et de *L'Histoire du roi* avec les tapis tissés pour la galerie d'Apollon et la Grande Galerie du Louvre, montre comment l'artiste opéra dans ces deux champs d'action décoratifs très différents. Ses dessins témoignent non seulement de sa compréhension de la diversité des emplacements pour lesquels ces œuvres furent tissées, mais aussi de la variété des deux langages visuels distincts qu'il créa pourtant avec le même but, à savoir, célébrer les premières heures du règne de Louis XIV.

L'art du XVIIe siècle est soumis à de strictes hiérarchies — l'étude des décors de peintres le révèle : une fresque ornementale d'un peintre décorateur n'a pas le même rang qu'une toile historique de Poussin. Surtout dans le contexte des grands décors — qu'ils soient peints ou tissés — nous rencontrons des divergences de statuts et de hiérarchies. Voilà pourquoi il est essentiel de revisiter ces structures. De nos jours, beaucoup d'historiens de l'art qualifient les tapisseries et les tapis d'"arts décoratifs" — terme cependant anachronique dans le contexte du XVIIe siècle[2]. En 1676, Élisabeth Lavezzi nous l'a rappelé, André Félibien publie

1. Jean-Louis BOURGEON, *Les Colbert avant Colbert : destin d'une famille marchande*, Paris, Presses universitaires de France, 1973, p. 153 et suivantes.

2. Pour le statut des arts décoratifs en France au XVIIe siècle, voyez Marc FAVREAU, "À la conquête d'une reconnaissance des arts mineurs à l'objet d'art", *in* M. FAVREAU et Patrick MICHEL (dir.), *L'Objet d'art en France du XVIe au XVIIIe siècle : de la création à l'imaginaire*, Bordeaux, université Michel de Montaigne-Bordeaux 3, 2007, p. 11-25, et plus spécialement concernant le statut des tapisseries, voyez Pascal-François BERTRAND, "Le statut de la tapisserie sous l'Ancien Régime et en particulier aux Gobelins du temps de Louvois", *ibid.*, p. 231-251. Voyez

Fig. 1 : Atelier de Jean Jans père d'après Charles Le Brun, Manufacture royale des Gobelins, *La Famille de Darius aux pieds d'Alexandre*, tissage avant 1670, Mobilier national GMT 84.

Fig. 2 : Atelier de Pierre Dupont, Manufacture royale de la Savonnerie, *82e tapis tissé pour la Grande Galerie du Louvre*, livré au Garde-Meuble en 1682, Mobilier national GMT 2014.

ses *Principes de l'architecture, de la sculpture, de la peinture, et des autres arts qui en dépendent.* Félibien y démontre que les "arts mécaniques" sont considérés comme des dérivés subordonnés des trois arts libéraux, qui eux sont unis par leur dépendance du dessin[3]. Lavezzi nous rappelle également que Giorgio Vasari utilise le verbe "*dipendere*" afin de définir les relations entre les arts libéraux et non-libéraux[4]. Selon Vasari, différents arts mécaniques dépendent de différents arts libéraux : les plus anciennes mosaïques en noir et blanc, par exemple, quand elles sont posées à plat sur un sol, dépendent de l'architecture ; cependant, tout en devenant polychromes et verticales, les mosaïques se réfèrent à la peinture[5]. Suivant cette idée, nous pourrions donc conclure qu'en exécutant les dessins des tapisseries, Le Brun agit comme peintre, tandis qu'en exécutant ceux pour des tapis il agit comme architecte.

Ce sont donc ces liens, soit picturaux, soit architecturaux qui définissent l'apparence des tissages dans les manufactures des Gobelins et de la Savonnerie. Ils nous aident à mieux comprendre quels étaient les paramètres servant de base à Le Brun quand il concevait ses décors singuliers. Afin de bien saisir comment agit Le Brun en tant que créateur aux Gobelins et à la Savonnerie, rappelons le rôle qui lui était assigné à l'intérieur de ces deux institutions : les brevets de 1663 et 1667, cela est bien connu, nomment Le Brun directeur des Gobelins[6]. Probablement à partir de l'année 1663 il y conçoit *La tenture d'Alexandre*, puis de 1664-1665 — sous l'examen minutieux de la Petite Académie chargée de l'iconographie royale —, *La tenture de l'Histoire du roi*[7]. Ces deux séries et le rôle que Le Brun joue dans leur conception et création ont été étudiés en détail ; bien que tissées presque simultanément, elles sont souvent associées au basculement de l'iconographie du

également Jean-Marie APOSTOLIDÈS, "Les différents types de mécénat et la tapisserie", *in* Roland MOUSNIER et Jean MESNARD (dir.), *L'Âge d'or du Mécénat (1598-1661),* Paris, CNRS éditions, 1985, p. 363-373.

3. Élisabeth LAVEZZI, "The Encyclopédie and the Idea of the Decorative Arts", *in* Katie SCOTT et Deborah CHERRY (dir.), *Between luxury and the everyday: decorative arts in eighteenth-century France,* Oxford, Blackwell, 2005, p. 45.

4. É. LAVEZZI, "The Encyclopédie [...]", art. cit., p. 45-46.

5. É. LAVEZZI, "The Encyclopédie [...]", art. cit., p. 46.

6. Le 21 décembre 1667, Louis XIV confirme la direction de Le Brun, à qui il l'avait déjà accordée le 8 mars 1663, voyez : Édit du Roy pour l'établissement d'une manufacture des meubles de la Couronne, aux Gobelins, art. III, p. 4 (AN, O[1] 2040) ; voir également Bénédicte GADY, "Charles Le Brun directeur des Gobelins", *in* Nicolas MILOVANOVIC et Alexandre MARAL (dir.), *La galerie des Glaces : Charles Le Brun maître d'œuvre,* catalogue d'exposition, Paris, RMN, 2007, p. 59-64, et Pascal-François BERTRAND, "Tapestry Production at the Gobelins during the Reign of Louis XIV, 1661-1715", *in* Thomas P. CAMPBELL (dir.), *Tapestry in the Baroque : Threads of Splendor,* catalogue d'exposition, New York, The Metropolitan museum of art, 2007, p. 341-355.

7. Pour *L'histoire du roi*, voyez : Daniel MEYER, *L'histoire du Roy*, Paris, RMN, 1980, et *Gli Arazzi del Re Sole: Les Tapisseries de l'Histoire du Roi*, catalogue d'exposition, Florence, Sansoni, 1982 ; Fabian STEIN, *Charles Le Brun : La tenture de l'Histoire du Roy,* Worms, Werner, 1985, et Wolfgang BRASSAT, "'Les exploits de Louis sans qu'en rien tu les changes' Charles Perrault, Charles Le Brun und das Historienbild der Modernes", *Das Historienbild im Zeitalter der Eloquenz : Von Raffael bis Le Brun,* Berlin, Akad.-Verl., 1992, p. 349-396, et Jean VITTET, Thomas P. CAMPBELL (dir.), *Tapestry in the Baroque [...], op. cit.,* p. 374-389 ; pour *L'Histoire d'Alexandre*, voyez J. VITTET, *La tenture d'Alexandre le Grand*, catalogue d'exposition, Paris, RMN, 2008.

roi : à la suite de ses campagnes en Flandre, le "moderne" Louis XIV peut se référer à ses propres accomplissements militaires et n'a plus besoin de faire allusion à l'"ancien" Alexandre.

Tandis qu'aucun doute n'existe sur le rôle majeur de Le Brun aux Gobelins, sa relation avec la Savonnerie est beaucoup moins certaine car n'étant pas documentée explicitement. Même si les deux manufactures furent dirigées par l'administration des Bâtiments du roi[8], jamais durant la vie de Le Brun elles n'ont été directement liées l'une à l'autre[9]. Ce n'est d'ailleurs qu'en 1712 que la Savonnerie reçut le privilège de "Manufacture royale des meubles de la Couronne" une prérogative conférée aux Gobelins dès 1667[10]. En dépit de ces séparations administratives, nous savons bien qu'en pratique, ce furent deux membres des Gobelins, François Francart et Baudren Yvart, qui exécutèrent les cartons pour les tapis de la Savonnerie pour la Grande Galerie du Louvre — et cela presque assurément sous la surveillance de Le Brun[11]. D'ailleurs, dans son énumération des ouvrages réalisés aux Gobelins, Claude Nivelon, biographe du Premier peintre, prend la liberté d'inclure des tissages produits en réalité à la Savonnerie, en mentionnant le "riche tapis de pied, à la manière turquesse [*sic*] ou perse, pour contenir par parties toute l'étendue de la grande galerie [du Louvre][12]."

Dans son étude minutieuse de la Manufacture de la Savonnerie publiée il y a trente ans, Pierre Verlet, tout en soulignant le manque d'évidences documentaires, insista sur l'importance indéniable qu'eurent les personnalités au sommet de la hiérarchie artistique et administrative, notamment Charles Le Brun[13]. Malgré la richesse des sources et des exemples contenus dans son ouvrage, Verlet ne fit pourtant pas référence aux deux dessins de Le Brun témoignant de sa participation pratique dans la conception des tapis de la Grande Galerie du Louvre : ils montrent

8. En 1664 et 1665, Colbert remet au trésorier des Bâtiments du roi 83. 407,17 livres pour les dépenses faites pour les manufactures de tapisseries "qui se sont fabriquées, tant aux Gobelins qu'à la Savonnerie". Cet unique versement effectué probablement pour couvrir des frais de construction et d'aménagement des manufactures, et qui disparaîtra par la suite, prouve pourtant que les deux manufactures furent gérées ensemble par l'administration de Colbert ; voyez Jules GUIFFREY, *Comptes des Bâtiments du roi sous le règne de Louis XIV, 5 vol. (1881-1901), tome premier, 1664-1680,* Paris, Imprimerie nationale, 1881-1901, t. 1, 1881, p. 10.

9. Madeleine Jarry présuma que Le Brun reçut la direction artistique de la manufacture de la Savonnerie, ou qu'il fut tout de même consulté pour ces productions. Toutefois aucun document qui définirait son rôle exact ne nous semble exister, voyez Madeleine JARRY, *Carpets of the Manufacture de la Savonnerie,* Leigh-on-Sea, F. Lewis, 1966, p. 14 et Wolf BURCHARD, "Savonnerie reviewed : Charles Le Brun and the "grand tapis de pied d'ouvrage à la turque" woven for the Grande Galerie at the Louvre", *Furniture History,* vol. 48, 2012, p. 14-15.

10. *Édits du Roy Pour l'établissement & Privilèges accordez aux Manufactures Royales des Meubles de la Couronne, établies aux Gobelins & à la Savonnerie, Registré en Parlement le 21. Décembre 1668 [1667] Et le 4. Février 1712* (AN, O[1] 2040[A]).

11. Pierre VERLET, *The Savonnerie : Its History. The Waddesdon Collection,* Bradford et Londres, Office du Livre, 1982, p. 109 et p. 181-182 ; W. BURCHARD, "Savonnerie reviewed [...]", art. cit., p. 15.

12. Claude NIVELON, *Vie de Charles Le Brun et description détaillée de ses ouvrages,* Genève, Lorenzo Pericolo Éditions, 2004, p. 308.

13. P. VERLET, *The Savonnerie [...], op. cit.,* p. 101.

une Renommée et une Victoire qui servaient de modèles aux grisailles du trente-huitième ainsi qu'au quarantième tapis de la série[14].

Dans le projet des tapis de la Grande Galerie, Verlet suggéra une collaboration entre Le Brun, Premier peintre du roi et Le Vau, son Premier architecte, sachant que tous les deux eurent leur part aux chantiers des deux galeries du Louvre dans les années 1660[15]. Cette idée est importante dans le contexte de notre étude, si nous nous référons à Vasari et à la dépendance des mosaïques de plancher dans l'architecture. Effectivement, les décorations du plancher de la galerie d'Apollon et de la Grande Galerie — comme celles des voûtes — nécessitaient une compréhension visuelle de l'espace en trois dimensions. Les illustrations de tapis publiées à plat nous le font trop souvent oublier. Tandis qu'une tapisserie va effectivement être appréciée comme un tableau sur un mur, un tapis sera toujours vu en perspective, comme nous pouvons le voir dans une photographie de la signature du Traité de Versailles, quand, pour la dernière fois, vingt-quatre tapis de la Grande Galerie du Louvre furent réunis dans la Grande Galerie à Versailles **[fig. 3]**[16]. La décoration d'un plancher fait normalement partie des attributions de l'architecte et non pas du peintre — voilà pourquoi Verlet mentionne Le Vau[17].

Le Brun connaissait naturellement la perspective pour les grands décors de voûtes, mais les difficultés avec les tapis étaient bien autres : elles étaient d'ordre technique et visuel. Au lieu des illusions d'espaces célestes, comme Le Brun les créa pour ses voûtes et plafonds, le médium du tapis exigea un langage visuel différent. Le schéma de rinceaux et d'ornements de ces tapis devait être agréable de très près — littéralement, quand on regarde vers le bas de nos pieds — mais également de très loin, quand on essaye d'apercevoir le dernier tapis, quatre cents mètres plus loin. En raison de sa longueur étonnante de quatre cent quarante-deux mètres, la Grande Galerie du Louvre avait des proportions peu banales qui la rendaient particulièrement difficile à décorer — rappelons-nous l'épisode de l'échec de Poussin[18].

14. Les deux dessins, *La Renommée* (École nationale supérieure des beaux-arts, inv. PM 610) et *La Victoire* (Rijksmuseum, Amsterdam, inv. RP-T-1884-A-421) ont été publiés et illustrés ensemble avec les tapis auxquels ils servaient de modèles (38e tapis de la série, Metropolitan Museum of Art, New York, inv. 58.75.129 et le 40e qui faisait partie du Mobilier national avant d'être perdu durant la seconde guerre mondiale) dans W. BURCHARD, "Savonnerie reviewed [...]", art. cit., p. 18-19, fig. 14-17. Pour *La Renommée* voyez également Jennifer MONTAGU, *in* François WEHRLIN, Emmanuelle BRUGEROLLES, Natalie COURAL *et alii* (dir.), *Maîtres français 1550-1800. Dessins de la donation Mathias Polakovits,* catalogue d'exposition, n° 34, Paris, 1989, p. 108 ; Emmanuelle BRUGEROLLES et Astrid CASTRES, *in* E. BRUGEROLLES (dir.), *De Poussin à Fragonard: hommage à Mathias Polakovits,* catalogue d'exposition, n° 7, Paris, Éditions des Beaux-Arts de Paris, cabinet des dessins, 2013, p. 50-53.

15. P. VERLET, *The Savonnerie [...], op. cit.,* p. 182.

16. W. BURCHARD, "Savonnerie reviewed [...]", art. cit., p. 25-26.

17. Voir par exemple le pavement de marbre de la chapelle royale de Versailles : J. VITTET, *Tapis de la Savonnerie pour la Chapelle royale de Versailles,* Paris, RMN, 2006, p. 9-10 et p. 32 et Alexandre MARAL, *La chapelle royale de Versailles : Le dernier grand chantier de Louis XIV,* Paris, Arthena, 2011, p. 35-37.

18. Anthony BLUNT, "Poussin Studies VI : Poussin's decoration of the Long Gallery in the Louvre", *Burlington Magazine,* n° 93, [1951], p. 369-376 et *Burlington Magazine,* n° 94, 1953, p. 31, ainsi que *Nicolas Poussin,* Londres, Pallas Athene, 1995, p. 157-160 ; Doris WILD, "Nicolas Poussin et la décoration de la Grande Galerie du Louvre", *Revue du Louvre,* n° 16, 1966, p. 77-84 et *Nicolas Poussin, Leben, Werk, Exkurse,* vol. 1, Zurich, 1980,

Fig. 3 : Carte postale, 1919, tapis de la Grande Galerie du Louvre déroulés dans la galerie des Glaces lors de la Signature du traité de Versailles, avec le 85e tapis sous le bureau plat, collection particulière.

La décoration ne fut jamais accomplie et les tapis de Le Brun probablement jamais déroulés. Et pourtant, la galerie, tout comme la manufacture des Gobelins ou le garde-meuble du roi, faisaient partie des sites exceptionnels montrés aux ambassadeurs à la cour de France. Le *Mercure Galant* nous livre par exemple une description détaillée de la visite des envoyés du Siam en 1686. Loin d'être préoccupé par le décor inachevé, le *Mercure* souligne précisément l'atout majeur de l'espace : c'est une plateforme ouvrant une perspective sur toute la ville de Paris, au Nord ainsi qu'au Sud :

> *On passa de là dans la grande Galerie, qui commence au vieux Louvre, & finit au Palais des Tuileries. Sa longueur surprit les Ambassadeurs* [...] *Lors qu'il* [un des ambassadeurs] *fut vers le milieu de la Galerie il mit la teste à la fenestre du costé de Saint Thomas du Louvre, & regardant le vieux Louvre & les Tuileries* [...] *Ayant ensuite avancé jusqu'au milieu de la Galerie, il entra sur le Balcon qui est au-dessus de la Porte nommée le grand Guichet, regarda l'Isle du Palais, les maisons qui sont sur les ponts, & reconnut les Tours de Nostre-Dame qu'il n'avoit vues qu'une fois lors*

p. 90-92, et Natalie and Arnold HENDERSON, "Nouvelles recherches sur la décoration de Poussin pour la Grande Galerie", *Revue du Louvre,* n° 4, 1977, p. 225-234.

qu'il estoit entré dans l'Eglise. De ce Balcon il alla jusques au bout de la Galerie, & mit la teste à la fenestre vis-à-vis le Pont de pierre qu'on élève en cet endroit. Il l'examina avec beaucoup d'attention [...].[19]

Sa fonction de lien entre le Louvre et les Tuileries, son ampleur et le grand nombre de fenêtres tout au long de ses deux côtés, faisaient de la Grande Galerie un espace de circulation et par conséquent de perspectives perpétuellement changeantes — tout comme un jardin intérieur. Effectivement, si le grand dessein d'Henri IV avait pris forme, du côté Nord, les fenêtres de la Grande Galerie auraient donné sur des jardins dessinés par Claude Mollet (1557-1647)[20], dont le manuel *Théâtre des Jardinages*, publié de façon posthume en 1654 et puis réédité par son fils André en 1663, nous rappelle les liens étroits et l'échange qu'il y eut entre la structure des jardins et celle des tapis de pieds[21]. Pendant que les ornements des tapis d'Orient s'inspirent du monde botanique, les jardins français du XVIe et XVIIe, quant à eux, dans leurs "parterres de broderie" privilégient les rinceaux et la composition symétrique de ces ouvrages tissés. Rappelons que Le Brun lui-même, en même temps qu'il dessina les tapis pour la Grande Galerie, était impliqué dans l'agencement des jardins à Versailles[22]. Les problèmes de vues, de perspectives, de circulation et d'arrangements de rinceaux et de couleurs faisaient donc partie de son quotidien.

Comme nous l'avons constaté au début, les tapisseries des Gobelins et les tapis de la Savonnerie, chacun à leur façon, célébrèrent la monarchie française sous le gouvernement du jeune Louis XIV. *L'histoire d'Alexandre* et *L'histoire du roi* représentent un héros courageux dont elles racontent les succès, d'abord militaires, puis politiques, diplomatiques et enfin culturels. Les premiers dessins de Le Brun pour *L'histoire du roi* comprennent des figures mythologiques ou allégoriques, telles que l'Hercule montrant la voie au fougueux monarque conservé aux Cabinet des dessins du Louvre **[fig. 4]**[23]. Et pourtant, toute forme de représentation du genre sera exclue du produit final. C'est Jean Chapelain de la Petite Académie qui, en juin 1664, semble avoir suggéré à Colbert et à Le Brun d'omettre l'emploi mythologique, en démontrant que

19. "Voyage des Ambassadeurs de Siam en France", *Le Mercure Galant*, septembre 1686, p. 348-350.

20. Hilary BALLON, *The Paris of Henri IV: architecture and urbanism*, Cambridge, The MIT Press, 1991, p. 20-39.

21. Claude MOLLET, "Pour monstrer le moyen de planter toutes sortes de Fleurs en ordre dans les Compartiments", *in Théâtre des Jardinages*, Paris, Charles de Sercy, 1663, chap. 30, p. 189 et suivantes; pour le développement des parterres de broderie durant le règne de Louis XIV et les parallèles entre jardins et textiles français, voyez également Chandra MUKERJII, "French design innovations and the gardens", *in Territorial ambitions and the gardens of Versailles*, Cambridge, Cambridge University Press, 1997, p. 124-135.

22. Pablo SCHNEIDER, *Die erste Ursache: Kunst, Repräsentation und Wissenschaft zu Zeiten Ludwigs XIV. und Charles Le Brun*, Berlin, Mann, 2011, p. 30-62; Lydia BEAUVAIS, *Charles Le Brun, 1619-1690*, catalogue d'exposition, t. 2, 2 vol., Paris, RMN, 2000, p. 667-668 et 678-679.

23. "Louis XIV, guidé par Hercule", Musée du Louvre, inv. 2559, voir *ibid.*, vol. 2, n° 2559, p. 740; pour les croquis allégoriques et mythologiques de *L'Histoire du roi* non tissés en général, voir p. 730 et suivantes.

dès lors que le roi pouvait se référer à ses propres accomplissements militaires, il n'avait plus besoin d'auxiliaires dans sa représentation[24].

Le riche répertoire mythologique, allégorique et héraldique de Le Brun retrouva ainsi sa place dans les tapis pour les galeries du Louvre. Jusqu'alors, les produits de la Savonnerie contenaient presque exclusivement des décors floraux. La complexité iconographique et symbolique des nouvelles productions peut donc être qualifiée de témoin d'un déplacement sémiotique de motifs mythologiques et allégoriques de la tapisserie au tapis. Ce déplacement permettait la création d'une nouvelle forme de portrait royal : la gloire du roi n'était pas présentée par ses actions, mais par une abondance de formes, de couleurs et de symboles reflétant la richesse et l'ingéniosité de la culture promue par son règne. À cet égard, les tapis de la Savonnerie s'inscrivent dans la fonction de l'architecture royale, telle que Le Bernin l'a définie lors de son séjour parisien en 1665 : "*le fabbriche sono i ritratti dell'animo dei principi*[25]".

Fig. 4 : Charles Le Brun, *Louis XIV guidé par Hercule*, musée du Louvre, cabinet des dessins, inv. 2559.

Exprimée dans le contexte du concours pour la nouvelle façade Est du Louvre, cette phrase du Cavalier est souvent traduite de la manière suivante : "les bâtiments sont les portraits de l'âme des princes[26]". Et pourtant "*fabbriche*" ne se réfère pas seulement à l'architecture, mais aussi à d'autres ouvrages artistiques, tels que des ornements comme les tapis et tapisseries. D'ailleurs les tapis et tapisseries s'inscrivent exactement dans un binaire architectural entre fonction ornementale et fonction structurelle-tectonique. Comme nous l'ont tout récemment rappelé Éric de Chassey et Olivier Michelon dans leur catalogue d'exposition intitulé *Tapis volants* (2012), Alois Riegl, dans sa *Grammaire historique des arts plastiques,* définissait la fonction initiale du décor ou de l'ornement comme simple remplissage du vide[27]. Chassey et Michelon ont souligné que tout en fusionnant avec la structure architecturale d'une

24. F. STEIN, *Charles Le Brun [...], op. cit.*, p. 10 et W. BRASSAT, "Les exploits de Louis [...]", art. cit., p. 359-360.

25. Paul FRÉART DE CHANTELOU, *Journal du voyage du Cavalier Bernin en France,* Milovan STANIĆ (éd.), Paris, 2001, p. 237 ; voyez également P. SCHNEIDER et Philipp ZITZLSPERGER (dir.), *Bernini in Paris : Das Tagebuch des Paul Fréart de Chantelou über den Aufenthalt Gianlorenzo Berninis am Hof Ludwigs XIV,* Berlin, 2006, p. 213.

26. Paul FRÉART DE CHANTELOU, *Journal [...], op. cit.*, p. 237, note 1.

27. Éric de CHASSEY et Olivier MICHELON, *Tapis volants,* catalogue d'exposition, Rome, 2012, p. 16, faisant référence à Alois RIEGL, *Historische Grammatik der Bildenden Künste* [*Grammaire historique des arts plastiques*], Graz et Cologne, 1966, p. 62 : "Schmuck ist eben ursprünglich nichts anderes, als die Ausfüllung eines Leeren".

surface, l'ornement acquiert sa propre signification tectonique. Maintenant, inversement, rappelons qu'à l'origine une des fonctions principales du tapis était justement cet équilibre tectonique et structurel, l'un des premiers diviseurs spatiaux[28].

À l'origine, tapis et tapisseries, tous les deux, dépendaient de l'architecture, tout comme la peinture, qui elle aussi fut à l'origine subordonnée à l'architecture. C'est seulement, quand la peinture a obtenu le statut d'art libéral en droit propre que la tapisserie et le tapis furent séparés dans leur dépendance de l'architecture. Le statut des tapisseries et des tapis est donc différent, parce que leur dépendance aux arts libéraux est différente. Accrochée sur un mur et à la hauteur des yeux du courtisan, la tapisserie avec ses représentations des actions d'Alexandre ou du roi impose l'iconographie d'une pièce — elle joue donc le premier rôle. Le tapis de la Savonnerie avec sa variété de symboles allégoriques plus abstraits, en revanche, touche d'abord le pied du courtisan, plutôt que son œil, et n'est qu'un écho ou un auxiliaire subordonné au décor principal — il ne joue qu'un rôle de soutien. Le commentaire d'André Félibien sur la tenture des *Quatre saisons et Quatre éléments* de Le Brun témoigne de la relation étroite qui s'est développée entre la peinture et la tapisserie : non seulement il examine la tapisserie de l'*Eau* comme une peinture, mais il emploie même le terme "peinture" pour la décrire[29]. La tapisserie fut donc acceptée comme un remplacement du tableau ; le tapis, en revanche, ne restait qu'un habillement de l'architecture intérieure.

La tapisserie, comme le tableau, va être gravée et diffusée sur une vaste étendue, par exemple, dans le *Cabinet du roi*, publication regroupant en plusieurs volumes des estampes des collections royales. Aucun des tapis de la Savonnerie dessiné par Le Brun ne sera jamais gravé. Et il faut également chercher longtemps pour trouver un tapis de la Savonnerie dans une peinture décorative. Nous trouverons toujours des tapis d'Orient. Cela s'explique probablement, parce que, en dépit des efforts de Colbert, ils sont toujours considérés comme plus rares et plus raffinés. Ce fait démontre qu'il n'y a pas seulement une hiérarchie entre les tapisseries et les tapis, mais aussi entre les tapis eux-mêmes. Furetière attire notre attention sur ce fait dans son *Dictionnaire universel*, en nous apprenant que "Les tapis de Perse sont fort riches, & plus estimez que ceux de Turquie[30]". Nous pourrions en déduire que les tapis français "à la turque" n'arrivaient qu'en troisième position.

28. *Ibid.*, CHASSEY et MICHELON se réfèrent ici à Gottfried SEMPER, *Die vier Elemente der Baukunst, Beitrag zur vergleichenden Baukunde*, Brunswick, Vieweg, 1851 (*The four Elements of Architecture and other Writings*, trad. Harry Francis MALLGRAVE et Wolfgang HERRMANN, Cambridge, Cambridge University Press, 1989, p. 137.)

29. André Félibien qualifie les tapisseries des *Quatre Saisons* et *des Quatre Éléments* de "peintures ingénieuses" et de "tableaux" dans *Tapisseries du Roy où sont représentées les quatre Éléments et les quatre Saisons*, Paris, Imprimerie royale, Sébastien Cramoisy, 1671, réédité dans *Recueil de descriptions de peintures et d'autres ouvrages faits pour le Roy*, Paris, Florentin et Delaulne, 1689, t. 1, p. 97-98, cité aussi par Christian MICHEL, "Ornement et convenance dans les premières années du règne personnel de Louis XIV", *in* Emmanuel COQUERY (éd.), *Rinceaux et figures : l'ornement en France au XVIIe siècle*, Paris, Musée du Louvre éditions, 2005, p. 212-213 ; voir également sur les *Quatre éléments*, Florian KNOTE, *in* Thomas P. CAMPBELL (dir.), *Tapestry in the Baroque [...], op. cit.*, p. 356-364.

30. Antoine FURETIÈRE, *Dictionnaire universel*, Paris, J. Le Febvre, 1690, n. p.

Voyons par exemple dans *L'histoire du roi* : toutes les scènes se déroulant à l'intérieur d'une pièce contiennent un tapis sur le sol, en harmonie avec le lieu et l'action. Ainsi, pour *Le Sacre* et *Le Mariage du roi,* un tapis à fleurs de lys a été choisi **[fig. 5 et 6]**, et pour *L'Entrevue de Philippe IV et de Louis XIV dans l'île des Faisans,* un tapis d'Orient marque la limite entre les royaumes de France et d'Espagne **[fig. 7]**.

Fig. 5

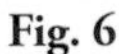

Fig. 6

Fig. 7

Fig. 5 : Atelier de Jean Jans père et fils d'après Charles Le Brun, Manufacture royale des Gobelins, *Le Sacre du roi* (détail), tissage 1665-1671, Mobilier national, GMTT 95/2.

Fig. 6 : Atelier de Jean Jans fils d'après Charles Le Brun, Manufacture royale des Gobelins, *Le Mariage du roi* (détail), tissage 1665-1672, Mobilier national, GMTT 95/4.

Fig. 7 : Atelier de Jean Jans père et fils d'après Charles Le Brun, Manufacture royale des Gobelins, *L'Entrevue de Philippe IV et de Louis XIV dans l'île des Faisans*, tissage 1665-1668, Mobilier national GMTT 95/3.

La tapisserie de *La Satisfaction faite à Louis XIV par l'ambassadeur d'Espagne en 1661* présente la richesse des collections royales, et dans ce cadre tous les protagonistes sont encore une fois placés sur un tapis d'Orient et non pas sur un tapis français **[fig. 8]**.

Fig. 8 : Atelier de Jean Jans fils d'après Charles Le Brun, Manufacture royale des Gobelins, *La Satisfaction faite à Louis XIV par l'ambassadeur d'Espagne*, tissage 1674-1679, Mobilier national GMTT 95/7.

On pourrait argumenter qu'en 1661, la Savonnerie n'a pas encore produit de tapis semblables à ceux que nous avons vus pour les galeries du Louvre, mais Le Brun a souvent pris la liberté de montrer des objets d'art dans ses tapisseries qui étaient, en réalité, loin d'être achevés au moment de la scène. *La Visite du Roy aux Gobelins* en montre plusieurs exemples, telles quelques pièces du mobilier d'argent **[fig. 9]**[31]. Et ici, encore une fois, nous chercherons en vain un tapis de la Savonnerie. Nous pouvons nous interroger pour savoir si celui qui est enroulé est un tapis ou une tapisserie. Bien que d'autres auteurs aient suggéré qu'il s'agit d'un tapis de la Savonnerie, il me semble plus raisonnable de l'identifier comme tapisserie en haute-lisse tissée dans l'atelier de Jean Jans fils, d'autant plus que la tapisserie traitée

31. Gérard MABILLE, "Le mobilier d'argent de Louis XIV", *in* Catherine ARMINJON (dir.), *Quand Versailles était meublé d'argent*, catalogue d'exposition, Paris, RMN, 2007, p. 61-83.

ici, c'est-à-dire *La Visite du Roy aux Gobelins,* qui représente ce textile enroulé, a d'abord été produite dans cet atelier[32].

Dans notre contexte, les tapis visibles dans la partie inférieure de l'œuvre sont plus intéressants : on y voit un arrangement de tapis et de tapisseries proposé de manière désordonnée, mais décorative **[fig. 10]**.

Fig. 9 : Atelier de Jean Jans fils d'après Charles Le Brun, Manufacture royale des Gobelins, *La Visite du Roy aux Gobelins*, tissage 1673-1680, Mobilier national GMTT 95/10.

Fig. 10 : Atelier de Jean Jans fils d'après Charles Le Brun, Manufacture royale des Gobelins *La Visite du Roy aux Gobelins* (détail).

La tapisserie est identifiable comme *Portière de Mars* d'après Le Brun **[fig. 11]**, mais le tapis est, encore une fois un tapis d'Orient, et non pas un tapis de la Savonnerie. C'est seulement dans *L'Audience du légat* que nous trouverons, derrière la balustrade dans la chambre du roi à Fontainebleau, un tapis qui semble être de la Savonnerie **[fig. 12]**. Malheureusement, cet ouvrage qui pourrait dater des

32. Birgit SCHNEIDER suggère qu'il s'agisse d'un tapis de la Savonnerie dans "Die Inventur des Luxus. Zwei visuelle Strategien zur Demonstration des königlichen Reichtums: Der Teppichzyklus der Histoire du Roy", *in* Horst BREDEKAMP et P. SCHNEIDER (dir.), *Visuelle Argumentation : Die Mysterien der Repräsentation und die Berechenbarkeit der Welt,* Munich, Wilhelm Fink, 2006, p. 105.

débuts de la manufacture, n'ayant qu'un simple chiffre royal (un seul L), ne peut être identifié dans l'*Inventaire général du mobilier de la couronne sous Louis XIV*. Cependant, en tenant compte que presque tous les autres objets d'art peuvent être identifiés, il est probable qu'il s'agit tout de même d'un véritable objet plutôt que d'une invention fictive.

Fig. 11 : Probablement atelier de Jean de La Croix et Guillaume Lenfant d'après Charles Le Brun Manufacture royale des Gobelins, *Portière de Mars,* livrée au Garde-Meuble en 1666, Mobilier national GMTT 132/2.

Fig. 12 : Atelier de Jean Jans fils d'après Charles Le Brun, Manufacture royale des Gobelins *L'Audience du légat*, tissage 1671-1676, Mobilier national GMTT 96.

La rareté des tapis de la Savonnerie dans *L'Histoire du roi* est-elle le signe d'une faible estime ou d'une estime particulière ? N'oublions pas que dans la hiérarchie architecturale d'une demeure royale, la chambre du roi est la pièce la plus importante. D'ailleurs, seuls les ambassadeurs chrétiens seront reçus dans la chambre du roi, tandis que les autres le seront dans la salle du trône et plus tard dans la Grande Galerie à Versailles[33]. Peut-être y a-t-il une coïncidence entre cette distinction religieuse et l'emplacement des tapis de la Savonnerie dans un cadre architectural précis ? Nous avons souligné au début que les tapis de la Savonnerie furent conçus pour des espaces très précis : la galerie d'Apollon, la Grande Galerie du Louvre et puis la Chapelle royale à Versailles. Et pourtant Verlet, dans son étude, ne semble jamais poser la question : pourquoi des tapis pour la Grande Galerie ? J'ai proposé ailleurs que les tapis de la Grande Galerie auraient pu être utilisés dans le contexte

33. Louis de Rouvroy, duc de SAINT-SIMON, *Mémoires de M. le Duc de Saint-Simon*, t. 3, vol. 6, Paris et Genève, Droz, 1976, p. 139 ; Béatrix SAULE, "À propos de la chambre de Louis XIV à Versailles", *in* "La Chambre dans l'histoire de France", *Dossier de l'art, L'Objet d'Art,* hors série, n° 22 (1995), p. 22-33, voir p. 26.

du “toucher sacré”, dans une cérémonie semi-religieuse s’étant effectivement tenue à plusieurs reprises à l’intérieur de ce vaste espace[34].

Notre colloque avait pour but de mieux comprendre les décors des peintres. Pourquoi donc parler de décors tissés ? Ma communication a montré que l’examen de tapis et de tapisseries dans le contexte des décors de peintres engendre inévitablement un débat sur la valeur et le statut de ces ouvrages. Indépendamment de leur apparence, c’est-à-dire de leurs différents langages visuels, des faits très concrets distinguent les ouvrages tissés aux Gobelins de ceux de la Savonnerie. Dans la hiérarchie des arts, les tapisseries des Gobelins jouissaient d’un statut nettement plus élevé que les tapis de la Savonnerie. Le fait que les artisans dans les deux manufactures furent uniformément appelés “tapissiers” masque le fait que leurs produits furent distinctement différents. Effectivement, en réalité, le statut du produit dictait le statut de l’artisan. Ce statut fut également défini par l’écart entre les coûts des matériaux employés dans la production, notamment la soie et les fils d’or et d’argent pour les tapisseries de haute lisse aux Gobelins et la laine utilisée dans la manufacture de la Savonnerie. Mais ce qui est encore plus important que la hiérarchie entre les tapis et tapisseries, c’est le statut général de ces œuvres. Certes, le Premier peintre Le Brun, nous l’avons vu, dessine une grande partie des modèles pour les tapisseries et quelques croquis pour les tapis, mais il n’est guère actif dans la création du carton ou dans le tissage. Le “dessein” ou le génie de l’artiste sont strictement séparés de l’exécution.

Dans notre monde contemporain, l’idée ou le concept d’une œuvre d’art a presque complètement pris la préséance sur l’exécution. Cela n’était pas tout à fait le cas au XVIIe siècle, bien que les débats académiques — surtout la querelle du coloris — soient allés dans cette direction. Spécialement dans le cas des tapisseries, il s’avère difficile de juger si c’est la qualité du “dessein” ou l’excellence de l’exécution qui définissait la valeur de l’œuvre. Félibien nous dit seulement que les tapisseries “sont des ouvrages sans prix. Quoi qu’elles soient toutes étoffées de soie & d’or, la grandeur du dessein & la beauté du travail surpasse infiniment la richesse de la matière[35]”. Bien que nous ne puissions pas définitivement répondre à la question de savoir quelle était la perception exacte de Le Brun et de ses contemporains à l’égard du statut des tapisseries et tapis, j’espère que ma communication a au moins

34. L’usage de la Grande Galerie du Louvre pour le “toucher sacré” au début du règne de Louis XIV a été noté par Marc BLOCH dans *Les Rois Thaumaturges : études sur les caractères surnaturels attribués à la puissance royale particulièrement en France et en Angleterre,* Paris, Armand Colin, 1961, p. 361-362 ; le déroulement de la cérémonie a été décrit en détail dans Johann Christian LÜNIG, *Theatrum Ceremoniale Historico-Politicum Oder Historisch= und Politischer Schau=Platz Aller Ceremonien,* Leipzig, M. G. Weidmann, 1719, vol. 2, p. 1015 et 1027 ; j’ai étudié l’imbrication entre les tapis et la cérémonie dans le quatrième chapitre de ma thèse de doctorat *The Sovereign Artist : Charles Le Brun and the Art of Absolutism* (The Courtauld Institute of Art, 2014).

35. André FÉLIBIEN, *Entretiens sur les vies et sur les ouvrages des plus excellents peintres anciens et modernes,* Paris, 1666-1688 (rééd. Genève, Minkoff reprint, 1979, p. 284, cité par P.-F. BERTRAND, “Le statut de la tapisserie sous l’Ancien Régime [...]”, art. cit., p. 233).

démontré que le Premier peintre de Louis XIV appréciait les différentes exigences que posèrent les tapis et tapisseries et que les ouvrages tissés d'après ses dessins font preuve d'une grande ingéniosité de composition ainsi que d'une compréhension de l'espace en trois dimensions.

12

Les Gobelins et l'Académie de France à Rome au XVIIIe siècle. Approche d'une synergie décorative

Christophe Henry

Résumé — Cette contribution se propose de mettre en relation la commande de cartons aux successeurs de Le Brun et la gestion institutionnelle du stock royal de tapisserie dévolu à l'Académie de France à Rome. L'une des fonctions initiales de l'Académie de France était précisément de faire copier les chefs-d'œuvre de la peinture romaine à destination des Gobelins. À partir des années 1720, l'Académie de France à Rome, nouvellement installée dans les murs du Palazzo Mancini, entreprend la mise en valeur systématique de la production des Gobelins. Savamment assortie aux lambris par les menuisiers, les peintres et les doreurs, elle participe alors d'une réelle intégration symphonique du mobilier dans l'architecture, que vont relayer les peintres alors pensionnaires de l'institution durant les trois décennies suivantes. Après 1760, bien que la commande de cartons de tapisserie reste importante, elle est mise au service d'attendus autres que la réflexion décorative.
Mots-clefs — Académie de France, cartons, copie, décor, Gobelins, peinture, tapisserie, Rome, Paris, France, Italie, XVIIe siècle, XVIIIe siècle.

Abstract — In this paper I propose to connect the commissioning of tapestry cartoons to the successors of Le Brun and the institutional management of the royal stock of tapestry by the Académie de France in Rome. One of the original functions of the Académie de France was precisely to copy the masterpieces of Roman painting for the Gobelins manufacture. From the 1720's on, the Académie de France in Rome, newly housed in the Palazzo Mancini, began the systematic exposition of the Gobelins production. Carefully matched to the paneling by carpenters, painters and gilders, it was part of the symphonic integration of furniture in architecture that resident painters of the institution were to transmit for the next three decades. However, after 1760, although the number of commissions for tapestry cartoons remained important, that medium was used for other purposes than that of finding new patterns of decoration.
Keywords — Académie de France, cartoons, copy, decoration, painting, tapestry, France, Italy, Rome, Paris, 17th century, 18th century.

À Marc Bayard.

L'inventaire des commandes et livraisons de cartons de tapisserie pour les Gobelins au cours du XVIIIe siècle permet aux historiens de proposer les interprétations les plus diverses, oscillant entre l'affirmation d'une crise contenue par le soutien sans faille de la monarchie et celle d'un renouveau remarquable, d'un "âge d'or[1]". Bon public, nous acquiesçons à l'un et l'autre des points de vue, sans exiger d'autre preuve que celle de la critique le plus souvent rétrospective dans un cas et celle de la continuité de la commande dans l'autre. Rares sont les publications qui font état, au-delà de cette perception statistique et catalographique, des raisons qui pourraient expliquer que l'on se soit évertué à faire vivre un type de production artistique particulièrement coûteux, qui plus est en un siècle qui connut une crise chronique du financement royal. Pourtant, les sources qui nous livrent ces raisons sont bien connues.

Cette contribution se propose de mettre en relation la commande de cartons aux successeurs de Le Brun et la gestion institutionnelle du stock royal de tapisserie dévolu à l'Académie de France à Rome. Le choix de cette institution est motivé par la qualité des sources d'archives qui rendent compte de sa gestion, regroupées dans la correspondance des directeurs de l'Académie de France à Rome et du ministère des Affaires étrangères[2]. Rédigée par des directeurs qui, au XVIIIe siècle, sont tous des artistes, cette correspondance est précise dans ses descriptions et ne laisse rien au hasard quant aux finalités envisagées pour les œuvres qu'elle évoque. D'ailleurs, l'une des fonctions initiales de l'Académie de France était précisément de faire copier les chefs-d'œuvre de la peinture romaine à destination des Gobelins[3]. Aussi,

1. Nous renvoyons aux constats établis à un siècle de distance par Jean LOCQUIN, *La peinture d'histoire en France: de 1747 à 1785: étude sur l'évolution des idées artistiques dans la seconde moitié du XVIIIe siècle*, Paris, Henri Laurens, 1912 et Jean VITTET, *Les Gobelins au siècle des Lumières: un âge d'or de la manufacture royale*, catalogue d'exposition, galerie des Gobelins, Paris, 8 avril 2014-18 janvier 2015, Paris, Swan, 2014.

2. Les archives relatives à la gestion de l'Académie de France à Rome ont été regroupées dans l'édition établie par Anatole DE MONTAIGLON et Jules GUIFFREY, *Correspondance des Directeurs de l'Académie de France à Rome avec les Surintendants des Bâtiments publiée d'après les manuscrits des Archives nationales [...]*, Paris, Charavay frères, 1887-1912, 18 vol. Nous la citerons ici sous l'abréviation *CD*. On y retrouve la correspondance des directeurs de l'institution issue de la série O1 des Archives Nationales de France ainsi que la correspondance politique du ministère des Affaires étrangères pour Rome (ici AMAE, CP, Rome). Nous citons les cotes d'archives quand nous avons pu les contrôler au folio près.

3. *CD*, I, n° 312, p. 222-225 [Note anonyme à l'attention de Colbert de Villacerf]: "Tous les tableaux que l'on copiera à Rome d'après Raphaël et les grands Maistres, il faut les copier de la même grandeur que l'on a fait jusqu'à cette heure pour les exécuter en tapisserie, et il serait encore à désirer que l'on pût prendre toutes les testes au voile que l'on apelle, pour estre plus correctes, et les mains et les pieds, je veux dire enfin les parties principales. Les autres tableaux que l'on fera copier pour autre sujet que pour les exécuter en tapisserie, on pourra, si l'on veut, les faire d'une grandeur plus commode et moins embarrassante, et, si l'on avoit icy la pensée d'en orner quelque endroit des Maisons Royales, on pourroit en envoyer la grandeur déterminée à Mr de La Teuillère, lorsqu'il aura donné avis des tableaux qu'il aura choisis pour les faire copier. Mais, pour conclusion de la réponse à son Mémoire,

la commande de tentures à certains de ses directeurs, en plus de renforcer le lien organique entre les Gobelins et l'Académie, prenait place dans un contexte des plus connaisseurs de la tapisserie, et dont aucun protagoniste ne pouvait ignorer le statut éminent qui lui était alors conféré.

Pourtant, entre 1667 et 1790, on prend conscience des importantes variations d'intensité dans l'intérêt que suscite la tapisserie au cours des décennies. Jusqu'au début des années 1720, malgré l'impulsion de Charles Le Brun, l'Académie de France est quasiment dépourvue de tapisserie. La commande de cartons de tapisseries connaît un relatif renouveau à partir du milieu des années 1720, d'ailleurs contemporain de l'entreprise de mise en valeur systématique de la production des Gobelins par l'Académie de France à Rome, nouvellement installée dans les murs du Palazzo Mancini. Le phénomène mérite une présentation détaillée, tant les sources qui le renseignent documentent avec précision la valorisation exceptionnelle dont la tapisserie fait l'objet et le statut supérieur qu'elle acquiert dans ce contexte particulier — au moins jusqu'à la fin des années 1750.

Translatio urbis et genii (1666-1724)

L'implication des peintres académiciens du XVIIIe siècle dans la fabrique de modèles destinés aux Gobelins fut continue et même obstinée — ils rivalisèrent aussi bien dans l'intelligence des attitudes que dans la créativité des modèles conçus pour cette prestigieuse destination. L'activité de la manufacture des Gobelins n'en reste pas moins caractérisée, depuis sa fondation, par l'omniprésence des modèles anciens, œuvrant tant à leur adaptation aux nouveaux goûts qu'à leurs retissages fidèles ou à leur remplacement par des modèles nouveaux. L'Académie de France à Rome, dont les *Statuts et Réglements* furent édictés le 11 février 1666, avait notamment pour mission de pourvoir à cet attendu.

Durant les six premières décennies de son existence, directeurs et pensionnaires de l'Académie de France s'efforcèrent de remplir cette mission, non sans réfléchir à la meilleure manière de copier Raphaël. Ses directeurs tentèrent, à l'occasion, d'acquérir d'importantes collections de tapisseries, mais leur soutien à l'œuvre des Gobelins demeura limité, ce qu'il faut sans doute attribuer à la précarité du financement et du logement de la jeune institution jusqu'aux années 1720. Pourtant, les tentures qui tombent alors des métiers entretiennent presque toujours une forte relation référentielle avec les modèles italiens et sont bien souvent réalisées à partir de cartons exécutés par des peintres ayant longuement séjourné en Italie,

on ne peut rien faire copier à Rome de plus important d'après les tableaux de Raphaël que ces deux tableaux du Couronnement de Charlemagne et du Serment de Léon III, ni rien faire en tapisserie aux Gobelins pour les meubles de la Couronne de plus grande importance pour l'honneur de nostre Monarchie." (AN, O1 1936)

tel Louis de Boulogne (*Les Métamorphoses*) dans la lignée revendiquée de Charles Le Brun.

Avec la seconde tenture de l'*Histoire de Moïse* d'après Nicolas Poussin, que réalise l'atelier de Lefebvre entre 1685 et 1689[4], le principe d'une généalogie italienne de la tapisserie française s'affirme encore plus nettement, comme si l'autre ascendance, nordique, gênait l'objectif symbolique de *translatio urbis et genii*[5]. L'intention colbertienne d'obtenir par acquisition ou imitation "tout ce qu'il y a de plus beau en Italie[6]", au bénéfice de Paris nouvelle Rome, n'est pas sans relation avec l'adaptation, dans les années 1680, de modèles plus anciens, par exemple *Les Sujets de la Fable* d'après Jules Romain, adaptés par Pierre Monier et Charles Poerson en 1688-1689[7] ou, la même année, la fondatrice tenture des *Chambres du Vatican* d'après Raphaël, élaborée à partir de copies de l'*École d'Athènes* et de la *Dispute du Saint Sacrement* réalisées par Louis de Boulogne quelques années plus tôt[8].

Les premières mentions de tapisseries dans la correspondance des directeurs de l'Académie de France à Rome datent toutefois du mois de février 1670 et concernent la copie des tapisseries des *Actes des apôtres* d'après Raphaël[9]. Le 6 décembre 1684, l'*Inventaire général de l'Académie*, alors sise au Palazzo Cafarelli, ne mentionne encore qu'une seule "tapisserie de mesme estoffe rasette, de 27 lez" dans la chambre du directeur[10]. De fait, l'Académie n'est pas encore en mesure de satisfaire la coutume

4. Atelier de Lefebvre, Manufacture des Gobelins, d'après Nicolas Poussin, seconde tenture de l'*Histoire de Moïse*, 1685-1689, laine, soie, or; voir notamment l'exemplaire de l'ancienne collection de la Couronne, Paris, musée du Louvre, département des Objets d'art, versement du Mobilier national 1901. Cf. Arnaud BREJON DE LAVERGNÉE, Matthieu SOMON, Christophe HENRY, *Poussin et Moïse. Histoires tissées*, Dijon, Faton, 2012.

5. Les études pionnières de Marc FUMAROLI sur le thème (par exemple "*Cicero pontifex romanus*: la tradition rhétorique du Collège romain et les principes inspirateurs du mécénat des Barberini", *Mélanges de l'École française de Rome. Moyen Âge, Temps modernes*, 1978, vol. 90, p. 797-835) ont été récemment remises en perspective, cf. Marc BAYARD (dir.), *Rome-Paris 1640*, Rome, Académie de France à Rome, 2010.

6. *CD*, I, n° 37, p. 23-24, Colbert à Charles Errard, 6 septembre 1669: "Comme nous devons faire en sorte d'avoir en France tout ce qu'il y a de beau en Italie, vous jugez bien qu'il est de conséquence de travailler incessamment pour y parvenir; c'est pourquoy appliquez-vous à rechercher avec soin tout ce que vous croirez digne de nous estre envoyé, et, pour cet effet, vous serez bien ayse d'apprendre que je fais préparer les galeries basses et hautes de l'Hostel de Richelieu, pour y mettre tout ce qui nous viendra de Rome." (*Dépêches de Colbert en 1669*: AN, B*9, f° 159).

7. Par exemple *Les Sujets de la Fable*, première tenture d'après des modèles de Jules Romain adaptés par Pierre Monier, tissée dans l'atelier de Jans à la manufacture des Gobelins en 1688-1689 (laine, soie et or), Paris, musée du Louvre, département des Objets d'art, versement du Mobilier national, 1901.

8. La tenture des *Chambres du Vatican*, d'après Raphaël, est tissée par l'atelier de Lefebvre en 1689 (2e tenture, haute lisse, laine, soie et fils d'or, Paris, musée du Louvre, département des Objets d'art, versement du Mobilier national, 1901. Pour les copies de Boulogne, cf. *CD*, I, n° 111, p. 67.

9. *CD*, I, n° 40, p. 19; n° 42, p. 26; n° 43, p. 26-27; n° 76, p. 43.

10. *CD*, I, n° 239, p. 134-135, 6 décembre 1684. *Inventaire général de l'Académie de peinture, sculpture, architecture et austres nobles arts, establie à Rome par le Roy, de toutes les figures et reliefs de plastes que l'on a moulée sur les plus belles antiques de Rome, des figures antiques que les Eslèves copient, et de tous les meubles et ustansibles, que le S' Errard laisse à Monsieur de La Teullière.*

romaine, décrite par le cardinal d'Estrées le 14 avril 1687, consistant à orner les façades des palais de tapisseries à l'occasion des fêtes et processions[11].

Très rapidement, l'intérêt des Français pour le marché romain de la tapisserie se manifeste pourtant, notamment en mai 1690, quand le duc de Chaulnes achète les tapisseries de Christine de Suède[12]. Sous le directorat de Matthieu La Teulière, les velléités d'acquisition de collections de tapisserie et la mise en place d'une copie systématique des œuvres des grands maîtres à destination des Gobelins se coordonnent, le principe d'une copie à l'échelle étant alors adopté pour les pensionnaires en fin de séjour[13]. Dès alors se pose la question du talent particulier que nécessite la copie destinée à servir de carton de tapisserie, les bordures et ornements ne devant en aucun cas être laissés à de médiocres talents[14]. En mai 1694, une lettre de La Teulière à Colbert de Villacerf rappelle que les copies des œuvres de Raphaël sont destinées à l'usage exclusif de la manufacture des Gobelins[15], ce qui n'empêche pas le directeur d'adresser à son supérieur, deux ans plus tard, un plaidoyer pour une taille réduite des copies :

> *Comme toutes les copies, que l'on a fait jusqu'à présent, sont de la grandeur des originaux, pour faciliter le dessein que l'on a eu d'en faire des tapisseries, je suis persuadé qu'il est plus à propos de les copier présentement d'une médiocre grandeur, comme des tableaux de chevalet, autant pour la commodité des Pensionnaires que par nécessité.*[16]

La tension qui s'installe alors semble liée à l'utilité des copies grandeur nature, authentiques cartons dont certains semblent ne jamais avoir été tissés. Cette situation fit sans doute prévaloir le principe d'une copie pédagogique, de format réduit, sous-entendant l'abandon de l'une des fonctions fondatrices de l'Académie de France à Rome. Quelques années plus tard, en juillet 1708, le directeur Charles Poerson fera valoir au duc d'Antin le principe exactement contraire : "Monseigneur, j'ai eu l'honneur, il y a trente-six ans, de peindre pour Sa Majesté, dans Rome, entre autre chose [*sic*], une copie de la grande bataille de Raphaël, peinte par Jules

11. *CD.*, VI, n° 2683, p. 419-422 : *Relation envoyée par le cardinal d'Estrées, à Rome, ce 14 avril 1687* (AMAE, CP, Rome, vol. 303, f° 352). Pour l'emploi romain des tapisseries pour la décoration des processions, voir aussi *CD*, V, n° 2048, p. 78-79.

12. *CD*, VI, n° 2694, p. 429, le duc de Chaulnes au roi, Rome, 9 mai 1690 : "[...] J'ai su, par ma femme, la bonté que V. M. avoit de vouloir soustenir par ses grâces le caractère dont elle m'a honoré en cette cour. Je n'espargneray rien pour qu'elle puisse en estre contente, et, cette nouvelle m'ayant esté mandée dans le temps que les héritiers de la reyne de Suède ont esté libres de vendre ses effets, j'en ay acheptè les tapisseries qu'elle avoit fait faire, peu de temps avant sa mort, pour son appartement d'audience [...]" (AMAE, CP, Rome, vol. 331, f° 128 v°).

13. *CD*, I, n° 307, p. 211-212 ; n° 312, p. 222-225 (*Note anonyme à l'attention de Colbert de Villacerf*, 27 septembre 1691).

14. *CD*, II, n° 483, p. 4-5.

15. *CD*, II, n° 497, p. 27-28.

16. *CD*, II, n° 720, p. 244-246.

Romain, dont on a fait plusieurs copies en tapisserie aux Gobelins, à ce que je crois. Ce grand tableau, le plus grand qui soit dans Rome, n'a pas coûté 100 pistolles au Roy, et, si on l'avoit fait hors de l'Académie, il eut coûté plus de mille écus[17]."

Le contexte a changé : le duc d'Antin s'intéresse de très près à l'Académie de France et présente un goût marqué pour la tapisserie. Aussi suit-il le projet de mise en place d'une manufacture pontificale de tapisserie, rattachée à l'Hospice de Saint-Michel-Archange a Ripa Grande, dont lui rend compte Poerson le 29 mars 1710, avec un intérêt mêlé d'agacement[18]. Ceci ne s'explique pas seulement par le fait que les Albani débauchent sans façon les tapissiers des Gobelins ; d'Antin entend aussi mettre la main sur le marché romain de la tapisserie et imposer l'hégémonie de la manufacture royale. Cette politique en passe aussi bien par la copie de compositions de maîtres appréciés par le roi — comme les Bolonais Domenichino et Guido Reni[19] — que par le renouvellement des tentatives d'acquisition de collections historiques comme celle de Christine de Suède, entre-temps acquise par le prince Livio Odescalchi, décédé en 1711, et pour laquelle Pierre Crozat produisit une expertise fondatrice[20].

Quand Nicolas Wleughels rejoignit Charles Poerson à Rome afin de prendre sa succession en tant que directeur de l'Académie de France, il fut sans doute frappé par le spectacle fastueux des tapisseries ornant en masse les façades et les rues de la Ville Éternelle à l'occasion de l'élection de Benoît XIII[21]. Pourtant, Poerson ne semblait pas avoir pris la mesure de pareil emploi symbolique de la tapisserie. Peu enclin à poursuivre la campagne des copies de grands maîtres pour les Gobelins — alors que Wleughels suggère dès son arrivée son extension aux sujets profanes et colorés des maîtres vénitiens[22] —, Poerson se laisse pourtant convaincre et reprend à son compte l'idée "des sujets riches et agréables préférablement à de simples histoires du Vieux Testament[23]". Son directorat ne s'en achève pas moins dans un état d'esprit de survie bien différent de celui, fastueux et dynamique, qu'inaugure la location par son successeur du Palazzo Mancini sur le Corso.

C'est dans le mémoire relatif à l'aménagement de celui-ci, que Wleughels rédige peu après la signature du bail, qu'il suggère pour la première fois que lui soient attribuées des tapisseries afin d'orner l'appartement d'apparat disposé au centre de

17. *CD,* III, n° 1305, p. 220-221.

18. *CD,* III, n° 1414, p. 377-378 ; n° 1420, p. 384 ; *CD,* IV, n° 1526, p. 4 ; n° 1794, p. 307. Voir en particulier la lettre de d'Antin à Poerson du 18 juin 1714 : "[...] Si le Pape veut établir une Manufacture de tapisseries à Rome, de simples Elèves ne lui serviront de guères. [...]", *CD,* IV, n° 1799, p. 313.

19. *CD,* III, n° 1422, p. 385 ; n° 1424, p. 387.

20. *CD,* IV, n° 1601, p. 100 ; n° 1781, p. 289 ; n° 1847, p. 362-364 ; n° 1853, p. 366-367 ; n° 1861, p. 374-376 ; n° 1865, p. 378-379 ; n° 1873, p. 383-384 ; n° 1904, p. 410-411 (AMAE, CP, Rome, vol. 522, 535, 545, 546, 552, 555 f° 95). Pour l'inventaire des tapisseries, *idem.*, vol. 548, f° 64 v°-66f°.

21. *CD,* VII, n° 2806, p. 70-72 (AN, O[1] 1958, f° 323).

22. *CD,* VII, n° 2800, p. 64-65 (AN, O' 1959, f° 15).

23. *CD,* VII, n° 2824, p. 94-95 (AN, O[1] 1958, f° 355).

l'étage noble. La pièce "qui donne sur le grand balcon, qui a environ trente-cinq ou trente-six pieds de long sur vingt-six de large, servira à mettre le portrait du Roy et ce que nous avons de plus précieux, comme le portrait de V[otre] G[râce], quelques belles statues et quelques bustes —, mais il faudroit de la tapisserie pour que cet appartement fût orné comme ce lieu le demande [...] Il ne manque que quelque tapisserie, quelque fauteuil, quelque tapis pour des grandes tables, et l'appartement d'en bas serait assez magnifique pour recevoir quelque grand seigneur que ce soit. Il me semble qu'on devrait mettre le portrait du Roy sous un dais, comme il se pratique partout et surtout dans tous les palais de ce pays-ci[24]."

La tapisserie est ici le moyen d'une reconnaissance de l'appartenance royale des lieux et, au sein de ceux-ci, d'une identification de l'appartement souverain. À ce titre, elle participe de l'étiquette royale, que relaie, à l'extérieur du palais, le cérémonial des demeures des représentants du roi comme le cardinal de Polignac, ambassadeur du roi. Lors de la fête fastueuse donnée chez ce dernier en septembre 1725 et relatée par Marie de Chailloux, veuve de Charles Poerson, "la gallerie étoient ornez par des tapisseries de damas cramoisy, couvert de galons d'or[25]". Afin de satisfaire cette norme du faste romain, Wleughels propose, dès novembre 1725, d'acheter la collection de tapisseries du cardinal Nicolò Acciaioli (1630-1719), ayant anciennement meublé le Palais Mancini[26]. Cette initiative déplaît tout d'abord au directeur des Bâtiments, qui ne voit pas l'intérêt de meubler décemment d'autres pièces que "l'appartement où vous recevrez la compagnie[27]". Mais Wleughels lui tient tête, faisant valoir que le décor doit répondre "à la beauté du lieu et à la grandeur du maître; même si on pouvoit envoyer quelques tapisseries des Conquestes du Roy, il n'y a pas, ce me semble, de lieu où elles pussent être mieux placées. On expliquerait les sujets à ceux qui viendroient voir l'Académie et qui en seraient curieux, et cela ferait un bel ornement[28]."

Une stratégie de valorisation de l'institution par la tapisserie, véritable symbole de l'intelligence monarchique, s'initie ainsi. Finalement approuvée par d'Antin, elle est habilement articulée par Wleughels avec l'emploi romain de la tapisserie en façade, qui signale aussi bien la qualité du propriétaire des lieux que sa communion avec les rythmes et festivités de la vie romaine[29]. Dès lors, le directeur des Bâtiments ouvre grandes les portes du Garde-Meuble[30] et se prend à ce point au jeu de l'ameublement en tapisserie du Palais Mancini qu'il édicte de véritables principes de décoration, interdisant "de mettre des tableaux sur des tapisseries",

24. *CD,* VII, n° 2918, p. 181-183 [mémoire de Wleughels sur le Palais Mancini] (AN, O1 1959, f° 90).
25. *CD,* VII, n° 2951, p. 216-28 (AN, O1 1959, f° 485).
26. *CD,* VII, n° 2963, p. 226-227 (AN, O1 1959, f° 135).
27. *CD,* VII, n° 2967, p. 230-231 (AN, O1 1959, f° 140).
28. *CD,* VII, n° 2981, p. 242-243 (AN, O1 1959, f° 162).
29. *CD,* VII, n° 2989, p. 249-252 (AN, O1 1959, f° 175).
30. *CD,* VII, n° 2992, p. 245-255 (AN, O1 1959, f° 182).

d'interrompre leur "cours" par des portes ou de les faire servir de fond à des statues[31]. Rien n'est négligé pour "mettre le palais en honneur[32]".

L'*État des meubles envoyés à Rome pour l'Académie royale de France* indique que sont attribuées à l'institution romaine, dès le 2 août 1726, la tenture de l'*Histoire du Roi* et celle des *Animaux des Indes*, en plus d'un dais complet, de cinq portières du *Char de Triomphe* et de cinq de *Mars*[33]. De son côté, Wleughels s'engage à faire exécuter "des tableaux pour les endroits où on ne peut pas mettre de tapisserie, et j'aurai soin qu'il n'y paroisse rien qui ne convienne dans un si beau lieu. Jamais on n'a fait à Rome un envoi comme celui-là; les tapisseries que vous nous donnez feront l'admiration de toute la ville, et les sujets qu'elles représentent seront icy tout à fait dans leur place; cela vaudra mille fois mieux que du damas, plus riche et plus curieux[34]."

La présence des tapisseries des Gobelins au Palais Mancini soutient dès alors le faste des lieux — elles sont accrochées régulièrement aux balcons à partir de février 1727[35] — et l'*État des appartements du premier étage de l'Académie entretenue par S. M. à Rome* de mars 1727 indique que leur mise en place dans les appartements est achevée[36]. L'ensemble suscite de nombreuses visites et convoitises[37]. D'Antin précise que les hôtes de marque peuvent obtenir que leur soit offert tout mobilier à l'exception des tapisseries[38]. De la convoitise au discrédit il n'y a qu'un pas, que franchit une gazette de Venise en mars 1728, qui affirme que les tapisseries du roi sont faites avec "du jus d'herbe[39]". Mais les demandes de prêt qui sont faites à Wleughels, auxquelles le duc d'Antin s'oppose vigoureusement, font entendre un autre son de cloche[40]. Exception est faite pour le souverain pontife, pour qui Wleughels organise une présentation au palais du Quirinal et qui, désirant en

31. *CD*, VII, n° 3003, p. 264-265 (AN, O¹ 1959, f° 199); VIII, n° 3337, p. 125-126 (AN, O¹ 1960, f° 321); n° 3342, p. 129-131 (AN, O¹ 1960, f° 332).

32. *CD*, VII, n° 3013, p. 274-275 (AN, O¹ 1959, f° 223).

33. *CD*, VII, n° 3015, p. 276-278 (AN, O¹ 1959, f° 217). Voir à ce sujet l'article fondateur de Pierre ARIZZOLI-CLÉMENTEL, "Les envois de la couronne à l'Académie de France à Rome au XVIIIe siècle", *Revue de l'Art*, 1985, n° 68, p. 73-84.

34. *CD*, VII, n° 3022, p. 282-283 (AN, O¹ 1959, f° 226). Pour la réception des tapisseries et leur mise en place, voir aussi: *CD*, VII, n° 3030, p. 291; n° 3035, p. 295-296; n° 3040, p. 300; n° 3043, p. 302-304; n° 3051, p. 313-314 AN, O¹ 1959, f° 233, 248, 249, 259, 277).

35. *CD*, VII, n° 3057, p. 322-324 (AN, O¹ 1959, f° 293); n° 3147, p. 422-423 (AN, O¹ 1960, f° 55); n° 3283, p. 72-75 (AN, O¹ 1960, f° 243); VIII, n° 3225, p. 13-14 (AN, O¹ 1960, f° 155).

36. *CD*, VII, n° 3066, p. 333-337, *État des appartements du premier étage de l'Académie entretenue par S. M. à Rome* [mars 1727] (AN, O¹ 1959, f° 306).

37. *CD*, VII, n° 3059, p. 324-325 (AMAE, CP, Rome, vol. 684, f° 8); n° 3061, p. 326-328 (AN, O¹ 1959, f° 297); n° 3107, p. 377-378 (AN, O¹ 1959, f° 362.); n° 3122, p. 394-396 (AN, O¹ 1960, f° 17); VIII, n° 3346, p. 134-135 (AN, O¹ 1960, f° 339).

38. *CD*, VII, n° 3062, p. 330 (AN, O¹ 1959, f° 296).

39. *CD*, VII, n° 3067, p. 338-339 (AN, O¹ 1959, f° 315).

40. *CD*, VII, n° 3068, p. 340-341 (AN, O¹ 1959, f° 314); n° 3086, p. 359 (AN, O¹ 1959, f° 329); n° 3088, p. 360-361 (AN, O1 1959, f° 340); VIII, n° 3256, p. 43 (AN, O¹ 1960, f° 202); n° 3260, p. 46 (AN, O¹ 1960, f° 203).

acheter, se voit répondre qu'elles ne peuvent faire l'objet que d'un présent de la part du roi[41]. Le cardinal Annibale Albani, camerlingue de la Sainte Église depuis 1719 et ambassadeur d'Autriche auprès du Saint-Siège, semble avoir profité de cette offre pour la commande d'un grand dais de chœur, non sans user, en retour, de son influence sur la douane qui avait envisagé de facturer 2000 écus l'entrée en Italie d'une série de tentures à destination de l'Académie[42].

Au demeurant, Wleughels consacre une part notable de sa correspondance à renseigner d'Antin sur l'état matériel des tapisseries et sur les problèmes que pose leur conservation (pliage, doublure, traitement des vers et nettoyage) au gré des saisons et des emplois[43]. Ces soins délicats trouvent d'ailleurs, en janvier 1731, une issue plutôt ironique : alors, Paul-Hippolyte de Beauvilliers, duc de Saint-Aignan (1684-1776), qui vient d'être nommé ambassadeur extraordinaire du roi à Rome, témoigne au duc d'Antin son désir d'orner son logement romain de la tenture de l'*Histoire du roi* que le directeur des Bâtiments a attribué à l'Académie. On imagine l'indignation de Wleughels à la réception de cette nouvelle le 6 janvier 1731, que n'a pas dû apaiser la promesse faite par d'Antin en février d'en envoyer "une plus belle pour la remplacer[44]".

Manœuvrant avec tact, le directeur de l'Académie, qui avait diligenté des décorateurs pour assurer l'insertion au pouce près du premier lot de tapisseries dans les lambris, affirme être disposé à lui substituer toute autre série analogue en dimension, quitte à disposer des tableaux en attendant son acheminement[45]. Toutefois, l'idée de ne livrer les tapisseries de l'Académie à l'ambassadeur qu'à réception de la nouvelle série envoyée par le duc d'Antin s'impose rapidement[46]. Expédiées à la mi-mai 1731, les caisses sont signalées à la douane le 12 juillet[47]. Sans que l'on puisse estimer la responsabilité de Wleughels, elles restent bloquées par les douaniers jusqu'à l'intervention du cardinal Albani le 26 juillet[48]. Et il faudra plus d'un mois à Wleughels pour que le 5 septembre il les ouvre enfin et fasse tendre les tapisseries qu'elles contiennent[49].

41. *CD,* VII, n° 3102 (AMAE, CP, Rome, vol 689, f° 297) ; n° 3103, p. 373-375 (AN, O¹ 1959, f° 356) ; n° 3105 (AN, O¹ 1959, f° 361) ; n° 3106, p. 376-377 (AMAE, CP, Rome, vol. 687, f° 393 v°).

42. *CD,* VIII, n° 3427, p. 214-215 (AN, O¹ 1960, f° 441) ; n° 3440, p. 229 (AN, O¹ 1960, f° 461).

43. *CD,* VII, n° 3074, p. 345-346 (AN, O¹ 1959, f° 314) ; n° 3082, p. 354-355 (AN, O¹ 1959, f° 327) ; n° 3153, p. 431-432 (AN, O¹ 1960, f° 71) ; n° 3175, p. 454 (AN, O¹ 1960, f° 109) ; n° 3191, p. 466-467 (AN, O¹ 1960, f° 117) ; VIII, 3262, p. 49-50 (AN, O¹ 1960, f° 208).

44. *CD,* VIII, n° 3384, p. 173-174 (AN, O¹ 1960, f° 386) ; n° 3396, p. 184-185 (AN, O¹ 1960, f° 399).

45. *CD,* VIII, n° 3403, p. 189-190 (AN, O¹ 1960, f° 410) ; n° 3404, p. 190-191 (AN, O¹ 1960, f° 414).

46. *CD,* VIII, n° 3412, p. 197 (AN, O¹ 1960, f° 415) ; n° 3414, p. 199 (AN, O¹ 1960, f° 416). Et surtout : *idem,* n° 3418, p. 202-204, Wleughels à D'Antin, 2 mai 1731 : "Sitôt que nous aurons reçeu les tapisseries, nous lèverons les autres, et je les présenterai à M. le duc de Saint-Aignan." (AN, O' 1960, f° 427).

47. *CD,* VIII, n° 3423, p. 209-210 (AN, O¹ 1960, f° 435) ; n° 3436, p. 224-225 (AN, O¹ 1960, f° 457).

48. *CD,* VIII, n° 3438, p. 227 (AN, O¹ 1960, f° 459) ; n° 3440, p. 229 (AN, O¹ 1960, f° 461).

49. *CD,* VIII, n° 3441, p. 231 (AN, O¹ 1960, f° 459) ; n° 3442, p. 231 (AN, O¹ 1960, f° 461) ; n° 3444, p. 234 (AN, O¹ 1960, f° 466) ; n° 3445, p. 235-236 (AN, O¹ 1960, f° 472) ; n° 3446, p. 237 (AN, O¹ 1960,

Cette affaire Saint-Aignan, qui se poursuit jusqu'à la fin de l'ambassade du duc en 1742, d'ailleurs marquée par la prétention de conserver en seing privé certaines des tapisseries du roi[50], est bien plus qu'une anecdote. Elle révèle, du point de vue de Wleughels et de l'Académie, que la tapisserie n'est plus tout à fait un meuble que l'on peut échanger en fonction des caprices des uns et des besoins des autres. Savamment assortie aux lambris par les menuisiers, les peintres et les doreurs, elle participe désormais d'une réelle intégration symphonique du mobilier dans l'architecture, ce qui implique, au titre de la réalisation des copies et des cartons d'invention, une réflexion aboutie sur le choix des sujets et sur l'intensité chromatique.

Or, c'est justement la génération dite de 1700 par Pierre Rosenberg, celle de Carle Vanloo, François Boucher et Charles-Joseph Natoire, tous formés à Rome sous le directorat de Wleughels, qui soutiendra le plus activement le renouveau que connaît le répertoire de modèles des Gobelins entre 1725 et 1755. Lorsqu'il évoque l'œuvre de copie de l'Académie de France à Rome à destination des Gobelins, le nouveau directeur des Bâtiments depuis 1736, Philibert Orry, emploie d'ailleurs exactement ce lexique : "Mon dessein étant de renouveler les copies de tableaux de Raphaël qui ont servi aux tentures de tapisseries qui se fabriquent pour le Roy aux Gobelins, le Directeur projettera un arrangement pour les faire copier fidèlement d'après les originaux[51]."

Rayonnement et circonscriptions d'un effort décoratif (1730-1765)

Les années 1725-1745, qui sont celles d'une forte revalorisation de la tapisserie au sein de l'Académie de France à Rome, correspondent exactement au moment où sont produites des séries exceptionnelles de cartons sans lesquels la peinture française du XVIIIe siècle serait peut-être considérée comme un épisode anecdotique de l'histoire de l'art. Cet essor n'est pas simplement quantitatif ; il est aussi conceptuel, dans la mesure où les tentures réalisées jusqu'aux années 1760 eurent

f° 478) ; n° 3448, p. 239-240 (AN, O[1] 1960, f° 482) ; n° 3450, p. 242-243 AN, O[1] 1960, f° 487).

50. *CD,* VIII, n° 3459, p. 251-252 (AN, O[1] 1960, f° 489) ; n° 3462, p. 257 (AN, O[1] 1960, f° 508) ; n° 3467, p. 265 (AN, O[1] 1960, f° 521) ; IX, n° 4253, p. 411 (AN, O[1] 1099, f° 256) ; n° 4254, p. 412 (AN, O[1] 1939, f° 256) ; n° 4256, p. 412 (AMAE, CP, Rome, vol. 777) ; n° 4259, p. 413-414 (AMAE, CP, Rome, vol 777) ; n° 4260, p. 414 (AN, O[1] 1939) ; n° 4286, p. 429 (AMAE, CP, Rome, vol. 778) ; n° 4306, p. 439 (AMAE, CP, Rome, vol. 779) ; n° 4338, p. 462-463 (AN, O[1] 1939) ; n° 4340-41, p. 463-464 (*idem*). La lettre de Jean-François de Troy à Philibert Orry, datée du 26 mai 1741 (*CD,* IX, n° 4340-41, p. 463-464, AN, O[1] 1939) renvoie à un "État des tapisseries que M. le duc de Saint-Aignan, ambassadeur de France à Rome, a remises au sr de Troy, Directeur de l'Académie de peinture et sculpture à Rome" fait état de 141 pièces de tapisserie (AN, O[1] 1187, f° 84, publ. *in CD,* IX, n° 4340-41, p. 464-466). Concernant leur rocambolesque retour en France, voir : *CD,* IX, n° 4346, p. 468 (AN, O[1] 1100, f° 21) ; n° 4402, p. 6 (*idem,* f° 185) ; X, n° 4405, p. 7-8 (AN, O[1] 1939) ; n° 4415, p. 14-15 (AN, O[1] 2041) ; n° 4418, p. 16-17 (AN, O[1] 1100, f° 135) ; n° 4418, p. 16-17 (*idem*) ; n° 4428, p. 22 (AN, O[1] 1907).

51. *CD,* IX, n° 4103, p. 316-317, *Instruction pour la régie de l'Académie de Rome,* août 1737, art. IV-V. Voir aussi : *ibid.*, n° 4152, p. 352-354, Gabriel à Orry, 18 septembre 1738.

vocation à s'intégrer de façon synchronique dans le décor des appartements, et en tout cas à entretenir avec celui-ci une relation organique, selon une conception que Nicolas Wleughels avait mise en œuvre dès les années 1720 au sein du Palazzo Mancini. Sans surprise, ce sont justement les peintres qui furent pensionnaires de l'institution romaine durant ces années de réflexion décorative, et qui quelquefois en devinrent à leur tour directeurs, qui s'adonnèrent avec le plus d'énergie et d'enthousiasme à la réalisation de cartons pour les Gobelins et quelquefois au contrôle des tissages.

Que ce soit à Carle Vanloo, frère de Jean-Baptiste Vanloo, qui avait adapté en 1725 la tenture du *Nouveau Testament* d'après Girolamo Muziano[52], qu'échut la commande d'un carton de tapisserie sur le thème de la *Défaite de Porus*, destiné au roi d'Espagne et laissé inachevé par François Lemoyne à sa mort en 1737, ne dut pas étonner ceux qui connaissaient l'estime qu'il avait inspirée au duc d'Antin et à Nicolas Wleughels lors de son séjour au Palazzo Mancini[53]. Suave et colorée, parfaitement adaptée à une destination décorative, la manière familiale des Vanloo fut longuement appréciée par la Direction des Bâtiments du roi, qui fit amplement participer les fils de Jean-Baptiste, Louis-Michel et Charles-Amédée-Philippe, à l'œuvre des manufactures royales.

De ces années prolifiques, de 1736 à 1745, que l'on doit à la direction des Bâtiments de Philibert Orry, date aussi la commande à Carle Vanloo du carton pour *Thésée dompte le taureau de Marathon et l'offre en sacrifice à Apollon*. Sans doute livré en 1745 et aujourd'hui conservé au musée Chéret de Nice, où il a fait l'objet d'une restauration récente, ce carton connut une destinée solitaire mais non moins prestigieuse : tissé entre 1746 et 1749, il fut offert par Louis XV au Comte Razoumovski[54]. La commande de ce sujet à Vanloo était-elle en lien avec la tenture commandée à Jean-François de Troy sur le même sujet ? On peut croire que la promptitude du jeune artiste n'a pas manqué d'aiguillonner l'orgueil de son aîné, dont les retards de livraison n'étaient pas toujours appréciés.

52. Connu pour sa restauration de la galerie François Ier, Jean-Baptiste Vanloo, alors à la tête du plus grand atelier parisien de la Régence, est sollicité, en 1725, pour une adaptation de la tenture à six pièces du *Nouveau Testament* (3e tenture) d'après Girolamo Muziano. Commencée en 1726 et achevée en 1728 à la manufacture des Gobelins, dans l'atelier de Le Febvre, la tenture fut exposée aux Gobelins, avec les cinq autres pièces, lors de la Fête-Dieu de 1735. Manufacture des Gobelins, atelier de Le Febvre d'après J.-B. Vanloo, *Nouveau Testament* (3e tenture) d'après Girolamo Muziano, Fonds ancien du garde-meuble (inv. 1436-4) ; mobilier de la Couronne (n° 211 des tentures sans or) puis Paris, Mobilier National (GMTT 18/4).

53. L'esquisse à l'huile sur toile (H. 65,7 cm ; L. 91,4 cm) est aujourd'hui conservée à Los Angeles, The Los Angeles county museum of art (M.2000.179.13). Voir Marie-Catherine Sahut et Pierre Rosenberg, *Carle Vanloo : premier peintre du roi (Nice, 1705-Paris, 1765)*, catalogue d'exposition, Nice, musée Chéret, 21 janvier-13 mars 1977 ; Clermont-Ferrand, musée Bargoin 1er avril-30 mai 1977 ; Nancy, musée des Beaux-Arts 18 juin-15 août 1977, Paris, RMN, 1977, p. 48, n° 63-64. Voir aussi : Jean-Luc Bordeaux, *François Le Moyne and his generation 1688-1737*, Neuilly-sur-Seine, Arthena, 1985, p. 19, 46.

54. Manufacture des Gobelins, *Thésée dompte le taureau de Marathon et l'offre en sacrifice à Apollon*, atelier de Michel Audran d'après Carle Vanloo, 1746-1749, présent de Louis XV au Comte Razoumovski. Paris, musée du Louvre, département des Objets d'art (OAR 67), versement de l'Office des biens privés, 1952.

Entre 1738 et 1740, de Troy, alors directeur de l'Académie de France à Rome et bénéficiaire direct de l'œuvre décoratif de Wleughels, exécute les six cartons pour son *Histoire d'Esther*[55] et ne s'acquittera que trois ans plus tard des esquisses pour l'*Histoire de Jason*. Achevés en 1750, les sept cartons de l'*Histoire de Jason*[56] composent un remarquable ensemble témoignant du renouvellement complet de l'imagination mythologique. Ici, comme avec l'*Histoire d'Esther*, l'imitation de Le Brun ne fonctionne pas sur le mode de l'homologie mais sur l'adoption du principe d'adéquation des moyens et des fins, la tapisserie étant *a priori* susceptible d'autant de styles que de sujets, en particulier si elle doit s'adapter à un contexte décoratif nouveau. De cette nouvelle veine, à la fois monumentale et colorée dont les sources puisent directement à la réflexion de d'Antin et Wleughels sur l'intégration synchronique de la tapisserie dans le décor, témoigne aussi avec virtuosité le premier des sept cartons de l'*Histoire de Marc-Antoine et Cléopâtre* que Charles-Joseph Natoire présente au Salon de 1741. Ex-pensionnaire de Nicolas Wleughels, Natoire achèvera ses cartons à Rome, où il est nommé directeur de l'Académie de France en 1751[57].

Vers 1745, la commande de cartons pour les Gobelins est certes un enjeu pécuniaire, mais il est aussi un enjeu de prestige. Si les toiles des peintres restent à peine un mois sur les cimaises du Salon, elles s'inscrivent définitivement dans la laine et la soie par le travail des lissiers. Exposant au concours de 1747 organisé par Tournehem pour régénérer l'émulation picturale des académiciens, Natoire avait présenté une composition, *Le Triomphe de Bacchus,* aujourd'hui au Louvre[58], qui fait irrésistiblement penser à une démonstration de savoir faire décoratif à destination des Gobelins. Une tapisserie doit ménager des lectures plurielles, une belle disposition des devants et des accidents sur les deuxième et troisième plans. Surtout,

55. Voir Christophe LERIBAULT, *Jean-François de Troy (1679-1752)*, Paris, Arthena, 2002, P.247-253 & P254-257, p. 349-354 [esquisses pour l'Histoire d'Esther 1738-1740] ; P.254, p. 353-354 [L'évanouissement d'Esther, premier carton réalisé sd 1737] ; P.262, p. 357-358 [carton pour *Le couronnement d'Esther*, s. d. [1738] ; P.263, p. 358-359 [carton pour *La toilette d'Esther*, s. d. [1738] ; P.265, p. 360-361 [carton pour *Le triomphe de Mardochée* 1739] ; P.270, p. 366 [carton pour *Le dédain de Mardochée* sd 1740] ; P.271, p. 366-368 [carton pour *La condamnation d'Aman*, s. d. [1740]

56. C. LERIBAULT, *Jean-François de Troy [...], op cit.*, p. 378-381 : "La tenture de l'Histoire de Jason, commandée en 1742 pour la manufacture royale des Gobelins, est composée de sept pièces. Les esquisses, à présent dispersées, furent peintes en bloc durant l'hiver 1742-1743 (P.289 à *P295) ; une huitième esquisse (P.304) correspond toutefois à un épisode de remplacement peint en 1745 et a été classé à cette date. De même les cartons ont répartis dans le catalogue raisonné suivant leur ordre chronologique d'exécution jusqu'en 1746". Voir aussi, *Ibid*, P.298, p. 383-384 [*Jason domptant les taureaux*], *P.299, p. 385 [*Jason reçoit de Médée l'herbe enchantée*], P.300, p. 386-387 : *Le combat des soldats nés des dents du serpent*], P.303, p. 388-389 [*Le départ de Jason et de Médée après la conquête de la toison d'or*], p. 305, p. 391-392 [*Jason et Médée au temple du Jupiter* dit *Les noces de Jason et de Creüse*], P.316, p. 398-399 [*Creüse consumée par la robe empoisonnée*] et P.317, p. 400-402 [*Médée enlevée sur son char après avoir tué ses enfants*].

57. La réalisation en tapisserie ne débuta qu'en 1750. Voir S. Susanna CAVIGLIA-BRUNEL, *Charles-Joseph Natoire, 1700-1777*, Paris, Arthena, 2012, P.141 & D. 322-328, p. 314-315 [*Entrée de Marc-Antoine à Éphèse*], P.230, p. 388 [*Le Repas de Marc-Antoine et Cléopâtre*], P. 232, p. 389-390 [*Arrivée de Cléopâtre à Tarse*], P.233, P.234, p. 391 [*La Conclusion de la Paix de Tarente*, esquisse non réalisée pour la 4e pièce de la suite].

58. S. CAVIGLIA-BRUNEL, *Charles-Joseph Natoire [...], op. cit.*, P.187, p. 353.

il importe, dans ces circonstances, de se présenter comme un bon coloriste, non pas comme un disciple de Rubens mais comme un peintre sachant accorder ces tons pastel, ocres et roses qu'apprécient tant les lissiers, et qui les inspirent à leur tour, l'objectif étant alors de permettre l'intégration symphonique de la tapisserie dans le décor.

Celui qui comprit le mieux cette logique à la fois chromatique et symphonique, François Boucher, fut inspecteur des Gobelins de 1755 à 1765. Sa participation à la célèbre tenture des *Amours des dieux*, *Les forges de Vulcain*, doit être mise en exergue car la manière qu'il met en œuvre constitue une évolution certaine dans l'histoire de la commande de cartons. Si l'on considère une autre composition livrée pour la tenture, par exemple le *Neptune et Amymone* de Carle Vanloo[59], on peut penser que les concurrents de Boucher furent dans l'obligation de constater avec quelle audace il investissait le cadre de la commande, fusionnant l'ordre érotique et la destination décorative à l'appui d'une maîtrise hors pair du clair-obscur coloré. Boucher connaît le travail du lissier et compose en fonction de ses attentes. Il faut envisager qu'il a réglé très tôt son style pictural sur ces attentes d'exécution en tapisserie, comme en témoignent les deux chefs-d'œuvre de la Wallace collection, le *Lever* et le *Coucher du soleil* peint en 1752 et mesurant 3 mètres 21 par 2 mètres soixante-dix. Quinze ans plus tard, le *Pygmalion et Galatée* du musée de l'Ermitage, avec ses 2 mètres 30 par 3 mètres 29 joue encore volontiers des dimensions typiques du carton de tapisserie, peut-être en manière de clin d'œil aux cartons peints par Restout pour la *Tenture des Arts*, qui manquait un peu d'esprit sensuel et décoratif[60] en un mot, de *sensationnism* selon le lexique burkien — un terme qui renvoyait aussi bien à l'organisation de la pensée par les sens qu'aux effets picturaux en grande partie inventés par Boucher et son entourage. Que les attentes chromatiques et visuelles des lissiers aient pu les inspirer nous permettrait de comprendre mieux ce que l'on nomme par usage le goût rococo, qui est avant tout un sens de l'accord entre pensée et décor.

Lors de son entrée en fonction, le directeur des Bâtiments se voyait offrir une tenture des Gobelins réalisée à partir de cartons commandés par l'intéressé. Ce fut le cas pour la tenture des *Amours des dieux*, qui signala à tous les peintres que la

59. Nicolas LESUR et Olivier AARON, *Jean-Baptiste Marie Pierre, 1714-1789: premier peintre du roi*, Paris, Arthena, 2009, *P195, p. 284-285. Extrait de la notice: "[*L'Enlèvement d'Europe*], détruit, […] peint en 1757 pour la première série de la tenture des *Amours des dieux*, tissée aux Gobelins pour le marquis de Marigny, cadeau d'usage du roi à son directeur des Bâtiments; le tissage de la tapisserie est terminé par Cozette le 13 novembre 1759 et la tapisserie figurera dans le salon de compagnie de l'hôtel de Ménars […] [La première série de la tenture des *Amours des dieux*] comprenait également *Neptune et Amymone* de Carle Vanloo (Nice, musée Chéret), *Les Forges de Vulcain* par François Boucher (Paris, musée du Louvre) et *L'Enlèvement de Proserpine* par Joseph-Marie Vien (Grenoble, musée). En outre chacun des artistes réalisa un ou deux sujets d'enfants. Pierre eut ainsi deux bandes à réaliser (P.198 et *P.199). Outre les tapisseries tissées par les Gobelins, une photographie prise avant la destruction du carton à Arras nous en restitue heureusement la composition, connue par ailleurs, à travers une copie à la sanguine très aboutie (DR.14) […]". Voir aussi: *ibid.*, P.198, p. 285-286 et *P.199, p. 286.

60. Voir C. GOUZI, *Jean Restout […], op. cit.*, p. 256-257, p. 272-273, p. 316-317.

commande destinée aux Gobelins impliquait que le peintre cartonnier tînt compte de la destination des tapisseries tissées d'après ses œuvres, et qu'il ne se contentât pas de les concevoir comme des tableaux d'histoire. Au bénéfice d'inspirations et d'idées nouvelles, c'est pourtant le principe d'une tapisserie conçue comme tableau, et non plus comme organe coloré du décor symphonique, qui s'imposa à partir du milieu des années 1760, mettant à mal la conception qui avait émergé quarante ans plus tôt sous la direction du duc d'Antin.

À celui-ci avait succédé Philibert Orry puis Charles François Paul Le Normant de Tournehem, dont la survivance dans la charge de directeur des Bâtiments était échue au marquis de Vandières, bientôt Marigny. Celui-ci entra en fonction au retour de son célèbre voyage en Italie, en 1751. Si sa direction, comme celle de son oncle Tournehem, a continué de favoriser les peintres volontiers cartonniers de la génération de 1700, l'intérêt qu'elle marque pour l'œuvre des Gobelins est bien moindre que celui de d'Antin et Orry. Une lettre de François de Troy à Tournehem, datée du 13 novembre 1748, nous apprend par exemple que le directeur des bâtiments ignorait le retour en France de l'important lot de tapisseries prêtées au duc de Saint-Aignan, alors que cette entreprise avait donné lieu à une correspondance suivie[61]. Dans la copieuse *Relation des fêtes données à Rome pour la naissance du duc de Bourgogne par Son Excellence le duc de Nivernois*, l'évocation du spectacle des tapisseries tient en une phrase, où les productions des Gobelins sont confondues avec celles des Flandres[62].

Symptomatiquement, lorsqu'il s'adresse à Natoire, Vandières-Marigny ne lui parle, en fait de tapisserie, que de l'exécution de ses cartons pour l'*Histoire de Marc-Antoine*: "J'ay vu la veille des festes de la Pentecôte, aux Gobelins, la tapisserie qu'on y fait actuellement d'après votre tableau de Marc-Antoine. J'y entendis les vœux des entrepreneurs de cette manufacture qui attendent avec grande impatience la suite de cette histoire. Je leur dis que vous alliez la continuer[63]." Ce à quoi Natoire répond avec une certaine pédanterie: "Le coup d'œil que vous avez bien voulu donner au premier morceau de tapisserie m'encourage infiniment à travailler à cette collection[64]." Quant à la gestion de la collection du Palais Mancini, Marigny y attache une importance relative, essentiellement liée à ses prérogatives. Quand Étienne-François de Stainville (1719-1785), comte de Choiseul et futur ministre de Louis XV, envisage d'emporter à Vienne, où il est nommé ambassadeur en 1756, les tapisseries prêtées par le roi à son prédécesseur dans l'ambassade romaine, Louis-Jules Mancini-Mazarini, duc de Nivernais, Marigny écrit vigoureusement à

61. *CD*, X, n° 4657, p. 163-164, de Troy à Tournehem, 13 novembre 1748.

62. *CD*, X, n° 4869, p. 338-342, *Relation des fêtes données à Rome pour la naissance du duc de Bourgogne par Son Excellence le duc de Nivernois* (AMAE, CP, Rome, vol. 809, f° 315).

63. *CD*, X, n° 4913, p. 389-390, Vandières à Natoire, 30 mai 1752.

64. *CD*, X, n° 4915, p. 391-392, Natoire à Vandières, 20 juin 1752. Pour la comptabilité relative à cette commande, voir: *CD*, XI, n° 5583, p. 424-425 (AN, O1 1109, f° 187); n° 5613, p. 444.

Natoire: "A son départ de Rome, rien de plus simple et de plus en règle que de les faire retirer, puisqu'elles étoient sorties des manufactures et magasins du Roy sur l'ordre de mon prédécesseur et sur un état reconnu et signé par M. le duc de Nivernois de les rendre à son départ. J'ay donc un droit de suite incontestable et de conservation sur ces tapisseries, qui m'autoriseroit même encore dans ce moment de les faire enlever, si, sur la demande que j'ay pris la liberté de faire à Sa Majesté, elle n'avoit pas jugé à propos de permettre à M. de Stainville de faire transporter à Vienne[65]".

Ce qui revient à dire que les tapisseries qui partent à Vienne ne sont plus attachées à l'intégrité de l'Académie, et qu'elles sont ramenées à leur statut purement meublant d'avant 1720. Aussi ne bénéficient-elles plus d'une description particulièrement détaillée dans l'*État meublant des tentures, portières et autres meubles accusés être à l'Académie de France en 1758*[66] et, dans l'*État de ce qu'il y a appartenant au Roy dans son Académie de peinture et sculpture à Rome*[67] daté du 9 août de la même année, elles sont littéralement noyées dans le flot du tout-venant mobilier. De ces années date aussi l'émergence, dans la correspondance des affaires étrangères, du vocable de "tableau en tapisserie[68]". On pourrait croire qu'il est valorisant, mais il revient en fait à relativiser la destination décorative des tentures, dont on peut se demander d'ailleurs si elles sont toujours en usage. En effet, une lettre que le comte d'Angiviller adresse le 31 juillet 1775 à Noël Hallé, qui assure alors la direction de l'Académie par intérim, évoque la "tapisserie des Gobelins, dont il y a, dans le magasin de la manufacture, plusieurs qui y vieillissent sans destination[69]." Dans sa réponse, Hallé est encore plus surprenant quand il affirme que l'appartement du directeur "pourra se passer de tapisseries à cause des peintures que j'ay fait faire sur les murs des quatre pièces principales et qui feront assez bien quand le reste sera meublé[70]."

Cette remarque, qui tire un trait sur l'œuvre décoratif de Wleughels, laisse entendre une mutation importante du goût, appuyée par un sentiment de satiété. C'est en tout cas ce que suggère une remarque que fait Joseph-Marie Vien, directeur de l'Académie de France, à propos du projet de tendre l'*Histoire d'Esther* de Jean-François de Troy dans l'appartement du roi en prévision du mariage de la

65. *CD*, XI, n° 5233, p. 187-188 (AN, O1 1104, f° 535). Voir aussi: *ibid.*, n° 5226, p. 181; n° 5228, p. 182-183; n° 5232, p. 186-187.

66. *CD*, XI, n° 5286, p. 218-220, *État meublant des tentures, portières et autres meubles accusés être à l'Académie de France à Rome en 1758, suivant le détail produit alors par M. Natoire, Directeur d'icelle. Juillet.*

67. *CD*, XI, n° 5291, p. 223-229, *État de ce qu'il y a appartenant au roy dans son académie de peinture et sculpture à Rome, 9 août 1758.*

68. *CD*, XII, n° 6307, p. 367, *Nouvelles de Rome*, 18 mars 1772: "Les Gazetins font mention de deux beaux tableaux, l'un en mosaïque, l'autre en tapisserie, dont le Pape a fait présent à M. le duc de Glocester.", voir aussi: *CD*, XIII, n° 6636, p. 108-109 (AMAE, CP, Rome, vol. 874, f° 39).

69. *CD*, XIII, n° 6629, p. 100-102 (AN, O1 1941).

70. *CD*, XIII, n° 6638, p. 110-111 (AN, O1 1941).

nièce du cardinal de Bernis; peu enjoué, il laisse tomber: "il est aussi étrange, actuellement, de voir des appartements sans tapisseries qu'il l'estoit de les voir tapissés il y a trente ans[71]." Quelques mois plus tard, à réception d'un lot de tapisseries, Vien retrouve pourtant l'enthousiasme d'un Wleughels pour les précieuses tentures, ainsi que ses réflexes de conservation, ce qu'il faut attribuer sans doute à son immersion dans les coutumes décoratives romaines: "Les tapisseries sont arrivées avant-hier dans le meilleur état; elles sont superbes; je ne pourrai pas me dispenser de les faire doubler, non entièrement, mais par grandes bandes, comme plusieurs qui sont ici; les autres le sont entièrement; il me tarde qu'une occasion se présente pour les faire voir aux Romains[72]."

Rome symphonique ou Grèce archaïque : la croisée des modèles

Durant les décennies 1770 et 1780 se fait sentir un net fléchissement de l'intérêt des grands commis des Bâtiments du roi pour les tapisseries des Gobelins, à commencer par les directeurs de l'Académie de France à Rome. Ce qui n'empêcha pas un flot de commandes de cartons pour les Gobelins, bien documentés par les catalogues raisonnés qui leur sont consacrés, dont peu furent tissés[73]. Pour expliquer ce paradoxe, il est possible d'avancer que la commande de cartons était suffisamment lucrative pour que les peintres du roi la recherchent et l'honorent, sans pour autant s'y consacrer avec autant de conscience que leurs aînés de la génération de 1700. Plus proches des ateliers et des tapissiers, Carle Vanloo, François Boucher, Charles-Joseph Natoire étaient aussi plus investis dans les questions chromatiques et décoratives que soulevait l'interprétation tissée des compositions qu'ils livraient aux Gobelins. De fait, il paraît peu contestable que les cartons de leurs élèves,

71. *CD,* XIII, n° 6759, p. 211-212. Voir aussi: *Idem,* n° 6770, p. 222; n° 6772, p. 223-224; *CD,* XIII, n° 6789, p. 244-246.

72. *CD,* XIII, n° 6834, p. 279.

73. Pour les sujets d'histoire de France et d'histoire grecque, cf. Marc SANDOZ, "Le *Bayard* de Louis Durameau (1777). Durameau peintre d'histoire et artiste préromantique", *Bulletin de la Société de l'histoire de l'art francais,* 1963, p. 105-119; Anne LECLAIR, *Louis-Jacques Durameau 1733-1796,* Paris, Arthena, 2001; Nicole WILLK-BROCARD, *François-Guillaume Ménageot: 1744-1816, peintre d'histoire, directeur de l'Académie de France à Rome,* Paris, Arthena, 1978, n° 5, p. 61, n° 11, p. 65; n° 18, p. 70-71; n° 21, p. 71-72; n° 26, p. 75-76; Nathalie VOLLE, *Jean-Simon Berthélemy (1743-1811): peintre d'histoire,* Paris, Arthena, 1979, n° 53 p. 83-84; n° 71, p. 88-90, n° 81, p. 91-92; n° 85, p. 94-95; Thomas W. GAEHTGENS, Jacques LUGAND, *Joseph-Marie Vien: peintre du roi 1716-1809,* Paris, Arthena, 1988, n° 244, p. 198-199, n° 248, p. 200-201, n° 256, p. 202, n° 261, p. 204, n° 273, p. 208); Jean-Pierre CUZIN, *François-André Vincent (1746-1816). Entre Fragonard et David,* Paris, Arthena, 2013, n° 351D, *352-3D, 354-357P, p. 427-430; 453-450P, 451-455D, p. 451-455. Évoquons aussi les cartons de peintres ne bénéficiant pas encore d'un catalogue raisonné: *La mort de Duguesclin* de N.-G. Brenet traduit en tapisserie par l'atelier de Cozette en 1774; la Tenture des *Quatre saisons,* pour laquelle J.-B. Suvée conçut le beau carton de *La Fête de Palès ou l'été* (Rouen, musée des Beaux-Arts) qui fut exposé avec les trois autres cartons au Salon de 1783: *La Fête à Bacchus ou l'automne* par J.-J. Lagrenée, *Zéphyre et Flore ou le printemps* par C.-A. Vanloo, et *Les saturnales ou l'hiver* par F. Callet.

Jean-Simon Berthélemy, Joseph-Benoît Suvée, François Guillaume Ménageot ou François-André Vincent, empruntant leur sujet à l'histoire de France et à l'histoire gréco-romaine, ne cultivaient plus spécifiquement les caractères qui auraient favorisé leur insertion synchronique dans le décor des appartements. De dimensions monumentales, ils soutenaient avant tout un attendu d'édification nationale ou morale, ce qui leur valut bien souvent de remporter un franc succès au Salon.

Probablement combattue par les nouvelles personnalités influentes de la direction des Bâtiments au premier rang desquelles figuraient Jean-Baptiste-Marie Pierre et Noël Hallé[74], la conception d'une tapisserie s'intégrant de façon symphonique dans le décor et faisant corps avec le système des peintures insérées dans le lambris peint devait laisser la place à d'autres dispositifs, couvrant ou meublant, peut-être favorisés par les modalités archaïques du goût à la grecque. Depuis 1717 et la publication de l'*Histoire de l'académie royale des Inscriptions & Belles lettres depuis son établissement*[75], la question de l'antériorité historique de la tapisserie sur la peinture avait été posée, initiant une querelle où s'affrontaient les témoignages d'Homère et de Pline. La question ne relevait pas seulement de l'érudition culturelle ou de l'affrontement plus général des partisans des Anciens et des Modernes. Car du point de vue du perfectionnement technique de la tapisserie qu'avaient alors atteint les ateliers de la manufacture des Gobelins, il ne manquait pas de théoriciens pour faire valoir l'exceptionnel accomplissement de cet art, certes dans l'ordre de l'imitation commun avec la peinture (cartons peints), mais aussi dans ceux, supérieurs, de la matérialité, de la diffusion et de la diversité d'interprétation que permettait chaque tissage. La peinture n'aurait pu être en fait que l'outil, le moyen imparfait de la tapisserie, en laquelle les anciens avaient su reconnaître l'art figuratif véritable. Dès 1757, le *Dictionnaire portatif de peinture* de Pernéty suggère de pareilles vues[76],

74. Sous les directions des Bâtiments de Tournehem et Marigny, Pierre était négligé par la commande de cartons à destination des Gobelins, cf. N. LESUR et O. AARON, *Jean-Baptiste Marie Pierre [...], op. cit.*, p. 499). Il prit sa revanche dans les années 1760, quand s'initie une intense concurrence dans la commande de cartons et la captation des charges d'inspecteur et de surinspecteur des Gobelins. Alors s'affrontent deux clans, celui de Charles-Nicolas Cochin et François Boucher d'une part, et celui de Noël Hallé et Jean-Baptiste-Marie Pierre. J. Bancel a montré comment le gendre de Boucher en pâtit (Jacques BANCEL, *Jean-Baptiste Deshays 1729-1765*, Paris, Arthena, 2008, p. 153-156, 287-288). Marigny nomme d'ailleurs Pierre à la surinspection des Gobelins le 14 août 1765 (cf. N. LESUR et O. AARON, *Jean-Baptiste Marie Pierre [...], op. cit.*, p. 506). Il obtiendra cette fonction pour son ami Noël Hallé (26 juillet 1770) quand il sera lui même nommé Premier peintre du roi, non sans s'arranger pour que lui échoient aussi plusieurs commandes de cartons dans les années suivantes (cf. N. WILLK-BROCARD, *Une dynastie: les Hallé*, Paris, Arthena, 1995, cat. N119, p. 432-435, N132, p. 442-443). Le 2 juin 1775, Noël Hallé est nommé directeur de l'Académie de France à Rome. Quant au soutien que le comte d'Angiviller accorde au peintre Pierre Peyron en tant qu'inspecteur de la manufacture des Gobelins, il a été finement analysé par Pierre Rosenberg et Udolpho van de Sandt, *Pierre Peyron 1744-1814*, Neuilly-sur-Seine, Arthena, 1983, p. 39-42.

75. *Histoire de l'académie royale des inscriptions & Belles lettres depuis son établissement jusqu'à présent avec les mémoires de littérature tirés des registres de cette académie, Tome Premier, A Paris, de l'Imprimerie Royale*, 1717, p. 84-88.

76. Antoine-Joseph PERNÉTY, *Dictionnaire portatif de peinture, sculpture et gravure, avec un Traité pratique des différentes manières de peindre, dont la théorie est développée dans les articles qui en sont susceptibles*, Paris, Bauche, 1757, Traité pratique [introduction], p. xi-xiv.

que ne dénie pas Béat-Antoine-François de Hennezel dans son *Traité des différentes espèces de tapisseries* (1776)[77]. Si l'article "Peinture" du *Dictionnaire des arts* de Claude-Henri Watelet, complété et édité par Pierre-Charles Lévesque en 1788 puis 1791, soutient la position traditionnelle d'une antériorité de la peinture sur la tapisserie[78], l'article "Minerve" que François-Joseph-Michel Noël rédige dans son *Dictionnaire de la fable ou Mythologie grecque, latine* s'en remet aux sources sacrées qui font de la peinture une conséquence terrestre et humaine de la divine transmission aux filles de Pandare de "l'art de représenter des fleurs et des combats dans des ouvrages de tapisserie[79]".

La conception chère à Nicolas Wleughels et au duc d'Antin, cette intégration symphonique des tapisseries qu'ils mirent en œuvre dans le cadre de l'aménagement des appartements d'apparat du Palazzo Mancini à partir de 1724 et que relaya la création des cartons par les peintres de la génération de 1700, fut en fait contrecarrée par de nombreuses circonstances: opposition artistique des grands commis de la direction des Bâtiments du comte d'Angiviller, sentiment de satiété à l'endroit de l'omniprésence de la tapisserie dans les intérieurs, recherche d'un ordre iconographique plus édifiant exigeant des formats plus monumentaux, mais aussi incompatibilité entre la tapisserie, peinture grecque archaïque, et un cadre décoratif raffiné soupçonné, dans l'ambiance rousseauiste des années 1780, de décadence morale.

77. Béat-Antoine-François DE HENNEZEL, *Traité des différentes espèces de tapisseries [...]*, 1776, p. 72.

78. Claude-Henri WATELET et Pierre-Charles LÉVESQUE, *Dictionnaire de arts de peinture, sculpture et gravure* L. F. Prault, vol. 3 et 4, Paris, 1792, 5 vol. (1ère éd., 2 vol., 1788-91), p. 74-75.

79. François-Joseph-Michel NOËL, *Dictionnaire de la Fable, ou Mythologie Grecque, latine, égyptienne, celtique &a par Fr. Noël. Nouvelle édit. corrigée, augmentée*, Paris, Le Normant, 1803, article "Minerve", p. 144-145, p. 145.

13

Relations entre tapisseries et peinture à Aubusson, XVIIIe-XXe siècles : les références bibliographiques à l'épreuve de l'examen des œuvres textiles

Bruno Ythier

Résumé — À Aubusson aujourd'hui, la tapisserie du XVIIe siècle est mal perçue: trop fine, trop de couleurs, une copie de peinture sans intérêt. La bibliographie aubussonnaise permet de suivre l'évolution de cette considération depuis la fin du XIXe siècle. Dès les années 1940, la forte activité éditoriale liée au développement de l'œuvre tissé de Jean Lurçat, accentue cette description des pièces tissées à l'époque des Lumières comme une simili-peinture, afin de faire valoir par contraste Lurçat comme un rénovateur qui serait revenu aux principes fondamentaux de la tapisserie médiévale, faisant de l'artiste un sauveur de l'activité traditionnelle. En quelques décennies, cette présentation de son rôle devient une évidence incontestable. Mais la confrontation à la matérialité des pièces, même les plus fines, produites à Aubusson durant le XVIIIe siècle, montre une toute autre réalité marquée par un tissage d' une forte écriture technique.
Mots-clefs — Arts décoratifs, tapisserie, Cuttoli Marie, Lurçat Jean, Marius-Martin Antoine, Oudry Jean-Baptiste, Aubusson.

Abstract — 18th century tapestry is not highly esteemed nowadays at Aubusson: it is often judged too thin, over coloured, and considered as an uninteresting sheer copy of paintings. Bibliography concerning Aubusson enables us to trace back the history of this point of view since the end of the 19th century. From the 1940's onwards, this negative judgment concerning woven pieces of the Enlightenment period has been emphasized by the important editorial activity connected to the development of the woven work of Jean Lurçat, that tended to make of Lurçat a reformist gone back to the principles of medieval tapestry, and a savior of traditional craftsmanship. This appreciation of Lurçat's role was admitted without further discussion within a few short decades. But close observation of tapestry items made at Aubusson throughout the 18th century, even the thinnest ones, actually reveals an entirely different truth: outstanding weaving and high technical value, with the use of the specific idiom of tapestry, as for instance traditional hatchings and solid-coloured fills.
Keywords — decorative arts, tapestry, Cuttoli Marie, Lurçat Jean, Marius-Martin Antoine, Oudry Jean-Baptiste, Aubusson.

En préambule, il est nécessaire de donner le point de vue de nombreux lissiers aubussonnais aujourd'hui sur la tapisserie ancienne[1] : "Aujourd'hui nous ne sommes plus dans de la copie de peinture. Il faut la laisser au XVIIIe siècle". Les propos tenus par les tuteurs des jeunes lissiers bénéficiant de la formation initiée depuis 2010 par la Cité de la tapisserie et conduite par le Greta Creuse sont sans nuance. Les professeurs de tissage, recrutés au sein de la communauté professionnelle aubussonnaise ont répété ce point de vue pendant plusieurs années. Le tissage dans la forme (non perpendiculaire à la chaîne mais qui suit le dessin), très utilisé notamment au XVIe siècle dans les verdures à larges feuilles (gros fil), est rejeté et mis dans le même sac que les tissages du XVIIIe siècle réputés très fins ou utilisant un nombre de tons invraisemblables. Ces techniques sont clairement déconsidérées. Tandis que les lissiers tournent le dos aux battages à tons fondus, à la finesse et la virtuosité des tapisseries anciennes, ils continuent pourtant d'admirer le travail ancien des "faiseurs de chair" (lissier spécialisé dans la réalisation des carnations et des visages). Cette contradiction s'ancre pour partie sur le statut du faiseur de chair, historiquement placé au sommet du savoir-faire le plus hautement valorisé. L'admiration pour ce travail reste d'actualité à l'heure où il ne se fait quasiment plus de chairs en tons fondus[2].

Dès lors, certains amateurs, collectionneurs, lissiers, et parfois même hélas, conservateurs ou chercheurs, considèrent le peintre Jean-Baptiste Oudry (1686-1755), l'un des principaux maîtres inspirant des tapisseries au XVIIIe siècle "comme le fossoyeur d'Aubusson et de sa tapisserie", heureusement sauvée au XIXe siècle par la tapisserie de siège et le tapis.

Quelle est donc l'origine de cette condamnation péremptoire ? Comment a-t-elle été véhiculée, structurée, par les publications ou les cours mis en place à l'École nationale d'art décoratif d'Aubusson ?

Et y a-t-il, à Aubusson, adéquation entre ces écrits et la matérialité des œuvres incriminées, alors qu'on ne peut que s'interroger lorsqu'on est confronté à elles ?

Un peu de bibliographie...

Le rapport entre tapisserie et peinture est fortement interrogé durant le dernier quart du XIXe siècle par la redécouverte de tapisseries anciennes. On cite parfois la démarche d'Aristide Maillol qui, fortement impressionné par la tenture de

1. L'auteur tient à exprimer sa gratitude à Dominique Sallanon et à Pierre Vaisse pour leur aide et leurs relectures lors de la rédaction du présent article.

2. Dans la suite logique de la labellisation Unesco en 2009, ces points de vue font l'objet d'un travail de collectage oral en cours de rassemblement par la Cité de la tapisserie, faisant suite aux travaux universitaires des années 1980. Ce programme est financièrement soutenu par la fondation Hermès dans le cadre de sa politique de soutien à la transmission des savoir-faire liés aux métiers d'art.

La dame et la Licorne achetée par le musée de Cluny en 1882, fonde un atelier de tapisserie à l'aiguille à Banyuls. Mais qu'en est-il, plus globalement, de la réception par le public et les artistes, des expositions rétrospectives de textiles anciens développées au sein des grandes Expositions universelles de 1878, 1889 ou 1900[3] ? Nous n'investiguerons pas ici cette question qui pourrait être féconde[4], pour nous concentrer sur la bibliographie aubussonnaise[5], à commencer par l'ouvrage *Les tapisseries* d'Albert Castel (1834-1908)[6], industriel aubussonnais. Force est de constater que Castel n'évoque jamais un quelconque problème sur la tapisserie aubussonnaise du XVIIIe siècle, écrivant d'elle qu'en cette période faste, ses productions de grande qualité pouvaient rivaliser avec celles des Gobelins. Il n'évoque aucun rapport problématique à la peinture. L'ouvrage est bien documenté et s'appuie sur une bonne connaissance des fonds d'archives alors repérés, ainsi les rôles de Jean-Joseph Dumons (1687-1779) et Jacques-Nicolas Julliard (1715-1790) comme peintres du Roy sont explicités.

Une première critique de la tapisserie comme copie de peinture est émise dans les écrits d'un artiste et chef d'entreprise considéré comme l'un des précurseurs de la rénovation de la tapisserie de lisse, Antoine Jorrand (1864-1933). Au début du XXe siècle, il débat par presse locale interposée avec le lissier et chef d'entreprise Léon Tabard (1872-1927) et s'émeut que l'on puisse comparer tapisserie et peinture :

> *Si les tapisseries du XVe et du XVIe siècles sont les plus belles de toutes, c'est qu'elles ont respecté la simplicité franche de la technique employant un petit nombre de couleurs puissantes et harmonieuses. Tandis que celles du XVIIIe et surtout du XIXe siècles en voulant imiter la peinture sont tombées dans la fadeur et la confusion. Ce ne sont pas des peintures et ce ne sont plus des tapisseries.*

Un discours plus tranché et sévère sur la tapisserie du siècle des Lumières asservie à la peinture, apparaît sous la plume d'Antoine Marius-Martin (1869-1955), directeur de l'École Nationale d'Art Décoratif d'Aubusson. Il publie plusieurs articles de fond destinés à accompagner ou expliquer son travail de rénovation

3. Nous devons à Zané PURMALE, lors de sa communication du 13 décembre 2014 à l'INHA dans le cadre du séminaire de clôture du programme Arachné, la mise en avant de l'exposition rétrospective de 1876 organisée par l'Union centrale des arts décoratifs, comme un événement fondateur modifiant la considération historique sur les tapisseries. À paraître.

4. Comme le montre pour d'autres domaines des arts décoratifs Jean-François LUNEAU ; communication orale lors de la cinquième session du programme Arachné, Aubusson, octobre 2013. À paraître.

5. Nous écartons de cette réflexion le travail érudit et indispensable des antiquaires du XIXe siècle parmi lesquels Cyprien PÉRATHON, pour nous centrer sur les ouvrages rédigés par des industriels, artisans ou artistes en lien direct avec la création et la fabrication de la tapisserie.

6. Albert CASTEL, *Les tapisseries*, Paris, Hachette, 1876.

(mot qu'il emploie à plusieurs reprises dès les années 1920). Nous retiendrons ici la plaquette[7] *De la tapisserie de haute et de basse lisse*, parce qu'elle fut diffusée dans les ateliers d'Aubusson[8] afin de faire comprendre son travail prospectif à une profession réticente. Rappelons qu'il travaille à une profonde réforme de la tapisserie depuis qu'il a été nommé directeur de l'ENAD, alors en crise, en 1917. Il cherche à produire un nouveau mode de tissage visant à supprimer les tapisseries à grand nombre de tons et le grain fin obtenu par une chaîne comprenant dix ou douze, voire parfois quatorze fils au centimètre. Pour ce faire, il demande un retour à l'examen des tapisseries médiévales tissées à gros grains (cinq à six fils de chaîne au centimètre) et avec une écriture technique affirmée. Il prône la limitation du nombre de couleurs, le retour au carton en noir et blanc à tons comptés (qu'il préfère au carton numéroté qui serait selon lui trop complexe[9], mais peut-être redoutait-il déjà une autre forme d'asservissement du lissier?), et il demande des cartons à des artistes contemporains. Son travail est révélé au grand public lors de l'Exposition internationale des arts décoratifs de 1925 à Paris[10]. Antoine Marius Martin écrit donc:

> *Depuis la seconde moitié du XVIIIe siècle la technique de la tapisserie de haute et de basse lisse est erronée. L'ouvrier imite servilement la peinture et tend à en faire un fac-similé, au lieu de produire un tissu qui ait ses qualités propres.*

Il répond ensuite avec véhémence aux théories de l'artiste Jules Flandrin (1871-1947) selon lequel une bonne peinture donnera, de fait, une bonne tapisserie. Antoine Marius-Martin n'hésite pas à associer Flandrin à Oudry comme responsables de l'asservissement du lissier au peintre. Dans un article quasi testamentaire rédigé en 1934, soit quatre ans après son départ en retraite[11], il revient sur cette question, non sans avoir encore une fois dénoncé "la néfaste influence d'Oudry": "il va de soi que les efforts doivent tendre maintenant à permettre au tapissier, qui n'a en rien démérité, de recouvrer sa liberté d'antan". Afin de sortir d'un système où le lissier ne devait plus comprendre l'œuvre, il devait la copier sans se poser de question.

7. Tiré à part d'un article publié par la revue *La Douce France*, Paris, 1922.

8. Cette distribution est clairement mentionnée par Maurice DAYRAS dans sa "Chronologie provisoire des efforts qui ont abouti à la rénovation de la tapisserie [...]" publiée par la société des sciences de la Creuse en 1964. Preuve supplémentaire si besoin en était, le centre de documentation de la Cité de la tapisserie conserve l'exemplaire de la manufacture Tabard ainsi que celui du peintre cartonnier Georges Rougier.

9. Jean BABONEIX, *La crise d'une vieille industrie: le tapis et la tapisserie d'Aubusson*, thèse de doctorat, Paris, 1935.

10. Valérie GLOMET, "Le stand de l'École Nationale d'Art Décoratif d'Aubusson" et Bruno YTHIER, "Approche technique de la Rénovation [...]", *in* Jehanne LAZAJ et B. YTHIER (dir.), *Tapisseries 1925, Aubusson, Beauvais, Les Gobelins à l'exposition internationale des arts décoratifs de Paris*, Toulouse, Privat, 2012.

11. "Le carton moderne de haute et de basse lisse", *La construction moderne*, Paris, 1934.

Avant d'aborder la littérature d'après 1937, faisant suite à la rencontre entre Élie Maingonnat, directeur de l'ENAD, le maître lissier François Tabard et l'artiste Jean Lurçat, il convient de se pencher sur un catalogue important : celui de l'exposition de 1935 aux Arts décoratifs à Paris intitulé *Cinq siècles de tapisseries d'Aubusson.*

Curieusement, ce catalogue d'une exposition capitale pour l'histoire de la manufacture marchoise ne reprend en rien le point de vue d'Antoine Marius-Martin, pourtant déjà publié à plusieurs reprises. L'avant-propos est de Carnot, directeur de la manufacture des Gobelins et la préface de Louis Lacrocq, président de la société des sciences de la Creuse. Plus de la moitié des œuvres exposées[12] sont des pièces du XVIIIe siècle. Mais les travaux d'Albert Castel et de l'érudit Cyprien Pérathon (1824-1907) sont déjà loin... et l'on voit désormais fleurir les attributions à Oudry, Pillement, Boucher, Lancret, etc. Dumons et Julliard ne sont nommés pour aucune de ces tapisseries, alors qu'aux numéros 208 et 210 de l'exposition figurent des manuscrits où leur fonction de peintre du Roi est citée....

Les années d'avant-guerre ne produisent pas de publications interrogeant le rapport à la peinture de la tapisserie d'Aubusson des siècles passés. Il faut toutefois noter la parution d'articles présentant le travail de Marie Cuttoli (1879-1973), collectionneuse et éditrice de tapis et tapisseries. Son modernisme la positionne alors en précurseur du mouvement de tapisseries de peintre qui va rythmer la production aubussonnaise d'après guerre[13]. Amatrice éclairée[14] des avant-gardes françaises, elle fait tisser des tapisseries d'après des peintures de Lucien Coutaud, Georges Braque, Jean Lurçat, Pablo Picasso, Le Corbusier, Henri Matisse, etc. Mais son travail mal considéré, passe encore relativement inaperçu et est vécu comme une sorte d'accident de l'histoire. Elle jouera pourtant un rôle fondamental contribuant à faire connaître les avant-gardes françaises à une large clientèle américaine, par une exposition itinérante organisée avec le musée de San Francisco et le collectionneur Barnes.

La "disgrâce" que connaît Marie Cuttoli est associée à une autre grande exposition parisienne, celle de vitraux et tapisseries contemporains, au Petit Palais en 1938. Des "promenades conférences" sont organisées chaque semaine et Marie Cuttoli anime l'une d'elles. C'est dans ce cadre que semble éclater au grand jour un conflit entre elle et Jean Lurçat, où *"Les polémiques prirent certes un tour regrettable*[15]". Il est reproché à Marie Cuttoli de ne justement pas avoir compris la différence entre tapisserie et peinture, de rester dans la

12. 117 tapisseries du XVIIIe siècle sur les 205 œuvres textiles exposées (supplément de fin de catalogue compris). L'exposition comprenait également des gravures, pièces d'archives et meubles soit un total de 241 numéros.

13. Voir Martine MATHIAS, *Pierre Baudouin, tapisseries de peintre*, catalogue d'exposition, Aubusson, musée départemental de la Tapisserie, 1991. Ainsi que : M. MATHIAS (dir.), *Aubusson, la voie abstraite*, catalogue d'exposition, Aubusson, musée départemental de la Tapisserie, 1993.

14. Cf. sa donation au musée national d'Art moderne.

15. Jean LURÇAT, *La tapisserie française*, Paris, Hachette, 1947, p. 23.

conception de leur rapport qui aurait dominé au XVIIIe siècle, de faire travailler les lissiers avec une gamme beaucoup trop importante de couleurs. Il est pourtant curieux de constater à l'examen des tapisseries réalisées sous la direction de Marie Cuttoli que si les tissages sont effectivement assez fins, de huit à dix[16] fils au centimètre, la gamme colorée est par contre plutôt restreinte et ne dépasse pas trente nuances.

À partir des années de guerre, la production éditoriale s'intensifie, avec des ouvrages, articles, catalogues qui se succèdent pratiquement à chaque trimestre. De fait, la bibliographie est abondante et se compte en dizaines de titres pour la période 1940-1960. Elle s'intéresse tant à l'actualité qu'au passé d'Aubusson, l'un n'allant pas sans l'autre, y compris dans les interviews des artistes ou dans leurs écrits.

Cette envolée éditoriale accompagne le mouvement dit de renaissance de la tapisserie, très rapidement revendiqué par l'artiste Jean Lurçat. Sa venue à Aubusson en 1937 marque le début d'une aventure artistique et économique majeure pour la tapisserie du XXe siècle. Un numéro spécial d'une revue suisse, *Formes et couleurs*, paru en 1942[17], caricature le point de vue d'Antoine Marius-Martin (auquel il n'est pas fait référence) en l'exagérant : la tapisserie du XVIIIe siècle est qualifiée de "drame" ; tandis que Jean Lurçat arrive comme un sauveur qui aurait fait tisser plusieurs centaines de mètres carrés dès 1930 (ce qui n'est bien entendu pas encore le cas).

Il est intéressant de se pencher sur une petite pièce historique de la bibliographie des années de guerre : la plaquette de l'exposition de tapisseries organisée à Toulouse au musée des Augustins en janvier 1943[18]. Dans le contexte très difficile de la guerre il y est écrit :

> *Du XVIIIe siècle au début du XXe siècle, la tapisserie ne fut en France, qu'un reflet, une copie littérale et souvent vaine de la peinture à l'huile. Un des plus riches fleurons de l'art français, réduit ainsi à une sorte d'esclavage, ayant perdu toute indépendance, mourait de sa belle mort, perdait ses artisans, laissait s'éteindre cet immense prestige qu'il eut autrefois sur toute l'Europe.*

La métaphore est puissante et semble inscrire le travail des rénovateurs de la tapisserie comme dans un accompagnement des mouvements de résistance à l'occupation allemande et au régime de Vichy. La même année, les éditions

16. 10 fils de chaîne au centimètre, comme pour les tapisseries du diptyque *Les saisons et les arts* tissé en 1936 par l'atelier Marcelle Delarbre (collection Cité de la tapisserie, inv. 94.4.1 et 97.11.1.

17. "Tapisseries françaises", *Formes et couleurs*, Lausanne, n° 5-6, décembre 1942.

18. Entr'aide des artistes, *Exposition de tentures murales d'Aubusson*, catalogue d'exposition, Toulouse, musée des Augustins, 1943.

Braun publient dans leur collection *Initier* un petit ouvrage *Tapisseries contemporaines Aubusson Lurçat Gromaire* dont le texte est écrit par Lurçat lui-même[19]. Son approche est surtout historique et lorsqu'il évoque leur démarche, il se réfère encore aux œuvres anciennes, louant les pièces médiévales et critiquant "cette véritable syncope qui survint dès le XVIIIe siècle", Oudry et son siècle étant lourdement critiqués à plusieurs reprises malgré la brièveté du propos.

La revue *Le point* (revue artistique et littéraire, éditée dans le Lot) consacre son numéro de mars 1946 à *Aubusson et la renaissance de la tapisserie*[20]. Illustré d'un somptueux reportage photographique réalisé par Robert Doisneau, cet opuscule contribuera à la réputation de l'œuvre de Lurçat. Georges Salles, directeur des musées de France, y reprend certains arguments lus ailleurs : "Pour reproduire le fondu de la palette, le dégradé des teintes réclama un arsenal de quatorze mille numéros contre une cinquantaine en usage jusqu'au XVIIe siècle". Un article de François Tabard[21], qui offre l'approche d'un aubussonnais "pure souche", apporte sa caution à Jean Lurçat. Si Georges Salles peut parler depuis Paris des manufactures nationales, comment ne pas faire confiance à un descendant de lissiers et maîtres lissiers aubussonnais depuis 1637 (comme il est écrit sur le papier à en-tête de l'atelier) ? "[...] insensiblement on arrive au tableau en tapisserie qui va marquer les productions de nos manufactures pendant le XVIIIe siècle". La rédaction du journal, se fend d'une page de précisions techniques édifiantes en donnant le nombre de fils de chaîne au centimètre à travers l'histoire mais surtout le nombre de nuances dans les laines employées pour la trame : de 17 à 25 nuances aux origines, puis à partir du XVIIe siècle :

> ***Le nombre de nuances par tenture passe de 20, 25 à 50, 100, 200 etc. Au XVIIIe siècle, Oudry, Intendant des Manufactures Nationales, décrète que les tapisseries devront tout mettre en œuvre pour être "le reflet des tableaux peints à l'huile". On atteint alors le chiffre de 4 à 600 nuances par tenture.***

Un mois plus tard, en avril 1946, Pierre Hirsch dans son ouvrage *Jean Lurçat et la tapisserie*[22] écrit :

> ***Mais toute la sagesse de Lurçat fut de comprendre alors même qu'il avait dépassé le stade de la stricte économie domestique, la nécessité de maintenir et d'imposer une limitation des coloris ; ce faisant, il partait en***

19. J. LURÇAT, *Lurçat. Gromaire, tapisseries contemporaines à Aubusson*, Lyon, Braun & Cie, 1943.

20. *Aubusson et la renaissance de la tapisserie*, Souillac, Le Point, 1946.

21. *Ibid.*, p. 36.

22. Pierre HIRSCH, *Jean Lurçat et la tapisserie*, Paris, Victor Michon éditeur, 1946.

réaction contre les tendances officielles de l'époque. Depuis le XVIIe siècle en effet à la recherche du coloris franc et mâle du moyen-âge s'était substituée celle de la nuance. L'ingéniosité des teinturiers, au prix de savants mélanges, avait permis la constitution d'une gamme de coloris allant au-delà de 14 000 tons. Les entreprises privées d'Aubusson et les Manufactures Nationales (Beauvais et Gobelins) vivaient sous le signe de la surabondance en matière de coloris.

Il serait fastidieux de présenter ici chaque ouvrage; il est très visible que les auteurs se reprennent les uns les autres et ne regardent pas les œuvres tissées proprement dites. Progressivement un discours s'installe et les efforts de nouveautés pour éviter le plagiat amènent les auteurs à amplifier le discours précédent, parfois par des amalgames hasardeux: ainsi de faire passer le nombre de couleurs (14400) du nuancier établi par Chevreul en 1861, comme le standard de la gamme chromatique aubussonnaise du XVIIIe!

Avant guerre, la tapisserie qui pose problème dans sa relation à la peinture est celle du XVIIIe siècle; après la guerre la condamnation s'étend au XVIIe. Du coup, on lit dans *Muraille et Laine*, ouvrage collectif daté de 1946, mais achevé d'imprimer en janvier 1947[23]:

"Il eut été normal que nous eussions résolument écarté tout ce qui appartient au XVIIe et XVIIIe siècle", ou plus loin "Mais la décadence de la tapisserie ne fut pas uniquement due à des erreurs d'ordre technique telles qu'une trop grande abondance de points ou l'emploi ruineux d'une multiplicité excessive de tons juxtaposés [...]".

En 1947, Jean Lurçat publie *La tapisserie française*[24], ouvrage dans lequel il expose sa vision de la tapisserie et de son rôle. Sous forme d'un dialogue entre lui et un "lecteur" anonyme, Lurçat prend un ton badin et parfois incisif pour détailler son approche technique de la tapisserie. Ainsi, à propos d'une objection que le lecteur anonyme avance contre la limitation de la gamme chromatique, comme frein éventuel à la créativité, la réponse fuse: "Jean-Sébastien Bach a-t-il jamais exigé un pianoforte à vingt-cinq octaves?".

Tous ces éléments de discours infusent progressivement dans l'imaginaire, et la connaissance de la tapisserie. Lors de petites expositions de tapisseries contemporaines, comme celle d'une dizaine de pièces organisée en 1951 à Niort par la chambre de Commerce et d'Industrie de Niort et des Deux-Sèvres, la plaquette

23. *La tapisserie française. Muraille et laine*, Paris, Pierre Tisné, 1946.

24. J. LURÇAT, *La tapisserie française*, Paris, Hachette, 1947.

éditée à cette occasion comprend un petit texte resituant l'art de la tapisserie médiévale, puis son déclin au XVIIe et XVIIIe siècles :

> *La déviation de l'art même de la tapisserie qui cessa dès la fin du XVIIe siècle de constituer un art indépendant pour s'agréger à la peinture. La règle d'or édictée alors par la voie officielle était pour les liciers de "donner à leur ouvrage tout l'esprit et toute l'intelligence des tableaux". C'était condamner la Tapisserie.*

Le martèlement éditorial propage donc une double idée :

1. la tapisserie du XVIIIe siècle a dévoyé l'art de la lisse qu'il convient de ramener à ses principes fondamentaux médiévaux.
2. Jean Lurçat est l'artisan de ce retour à une tradition technique salvatrice pour l'essor de cet art contemporain.

Le second point découle du premier qui doit être le plus clair possible, quitte à employer quelques contrevérités historiques. En voici deux exemples :

La plaquette *Le nouvel art contemporain*, éditée par Les amis de l'art, mouvement de culture et de propagande artistiques agréé par le ministère de l'Éducation nationale et présidé par René Huyghe et Gaston Diehl, dans les années 1950, publie :

> *La Tapisserie française qui, à l'époque gothique, en respectant les lois du métier et de la décoration murale, avait créé des œuvres merveilleuses, se dénatura à partir du XVIIe siècle en voulant rivaliser avec la peinture. Elle vient d'être rendue à son génie propre grâce avant tout à Jean Lurçat.*

Le catalogue de l'exposition toulousaine *La tapisserie contemporaine*[25] organisée durant l'été 1951 au musée des Augustins commémore implicitement le huitième anniversaire de l'exposition de janvier 1943 déjà citée. L'introduction de la publication est très claire :

> *Chacun sait que Jean Lurçat a consacré l'essentiel de son talent et de son activité à restaurer l'art de la Tapisserie. La guerre vient interrompre cette œuvre au moment même où elle se déployait vigoureusement. Peu de temps avant la libération de Paris, Denise Majorel rencontre Jean Lurçat qui, d'Aubusson où il avait séjourné au début de la guerre, a longuement mûri le problème de cette renaissance et le lui expose dans toute son étendue : esthétique et économique. Pour le premier point, il s'agit, réparant*

25. *La tapisserie contemporaine*, catalogue d'exposition, Toulouse, musée des Augustins, 1951.

> *l'erreur qui au* XVIIIe *siècle avait fait de la tapisserie, en la réduisant au rôle de copie de la peinture de chevalet, un art précieux et luxueux, de lui rendre son caractère originel.*

Ce *"chacun sait"* du début de la citation, fait basculer une assertion discutable en un fait historique. Le politiquement correct est établi[26], ainsi que ce qu'il convient d'appeler "la tradition orale scientifique", si dure et délicate à amender sinon à remettre en cause. Cela vaudra à Pierre Vaisse, une véritable disgrâce aubussonnaise et "Lurçatienne" pour avoir osé écrire en 1965 dans son article *Sur la tapisserie contemporaine* dans la revue *L'information d'histoire de l'art* que "Les historiens futurs de la tapisserie auront à analyser et définir l'apport de ces deux hommes [Antoine Marius-Martin et Élie Maingonnat], mais un point est déjà acquis: Lurçat n'aurait jamais produit sans eux les œuvres qu'il a produites".

Il faut dire qu'en cette année 1965, les temps n'étaient pas à une analyse historique tant soit peu critique, comme en témoigne la communication de Jean Lurçat à l'Académie des beaux-arts le 24 mars, intitulée "La tapisserie murale, méthodes et développement actuels" où Oudry cité à plusieurs reprises apparaît caricaturalement:

> *Ouiche! Oudry avait violenté la fille* [la tapisserie] *et Oudry l'avait rendue stérile pour deux siècles! Record de brute!*

L'École Nationale d'Art Décoratif d'Aubusson, après le départ en retraite de son directeur Élie Maingonnat en 1958, est réorganisée et connaît un fort développement sous la houlette de Michel Tourlière. Ainsi en 1968-1969 est construit le bâtiment actuel, développée une nouvelle collection de tapisseries contemporaines, réorganisée la pédagogie, etc. Dans le cadre du chantier des collections consécutif au dépôt des fonds de l'ENAD auprès de la Cité internationale de la tapisserie, deux cours dactylographiés d'histoire de la tapisserie, reprographiés en plusieurs exemplaires, ont été retrouvés non signés, non datés. Ils semblent avoir été en usage auprès des élèves lissiers dans les années 1960-1970. On y retrouve cette fois le discours désormais établi considérant le XVIIIe siècle comme une période néfaste à l'art de la tapisserie aubussonnais. Les cours détaillent tour à tour l'histoire des Gobelins, de Beauvais et enfin d'Aubusson, sous les angles administratifs, puis techniques et artistiques, redéfinissant le XVIIIe siècle aubussonnais comme une période de décadence. Ces cours ont été transmis jusqu'aux années 1980 aux lissiers en formation au sein de l'ENAD.

---

26. Le discours désormais officiel sur le rôle de Jean Lurçat va même passer les barrières de l'Éducation nationale, ainsi la BT, Bibliothèque de travail n° 696 du 15 décembre 1969, lui est entièrement consacré.

L'EXAMEN DES ŒUVRES

En 2013, en partenariat avec le professeur Pascal Bertrand de l'université Bordeaux 3, La Cité internationale de la tapisserie organisa au musée l'exposition *Aubusson tapisserie des Lumières*[27]. Par le choix des œuvres, elle constituait un vaste panorama de cette production désormais totalement brouillée par un demi-siècle de littérature caricaturale. Des pièces admirables permettaient de redécouvrir la très haute qualité de la production de cette période, en particulier, les œuvres dites d'étaim[28] fin, souvent réservées à l'exportation.

L'examen des œuvres réserve des surprises :

La *Verdure fine aux armes du Comte de Brühl*[29] — datée des années 1740-1750, sur un carton de Jean Joseph Dumons, d'après une composition de Jean-Baptiste Oudry — est tissée à sept fils au centimètre **[fig. 1]**.

Fig. 1 : Jean-Joseph Dumons, carton d'après Jean Baptiste Oudry, *Verdure fine aux armes du comte de Brühl*, tapisserie en laine et soie, tissage de l'atelier De Landriève, Aubusson, vers 1750, Cité internationale de la tapisserie, Aubusson.

27. "Aubusson, tapisseries des Lumières". Exposition d'intérêt national, de juin à novembre 2013, Cité internationale de la tapisserie. Important catalogue : Pascal BERTRAND, *Aubusson, tapisseries des Lumières*, Paris, Snoeck éditions, 2013.

28. Ce mot "étaim" désigne une qualité fine de fils de laine, servant à la production de l'étamine, d'où la présence de la lettre m en terminaison.

29. Repérée par Pascal Bertrand parmi les collections de la galerie Neuse à Brême et acquise depuis par la Cité internationale de la tapisserie, grâce au fonds du patrimoine du ministère de la Culture, le Conseil régional du Limousin, le Conseil général de la Creuse, une souscription populaire soutenue par la Fondation du patrimoine, la Société des Amis de la Cité internationale de la tapisserie et la Société des sciences de la Creuse. Voir P. BERTRAND, *Aubusson, tapisseries [...]*, *op. cit.*, p. 46-52.

L'examen des cours d'eau représentés ne montre pas une utilisation pléthorique de nuances (aucun ton fondu) mais la juxtaposition de bandes parallèles de cinq millimètres à un centimètre de largeur utilisant seulement sept bleus différents avec ça et là des bandes de tons bruns **[fig. 2]**. Cette technique assez grossière permet pourtant d'accentuer et de rendre au mieux l'effet d'écoulement et d'ondulation en cascade de l'eau entre les rochers. Ces derniers sont quant à eux traités par des aplats de quatre bruns différents simplement échelonnés par des hachures de plus d'un centimètre de long. De même au niveau de l'arrière plan, constitué d'un subtil paysage de collines et villages, presque brumeux, il n'y a pas de tons fondus pour rendre cette finesse de perspective et de lumière champêtre **[fig. 3]**. Au contraire, c'est un florilège d'éléments techniques propres à l'écriture des lissiers aubussonnais qui est mis en œuvre : des hachures intelligemment croisées entre des aplats pour rendre les plans successifs du vallonnement de prairies et de rochers, des battages francs pour les toitures des maisons, des feuillages en aplats de couleurs pures présentant un très beau choix de teintes de qualité.

Fig. 2 : *Verdure fine aux armes du comte de Brühl*, la cascade, détail, Cité internationale de la tapisserie, Aubusson.

Vénus aux forges de Lemnos[30] — datée des années 1760, sur un carton de Louis Lagrenée (1724-1805) — est tissée à environ sept fils et demi au centimètre **[fig. 4]**. L'œuvre appartient à une tenture en six pièces à sujets mythologiques, demandée par l'administration royale à Louis Lagrenée pour une commande exceptionnelle à la manufacture royale d'Aubusson[31].

Le traitement du visage du personnage central en bas de la tapisserie **[fig. 5]**, est donné par une série d'aplats finement tracés pour rendre compte des plans marquant les rides du front, la rondeur des paupières et des joues. Les couleurs de ces surfaces juxtaposées sont contrastées réparties en huit teintes (encore plus soutenues à l'époque) : deux bruns, un grisé (qui pouvait à l'origine être bleuté), un rouge, un rose, un saumon, un blanc cassé, un blanc cassé rosé. Parfois certaines zones de couleurs sont séparées par une ligne d'ajours, permettant techniquement l'impression d'un trait sombre, comme pour marquer la profondeur d'une ride.

30. Œuvre acquise fin 2012 par la Cité de la tapisserie avec l'aide du FRAM Limousin. Son repérage a été permis grâce à l'information transmise par Armand Deroyan et Pierre-Yves Machault.

31. P. BERTRAND, *Aubusson, tapisseries [...]*, *op. cit.*, p. 200-211. Marie-Hélène de Ribou, communication orale, séminaire Arachné, 13 décembre 2014, Paris. À paraître.

Fig. 3 : *Verdure fine aux armes du comte de Brühl*, maisons du village à l'arrière-plan, détail, Cité internationale de la tapisserie, Aubusson.

Fig. 4 : Louis Lagrenée (carton), *Vénus aux forges de Lemnos*, tapisserie en laine et soie, tissage d'un atelier d'Aubusson, vers 1760, Cité internationale de la tapisserie.

Fig. 5 : Louis Lagrenée (carton), *Vénus aux forges de Lemnos* (détail), tapisserie en laine et soie, tissage d'un atelier d'Aubusson, vers 1760, Cité internationale de la tapisserie, Aubusson.

À gauche de la tapisserie, le personnage à la forge a été tissé en utilisant des rayures très marquées **[fig. 6]**. Le côté des joues et du front présente de grandes et simples hachures brunes associées à des aplats aujourd'hui gris qui marquent fortement le contraste du visage exposé à la chaleur et à la lumière du feu de la forge. Les ombres ainsi très marquées verticalement, renforcent l'expression du visage soumis à une atmosphère extrême, ainsi qu'à un dur labeur physique.

Notons toutefois qu'à la différence des hommes, le traitement des chairs dans le visage des femmes s'est fait en subtils mélanges de couleurs et en dégradés fondus, pour le coup un peu à la manière d'un peintre.

Dans le vêtement de Vénus, les rayures très marquées, voire grossières vues de près, configurent pourtant très bien de loin le relief et les ombres du drapé de la manche **[fig. 7]**. La robe est tissée avec six nuances de jaune réparties en quatre soies et deux laines.

Le drapé de Vulcain est réalisé avec seulement quatre nuances de laine rouge. Le traitement du reflet de cette toge dans le bouclier de bronze poli est traité par quelques allers-retours de la laine rouge au milieu des ocres **[fig. 8]**. Ces fines et longues hachures d'une vingtaine de centimètres de haut sont d'une écriture technique simple pour un remarquable effet plastique.

Aucune pièce n'atteint dix fils de chaîne au centimètre, alors que nous sommes sur la qualité la plus fine tissée à cette époque.

Les exemples pourraient être multipliés et on pourrait décrire de la même façon la remarquable cérémonie du thé d'après Dumons et Boucher[32] ou encore la sublime tenture en trois pièces[33] des *Amusements champêtres* d'après Jean-Baptiste Oudry (bien malmenée depuis le début de cet article), florilège de personnages aux étoffes somptueuses, rendues par le lissier avec en général moins de cinq couleurs pour chaque vêtement.

Clairement, les auteurs des textes cités n'ont pas vu (ou du moins regardé) les œuvres dont ils parlent avec tant de critiques quant à leur aspect et leur technique de "simili-peinture" invisible même dans les pièces les plus fines et virtuoses de la production aubussonnaise du siècle des Lumières.

32. P. BERTRAND, *Aubusson, Tapisseries [...], op. cit.*, p. 100, détails p. 80, 88 et 113.
33. *Ibid.*, p. 212-213.

Fig. 6 : Louis Lagrenée (carton), *Vénus aux forges de Lemnos* (détail), visage d'un ouvrier de forge, tapisserie en laine et soie, tissage d'un atelier d'Aubusson, vers 1760, Cité internationale de la tapisserie, Aubusson.

Fig. 7 : Louis Lagrenée (carton), *Vénus aux forges de Lemnos* (détail), drapé de la robe de Vénus, tapisserie en laine et soie, tissage d'un atelier d'Aubusson, vers 1760, Cité internationale de la tapisserie, Aubusson.

Fig. 8 : Louis Lagrenée (carton), *Vénus aux forges de Lemnos* (détail), le bouclier de bronze poli tenu par Vulcain, tapisserie en laine et soie, tissage d'un atelier d'Aubusson, vers 1760, Cité internationale de la tapisserie, Aubusson.

Le XIXe siècle en cause dans la mauvaise interprétation des œuvres du XVIIIe ?

La production du XIXe siècle reprend nombre de représentations d'œuvres tissées au siècle précédent. François Tabard écrit "C'est l'ère des faux Boucher, des faux Lancret, des faux Watteau, *etc.*" Ces tissages, virtuoses du XIXe siècle, atteignaient ou dépassaient-ils les dix fils de chaîne au centimètre ? Se caractérisaient-ils par des tapisseries à tons fondus dans lesquelles l'écriture technique du lissier y aurait été discrète, ces œuvres étant traitées dans l'esprit de simili-peintures ?

Certains cartons conservés dans les fonds Braquenié et Hamot de la Cité internationale de la tapisserie[34] sont des huiles sur toile. De tels cartons embarqués sur le métier à tisser auraient pu inciter le lissier à exprimer sa virtuosité dans une recherche de couleurs très vaste pour répondre au mieux aux innombrables nuances présentes dans la peinture. L'évolution de la structure économique de la production de tapisseries durant le XIXe siècle est marquée par l'émergence de grandes manufactures fortement capitalisées et disposant de leurs propres teintureries. De fait les magasins de laine deviennent immenses, les lissiers s'y servent selon leurs besoins.

> ***Sous couvert de reproductions d'ancien, l'industrie de la tapisserie a vécu presque uniquement pendant les cinq dernières décades de copies et hélas le plus souvent, de véritables caricatures des productions des époques passées.***[35]

Tatiana Lekhovich, conservatrice des tapisseries au musée de l'Ermitage à Saint-Pétersbourg a présenté récemment[36] la tenture commandée par le tsar aux établissements Braquenié à Aubusson en 1898 pour le Palais d'hiver. Cette tenture en quinze pièces est inspirée par François Boucher **[fig. 9]** ; plusieurs de ses compositions bien connues ont été reprises et tissées avec une grande finesse. Au sein des milliers de cartons de tapisseries du fonds Braquenié[37], nous avons pu identifier l'un des cartons modèles de cette prestigieuse commande, il s'agit d'une huile sur toile. L'aspect, la matérialité, la technique d'un tel tissage n'ont rien en commun avec une tapisserie tissée du vivant de Boucher, c'est un autre type de tapisserie que l'on réalise là. Les pièces aujourd'hui conservées à Saint-Pétersbourg sont entièrement tissées en soie sur une chaîne de lin composée de huit fils par centimètres.

34. Le carton *La descente de l'escalier de l'Opéra*, par Brouillet et Visconti, provenant de la manufacture Braquenié est une huile sur toile de 3,71 m de haut par 2,57 cm de large, inv. 2003.7.1.

35. F. TABARD, *Aubusson et la renaissance [...], op. cit.*, p. 36.

36. Séminaire Arachné, 5e session, 3-4 octobre 2013, Aubusson. À paraître.

37. Conservé au sein des locaux des Archives Départementales de la Creuse.

Fig. 9 : François Boucher (carton), Composition, tapisserie en soie, tissage de la manufacture Braquenié, Aubusson, vers 1898, musée de l'Ermitage, Saint-Pétersbourg.

Mais cette commande exceptionnelle est-elle représentative de l'entier siècle finissant ou annonce-t-elle une évolution technique propre aux premières années du XXe siècle ?

Albert Castel lui-même, posait en 1876 un regard contemporain sur cette production :

> *La tapisserie se transforme en art de pure imitation, mais procédant toutefois dans les limites imposées par la nature du tissu, par les ressources du teinturier, par l'emploi de la laine et de la soie, substitué à celui d'une couleur fluide. De ces diverses conditions résulte, non une copie, mais une traduction où le coloris du modèle est reproduit avec une fidélité, une vigueur, une harmonie, une science inconnue des siècles précédents.*[38]

La tapisserie du XIXe siècle traduit l'éclectisme de son époque, parmi celui-ci l'attrait pour le style et les sujets du XVIIIe. Ce goût passant de mode au cours du XXe siècle, apparaît la nécessité de renouveler la tapisserie en l'adaptant à une modernité postimpressionniste. Les ateliers d'Aubusson y gagnent grâce aux travaux de l'ENAD, les fils sont plus gros, les couleurs peu nombreuses, les temps d'exécution plus courts. La tapisserie du XVIIIe siècle est alors résumée à une approche caricaturale, peut-être nourrie d'une lecture un peu rapide des techniques mises en œuvre à la fin du XIXe siècle ou au début du XXe siècle. La confusion est installée. L'écriture technique des tapisseries des XVIIe et XVIIIe siècles est aujourd'hui à redécouvrir, en parallèle des éléments historiques qui sont à réajuster. Tandis que l'examen des pièces du XIXe siècle, entièrement à mener, ouvre de nouveaux champs d'analyses… La thèse de doctorat récemment soutenue par Barbara Caen, ou les recherches en cours de Pierre Vaisse offrent la perspective d'heureuses redécouvertes.

38. A. Castel, *Les tapisseries*, *op. cit.*, p. 304.

Les peintres-décorateurs : le dialogue entre le faire et le penser

Troisième partie

14

Les plafonds à poutres et solives. Décors peints et dorés dans la seconde moitié du XVIe siècle en France

Évelyne Thomas

Résumé — Les plafonds à poutres et solives peintes, traditionnels en France depuis la période médiévale, ont vu leur décor profondément renouvelé au milieu du XVIe siècle. Ce changement a touché à la fois la technique, l'organisation du champ décoratif et le répertoire ornemental. Le plafond de la chambre du roi Henri II à Écouen est un exemple précoce de la nouvelle mode des plafonds peints imitant le bois veiné, sur lequel se met en place une formule décorative originale qui connaîtra un grand succès. D'autres formules coexistent, et le décor peint se fait de plus en plus dense au fil du temps.

Mots-clefs — Histoire de l'architecture, plafond, ornement, cartouche, moresque, France, Écouen, Chenonceau, Loches, Bournazel, Vallery, Monts-sur-Guesnes, XVIe siècle.

Abstract — Ceilings with painted beams and joists, which have been traditional in France since the Medieval Period, saw their décor greatly renewed in the mid-sixteenth century. This change affected not only the technique and the organization of the decorative field but also the ornamental repertoire. The ceiling of the Chamber of King Henri II at Ecouen is an early example of the new fashion of the painted ceilings imitating veined wood, together with an original decorative formula which was to have great success. Other formulas coexisted, and painted decoration became denser and denser with time.

Keywords — History of Architecture, ceiling, ornament, cartouche, moresque, France, Écouen, Bournazel, Chenonceau, Loches, Monts-sur-Guesnes,Vallery, 16th century.

Que savons-nous des décors peints des plafonds à poutres et solives de la seconde moitié du XVIe siècle[1] ? Le sujet impose prudence et humilité car l'essentiel a disparu. L'analyse se fonde sur ce qui n'a pas été détruit, infime partie d'un corpus dont nous ignorons tout ou presque. Toutefois, des décors inédits réapparaissent encore, souvent à l'occasion de travaux où l'on fait tomber de faux-plafonds qui les occultaient et les protégeaient. Par ailleurs, des contrats détaillés ont été publiés, qui apportent des éclairages précis sur le travail des peintres, sur les questions relatives aux matériaux et aux techniques, et sur les motifs et les formules ornementales[2].

Le plafond à poutres et solives apparentes est traditionnel en France, il en subsiste de beaux exemples peints médiévaux. Au début du XVIe siècle, l'arrivée de la Renaissance met à la mode les plafonds à caissons[3], mais l'engouement pour la nouveauté ne fait pas disparaître le système traditionnel. L'éclipse n'est pas totale, comme en témoignent plusieurs plafonds. À l'Islette[4], poutres et solives sont encore moulurées, selon la manière propre au début du XVIe siècle **[fig. 1]**. À Chenonceau, on introduit l'un des premiers plafonds à caissons dans un cabinet, mais d'autres pièces ont des plafonds à poutres et solives apparentes[5] **[fig. 2]**. Le décor peint, sur les moulures de bois ou sur les faces des solives, emprunte aux moulures de pierre le répertoire des motifs en série, rais de cœur, grains espacés entourés d'un ruban, tresse etc. **[fig. 2]**. Vers le milieu du XVIe siècle, les formules ornementales changent, les moulures disparaissent et laissent le seul effet décoratif à la peinture, et à la dorure pour les décors les plus luxueux.

La couleur et la dorure

Le premier effet décoratif est celui de la couleur, qui est l'objet d'un soin attentif. Dans les marchés, on précise les couleurs à utiliser et la manière dont on doit les mettre en contraste, par exemple en distinguant entre les entrevous et les solives. Ainsi le blanc et le vert dans un contrat de Jean Patin en 1565, pour la maison de Joseph Foulon, abbé de Sainte-Geneviève-du-Mont à Auteuil :

1. Sur le sujet, abordé de manière plus large, voir Sylvanie ALLAIS, *Le décor des plafonds au XVIe siècle*, mémoire de DEA sous la direction de Jean GUILLAUME, Tours, CESR, 1998.

2. Voir en particulier Catherine GRODECKI, *Documents du Minutier central des notaires de Paris : Histoire de l'art au XVIe siècle (1540-1600)*, t. 1 et 2, Paris, Archives Nationales, 1986.

3. Dans le système des caissons, les poutres et solives ne disparaissent pas, mais elles ne sont plus visibles, cachées par les caissons.

4. Le château de l'Islette se trouve à Azay-le-Rideau. La structure du plafond date de 1530 environ, le décor peint a été remanié XIXe.

5. À Chenonceau, les restaurations du XIXe siècle ont surtout concerné les entrevous et les corniches, mais certaines solives sont restées presque intactes, selon le témoignage de Sabine de Freitas, restauratrice qui est intervenue sur les plafonds en 1996. Nous la remercions vivement pour toutes les précisions qu'elle nous a données concernant Chenonceau.

[...] paindre le plancher de la salle d'en bas de blanc et vert, c'est assavoir les solives vertes et l'entrevoult blanc [...].[6]

Fig. 1 : L'Islette (Indre-et-Loire), plafond de la salle à l'étage.
Fig. 2 : Chenonceau (Indre-et-Loire), salle dite de François Ier.

6. C. GRODECKI, *Documents [...], op. cit.*, t. 2, p.200.

La mode du faux bois

La couleur à la mode en 1550, qui s'impose jusque dans les années 1580, est celle qui imite le bois, et, de manière plus spécifique, le bois de noyer. Nombre de mentions font référence à la couleur bois dans les contrats, par exemple à l'hôtel du Maréchal de Saint-André, rue des Deux-Écus, dès 1549 : "ledict boys acoustré d'une coulleur brune contrefaisant le noyer et le reste desd. solliyves et poultres desdictes chambres et salle les acoustrer de mesme brun et le tout vernyr en verny bien sentant[7]".

L'application d'une couleur imitant le bois unifie l'ensemble du plafond, solives et entrevous, contrairement à la formule des deux couleurs contrastées, citée plus haut. Certains contrats le précisent expressément, ainsi au manoir de Vaugien en 1559 : "sera tenu vernyr de bon verny loyal et merchant en coulleur de boys noyer tout le plancher de lad. salle, tant les poultres et solives que le vuyde[8]".

Dans les cas plus raffinés, on précise que le bois doit être veiné, comme au château de Vallery en 1566 : "faire à ses despens de paincture les planchers de deux salles [...] et les vernir en coulleur de bois de noyer venée[9]".

Enfin une grande attention est portée aux matériaux, vernis, colle, huile etc. En 1584 au monastère du Bois à Vincennes, il est demandé d'employer exclusivement le "vernis d'aspic" : "peindre de coulleur de boys [...] et vernyr de couches et colle et pardessus lesd. couches et colle, vernyr de verny d'aspic, sans mettre aucun autre verny, tous les planchers de chambres [...][10]".

Le vernis d'aspic fait référence à l'huile d'aspic (*oleum spicae*), ou huile essentielle de lavande. Dès le XVIIe siècle les auteurs expliquent la confusion entre les deux mots, "spic" et "aspic" : "Le vrai nom de l'huile dont il est question ici est l'huile de spic, c'est par corruption qu'on le nomme huile d'aspic[11]".

L'essence d'aspic utilisée pour le vernis est obtenue par distillation de la lavande. Moins volatile que d'autres essences, elle convient à la réalisation de travaux à prise lente, et précisément à la création de faux bois, mêlée à des pigments divers. Très résineuse, elle était appréciée au XVIe siècle pour ses qualités intrinsèques car c'était un excellent liant pour les pigments naturels, ce qui explique qu'on la précise dans les contrats.

Le plafond à poutres et solives de la chambre du roi Henri II à Écouen est une interprétation luxueuse de ce type de plafond à peinture imitant le bois **[fig. 3]**. En effet, le peintre a utilisé deux couleurs, une teinte ocre pour le fond et une

7. *Ibid.* t. 1, p. 58.

8. *Ibid.*, p. 149.

9. *Ibid.* p. 148.

10. C. Grodecki, *Documents [...], op. cit.*, t. 2, p. 198.

11. Antonio Neri (1576-1614), Christopher Merrett (1614-1695), Johannes Kunckel (1630?-1703), *Art de la verrerie, auquel on a ajouté le Sol sine veste [...]*, Paris, chez Durand, 1752, p. 340.

teinte terre de Sienne pour dessiner de longues lignes serpentant dans le bois et des nœuds arrondis. A-t-il voulu imiter précisément le bois de noyer, souvent cité dans les contrats du temps ? Le marché passé pour la peinture de ce plafond ne nous est pas parvenu. Peut-être ne faut-il pas chercher de réalité botanique dans ce décor de faux bois, tout comme il n'y a pas toujours une réalité botanique dans la végétation ornementale en général. Ce décor n'est pas daté précisément, toutefois il est probable que la chambre royale ait été aménagée lorsqu'elle a été rendue accessible par l'escalier. Les recherches pour identifier le peintre sont restées à ce jour infructueuses[12].

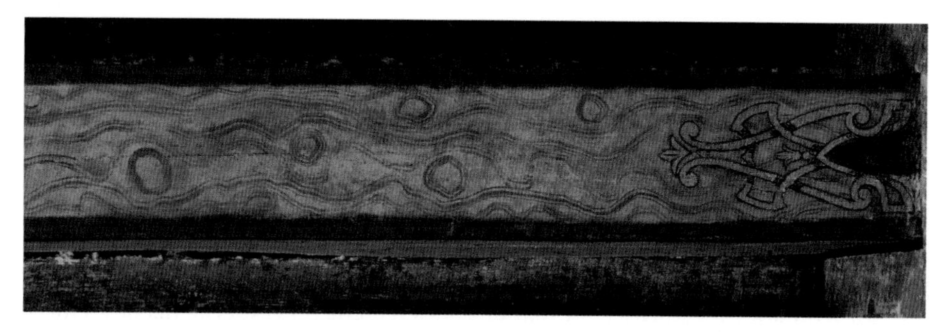

Fig. 3 : Décor peint d'une solive imitant le bois, détail, château d'Écouen (Val-d'Oise), chambre du roi Henri II.

Il arrive que des travaux de peinture et de dorure soient confiés au talent d'autres corps de métiers. Ainsi, à l'hôtel de Jacques d'Albon, Maréchal de Saint-André, rue des Deux-Écus, cité plus haut, le célèbre Scibec de Carpi, menuisier du roi, est mentionné dans le contrat du 27 mars 1549, aux termes duquel il s'engage à réaliser des travaux de menuiserie, mais aussi de peinture et de dorure pour les lambris, poutres et les solives :

> *Faire, parfaire et enrichir bien et deuement au dit des gens ad ce congnoissans les planchers de la salle et chambre au second estaige du logis dud. sieur chevallier assis à Paris, aiant yssue rue des Vieilles Estuves, des Deux Haches et rue d'Orléans. C'est assavoir de fournir autour des murailles desd. chambre et salle ung lambrys de boys de mesme haulteur et ouvraige que les poultres dud. estaige, soubz lesquelz lambrys seront atachez les tappisseries, ledict boys acoustré d'une coulleur brune contrefaisant le noyer et le reste desd. sollyves et poultres desdictes chambre et salle les acoustrer de mesme brun et le tout vernyr en verny bien*

12. Magali Bélime-Droguet a étudié cette question, mais aucun des peintres connus ayant travaillé à Écouen ne semble correspondre : Magali BÉLIME, *Les frises de grotesques au château d'Écouen*, mémoire de maîtrise sous la direction de Jean GUILLAUME, Paris 4, 1995 (en particulier p. 49-50).

> *sentant et sur chacune sollive, poultre et lambrys enrichir d'or fin des ouvraiges et deviz qui luy ont esté divisez. Et pour ce faire, led. Me Francisque sera tenu et promect de fournir de toutes estoffes adce necessaires, reservé que l'on sera tenu de luy fournir d'eschaffaulx, ferrures et maconnerie* [...].[13]

La dorure

Les chantiers les plus luxueux ont recours à la dorure, appliquée soit au pinceau, soit à la feuille. Au XVIe siècle, la dorure est encore appliquée au pinceau directement sur le bois, à la colle de peau de lapin, si bien que la dorure laisse souvent transparaître les veines du bois. Ce n'est qu'au XVIIe siècle que se généralisera la préparation du fond, avec un *gesso* teinté de blanc de Meudon, qui permettra des effets de mat et de brillant. La dorure est habituellement utilisée pour les filets, ou autres rehauts décoratifs, monogramme etc.

À Chenonceau, dès la première moitié du XVIe siècle semble-t-il, on inverse cet effet ornemental : les solives sont d'abord entièrement dorées, et le décor à l'huile est posé sur ce fond. Le décor à l'huile a été posé sur les fonds entièrement dorés, tant pour les solives que pour les corniches, ce qui montre l'extrême richesse du commanditaire. La finesse des glacis et la brillance des couleurs indiquent l'utilisation de l'huile d'œillette et de pigments naturels[14] **[fig. 2]**. Les motifs utilisés sur les parties d'origine, des grains enfilés avec ruban tournant, invitent à dater ce décor de la première campagne de construction, celle de Thomas Bohier, car ce répertoire n'est plus en faveur au milieu du XVIe siècle.

La dorure peut aussi être posée à la feuille, en particulier pour les filets, et l'on applique alors, bout à bout, de petites bandes d'or. Il est possible de voir à l'œil nu les raccords entre les bandes, environ tous les huit centimètres[15].

Les filets

Les filets, réalisés en peinture ou en dorure, délimitent le champ décoratif par un cadre. Ils suivent la longueur des solives et des poutres, sur le plat-fond, voire les faces latérales. On trouve mention des filets dans les contrats, où l'on utilise

13. C. Grodecki, *Documents [...], op. cit.*, t. 1, p. 58.

14. Ce détail a été observé par Sabine de Freitas, restauratrice, en particulier dans le plafond du salon dit de François Ier. Le contraste est saisissant avec les entrevous, restaurés au XIXe siècle, où les quelques dorures sont réservées aux rehauts.

15. Voir *infra*.

l'expression "dorer les filets[16]". Lorsque les filets sont dorés à la feuille, leur largeur est précisée de manière indirecte, car le rédacteur indique le nombre de bandes à découper dans la feuille qui est de largeur fixe. En effet, la dimension de la feuille d'or n'a pas varié depuis le XVIe siècle — c'est un carré de 84 millimètres selon notre système métrique —, et l'on précise le nombre de filets à la feuille, souvent 3 ou 5, ce qui correspond à une largeur de filet de 28 ou 17 millimètres environ. Dans un marché de 5 novembre 1554, Thomas Leplastrier s'engage à respecter des consignes très précises dans l'hôtel du duc de Guise à Paris, les filets d'or étant plus étroits sur les solives et plus larges sur les poutres :

> [...] *C'est assavoir, de paincdre et vernyr le plancher de la grant salle haulte dudict hostel, et de chacune solive du dict plancher y faire deux bortz et filletz d'or fin de la largeur de cinq à la feullie ; aussy de faire quatre bortz soubz chacune des dictes poultres et demye poultre de la dicte grant salle, lesquelz quatre bortz se sépareront chacun l'un de l'aultre environ ung fillet, et le dict fillet et bort de chacun seront de la largeur de troys à la feullie.*[17]

Dans les décors moins luxueux, mais tout autant raffinés, les filets sont peints, souvent de blanc. À Bournazel, un délicat filet blanc orne les faces inférieures et latérales des poutres, dessinant un cadre pour l'organisation des moresques **[fig. 8]**.

La mise en œuvre des motifs

Il convient de s'intéresser d'abord aux motifs, mais aussi à la manière dont ils sont utilisés, ce qui pose la question du rapport de l'ornement à son champ décoratif.

Le répertoire ornemental

Les motifs à la mode, dans le troisième quart du XVIe siècle, sont le cartouche, les entrelacs, les motifs floraux et les moresques, ces motifs pouvant se combiner. Le chiffre — initiale ou composition d'initiales — et le monogramme — lettre ou groupe de lettres entrelacées en un seul caractère — se rapportent à l'emblématique, mais sont indissociables de l'ornement.

16. Ainsi au château de Vallery on précise : "faire à ses despens de paincture les planchers de deux salles contenant chacune douze toises de long sur quatre toises de large du chasteau de Vallery et les vernir en coulleur de bois de noyer venée, et avecques ce dorer les filletz, chiffres et autres choses qui luy seront monstrées" (C. Grodecki, *Documents [...], op. cit.*, t. 1, p. 148).

17. C. Grodecki, *Documents [...], op. cit.*, t. 2, p. 189.

Cartouche, entrelacs, et chiffre sont souvent liés : dans le cas de figure le plus fréquent, le chiffre est appliqué sur la surface centrale du cartouche — précisément destinée à recevoir ce type d'enrichissement, inscription, emblème, armes, scène etc. —, et les entrelacs entourent ce décor. Le cartouche n'est pas toujours précisé dans la commande, mais on mentionne plus volontiers les entrelacs qui ornent le pourtour, et le chiffre figurant au centre, ainsi en 1554, à l'hôtel de Guise déjà cité : "[...] sera tenu de mectre soubz chacune poultre quatre entrelatz, dedans lesquelz entrelatz y aura ung chiffre ou une croix de Jherusalem [...][18].

À Écouen, le plafond de la chambre du roi Henri II est orné de cartouches entourés d'entrelacs **[fig. 4 et 5]**. Le fond central du motif est rouge sur les solives, noir et orné de l'emblématique royale sur les entrevous. L'alternance des couleurs montre le souci d'organiser le décor en prenant en compte l'ensemble du plafond, et pas une solive individuellement. Chaque motif est minutieusement travaillé, dessiné par un trait double, et présente, par endroits, des hachures indiquant les ombres, comme s'il s'inspirait d'un modèle gravé[19]. Aux angles, une feuille refendue sort des entrelacs et les deux extrémités centrales sont ponctuées par une sorte de gros fleuron contenant des grains **[fig. 5]**. Ce détail végétal se rattache plutôt au répertoire

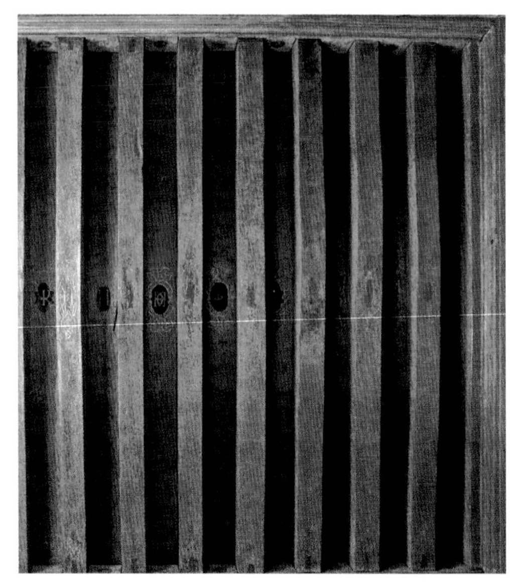

Fig. 4 : Plafond de la chambre du roi Henri II, château d'Écouen (Val d'Oise).

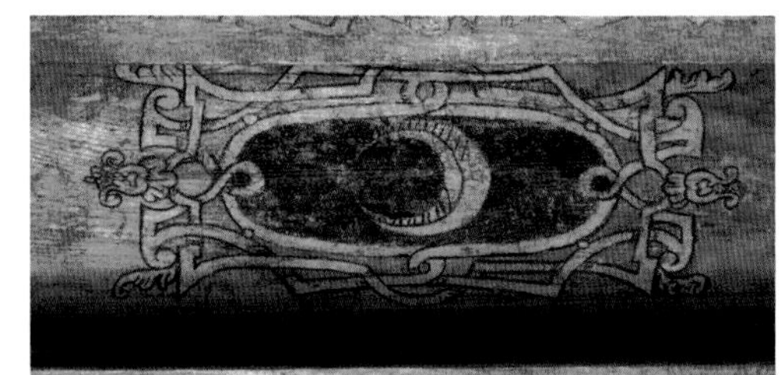

Fig. 5 : Cartouche peint sur une solive, détail, chambre du roi Henri II, château d'Écouen (Val d'Oise).

18. *Ibid.*

19. L'emblématique du plafond de la chambre du roi Henri II à Écouen a fait l'objet d'une étude à laquelle nous renvoyons : Sylvanie ALLAIS, "Le décor emblématique du plafond de la chambre de Henri II au château d'Écouen", *Bulletin monumental*, 2008, t. 166-3, p. 247 à 252. Il est intéressant de noter que l'analyse de Sylvanie Allais a précisément mis en évidence un lien entre le décor des poutres, ornées de trophées, et la gravure.

gothique, dans lequel on en trouve de nombreuses variations du motif, tantôt grappe fruit, tantôt grappe fleur.

La moresque, ensemble de lignes délicates et de motifs végétaux stylisés et abstraits, est souvent désignée dans les contrats par le terme le terme "arabesque" ou "rabesque". Toutefois, il faut se méfier de ce terme peu précis et impropre, car il a été employé pour désigner plusieurs ornements différents, en particulier des motifs à lignes courbes, censés être d'inspiration arabe (voire persane).

À Oiron, dans l'antichambre de Claude Gouffier[20], une moresque dorée orne la poutre du plafond, un choix différent de celui d'Écouen, et à peu près contemporain. Ce motif principal est complété d'un chiffre fait de lettres grecques, un C pour Claude et un F pour Françoise[21] **[fig. 6]**.

Lorsque la moresque est moins fine, elle glisse insensiblement vers un décor végétal plus affirmé. À Vallery, en 1566, les végétaux dorés sur les solives ont des feuilles plus épaisses qu'à Oiron **[fig.** 7]. Deux fleurons sont adossés au centre et des palmes s'étirent aux extrémités. Ce motif à dominante végétale alterne avec un chiffre aux initiales grecques comme à Oiron : le L de Louis de Bourbon et le F de Françoise d'Orléans[22]. L'ensemble est encadré de filets, eux-aussi dorés, le tout selon les instructions données par Renou à Guyon de Vable qui reçoit par avance 10 doubles ducats sur les 200 livres tournois prévus dans le contrat[23].

Fig. 6 : Moresque sur une poutre, détail, antichambre de Claude Gouffier, château d'Oiron.

Fig. 7 : Plafond, château de Vallery (Yonne).

20. Il s'agit d'un plafond à caissons, seule la poutre est apparente.

21. Plus précisément un c et un F. Françoise de Brosse-Bretagne, deuxième épouse de Claude Gouffier. Le mariage eut lieu le 13 décembre 1545, et Françoise de Brosse est morte le 28 novembre 1558, ce qui situe ce décor entre ces deux dates.

22. Plus précisément un L et un F. Le château de Vallery était l'œuvre de Jacques d'Albon, maréchal de Saint-André, qui mourut en 1562, avant qu'il ne soit terminé. Sa veuve, Marguerite de Lustrac, dame d'honneur de Catherine de Médicis, puis de Marie Stuart devenue reine de France, a donné la terre et le château de Vallery à Louis de Bourbon, prince de Condé, oncle du futur Henri II, qui s'est remarié avec Françoise d'Orléans-Longueville le 8 novembre 1565 à Vendôme.

23. Voir *supra* note 16.

D'autres demeures, moins prestigieuses, ont des plafonds ornés d'un décor végétal peint, plus simple, aux formes sans doute plus familières au peintre qu'une moresque. L'actuel presbytère de la paroisse Sainte-Monégonde-en-Lochois[24] présente un plafond peint dont la face inférieure des solives est ornée de cartouches rouges cernés de blanc qui se prolongent de chaque côté par des feuillages jaunes et blancs. Le cartouche porte un monogramme fait d'un G et d'un P[25], ainsi qu'un petit fermesse[26] **[fig. 10]**.

La disposition des motifs

Les plafonds à poutres et solives de la première moitié du XVIe siècle étaient surtout ornés de motifs linéaires **[fig. 2]**, et les motifs s'inspiraient du décor sculpté des corps de moulures. La disparition des moulures sur les poutres et les solives induit une nouvelle perception du champ décoratif. Dès lors il ne s'agit plus d'orner des lignes, mais d'organiser l'ornement sur une surface — faces inférieure et latérales de la poutre, de la solive, entrevous —, voire sur un ensemble de surfaces lorsque le champ décoratif du plafond est perçu dans sa totalité. Il est donc normal que les motifs changent, pas seulement pour des raisons liées à l'élargissement du répertoire mais pour des raisons de composition ornementale. Aussi l'étude des plafonds peints de la seconde moitié du XVIe siècle implique de ne pas se limiter à l'identification des motifs mais d'analyser leur disposition.

Le plafond de la chambre du roi Henri II à Écouen étonne à plus d'un titre : le fond raffiné des poutres, solives et entrevous, qui imite la veine du bois, le dessin sophistiqué des cartouches à entrelacs, mais aussi la disposition originale des motifs **[fig. 4]**. En effet, les cartouches sont placés au milieu des entrevous et au milieu des solives — sur le plat-fond ou face inférieure —, tandis qu'un demi-cartouche est placé aux extrémités des solives et des entrevous (complété par un motif en

24. Situé 54 rue Balzac à Loches, ce plafond a été redécouvert en 2012.

25. Nous remercions Gérard Fleury de nous avoir communiqué des précisions encore inédites sur ce décor. Cherchant à identifier le personnage auquel pourraient correspondre les lettres G et P, il a proposé deux hypothèses, dont l'une pourrait être retenue — mais qui reste une hypothèse : dans la liste des notables participant à l'administration municipale durant le XVIe siècle figure un certain Pierre Gallepied, procureur receveur du 11 mai 1549 au 11 mai 1552, puis "élu", du 11 mai 1558 au 11 mai 1561. Il s'agit d'un notable, pas d'un seigneur, donc le chiffre fait de l'initiale du prénom et du nom est une proposition cohérente. La seconde hypothèse proposée par Gérard Fleury est moins convaincante, il s'agit de Gabriel de Prie, un seigneur qui vend ses fiefs du Grand-Pressigny et de Ferrière-Larçon en 1523, ce qui pose un problème de datation à moins que le personnage ne soit parvenu à un âge avancé, car ce plafond ne peut pas dater de la première moitié du XVIe siècle. À l'extérieur, un ordre dorique surmonté d'un ordre ionique encadre une ancienne entrée. Ce décor sculpté pourrait être contemporain du décor peint des solives dans la seconde moitié du XVIe siècle. Gérard FLEURY a publié deux premiers articles sur le sujet : "Loches, découverte d'une maison Renaissance", *Bulletin de la Société archéologique de Touraine*, t. 58, 2012, p. 81-84 et "Loches, une maison du XVIe siècle inédite. Observations pendant les travaux de réhabilitation", *Bulletin monumental*, t. 171-1, 2013, p. 47-50.

26. Le fermesse est un motif en forme de "S" fermé, souvent barré d'une ligne oblique qui relie ses extrémités. Cette inscription cryptographique est à mettre en lien avec le mot italien *fermezza* (stabilité). On prête au fermesse un sens caché de constance et de fidélité, en amour, en politique, en religion, selon le contexte (voir notre *Vocabulaire illustré de l'ornement*, Paris, Eyrolles, 2012).

retour). Cette manière d'organiser le champ décoratif, habituelle dans le système ornemental de la première Renaissance française[27], surprend dans le décor peint d'un plafond du milieu du siècle, car aucun précédent ne semble conservé. Écouen a-t-il innové en adoptant cette formule ornementale ?

En tout cas, la formule se diffuse très vite et devient à la mode, en même temps que les plafonds imitant le bois. À Oiron, dans l'antichambre de Claude Gouffier, à peu près au même moment, la poutre est ornée selon un principe identique, excepté pour le chiffre, entier aux extrémités comme au centre, pour des raisons évidentes. À Loches, le plafond du presbytère cité plus haut, bien que plus modeste, suit la même organisation, ce qui montre le succès de ce parti **[fig. 10 et 11]**.

Certains contrats font état d'une demande spécifique des commanditaires pour un tel plafond. À Fontainebleau, dans un marché de 1572, la position des moresques — des rabesques —, au centre et aux deux extrémités de la poutre (comme à Oiron) est bien spécifiée, toutefois la moitié de motif n'est pas précisée :

> [...] *Item, au platfondz de la poultre, y aura au meilleur une rabesque d'or et aux deux boutz deux autres rabesques et y aura deux devises entrelassées du Roy et de la Royne* [...].[28]

À Ollainville en 1576, sur la face inférieure de la solive, le champ décoratif est clos par un "jon" qui dessine un cadre fermé, dans lequel s'organisent un motif au centre et deux demi-motifs aux extrémités :

> *iceulx planchers et autres choses cydessus declarez paindre et encoller et vernir en coulleur de boys de noyer ou de telle autre coulleur qu'il plaira aud. sieur, et sur chacune sollyve de la gallerie et cabynetz [faire] ung compartiment de marquetterye de blanc de plomb au meillieur et ung demy à chascun des boutz enclos d'un jon faict dud.blanc de chaque costé de lad. sollyve par le dessoubz.*[29]

Le plafond de Vallery ne suit pas ce modèle mais s'organise selon une autre formule. Les faces inférieures des solives, encadrées de deux filets dorés, sont ornées d'une alternance de chiffres et de végétaux. Afin d'éviter la monotonie, Guyon de Vable a introduit un décalage d'une solive à l'autre, de telle sorte que, en lecture transversale, ni les chiffres et les compositions végétales ne sont alignés mais placés en quinconce. Aux extrémités, le motif peut être coupé lorsque l'on arrive en bout

27. On pense en particulier aux disques et demi-disques dans les pilastres, ou aux frises "en miroir" dont les extrémités sont ornées d'un motif coupé par le milieu.

28. C. GRODECKI, *Documents [...], op. cit.*, t. 2, p. 208.

29. C. GRODECKI, *Documents [...], op. cit.*, t. 1, p. 134.

de champ décoratif, mais pas selon la régularité systématique du demi-motif. Un désordre vient parfois rompre l'alternance chiffre/élément végétal en bout de solive, afin que le chiffre ne soit pas coupé.

Le plafond de Bournazel, redécouvert en 2009, adopte une formule ornementale plus modeste mais similaire, ce qui invite à situer ce décor vers le troisième quart du XVIe siècle, ou tout au moins dans la seconde moitié du XVIe siècle **[fig. 8 et 9]**. En effet, les solives sont sans ornement, mais les faces inférieure et latérales de chaque poutre sont bordées d'un filet blanc, tandis que d'élégantes moresques, blanches aussi, agrémentent ces faces, à distance les unes des autres[30]. Le jeu de quinconce n'est pas introduit entre les faces inférieures, comme sur les solives de Vallery, mais entre les faces latérales et inférieure de chaque poutre.

Fig. 8 : Moresque sur une poutre, détail, avant restauration, château de Bournazel (Aveyron).

Fig. 9 : Plafond, château de Bournazel (Aveyron), avant restauration.

30. Nous remercions Bruno Tollon de nous avoir confié des photographies prises avant restauration et des précisions techniques sur cette peinture qui n'a pas été réalisée au pochoir.

Fig. 10 : Cartouche avec monogramme et fermesse, Sainte-Monégonde-en-Lochois (Indre-et-Loire), presbytère.

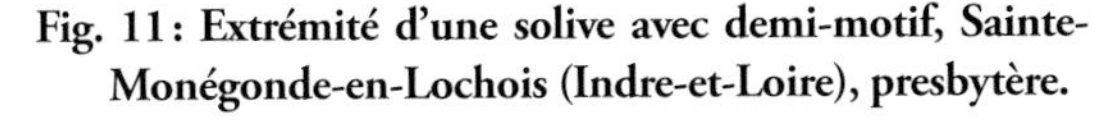

Fig. 11 : Extrémité d'une solive avec demi-motif, Sainte-Monégonde-en-Lochois (Indre-et-Loire), presbytère.

Les compartiments géométriques

Fig. 12 : Poutre, détail, château de Fontainebleau (Seine-et-Marne).

La présence de filets sur les solives et les poutres souligne la volonté de clore le champ décoratif et d'isoler, ou de mettre en valeur, la partie ornée, dans laquelle se déploient les motifs. Ceux-ci se multiplient et couvrent de manière de plus en plus abondante le champ décoratif, rendant nécessaire une clarification de la lecture ornementale. Vers la fin du XVIe siècle et le début du XVIIe siècle, le cadre primitif dessiné par les filets ne disparaît pas, mais il se complique par l'introduction d'autres cadres qui isolent les motifs les uns des autres, donnant naissance à un jeu de compartiments aux formes diverses.

Un nouveau motif apparaît vers la fin du XVIe siècle, sorte de rectangle plus ou moins allongé, avec une partie semi-circulaire aux extrémités. On la trouve au Pavillon du Tibre à Fontainebleau, où elle est insérée à l'intérieur d'un cartouche, créant un jeu de deux compartiments imbriqués l'un dans l'autre **[fig. 12]**. Cette forme géométrique dérive peut-être du cartouche aux bords plus chantournés, à moins qu'elle ne s'inspire des

contours de la table ansée[31] qui habituellement orne la surface du mur à l'extérieur, et que l'on retrouvera aussi dans l'architecture intérieure au XVIIe siècle, sculptée et peinte sur les lambris **[fig. 13]**. En tout cas, elle convient à merveille au long champ décoratif de la poutre et de la solive où elle peut s'étirer à l'envi, au gré de l'imagination du peintre ou du souhait du commanditaire. Le motif a souvent un fond propre, d'une couleur différente, tandis que son contour est appuyé d'une large bordure d'une troisième couleur.
La couleur articule les diverses composantes, ainsi dans l'exemple un peu plus tardif de Monts-sur-Guesne[32], en Poitou.

Ce compartiment géométrique se généralise et donne naissance à sa contrepartie, où le rectangle ne se prolonge plus par un demi-cercle aux extrémités, mais est diminué de ce même demi-cercle. Cette forme secondaire, sorte de négatif du compartiment initial, devient le motif principal lorsqu'il attire la bordure colorée. La présence de ce contour le transforme en véritable motif. Le plafond de Monts-sur-Guesne illustre ce glissement ornemental, avec des compartiments à fond jaune et bordure rouge **[fig. 15]**. Le motif connaîtra un grand succès au XVIIe siècle, où on le rencontre dans des exemples parisiens prestigieux, ainsi à l'hôtel d'Aumont.

Un lien avec les Flandres ?

Les caractéristiques mises en évidence dans cette étude se retrouvent dans d'autres aires culturelles, notamment dans les Flandres. L'imitation peinte de la veine du bois est une technique très à la mode dans la seconde moitié du XVIe siècle à Anvers, où les procédés de trompe-l'œil plaisent tant. La restitution d'un décor de la maison dite *Atelier Jordaens* (du nom du peintre qui y vécut), donne une idée de ces plafonds de la seconde moitié du XVIe siècle[33] **[fig. 16]**.

31. On ne peut pas parler de table ansée pour la forme peinte sur les solives et les poutres, puisqu'une table ansée est nécessairement en relief, sauf peut-être lorsqu'une large bordure de ton foncé donne l'illusion de la saillie du motif.

32. Le plafond a été redécouvert tout récemment sous un faux plafond. À ce jour il n'est pas daté avec précision mais semble du début du XVIIe siècle. Un petit canon figure dans le décor, qui ne permet pas de dater précisément la peinture dans la mesure où il ne correspond pas à un modèle réglementaire. Il ressemble néanmoins aux pièces que l'on pouvait trouver dans la première moitié du XVIIe siècle, sous le règne de Louis XIII. Ces éléments nous ont été aimablement communiqués par Antoine Leduc, au musée de l'Armée, à qui nous avons transmis une photographie du canon. Par ailleurs, de nombreuses fleurs sont représentées sur le plafond, tulipes, narcisses, fritillaires etc., toutefois elles n'apportent pas non plus d'élément de datation. Toutes les espèces représentées sont déjà présentes chez Dürer.

33. Reyndersstraat 6-8. Ce décor était en place en 1618, peint sans doute dans la seconde moitié du XVIe siècle sur une structure plus ancienne datant de la fin du XVe siècle ou du début du XVIe siècle, comme l'indique la présence d'un profil piriforme dans le corps de moulures (Petra MACLOT, "Innenraum-Bemalungen in den Bürgerhäusern von Antwerpen", *Hausbau in Belgien. Jahrbuch für Hausforschung*, Band 44. Bericht über die Tagung des Arbeitskreises für Hausforschung e.V. in Blankenberge/Westflandern vom 7. — 12. Juni 1993 Marburg, 1998, p. 55 à 64).

Fig. 13 : Détail d'un compartiment de lambris, l'Islette (Indre-et-Loire).

Fig. 14 : Plafond, détail, Monts-sur-Guesne (Vienne).

Fig. 15 : Plafond, détail, Monts-sur-Guesne (Vienne).

Cet exemple montre par ailleurs une organisation précise du champ décoratif, avec un demi-motif aux extrémités de la solive, et une alternance entre le décor des entrevous et celui des solives, comme à Écouen. Ce décor n'étant pas daté précisément, il est difficile de préciser dans quel sens a pu s'effectuer un éventuel échange. En tout cas, la fréquence des décors peints sur les plafonds anversois dans la seconde moitié du XVIe siècle est telle que, très rapidement, une nouvelle technique apparaît, qui consiste à coller des bandes de papier peint sur les entrevous[34].

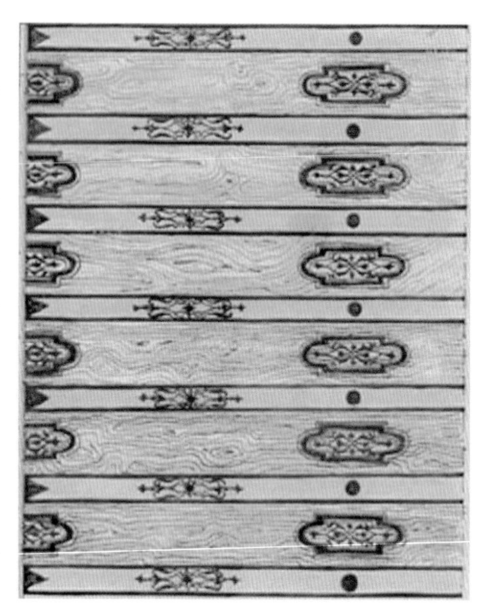

Fig. 16: Restitution d'un plafond anversois, Hoogstraat, 43, avant 1618, dessin, P. Maclot.

Le décor peint des plafonds à poutres et solives de la seconde moitié du XVIe siècle est très homogène. Les délicates moresques et les fins cartouches à entrelacs qui se détachent sur un fond en trompe l'œil imitant la veine du bois, à la mode dans le troisième quart du XVIe siècle, font place peu à peu à des décors plus chargés, qui s'organisent dans des compartiments que l'on peut étirer et modeler à l'envi. Cette évolution traduit un changement dans la perception du champ décoratif, qui prend toute sa place dans l'architecture intérieure. Le plafond à poutres et solives peintes s'affirme, il renouvelle avec une emphase colorée le luxe quelque peu ostentatoire des plafonds à caissons français qui eux disparaissent dans le dernier tiers du XVIe siècle.

Dans cet ensemble, un exemple remarquable se détache, le plafond de la chambre du roi Henri II à Écouen où éclôt une nouvelle formule ornementale, la première en France ou tout au moins, la plus ancienne conservée et connue à ce jour. Qu'Anne de Montmorency ait préféré un plafond peint à des caissons peut surprendre le spectateur du XXIe siècle, mais il ne faut pas s'y tromper : la "simplicité" apparente du plafond peint d'Écouen est trompeuse. Ni les impératifs financiers, ni un désir supposé de conserver une certaine modestie n'expliquent le choix du Connétable, mais bien plutôt l'ambition de faire réaliser pour la chambre royale un décor exceptionnel, nouveau, capable de surprendre le roi. Le raffinement de ce plafond, dont le fond a été entièrement peint en trompe l'œil pour imiter le bois, l'élégance des cartouches et entrelacs ombrés de hachures, la finesse des détails végétaux mettaient en valeur les trophées aujourd'hui effacés sur les poutres, et la cheminée peinte ornée d'un *Saül dépeçant les bœufs*.

34. Entrevous ornés avec des bandes de papier peint, entre 1582 et 1597 (P. MACLOT, "Innenraum-Bemalungen [...]", art. cit., p. 58).

15

LES DÉCORS DU CHÂTEAU D'ANCY-LE-FRANC : DU DESSIN SOUS-JACENT AUX SOURCES ICONOGRAPHIQUES

Magali Bélime-Droguet

Résumé — Édifié entre 1542 et 1550, pour Antoine III de Clermont (1497 ou 1498-1579) d'après des plans de Sebastiano Serlio, le château d'Ancy-le-Franc fit l'objet de deux campagnes de décoration, l'une au milieu du XVIe siècle, et l'autre à partir de la fin des années 1590, alors qu'il appartenait depuis 1579 à Charles-Henry de Clermont-Tonnerre (1571-1640), petit-fils d'Antoine. Par l'ampleur des décors réalisés entre les années 1540 et le début du XVIIe siècle dans la quasi-totalité des pièces du château, Ancy-le-Franc constitue un ensemble particulièrement riche pour illustrer la question des "décors de peintres" dans le domaine profane appliqués ici à la peinture monumentale.
Mots-clefs — Renaissance, Ancy-le-Franc, Hoey Nicolas de, Ruggieri Ruggiero de, Clermont Antoine de, Clermont-Tonnerre Charles-Henry de, stylet, *spolvero*, peinture à l'huile, dessin sous-jacent.

Abstract — Built between 1542 and 1550 for Antoine de Clermont-Tonnerre (1497/1498-1579) on Sebastiano Serlio's plans, the Castle of Ancy-le-Franc then underwent two stages of decorating, the first one in the middle of the 16th century and the second one in the end of the 1590's, at the time of Antoine de Clermont-Tonnerre's grandson, Charles-Henry (1571-1640), who owned it. Thanks to the exceptional importance of its inner décor in almost all the rooms of the castle, dating from the 1540's to the beginning of the 17th century, Ancy-le Franc proves to be a particularly interesting example to illustrate the "painters' décors" issue debated here, namely in the domestic field, and specifically dealing with mural painting.
Keywords — Renaissance, Ancy-le-Franc, Hoey Nicolas de, Ruggieri Ruggiero de, Clermont Antoine de, Clermont-Tonnerre Charles-Henry de, *spolvero*, *stylus*, underlying design, oil painting.

Édifié entre 1542 et 1550, pour Antoine III de Clermont (1497 ou 1498-1579) d'après des plans de Sebastiano Serlio, le château d'Ancy-le-Franc fit l'objet de deux campagnes de décoration, l'une au milieu du XVIe siècle, et l'autre à partir de la fin des années 1590, alors qu'il appartenait depuis 1579 à Charles-Henry de Clermont-Tonnerre (1571-1640), petit-fils d'Antoine[1]. Par l'ampleur des décors réalisés entre les années 1540 et le début du XVIIe siècle dans la quasi-totalité des pièces du château, Ancy-le-Franc constitue un ensemble particulièrement riche pour illustrer la question des "décors de peintres" dans le domaine profane appliqués ici à la peinture monumentale **[fig. 1]**.

Fig. 1 : Ancy-le-Franc (Yonne), le château.

Les études ont démontré qu'aux côtés d'Antoine de Clermont, le rôle de Sebastiano Serlio semble avoir été fondamental tant dans la mise en place des décors que pour le choix des artistes[2]. En tant qu'architecte du château, il orienta les goûts d'Antoine de Clermont vers des peintres d'origine bolonaise comme lui, à même de réaliser des peintures dignes de la demeure qu'il avait conçue[3]. C'est ainsi que nous avons pu attribuer à Ruggiero de Ruggieri la réalisation des sept médaillons

1. Magali BÉLIME, *Les décors peints du château d'Ancy-le-Franc et leur place dans la peinture en France entre le milieu du XVIe siècle et les premières décennies du XVIIe siècle,* thèse de doctorat sous la direction de Jean GUILLAUME, Paris 4, 2004 p. 245-306.

2. Sabine FROMMEL, *Sebastiano Serlio architetto,* Milan, Electa, 1998. L'auteur a mis en évidence l'intervention de l'architecte pour le décor peint de la voûte de la chapelle ainsi que pour le dessin des lambris et des plafonds à caissons.

3. Magali BÉLIME-DROGUET, "La chambre des arts au château d'Ancy-le-Franc : Primatice et Ruggiero de Ruggieri", *Les Cahiers d'Histoire de l'Art*, 2005, t. 3, p. 8-21.

représentant les Arts libéraux peints dans la chambre d'Antoine de Clermont dite "chambre des arts". On doit également à l'architecte la probable suggestion de certains sujets. Les scènes peintes dans la galerie des Sacrifices d'après *Le Discours de la religion des Anciens Romains* de Guillaume du Choul en sont un exemple.

Lorsqu'Antoine de Clermont décède en 1579, le chantier décoratif est en cours. Ce n'est qu'au début des années 1590, que Charles-Henry de Clermont-Tonnerre, son héritier, fut en âge de décider du devenir du château d'Ancy-le-Franc et, grâce à l'argent apporté par son mariage avec Catherine-Marie d'Escoubleau, il put poursuivre à grande échelle les travaux de décoration amorcés par son grand-père Antoine[4]. Il fit réaliser de nombreuses peintures qui vinrent compléter les décors déjà en place. Pour ce faire, il fit appel à plusieurs peintres dont Nicolas de Hoey qui fut chargé de réaliser cinq ensembles décoratifs[5]. Dans la galerie de Pharsale, le peintre, à l'instar de certains de ses confrères spécialisés dans le décor monumental, se trouva dans l'obligation d'intervenir dans une pièce où les décors étaient restés inachevés, l'incitant à terminer un cycle figuratif en respectant l'ambiance du lieu.

Le peintre et la matière : des traces de styletdans le mortier frais au dessin sous-jacent de la couche picturale

Peu après l'achèvement du gros œuvre, les trois chambres situées au rez-de-chaussée des pavillons de Diane, de Ganymède et de Psyché ainsi que l'anti-chambre des Césars (aile est) reçurent un décor qui répondait au même schéma : la partie basse des murs était ornée d'un lambris de bois d'environ deux mètres de haut, dont seul celui de la chambre de Diane est conservé ; la partie haute du mur, entre le lambris et la retombée de la voûte, était enduite ou ornée d'un faux appareil de pierre ; et enfin les voûtes présentaient un décor peint à l'huile sur enduit représentant des médaillons ou des figures mythologiques se détachant sur un fond à grotesques. En l'absence d'informations sur les peintres qui ont réalisé ces peintures mais également sur tout ce qui concerne la genèse de ces décors, comme le choix des sujets, la conservation de dessins préparatoires, etc., seules les analyses

4. Grâce à un accord passé le 27 mars 1597, à l'occasion du contrat de mariage, on apprend que la dot de la future mariée s'élevait à la somme de cinquante mille écus et qu'elle fut payée comptant pour régler les dettes du futur époux. Le 22 mars 1599, le beau-père de Charles-Henry, François d'Escoubleau, seigneur de Sourdis se constituait également caution pour son gendre "pour le contenu en l'inventaire faict des biens après le décez et trespas de la dite deffuncte Dame Loise de Clermont". Le 27 mars 1600, avec l'accord de sa mère Diane de La Marck, Charles-Henry vendit pour quarante huit mille écus d'or soleil la vicomté de Tallard, que cette dernière avait reçue en douaire le 22 mai 1570. Enfin, en 1611 il hérita de sa tante Diane de Clermont, dame de Montlor. Ces apports financiers conséquents lui permirent certainement de solder la majorité des dettes léguées par ses aïeux. M. Bélime, *Les décors peints [...], op. cit.*, chapitre I.

5. M. Bélime-Droguet, "Nicolas de Hoey : de Fontainebleau à Ancy-le-Franc", *Revue de l'Art*, n° 163/ 2009-1, p. 45-54.

chimiques et les observations *in situ* nous informent sur les contraintes auxquelles furent soumis les artistes pour implanter ces ensembles décoratifs.

Dans la chambre de Psyché, nous avons fait réaliser des prélèvements de matière qui ont été analysés au Laboratoire de recherche des Monuments historiques de Champs-sur-Marne[6]. Après l'étude des échantillons, les observations furent les suivantes: la peinture originale était composée d'une couche blanche d'enduit de carbonate de calcium avec des fibres et des grains de sable; puis d'une couche grise de grains translucides et de grains d'azurite et enfin d'une ou deux couches de couleur correspondant aux motifs **[fig. 2]**. Parmi les couleurs posées sur la voûte, on a pu identifier du rouge vermillon, de l'ocre jaune, de la malachite pour le vert et de l'azurite pour le bleu. La couche de peinture uniforme posée sur cette voûte au XIXe siècle ne permet pas de faire d'observation visuelle supplémentaire. Il faut pour cela se reporter à l'antichambre des Césars dont le décor est contemporain **[fig. 3]**.

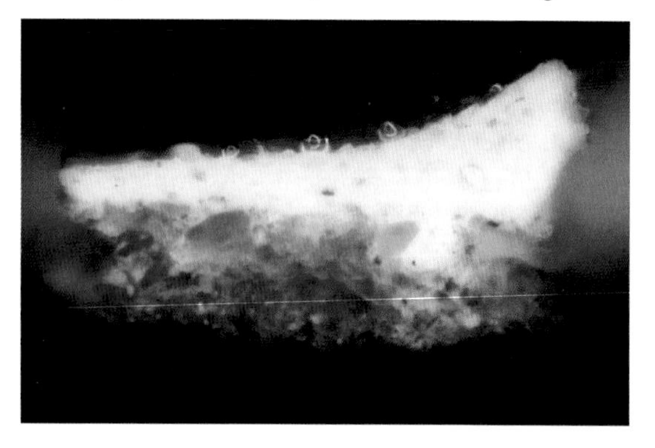

Fig. 2: Chambre de Psyché, prélèvement sur la voûte, château d'Ancy-le-Franc.

Fig. 3: Antichambre des Césars, voûte, château d'Ancy-le-Franc.

L'étude révèle que dans l'une et l'autre pièce, préalablement à la mise en place du décor, le peintre a tracé au stylet dans le mortier les grandes lignes de la composition générale et dessiné au crayon noir les grotesques. Des lignes noires de structure formant une trame orthogonale ont permis un alignement régulier des motifs décoratifs **[fig. 4 et 5]**. Au niveau des inscriptions qui soulignent les arcs, sur certains grotesques et sur les édicules des quatre compartiments, on remarque des incisions dans l'enduit. Un compas a été utilisé pour les motifs de rinceaux et ceux de formes arrondies.

6. Paulette HUGON, Cécile BOUVET, *Chambre de Psyché, Étude stratigraphique et analyses physico-chimiques*, Étude du laboratoire de Champs-sur-Marne, Rapport n° 1082C, 2001.

Fig. 4 : Antichambre des Césars, voûte, détail, marques de stylet et dessin sous-jacent, château d'Ancy-le-Franc.

Fig. 5 : Antichambre des Césars, voûte, détail, marques de stylet, château d'Ancy-le-Franc.

Concernant les traces matérielles laissées par les artistes pour la mise en place des décors, nous pouvons également en observer à Ancy-le-Franc sur les médaillons de la chambre des Arts peints par Ruggiero de Ruggieri. Parfaitement conservés, ces derniers ont livré différentes traces pour leur mise en œuvre. L'artiste a suivi les directives qui devaient être mentionnées sur les dessins préparatoires en utilisant le stylet pour inciser le mortier frais au niveau des architectures. Le dessin sous-jacent et le *spolvero* sont régulièrement visibles pour le positionnement des personnages. Décelables à l'œil nu, ils sont parfaitement palpables grâce aux photographies sous infrarouge. On y voit notamment le dessin sous-jacent des figures et accessoires de l'*Astronomie* **[fig. 6 et 7]** ainsi que celui des principaux personnages de l'*Arithmétique* **[fig. 8, 9, 10 et 11]**.

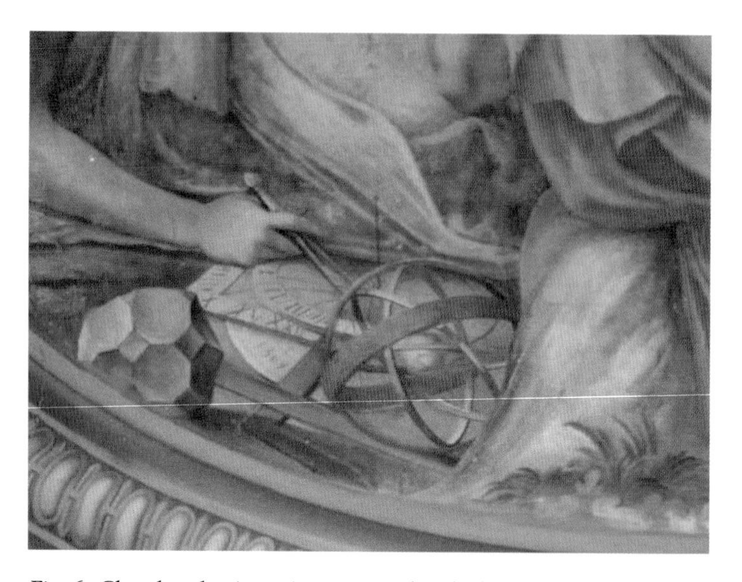

Fig. 6 : Chambre des Arts, *Astronomie*, détail, château d'Ancy-le-Franc.

Fig. 7 : Chambre des Arts, *Astronomie*, détail, lumière infra rouge, château d'Ancy-le-Franc.

Fig. 8

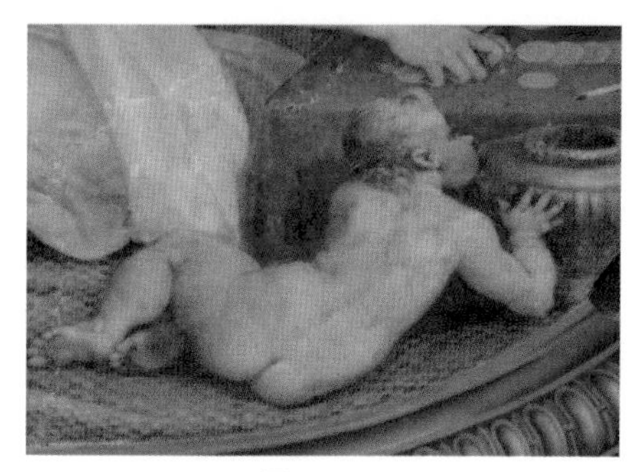

Fig. 9

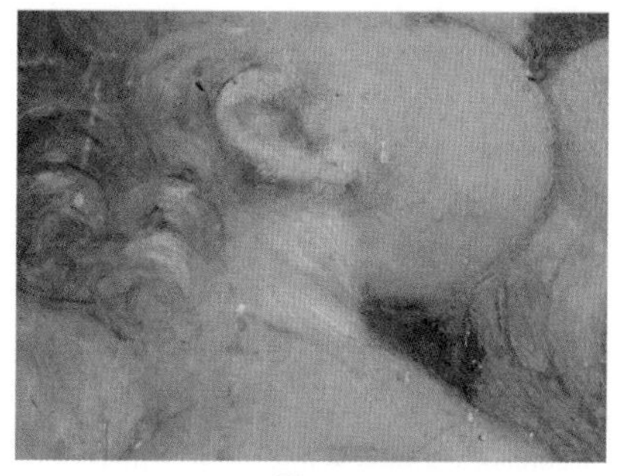

Fig. 10

Fig. 8 : Chambre des Arts, *Arithmétique*, château d'Ancy-le-Franc.

Fig. 9 : Chambre des Arts, *Arithmétique*, détail, château d'Ancy-le-Franc.

Fig. 10 : Chambre des Arts, *Arithmétique*, détail, lumière infra rouge, château d'Ancy-le-Franc.

Fig. 11 : Chambre des Arts, *Arithmétique*, détail, lumière infra rouge, château d'Ancy-le-Franc.

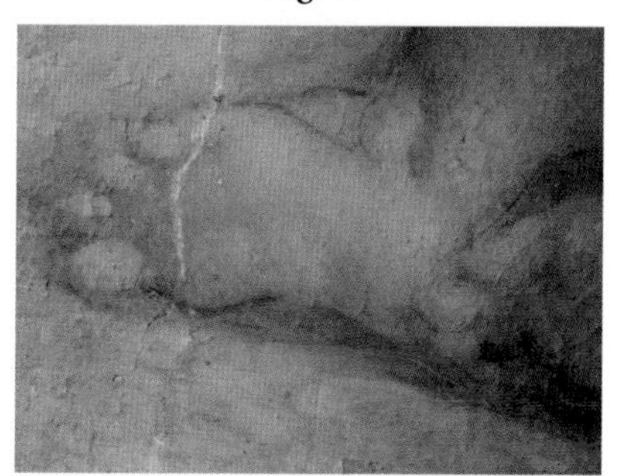

Fig.11

Le peintre et son commanditaire : le choix du sujet

Une "galerie d'antiques" : la galerie des Sacrifices

La galerie des Sacrifices constitue un exemple de décor où les scènes peintes sont toutes, à l'exception d'une seule **[fig. 12]**, empruntées à la même source[7] : le *Discours de la religion des anciens romains* publié à Lyon en 1556, par Guillaume du Choul[8]. L'auteur n'était sans doute pas un inconnu pour Antoine de Clermont, qui, en tant que premier baron du Dauphiné, avait pu côtoyer Du Choul qui remplissait la charge de bailli des Montagnes du Dauphiné. Mais c'est probablement par l'intermédiaire de Sebastiano Serlio qu'il fut sensibilisé aux travaux de cet antiquaire lyonnais. En effet, l'architecte et Du Choul se trouvaient tous les deux à Fontainebleau vers les années 1545-1546. Le *Discours de la religion des anciens romains* était déjà projeté à cette date et l'on peut envisager que l'idée de créer une galerie d'antiques à Ancy-le-Franc à partir des nombreuses illustrations de l'ouvrage ait pu alors germer dans l'esprit de Serlio[9].

Ce n'est donc qu'après 1556, date de la parution de l'ouvrage, que le projet put prendre forme. Antoine de Clermont se trouva alors confronté au recrutement d'un peintre qui se conformerait au programme établi en acceptant d'utiliser les gravures de Guillaume du Choul. Pour ce faire, il se tourna vers le milieu dijonnais et probablement vers Euvrard Bredin, peintre avec lequel nous avons proposé des rapprochements stylistiques[10]. Dans une démarche comme celle-ci, où le sujet et le choix des gravures semblent avoir été le fait des conseils de l'architecte au commanditaire, le peintre a-t-il disposé d'une certaine liberté ? La comparaison

7. La scène II (mur nord) illustre un épisode de l'histoire de Psyché : *Le père de Psyché consulte l'oracle d'Apollon*. Il s'agit de la seule scène de cet ensemble qui ne soit pas tirée de l'ouvrage de Du Choul mais d'une gravure d'Agostino Veneziano d'après un dessin de Raphaël. BnF, département des Estampes, Eb 7. Adam BARTSCH, *The illustrated Bartsch*, New York, 1878, t. 26, vol. 14 (1), n° 235 (190).

8. Jean GUILLEMAIN, *Recherches sur l'Antiquaire Lyonnais Guillaume Du Choul (v. 1496-1560),* thèse sous la direction de Bertrand JESTAZ, École nationale des Chartes, 2002, chap. I. Nous remercions l'auteur de nous avoir permis de consulter le manuscrit de sa thèse.

9. Ce choix iconographique pour réaliser le décor de la galerie des Sacrifices révèle un engouement précoce pour les représentations empruntées à l'Antiquité dans son aspect "archéologique", tendance qui ne s'épanouit vraiment dans le décor peint monumental qu'au cours du xviie siècle. On peut citer la "galerie des antiques" du château de Tanlay qui fut peinte en 1646 par Rémy Vuibert. Le peintre représenta entre autre *Jupiter, Junon, Neptune et Mercure* d'après la *Religion des Anciens romains* de Guillaume du Choul et deux sacrifices : *Popa et Victimarius conduisent un taureau au sacrifice de Jupiter* d'après un relief encore en place sur la façade sur jardin de la villa Médicis et *Marc-Aurèle sacrifiant devant le temple Capitolin*, provenant de l'arc perdu de Marc-Aurèle, Palais des Conservateurs, Rome. Bien que la connaissance des plus belles œuvres antiques conservées à Rome fut diffusée dès le début du XVIe siècle par la gravure et par des recueils de dessins, comme le *Codex Escurialensis*, nous ne connaissons pas de décors peints qui soient entièrement issus de la copie de bas-reliefs antiques comme celui d'Ancy-le-Franc. Francis HASKELL, Nicholas PENNY, *Pour l'amour de l'Antique. La statuaire gréco-romaine et le goût européen, 1500-1900,* Paris, Hachette, 1988, (1ère éd., Yale, Yale University Press, 1982), p. 30-36.

10. M. BÉLIME-DROGUET, "Les décors à grotesques du château d'Ancy-le-Franc : l'intervention du peintre dijonnais Euvrard Bredin", *in* Henri ZERNER et Marc BAYARD, *Les arts visuels à la Renaissance en France (XVe-XVIe siècles),* Rome, Académie de France à Rome, Villa Médicis, 7 au 9 juin 2007, Rome 2008, p. 341-356.

entre les gravures de l'ouvrage et les scènes peintes au château d'Ancy-le-Franc fait apparaître ponctuellement des variantes qui laissent supposer qu'il ne copia pas toujours servilement les gravures du recueil de Du Choul et qu'il avait à sa disposition d'autres sources gravées sur le même thème.

Fig. 12 : Galerie des Sacrifices, château d'Ancy-le-Franc.

La scène V (mur nord) est empruntée à un relief de la colonne Trajane et représente le *Sacrifice d'un bœuf*[11]. Du Choul a reproduit cette composition en la simplifiant par la suppression de l'un des *putti* qui tenait la couronne de laurier ainsi que celle du personnage masculin situé derrière lui. C'est cette version simplifiée que le peintre d'Ancy-le-Franc a utilisée **[fig. 13 et 14]**. Toutefois, son interprétation se différencie quelque peu de la gravure de l'ouvrage de Du Choul, notamment par l'importance accordée à l'architecture et par l'attitude plus dégagée des deux personnages se trouvant derrière le bœuf. La différence par rapport au modèle est également sensible dans le vêtement du personnage de droite qui le porte retroussé sur la cuisse et maintenu par une agrafe. Ce type vestimentaire appartient plutôt au vocabulaire iconographique de la Renaissance. La scène IX (mur sud), représentant *Le sacrifice d'un bouc*, est plus complète à Ancy-le-Franc que dans l'ouvrage de Guillaume Du Choul[12]. Ce dernier ne représente pas le personnage de droite qui amène le bélier au sacrifice et l'autel n'a pas la même forme. En fait, c'est une gravure de Marco Dente qui servit également de modèle au peintre du château[13].

11. Guillaume Du Choul, *Discours de la religion des anciens romains*, Lyon, G. Rouille, 1556, f°. 290.

12. *Ibid.*, f°. 274.

13. BnF, département des Estampes, Eb 6 (Rés). A. Bartsch, *The illustrated Bartsch*, *op. cit.*, t. 26, vol. 14 (1), n° 220-I (181), p. 219.

Les trois personnages sont représentés à l'identique et l'autel du sacrifice de forme ronde, particulièrement orné, est la copie parfaite de la gravure de Dente. Dans la peinture murale cependant, les deux arbres qui délimitent la scène sont absents. La scène se présentait dans un camaïeu gris qui fut entièrement restauré au XIXe siècle. On peut toutefois juger de la maladresse du peintre qui, malgré le support de la gravure, n'a pas su proportionner ses figures par rapport à l'autel du sacrifice qui est beaucoup trop imposant.

Fig. 13 : Galerie des Sacrifices, *Sacrifice d'un bœuf*, château d'Ancy-le-Franc.

Fig. 14 : Guillaume du Choul, *Discours de la religion des anciens romains*, Lyon, 1556, f° 290, Sacrifice d'un bœuf, coll. M. Bélime.

On voit, à travers ces exemples, qu'Euvrard Bredin sut se démarquer du recueil qui avait été mis à sa disposition en tant que modèle à suivre. L'on peut également se demander quel a pu être son rôle dans le choix initial des différents camaïeu **[fig. 15]**. En effet, l'artiste est précisément connu pour les figures en camaïeux d'or qui ornent certains meubles d'Hugues Sambin. C'est justement cette spécificité que l'artiste a pu développer à grande échelle dans la galerie des Sacrifices en choisissant de représenter en alternance les scènes en camaïeux de différentes couleurs : rouge, vert, ocre et gris. Cette particularité, qui constituait une véritable originalité, fut gommée lors de la restauration menée au XIXe siècle[14].

Le décor de la galerie des Sacrifices apparaît donc comme un exemple particulier au sein du château où l'influence exercée par le commanditaire Antoine de Clermont et son architecte Sebastiano Serlio est complétée par la propre culture du peintre.

Fig. 15 : Galerie des Sacrifices, *Tubicines et Liticines qui précédoyent les victimes aux pompes des sacrifices*, château d'Ancy-le-Franc.

14. L'ensemble de la galerie, qui était composée de panneaux représentant des sacrifices antiques en une alternance de camaïeux de différentes couleurs, fut restitué dans un ton monochrome entre 1854 et 1867. Cette uniformisation doit être comprise comme une volonté de conférer un aspect classicisant à cette galerie, semblable à celui de la "galerie des antiques" du château de Tanlay peinte en 1646 par Rémy Vuibert. Bertrand JESTAZ, "Rémy Vuibert, Project for the painted decoration for the galerie of the Château de Tanlay" *in Record of the Art Museum*, Princeton, Princeton University, vol. 42, I, 1983, p. 38. Judith KAGAN, "La galerie des Antiques du château de Tanlay", *Monumental*, 1993, n° 2, p. 25-39. M. BÉLIME-DROGUET, "Tanlay : un exceptionnel ensemble de décors peints", *L'Estampille Objet-d'art*, n° 369, 2002, p. 69-70.

Le peintre et l'existant. Achever ou compléter un décor : le cas de la galerie de Pharsale vers 1600

Le peintre peut également se trouver confronté à la nécessité d'achever ou de compléter un décor réalisé par un autre artiste quelques années auparavant **[fig. 16]**. De ce point de vue Ancy-le-Franc offre plusieurs cas de figure, mais celui de la galerie de Pharsale se révèle particulièrement intéressant pour mettre en valeur les contraintes que dut résoudre l'artiste qui intervint dans un second temps vers 1600. La bataille de Pharsale qui occupe le mur sud de la galerie ainsi que les scènes adjacentes des petits côtés furent peintes à l'époque d'Antoine de Clermont. Deux des quatre compositions du mur nord, le *Cortège des Vertus* et le *Char de triomphe*, attribuées à Nicolas de Hoey, ont quant à elles été commandées par Charles-Henry de Clermont-Tonnerre[15]. On remarque immédiatement que l'harmonie chromatique fut respectée puisque ces deux nouvelles scènes ont été exécutées en camaïeu jaune comme l'était la représentation de la bataille de Pharsale. Si l'effet d'ensemble fonctionne parfaitement, qu'en est-il du détail des scènes ?

Fig. 16 : Galerie de Pharsale, château d'Ancy-le-Franc.

15. Grâce à une étude stylistique, nous avons pu les attribuer à Nicolas de Hoey, peintre flamand documenté à Dijon et à Fontainebleau auprès de son frère Jean de Hoey et d'Ambroise Dubois. M. Bélime-Droguet, "Nicolas de Hoey : de Fontainebleau à Ancy-le-Franc", *Revue de l'Art*, n° 163/ 2009-1, p. 45-54.

La composition du *Cortège des Vertus*, assez simple, n'est pas dénuée de dynamisme par les attitudes variées des personnages mais aussi grâce aux draperies en mouvement qui accompagnent la marche des Vertus **[fig. 17]**. Cette volonté d'animer les figures n'est pas habituelle chez Nicolas de Hoey. On peut se demander s'il ne s'agit pas ici du résultat des leçons apprises sur le chantier bellifontain, au contact d'Ambroise Dubois. Toutefois, cette influence a ses limites car, à l'évidence, Nicolas de Hoey emprunta ses différentes figures à des modèles, comme le trahissent des attitudes et de nombreuses maladresses. Vénus, dans ce cortège, s'apparente de manière surprenante mais claire au type de l'iconographie du Christ au roseau avec les poignets liés. Les attributs des Vertus sont le plus souvent maladroitement disposés : la Force, qui a aussi étrangement les poignets maintenus par des liens, tient sa colonne sans conviction ; la Justice qui semble méditer, porte avec négligence son épée sous le bras alors que la balance pend tant bien que mal de ses mains jointes ; l'Espérance a calé son ancre sur son épaule et la Foi semble embarrassée par le cœur qu'elle tient du bout des doigts.

Fig. 17 : Galerie de Pharsale, Nicolas de Hoey, *Cortège des Vertus*, château d'Ancy-le-Franc.

La composition représentant le *Char de triomphe* est plus élaborée que celle des Vertus **[fig. 18]**. L'enchevêtrement des Furies qui occupent le fond de la scène trahit l'intervention d'un artiste habile à composer. Le mouvement dynamique, la tension, la fureur qui en émanent sont étrangères aux capacités d'invention de Nicolas de Hoey. De même, la mise en page, complètement bouchée dans le fond, d'un effet semblable à celui de la grande scène de bataille, s'oppose à l'aspect aéré du cortège des Vertus qui se détache sur un arrière-plan de forêt, traité en profondeur. On se trouve face à deux conceptions bien différentes qui permettent de supposer que Nicolas de Hoey ne peut être le concepteur que d'une seule composition : le *Cortège des Vertus*. Le *Char de triomphe* fut réalisé, quant à lui, certainement à partir d'un dessin déjà existant. Des souvenirs de Jules Romain, de Primatice et de Rosso viennent confirmer que cette scène fut inventée par un artiste proche de la première école de Fontainebleau. En effet, l'enfant chevauchant le dauphin est emprunté à la tenture des *Jeux d'enfants*, tissée d'après Jules Romain entre 1539 et 1545[16].

Fig. 18 : Galerie de Pharsale, Nicolas de Hoey, *Char de triomphe*, château d'Ancy-le-Franc.

L'Amour espiègle qui se cache sous un casque trop grand s'apparente aux enfants du *Mariage d'Alexandre et de Roxane* peint par Primatice dans la chambre de la duchesse d'Étampes à Fontainebleau mais également à l'un des amours du dessin de Rosso, *Mars désarmé par les Grâces*[17]. Ces motifs issus du répertoire maniériste sont totalement étrangers au vocabulaire de Nicolas de Hoey. De la même manière, la parfaite harmonie dans la mise en page, déjà soulignée, avec le reste du décor de la galerie amène à imaginer que le dessin de cette scène avait été conçu en même

16. Ernst GOMBRICH (éd.), *Giulio Romano*, catalogue d'exposition, Palazzo Te e Palazzo ducale, 1er septembre-12 novembre 1989, Milan, Electra, 1989, p. 476.

17. Musée du Louvre, département des Arts graphiques, inv. 1575. Cécile SCAILLIÉREZ, *François Ier et ses artistes*, n° 49, Paris, RMN, 1992, p. 119.

temps que la composition de la bataille. On peut se demander alors à quel stade de son exécution cette peinture fut abandonnée. Nicolas de Hoey disposa-t-il d'un dessin, d'un dessin au carreau ou bien la scène était-elle déjà mise en place sur le mur, voire en cours de réalisation lorsqu'il intervint ? Quoi qu'il en soit, cette composition était suffisamment avancée pour être terminée par Nicolas de Hoey dans le même esprit que le reste de la galerie[18].

Ces exemples, pris dans les décors du château d'Ancy-le-Franc, illustrent différents cas de figure auxquels les peintres de décor monumental se trouvent confrontés. Il faut, en effet, à la fois tenir compte des contraintes du lieu et de la nécessité de préparer la mise en œuvre des peintures, mais également répondre aux souhaits du commanditaire tout en s'adaptant à l'existence de décors antérieurs lorsque ceux-ci sont conservés.

18. M. Bélime-Droguet, "La galerie de Pharsale au château d'Ancy-le-Franc : un décor en quête d'auteur", *Les cahiers d'histoire de l'art*, n° 8, Paris, 2010, p. 6-14.

16

PEINDRE LA BATAILLE DE LÉPANTE SUR LES MURS AUX XVIE ET XVIIE SIÈCLES

Annie Regond

Résumé — La bataille de Lépante, livrée le dimanche 7 octobre 1571 donna lieu, aussitôt après son déroulement, à de très nombreuses représentations du côté des vainqueurs, alors regroupés de manière éphémère au sein de la Sainte-Ligue. Chaque puissance en jeu eut à cœur de faire peindre ses troupes et ses officiers de la manière la plus avantageuse possible. Quand cette peinture devait être exécutée sur les parois de vastes salles impliquant le spectateur comme celles de la Sala Reggia du palais du Vatican ou la Salle du Scrutin du palais des Doges de Venise, les artistes, dépourvus de tout précédent de représentation de bataille navale, se trouvèrent confrontés à de nombreux problèmes inédits d'ordre technique comme d'ordre iconographique. L'abondance d'éléments héraldiques et emblématiques permit toutefois aux artistes d'enrichir leur œuvre de couleurs et de formes pittoresques au vrai sens du mot.
Mots-clefs — Bataille navale, don Juan d'Autriche, empire turc, fresque, galère, Lépante, Palais des Doges, Philippe II d'Espagne, Pie V, Sainte-Ligue, Sala Reggia.

Abstract — The battle of Lepanto, fought on Sunday, October 7th 1571 resulted in a lot of pictures on the side of the victors, then grouped in an ephemeral manner within the Holy League. Each party wanted to represent their troops and their officers in the most advantageous way possible. When the painting was to be made on the walls of large rooms such as the Sala Reggia in the Palace of the Vatican or in the Palace of the Doges of Venice, artists, lacking any previous representation of naval battles, found themselves facing many unexpected technical problems and iconographic agenda. The abundance of heraldic and emblematic elements was an occasion for painters to imagine beautiful colours.
Keywords: — Doge Palace, don Juan of Austria, fresco, galley, Holy League, Lepanto, Philip the second of Spain, Sala Reggia, seafight, turkish empire.

En la salle au-devant de la chapelle S. Sixte ou en la paroi,
il y a plusieurs des accidents mémorables qui touchent le S. Siège,
comme la bataille de Jean d'Autriche, navale.

Montaigne, Journal de voyage en Italie[1], *1580.*

La peinture de bataille, bien qu'existant depuis l'Antiquité[2] est un genre souvent peu apprécié, considéré comme officiel et académique. Une récente livraison des *Cahiers de la Méditerranée*, intitulée "Guerre et guerriers dans l'iconographie et les arts plastiques XVe-XXe siècles" a pourtant éclairé d'un jour un peu plus bienveillant des créations artistiques déjà connues par ailleurs, si leur auteur était célèbre[3].

Ayant eu l'occasion d'étudier une série de tapisseries provenant d'un château bourbonnais aujourd'hui conservées au musée Anne de Beaujeu à Moulins (Allier)[4], puis un *graffitto* tracé dans l'embrasure d'une fenêtre d'un château fort auvergnat où la tradition orale rapporte qu'il évoquerait un chevalier de Malte français ayant participé à la fameuse bataille, ma curiosité a été éveillée au point de rechercher un maximum d'occurrences se rapportant à cette représentation, d'autant que mes travaux antérieurs ont à maintes reprises porté sur les décors peints.

En effet, ce qui frappe dès l'abord le chercheur, c'est le nombre élevé de gravures et de peintures exécutées peu après la bataille dans les pays ayant participé à celle-ci. Ce choix iconographique n'était naturellement pas neutre, tout comme l'emplacement des œuvres peintes à l'intérieur des palais, châteaux, ou villas, où ces œuvres devaient attirer l'attention des visiteurs.

Le peintre, ou l'équipe d'artistes convoqués par le commanditaire désireux de glorifier sa propre action ou celle des membres de sa famille ou de son institution se heurtèrent alors à des difficultés inhérentes au sujet lui-même, difficultés qui seront l'objet du questionnement de cette contribution.

1. Édition d'Albert THIBAUDET et Maurice RAT, Paris, Gallimard, 1962, p. 1224.

2. Voir à ce sujet Yves PERRIN, "À propos de la "bataille d'Issos". Théâtre, science et peinture : la conquête de l'espace d'Uccello à Philoxène", *Cahiers du Centre Gustave Glotz,* 1998, n° 9, pp. 83-116, où l'auteur examine le problème du point de vue du spectateur.

3. Jérôme DELAPLANCHE, "Pour une approche typologique de la peinture de bataille du XVIIe siècle" *Cahiers de la Méditerranée*, n° 83, 2011, *Guerre et guerriers dans l'iconographie et les arts plastiques.* L'auteur commence son article par un plaidoyer pour la réhabilitation de la peinture de bataille.

4. Trois pièces, provenant du château de Cindré (Allier), 2e moitié du XVIe siècle, laine et soie, inv. 1356 à 1358. L'identification de ce sujet comme *Bataille de Lépante* a été abandonnée, les Turcs étant absents, et les seuls blasons présents appartenant à l'Empire.

Bref rappel historique et historiographique

En effet, il existe un vrai contraste entre l'impact de l'événement sur l'opinion et ses réelles conséquences géopolitiques, qui laisserait croire que l'on perdrait son temps à étudier les représentations d'une bataille, victoire "inutile" d'après Fernand Braudel (1902-1985), même si cet auteur lui consacre deux longs chapitres de sa thèse, devenue l'un de ses principaux ouvrages[5].

Sans remonter à la prise de Constantinople, on peut rappeler que la première moitié et le milieu du XVIe siècle sont ponctués de grandes batailles entre Turcs et chrétiens[6]: en 1522, les galères de Mustafa pacha (1500-1581) assiégèrent Rhodes, que les chevaliers de Saint-Jean-de-Jérusalem durent céder. Suivit en 1538 la première grande rencontre navale: la flotte chrétienne d'Andrea Doria (1466-1560) était face à la flotte turque de Kheir-al-Din, surnommé Barberousse (1478-1546), devant le port de Préveza au nord-ouest de la Grèce. Mais Doria refusa le combat et se replia. Après une relative accalmie, les chrétiens subirent en 1560 un désastre devant l'île de Djerba (Tunisie), où l'escadre turque de Piyale pacha (1515-1578) mit en déroute l'escadre hispano-italienne de Gian-Andrea Doria (1539-1606). En 1565, les galères de Piyale pacha et les escadres barbaresques d'Euldj Ali (1520-1587) vinrent attaquer Malte où s'était établi l'ordre de Saint-Jean-de-Jérusalem. Néanmoins, la résistance héroïque des chevaliers et l'arrivée de troupes envoyées par Philippe II (1527-1556-1598) les tinrent en échec: cet épisode porte traditionnellement le nom de "Grand Secours de Malte".

L'année suivante, en 1566, commença sous l'égide du pape Pie V de difficiles négociations entre états, qui aboutirent assez laborieusement à la constitution de la Sainte-Ligue en 1571, réunissant les Républiques de Gênes et Venise, l'ordre de Malte, le duché de Savoie et l'Espagne. Sa flotte, réunie trop tard, ne parvint pas à sauver Chypre d'un long siège (15 septembre 1570-1er août 1571). La prise de Famagouste par Mehmed pacha Sokolovitch (v. 1505-1579), défendue par le Vénitien Marco Antonio Bragadin (1529-1571), écorché vif et exhibé, apparut comme une défaite insupportable[7], et la Ligue finit par s'entendre. Après deux mois de préparatifs toujours dans la mésentente, sous les ordres du très jeune demi-frère de Philippe II, don Juan d'Autriche (1545 ou 1547-1578)[8], elle écrasa à Lépante, le 7 octobre 1571, la flotte turque commandée par le *kapudan*[9] Ali pacha qui périt pendant le combat.

---

5. Fernand BRAUDEL, *La Méditerranée et le monde méditerranéen à l'époque de Philippe II,* 5e édition, Paris, Armand Colin, 1982, "Aux origines de la Sainte-Ligue" p. 330-382 et "Lépante", p. 383-430. C'est p. 429 que la victoire reçoit ce qualificatif.

6. Sur la période précédant la formation de la Sainte-Ligue, voir F. BRAUDEL, *op. cit.*, p.164-212.

7. Alessandro BARBERO, *Lepanto. La battaglia dei tre imperi*, Rome, Laterza, 2010, p.415-423.

8. *Ibid.*, p. 465-473.

9. Capitaine de la mer. Sur le rôle de cet officier dans l'empire turc, voir *ibid.*, p. 54-57.

Mais, la bataille ayant eu lieu tard dans la saison, cette énorme flotte dut se disperser et rentrer pour hiverner. Elle ne put être de nouveau réunie, si bien qu'Alvise Mocenigo (doge de Venise de 1570 à 1577) se retira et signa une paix séparée avec Sélim II "Mest" (1524-1566-1574) le 7 mars 1573[10]. Cette victoire n'eut donc pas l'importance politique espérée, même si elle fut célébrée par les poètes, les écrivains, et représentée par les peintres et les graveurs, essentiellement vénitiens, génois et espagnols d'une part, turcs d'autre part, tous attribuant également à leur propre nation le mérite des combats. Parmi les récits le plus souvent utilisés par les historiens, on remarque celui du napolitain Ferrante Caracciolo (mort en 1596)[11]. Un autre récit écrit par un témoin oculaire mais anonyme récemment traduit et publié montre un point de vue légèrement différent[12]. Les archives, fort dispersées mais abondantes, dont certaines furent éditées, complètent la documentation sur la bataille proprement dite. Braudel fut, comme nous l'avons déjà souligné, le premier chercheur à s'être penché sur la bataille de Lépante dans une perspective internationale. Malgré l'aspect novateur de cet ouvrage, parce que résolument européen par la variété de sources et l'acuité de ses analyses[13], je me suis appuyée aussi pour les faits de la bataille sur l'ouvrage plus récent d'Alessandro Barbero, historien de l'université de Vercelli, spécialiste d'histoire sociale et militaire, et non de l'histoire d'une région en particulier. On peut donc considérer son travail, puisant lui aussi aux sources de tous les pays, comme le plus objectif à ce jour.

Car les représentations furent très précoces et nombreuses, les Vénitiens étant sans doute les plus rapides à célébrer cette bataille, ainsi qu'en témoignent un certain nombre de dessins et gravures conservés dans les fonds des musées et des bibliothèques de la ville, comme les gravures du cartographe Bertelli et du graveur Dalmate Martin Rota Kolunica[14]. Les représentations issues des artistes turcs sont plus difficiles à identifier.

Enfin, les vestiges matériels de la bataille, assez abondants, méritent aussi l'attention, tant à l'Arsenal de Venise qu'aux musées navals de Barcelone et Madrid, au trésor de la cathédrale de Saint-Jacques-de-Compostelle, et dans d'autres fonds

10. Sur cette paix et le rôle joué par le roi de France, allié des Turcs, voir F. BRAUDEL, *La Méditerranée [...], op. cit.*, p. 415-416.

11. Ferrante CARACCIOLO, *Commentari delle guerre fatte co'i Turchi da D. Giovanni d'Austria,* Florence, Giorgio Marescotti, 1581 (ouvrage non consulté directement).

12. *La bataille de Lépante*, introduction de Bertrand GALIMARD-FLAVIGNY, Jean PAGÈS (trad.), Biarritz, Atlantica-Séguier, 2011. Le manuscrit est conservé dans une collection particulière en Espagne. B. Galimard Flavigny avance l'hypothèse assez convaincante que l'auteur en serait un capucin espagnol.

13. F. BRAUDEL, *La Méditerranée [...], op. cit.*, p. 330-430.

14. Bertelli avait gravé un célèbre planisphère en 1567. Sur le Dalmate Pietro Rota (v.1520-1583), également peintre, voir Slavica MARKOVIĆ (dir.), *Martin Rota Kolunić i Natale Bonifacio : djela u hrvatskim zbirkama, katalog uz istoimenu izložbu u Kabinetu grafike*, Zagreb, HAZU, 2003, ainsi que Milan PEC, "Lepantska bitka i pomorski ratovi s turcima 1571/1572. Na grafika Martina Rote Kolunica", *Prijateljev Zbornik* II, Split, 1992. Merci à Nada Gujic de m'avoir procuré ces deux publications.

publics et privés (notamment pour les étendards et oriflammes au château de Rivalta près de Parme). Et l'archéologie livre encore des vestiges immergés.

Mais l'ouvrage de Barbero sur l'histoire factuelle de la bataille ne trouve qu'imparfaitement son équivalent dans notre discipline, l'histoire de l'art, pour l'histoire de sa représentation. Le livre de Marino Capotorti[15], paru presque en même temps, met l'accent sur le sud de la péninsule italienne, et n'attribue que peu de place aux artistes travaillant en Espagne. Il en va de même de Cecilia Gibellini dans son ouvrage paru en 2008, qui a mis en parallèle de manière rigoureuse les sources littéraires et les représentations presque exclusivement pour le seul domaine vénitien[16]. L'historien Guy Le Thiec, dans son article paru dans *Studiolo* en 2007, étudie le recours à l'aspect ressenti comme miraculeux par les contemporains de la bataille, mais essentiellement à Rome et Venise[17]. Le colloque, non publié ou en tout cas non accessible, de février 2009 organisé à Gênes était centré sur le rôle de la famille de Gian-Andrea Doria.

Pour l'Espagne, Jonathan Brown a étudié la galerie des batailles du palais de l'Escorial[18], mais la bataille de Lépante n'y avait pas trouvé sa place.

Que fallait-il peindre ?

Pour comprendre quelles difficultés les peintres eurent à affronter, il faut aussi rappeler le contenu de la représentation commandée : à l'entrée du golfe de Patras, près de Naupacte, la rencontre entre les deux flottes commença par une mise en ordre de bataille. Don Juan se méfiait de ses alliés et avait mélangé les galères d'origine différente avant la bataille : d'après Caracciolo[19], il aurait eu en tête la bataille d'Actium, où Cléopâtre s'était retirée quand elle avait senti une défaite possible. Du côté ouest, s'alignaient, réparties en quatre escadres, les deux cent huit galères chrétiennes[20], chacune pourvue du coursier, gros canon tirant en avant. Quatre-vingt-douze d'entre elles provenaient de Venise et étaient menées par Sebastiano

15. Marino Capotorti, *Lepanto tra storia e mito, arte e cultura visiva delle Controriforma*, Salento, Congedo, 2011. Il est dommage que l'auteur ne donne pas les dimensions des œuvres mentionnées.

16. Cecilia Gibellini, *L'immagine di Lepanto. La celebrazione della vittoria nella letteratura e nell'arte veneziana*, Venise, Saggi Marsilio, 2008.

17. Guy-François Le Thiec, "Les enjeux iconographiques et artistiques de la représentation de la bataille de Lépante dans la culture italienne" *Studiolo*, n° 5, 2007, p. 29-46. Même remarque que pour l'ouvrage de M. Capotorti.

18. Voir aussi José Luis Sancho, *Real monasterio de San Lorenzo de El Escorial*, Madrid, Patrimonio Nacional, 2009.

19. F. Caracciolo, *Commentari delle guerre [...]*, *op. cit.*, cité par A. Barbero, *Lepanto [...]*, *op. cit.*, p. 365.

20. Pour connaître le détail des appartenances, des noms des galères et de leurs capitaines ainsi que de la place occupée par chacune au début de la bataille, voir A. Barbero, *ibid.*, p. 638-645. Les chiffres concernant le nombre vaisseaux varient légèrement d'une publication à l'autre, mais ce n'est pas le lieu de détailler ce point.

Venier (1496-1578), alors âgé de soixante-quinze ans. Les autres galères, dites "ponantines" relevaient de la République de Gênes, sous l'autorité de Gian-Andrea Doria, comme celles du Duc de Savoie et du Grand-Duc de Toscane, alors que celles de le l'Ordre de Malte et des États pontificaux relevaient de Marc-Antonio Colonna (1535-1584), celles du roi d'Espagne de don Alvaro de Bazàn (1526-1588). Chaque galère, équipée d'une voile latine repliée pendant les combats, était équipée de trente paires de longues rames. Le château de poupe, où se tenaient les officiers, était couvert d'une toile de couleur, le tendelet. Les galères étaient précédées à l'avant d'un éperon permettant l'abordage, que don Juan (peut-être inspiré par Gian-Andrea Doria) avait donné l'ordre de scier, afin que le coursier puisse tirer plus bas, "à couler", dans les coques des navires ennemis. Six grosses galéasses, en fait des navires marchands armés de nombreux canons pouvant tirer dans toutes les directions, accompagnaient ces galères, ainsi que vingt-quatre naves, et d'autres petits bateaux, appelés aussi "fustes", non armés.

Face à ces navires à l'est, on dénombrait deux cent soixante-huit galères turques, assez semblables à leurs homologues occidentales, même si on est moins bien renseigné par les narrations turques, moins prolixes que la littérature occidentale concernant ce sujet.

Il fallait aussi peindre les équipages: chaque galère chrétienne était actionnée par environ cent soixante galériens, la plupart forçats, esclaves ou prisonniers de guerre (souvent turcs), avec des hommes libres (et armés) à Venise. Sur les galères de la Ligue, ils étaient cachés par la *pavesade*, longue pièce de toile peinte. Les galères turques étaient également actionnées par des prisonniers, chrétiens pour la plupart.

Les équipages embarqués sur les galères, outre les galériens, étaient des marins confirmés à différents postes, des religieux chez les chrétiens appartenant généralement à l'ordre des trinitaires, des capucins, des théatins, et certains aux jésuites, quelques artisans, et surtout, plusieurs milliers de fantassins et arquebusiers: huit mille cent soixante Espagnols, les *tercios,* et cent Allemands pour le roi d'Espagne, six mille Italiens originaires de plusieurs régions, auxquels il fallait ajouter huit mille cinq cents fantassins recrutés par Venise et mille cinq cents par le pape. Chez les Turcs, il s'agissait de janissaires.

Ainsi, une véritable foule de plusieurs dizaines de milliers de personnes participa à la bataille. Ceci explique la longueur interminable des préparatifs de la bataille, plusieurs mois, aggravés par la mauvaise entente entre toutes les nations représentées. À la veille de la bataille, S. Venier fit pendre un capitaine espagnol à l'arbre de sa galère, refusa l'inspection demandée par don Juan pour tous les navires, et M.-A. Colonna dut déployer des trésors de diplomatie pour réconcilier les protagonistes[21].

21. Sur ces épisodes, voir A. BARBERO, *Lepanto [...], op. cit.*, p. 465-474.

Au sein de cette immense foule, on devait pouvoir reconnaître les officiers, les effigies de certains d'entre eux étant connues par la peinture : don Juan d'Autriche sur sa galère réale à trois fanaux[22], S. Venier qui, portait une cuirasse de couleur noire, Gian-Andrea Doria, M.A. Colonna reconnaissable à sa calvitie, mais aussi Ali pacha, Occhiali, pseudonyme d'un capitaine turc, renégat, ancien corsaire, comme l'étaient aussi Scirocco et Uluch-Ali (1520-1587). La disposition de ces différents personnages est significative, et le combat des chefs des deux flottes personnellement actifs sur le théâtre des opérations, devait être pris en compte. L'héraldique et l'emblématique jouent un rôle déterminant dans l'identification des personnages et de leur origine.

Outre ces milliers de personnages, un acteur nouveau faisait son apparition dans l'iconographie : l'artillerie. Les canons et les mortiers des galères et des galéasses, les arquebuses des fantassins, ces armes qui lorsqu'elles sont en action, génèrent d'abondants panaches de fumée. Celle-ci envahit les troupes turques après que le vent d'Ouest se fut levé[23].

Les représentations de la bataille appartiennent à deux catégories d'images très différentes : la première catégorie aligne les navires parallèles, rangés face à face en arc de cercle, les Turcs à l'Est, les chrétiens à l'Ouest. La seconde catégorie, beaucoup plus originale pour l'époque, saisit un moment de la bataille proprement dite, des affrontements de navires et de milliers d'hommes se battant comme sur terre.

Les peintures de grand format représentant la bataille de Lépante

Aussitôt après la bataille, comme nous l'avons déjà indiqué, de nombreux textes, parfois écrits par des témoins oculaires, furent publiés, et des gravures commencèrent à circuler essentiellement depuis Venise, alors une des capitales de l'imprimerie, et l'un des principaux protagonistes de cette opération[24].

Cependant, les représentations les plus spectaculaires sont celles qui, à fresque ou sur toile, de grande taille, ornent les murs des salles des palais. L'étude de ce type d'œuvres, qui implique le spectateur dans son observation, révèle les difficultés auxquelles s'est confronté l'artiste.

22. Sur ce navire bien documenté, et reconstitué au Musée naval de Barcelone, voir Sylvie Édouard, "Un songe pour triompher : la décoration de la galère royale de don Juan d'Autriche à Lépante (1571)", *Revue Historique,* 2005/4 n° 636 p. 821-848.

23. Anonyme traduit par J. Pagès, *La bataille de Lépante [...], op. cit.*, p. 155 : "Jusqu'à ce que fût donné le signal du combat, nous eûmes un vent contraire avec une petite houle : quand nous fumes prêts à nous lancer avec joie à l'attaque, le temps changea et, de peu propice qu'il était, il nous devint favorable de telle façon que la fumée de l'artillerie des deux flottes se rassembla sur les ennemis et les aveugla au moment du combat..."

24. Pour plus de détails, voir M. Capotorti, *Lepanto tra storia [...], op. cit.*, p. 45-48 et p. 71-73. L'ouvrage de Caracciolo déjà cité appartient à cette série.

La liste des œuvres énumérées ci-dessous ne prétend pas à exhaustivité, car il s'agit uniquement d'une sélection de peintures documentées, et visibles dans des monuments civils[25].

Une première catégorie de ces peintures figure dans les palais privés des familles dont certains membres participèrent à la bataille. Une seconde catégorie, de très grande taille, s'affiche sur les murs de palais officiels, lieux de pouvoir recevant les visites d'hommes d'État, de prélats et d'ambassadeurs.

Dans la première catégorie, nous rencontrons, en partie haute du portique du Palazzo Farnese de Caprarola, au sein d'une série de hauts faits de la famille, deux fresques exécutées par un groupe d'artistes flamands et italiens, se rapportant à notre sujet: le martyre de M.-A. Bragadin pendant le siège de Famagouste, et les deux armées face à face avant l'assaut[26]: Alexandre Farnese (1545-1592), qui devait devenir le commandant espagnol de l'armée des Flandres, avait embarqué à Gênes à la suite de don Juan d'Autriche, "dans deux galères, dix seigneurs titrés et vingt-deux cavaliers dix capitaines et gentilshommes privés, et cent cinquante-deux soldats italiens à ses frais bien armés, et gens de grand courage[27]"

À Castiglione del Lago (province de Pérouse)[28], au bord du Lac Trasimène, s'élève le Palazzo della Corgna[29]: dans la grande salle, dite de l'Investiture, au sein d'un cycle de fresques à la gloire de la famille feignant la tapisserie, *La bataille de Lépante* fut commandée à Niccolo Circignani (vers 1530-vers1590, dit le Pomarancio). Il exécuta cet ensemble vers 1582-83, à la demande de Diomede della Corgna, fils d'Ascanio della Corgna (1514-1571), qui trouva la mort à Rome au retour de la bataille où il avait combattu auprès de M.-A. Colonna **[fig. 1]**. L'artiste exécuta un groupe de dessins préparatoires aujourd'hui conservés dans la collection John Guise de la galerie de Christ Church d'Oxford, mais celui de *La bataille de Lépante* ne figure pas dans le catalogue[30]. Jouxtant celle du Grand Secours de Malte de 1565, cette représentation de l'affrontement, dense et mouvementée, mettant en scène les personnages et les navires dont les canons crachent le feu, occupe la partie droite d'une paroi de la salle. Contraint par l'existence d'une porte à gauche de la composition, le Pomarancio a placé au premier plan une imposante allégorie de la Foi, et dans les cieux, le combat des bons et mauvais anges.

25. Œuvres que j'ai observées.

26. Voir sur ce point Luciano PASSINI, "Le vedute di paesaggi nel Palazzo Farnese di Caprarola" *Viterbo, Biblioteca e società,* 2007, p. 36-42. Il est impossible de publier des photographies personnelles de ces fresques.

27. A. BARBERO, *Lepanto [...], op. cit.*, p. 390-391 et p. 514.

28. Merci à Ambra Monottoli et Anna Rita Ferrarese pour leur accueil, et l'autorisation de photographier et reproduire la fresque.

29. Il n'existe aucune étude scientifique récente sur le palais, attribué à Vignole, et à ses décors peints, sauf les études suivantes: Giovanna SAPORI, "Artisti e committenti sul Lago Trasimeno", *Paragone*, 1982, 33, p. 27-61 et Luciano FESTUCCIA, *Guida al palazzo ducale et alla fortezza di Castiglione del Lago,* Castiglione, Duca della Corgna, 1996.

30. D'après le website du musée: http: //.www.chch.oxac.uk

À Gênes, où la participation à la bataille avait été primordiale, et où la rivalité avec Venise s'était largement exercée, les fresques de grandes dimensions ne sont pas légion, malgré la présence d'artistes notables[31]. Il n'a pas été possible d'examiner les fresques du palais Spinola, mais cette éventualité reste un espoir pour le futur.

Au palais d'Andrea Doria, pas de fresques, mais une suite de six tapisseries tissées en 1581-1582 à Bruxelles sur des cartons de Luca Cambiaso (1527-1585), qui retrace le déroulement des opérations depuis le départ des vaisseaux de Messine jusqu'au retour de la flotte à Corfou. C'est à la suite de la production de ces cartons que Cambiaso fut invité en Espagne où il peignit avec ses disciples d'autres peintures de bataille[32].

Fig. 1 : Niccolo Circignani dit Le Pommarancio (vers 1530-vers1590), *La bataille de Lépante*, vers 1582-83, Castiglione del Lago (Pe) Palazzo della Corgna, salle de l'Investiture.

Une œuvre entrée par achat au Musée maritime de Greenwich en 1946 mérite de retenir l'attention[33] **[fig. 2]**. C'est un grand tableau sur toile (H. 127 cm ; L. 232 cm ; P. 4 cm : cadre : H. 156,5 cm ; L. 262 cm ; P. 9 cm), qui pouvait donc être accroché au mur d'une pièce de réception. Cette œuvre signée d'un simple monogramme "HL" fut attribuée par Cecil Gould, conservateur à la National Gallery en 1960 à un artiste "austro-flamand". Elle fut certainement commandée par la famille Negroni, associée aux Centurioni, qui possédait quatre galères et dont l'étendard marqué de la croix blanche et l'étoile est ainsi identifié *"LA CAPITANA DENEGRINI"*. Occhiali également identifié par

31. Sur la peinture à Gênes à cette époque, voir Elena PARMA, *La Pittura in Liguria. Il Cinquecento*, Gênes, Banca Carige, fondazione casa di risparmio di Genova e Imperia, 1999 et Bertina SUIDA et Wilhelm MANNING, *Luca Cambiaso, La vita e le opere*, Gênes, Ceschina, 1957-958.

32. Voir sur ces œuvres Jonathan BROWN, L*a Sala de batallas, la obra de arte como artefacto cultural,* Salamanque, Ediciones Universidad, 1998.

33. Merci à Wolf Burchard, Christine Riding et Katy Barret pour leurs indications concernant cette œuvre.

une inscription : *OCHIALLRE.DALGIERIFUGE.DALLABATTAGLIA* est opposé à Gian-Andrea Doria : *IL. GIO.ANDREA.DORIA*, à gauche au second plan. Les corsaires Caur Ali et Kara Hodja sont également identifiés par leurs noms italianisés : *"CAVRALICO"* et *"CARACOZ"*. Cette peinture, l'une des plus détaillées concernant le sujet, a été inspirée par la gravure vénitienne de M. Rota exécutée peu après la bataille déjà citée plus haut. Mais elle apporte un élément que ne peut donner son modèle : une palette colorée riche et variée, et jouant un rôle notable dans l'identification des navires et de leurs occupants. De plus, Gian-Andrea Doria y figure en bonne place, alors qu'il fut accusé par les autres membres de la Ligue d'avoir fui le combat[34].

Fig. 2 : Anonyme flamand, *La bataille de Lépante*, Londres, Musée maritime de Greenwich.

Au Palazzo Colonna de Rome, il n'est pas surprenant de voir la victoire deux fois célébrée. Une *bataille de Lépante,* huile sur toile anonyme de grande taille (H. 245 cm ; L. 377 cm) avec cadre en trompe l'œil, évoque une peinture murale : tous les navires et les personnages importants, représentés avec beaucoup de précision, sont identifiés par une inscription[35]. Mais le "morceau de bravoure" du palais fut peint à la voûte de la Grande Salle par le vénitien Sebastiano Ricci (1659-1734) : il s'agit d'une allégorie tardive de la victoire aux accents baroques, et non d'une véritable représentation, mission impossible sur une voûte surplombant le visiteur[36].

34. A. BARBERO, *Lepanto [...], op. cit.*, p. 506-507 pour le récit des opérations de l'aile gauche et la "fuite" de Gian-Andrea Doria.

35. Stefania MASON-RINALDI, *Venezia e la difesa del Levante, Scontri e confronti di due civiltà*, catalogue d'exposition, Milan, 1985, p. 24-25.

36. Sur cet ensemble voir Christina STRUNCK, "The marvel not only of Rome, but of all Italy : The Galleria Colonna, its design history and pictorial programme 1661-1700", *Melbourne Art Journal*, 9/10, 2007, p. 78-102.

En Castille, s'élève à Ciudad Reale le palais des marquis de Santa Cruz. Don Alvaro de Bazàn, marquis de Santa Cruz (1526-1588) "un des hommes de mer espagnols les plus expérimentés qui soient[37]", commandait l'escadre de Naples au nom de Philippe II. Dans l'une des salles du palais, il existe une peinture murale anonyme que Braudel qualifie de "vision fantaisiste" de la bataille de Lépante[38].

À la seconde catégorie, appartiennent les œuvres de très grand format situées au Vatican et au Palais des Doges de Venise.

Au Palais du Vatican, dans la galerie des cartes de géographie, Cesare Nebbia (1536-1614) et ses collaborateurs peignirent une fresque représentant les *Isole Curzolari con la battaglia di Lepanto,* qui est une œuvre documentaire. À la Sala Reggia, Giorgio Vasari (1511-1574) reçut du pape Pie V (1504-1566-1572) sa dernière grande commande monumentale: *La bataille de Lépante* et la *Flotte de la Ligue devant Messine,* en face de trois épisodes de la Saint-Barthélemy à Paris: *le Massacre des Huguenots, Coligny blessé et Charles IX ordonnant le massacre.* Dans un récent article, Rick Scorza remarque que malgré l'abondante littérature générée par la bataille, peu d'auteurs se sont penchés sur la fresque de Vasari[39].

La Sala Reggia est la salle de réception la plus spectaculaire du palais. Longue de 34 m, large de 12 m et haute de 33, 6 m, elle est à la fois le vestibule du Palais apostolique et de la chapelle Sixtine, et la salle des audiences publiques les plus solennelles. Précédée d'un escalier monumental, elle était utilisée par les papes pour recevoir les rois et les chefs d'État. Là s'affirmait le pouvoir temporel et politique de l'Église. Le pape Pie V avait été conseillé dans ses choix iconographiques par l'un de ses secrétaires, Guglielmo Sangalletti. Ancien dominicain intransigeant, plus tard béatifié puis canonisé, Pie V s'était distingué par la lutte contre les Vaudois, les juifs et les protestants[40]. Il n'est donc pas surprenant qu'il ait voulu exalter la bataille de Lépante même si cette victoire n'avait pas conduit, comme il l'avait espéré, à la reconquête des Lieux Saints.Toutefois, on raconte qu'il avait eu une vision pendant la bataille et s'était exclamé: *"...sono le 12, suonate le campane, abbiamo vinto a Lepanto."* et depuis ce jour les cloches sonnent à midi[41]. L'année suivante en 1572 le 7 octobre, premier anniversaire de l'événement, marque l'institution de la fête de "Santa Maria della Vittoria", transformée en "Festa del SS. Rosario", d'où l'amalgame entre la Vierge de la Victoire et la Vierge du Rosaire, très

37. A. BARBERO, *Lepanto [...], op. cit.,* p. 128.

38. F. BRAUDEL, *La Méditerranée [...], op. cit.,* figure 39, p.384. Œuvre que nous n'avons pas pu observer.

39. Rick SCORZA, "Vasari's Lepanto Frescoes: appparati, Medals, Print and Celebration of victory", *Journal of the Warburg and Courtauld Innstitute,* n° 75, 2012, p. 141. Sur cette œuvre, voir aussi Laura CORTI, *Vasari, Catalogo completo dei dipinti,* Florence, Cantini, 1989, p. 144-145, et aussi C. GIBELLINI, *L'immagine di Lepanto [...], op. cit.,* p. 129-132.

40. Voir le portrait qu'en brosse F. BRAUDEL, *La Méditerranée [...], op. cit.,* p. 330-332.

41. Origine de l'*Angélus* de midi.

souvent illustrée en Italie du sud[42]. Moins d'un mois après la victoire, G. Sangaletti avait écrit à Vasari pour lui commander les trois épisodes à peindre à fresque : la remise de l'étendard pontifical à don Juan (aujourd'hui perdue mais connue par un dessin et une médaille), le face-à-face des deux flottes dans le golfe de Lépante et la bataille proprement dite, au moment le plus violent (Vasari exclut la confrontation entre Uluch Ali et Gian Andrea Doria, alors qu'il montre Barbarigo contre Scirocco et don Juan contre Ali pacha).

Vasari, alors âgé, est assisté de Lorenzo Sabatini (v. 1530-1576), qui avait travaillé avec lui à Florence en 1565, Denijs Calvaert (1540-1619), Giovan Francesco da Bologna et Jacopo Coppi (1523-1591), expérimenté dans l'art de représenter l'artillerie[43]. R. Scorza a étudié avec précision toutes les sources, gravures, cartes, et médailles commémoratives, dessins que commanda à Venise Vasari (malgré le manque de confiance des autorités vénitiennes envers les curieux, envoyés par un artiste travaillant pour le pape). L'artiste avait aussi interrogé des témoins oculaires, faisant surgir un nouvel ensemble d'images[44]. Il représenta, outre une allégorie de la Foi au bas de sa composition et un groupe d'anges dans les cieux, les navires en ordre de bataille avant l'attaque, s'inspirant de la gravure de Bertelli, et la bataille proprement dite, ce qui lui donna l'occasion de développer les motifs de prédilection de l'esthétique maniériste, comme un grand nombre de figures enchevêtrées et grouillantes… Il écrivit au grand duc Francesco de' Medici :

> *[…] se à i maggior intrigo di cosa che io facessi mai. Spero con la grazia del Signor Dio, che per esser stata fattura sua, che mi darà grazia che io ne cosseguiro la medesima vittoria con pennegli, che i Christiani con l'arme.*[45]

La composition d'ensemble disposant les Turcs à droite, les chrétiens à gauche, reste classique.

Au ciel, le Rédempteur est entouré des saints patrons de la Ligue : Pierre et Paul (indiquant la localisation romaine), Jacques et Marc, accompagnés des anges guerriers, en bas à gauche, la Foi.

Au centre de la composition, sur une galère, entouré de lumière, l'archange saint Michel, saint patron du pape Michele Ghisleri. Au-dessus des Turcs, les démons s'opposent au groupe du Rédempteur, et en bas à gauche de la composition, la Foi,

42. M. CAPOTORTI, *Lepanto tra storia […], op. cit.*, p.137-212.

43. R. SCORZA, "Vasari's Lepanto Frescoes […]", art. cit., p. 144.

44. R. SCORZA, "Vasari's Lepanto Frescoes […]", art. cit., p.143.

45. Lettre publiée par Paola BAROCCHI, *Vasari pittore*, Florence, Barbera, 1964, p. 51-52, citée par C. GIBELLINI, *L'immagine di Lepanto […], op. cit.*, p. 130. "[…] c'est la plus grande complication de choses que j'aie jamais faite. J'espère avec la grâce du Seigneur Dieu, parce que c'était son œuvre, qu'il me donnera la grâce d'accomplir la même victoire avec des pinceaux, que les Chrétiens avec les armes."

tenant une croix et un calice d'où sort une hostie est assise sur deux prisonniers Turcs.

"L'affresco del Vaticano è senza dubbio l'opera d'arte che condensa al meglio i motivi ricorrenti anche nella produzione pictorica legata a Lepanto", écrit Cecilia Gibellini[46], et, signe de succès, l'œuvre de Vasari a été reproduite par la gravure[47].

À Venise, dès novembre 1571, le Sénat décida de célébrer la victoire en faisant peindre une grande toile "par le peintre qui excelle le plus dans sa profession[48]". Cette toile était destinée à la *sala dello Scrutino*, donnant directement sur la Salle du Grand conseil du palais ducal, faisant face à la *Libreria,* et où l'on procédait à l'élection du doge depuis 1532. Les commanditaires avaient peut-être en tête le travail de Vasari à la *Sala dei Cinquecento* au Palazzo Vecchio di Firenze (1563-1571). Un nouveau cycle décoratif fut conçu par Gerolamo de' Bardi (v.1544-1594), religieux de l'ordre des camaldules, qui prévoyait, à part la prise de Padoue en 1405, la représentation des victoires navales de la Sérénissime. La commande fut passée à Titien alors âgé de 83 ans, auquel on adjoignit Giuseppe Salviati, mais ils ne répondirent pas immédiatement à la demande, et Tintoret en profita pour offrir ses services. Le Sénat accepta l'offre de Tintoret, mais son œuvre fut emportée par l'incendie du Palais en 1577. Dès 1579-1580, il était question de la reconstituer, et un tableau d'Andrea Vicentino (1542-1617) la remplaça en 1603. C'est une très vaste toile, occupant l'un des longs côtés de la salle (H. 590 cm ; L. 139 cm), pouvant être parcourue du regard comme une large frise, et impliquant le spectateur. La galère de S. Venier occupe le premier plan, mais don Juan est bien reconnaissable, ainsi que M.-A. Colonna, et aussi Ali pacha.

Difficultés rencontrées par le peintre

Les contraintes de cadre

À la différence des représentations exécutées dans des chapelles aux volumes courbes, les œuvres recensées ici se développent assez librement, l'artiste le plus chanceux étant Vicentino qui disposait d'un très vaste rectangle, et son spectateur d'un recul suffisant. Seul le Pomarancio dut s'adapter à une surface irrégulière. Ce n'est donc pas cet élément de la création qui embarrassa les peintres. Mais d'autres difficultés, d'ordre iconographique et plastique, mirent leur savoir-faire à l'épreuve.

46. C. Gibellini, *L'immagine di Lepanto [...], op. cit.*, p. 131. "La fresque du Vatican est sans doute l'œuvre d'art qui condense le mieux les motifs récurrents aussi dans la production picturale liée à Lépante."

47. Gravure de Ferrando Bertelli, cartographe et marchand d'estampes vénitien. Un tirage de cette gravure est visible au musée de l'Arsenal de Venise.

48. Sur la toile de la salle du Scrutin, voir C. Gibellini, *L'immagine di Lepanto [...], op. cit.*, p. 124-126.

L'absence de modèles

L'absence de tradition de représentation de bataille navale explique une partie des difficultés rencontrées par les artistes. La qualification de peintre de la marine ne fera son apparition que beaucoup plus tard[49], et auparavant, il n'existait pas de spécialisation en ce domaine, les commanditaires faisant appel à leurs artistes favoris pour peindre tout sujet à leur convenance.

Un modèle aurait pu être invoqué, celui de la représentation de la *Bataille d'Actium*: Virgile, au chant VIII de l'*Énéide* (v. 627-705) compose une description du bouclier d'Énée voué aux victoires des Romains, et en particulier de cette bataille, à laquelle participent les dieux de l'Olympe. Nous verrons que cette *ekphrasis* pourrait être invoquée, au moyen habituel d'un glissement du paganisme au christianisme, pour les interventions divines et religieuses existant dans plusieurs des œuvres étudiées.

Les peintres de l'époque de la Renaissance devant représenter la bataille de Lépante ne disposaient d'aucun modèle plastique préétabli pour les opérations militaires proprement dites sur de petits ou de grands formats : une des plus importantes batailles navales de la fin de l'époque médiévale, la bataille de l'Écluse (1340), avec elle aussi plusieurs milliers de participants, avait fait l'objet de représentations sous forme d'enluminures de petite taille[50]. À cette époque, on n'employait pas de galères, mais des bateaux à voile qui, pour être activés par le vent, devaient obligatoirement se tenir parallèlement.

Si l'artiste ne disposait pas de schéma de composition source d'inspiration, il est certain qu'il recevait des directives de la part de ses commanditaires, mais celles-ci ne nous sont que rarement parvenues. Récemment, Jean-Bernard de Vaivre et Laurent Vissière ont eu la chance de découvrir à la Bibliothèque vaticane[51] une lettre et un cahier d'instructions précises adressés par Guillaume Caoursin, vice-chancelier de l'Ordre de l'Hôpital, à un enlumineur identifié comme le "maître du cardinal de Bourbon", concernant les illustrations d'un manuscrit existant encore de nos jours[52]. Ce volume comportant des textes de Caoursin, dont *La Relation du siège de Rhodes,* était destiné à Pierre d'Aubusson, grand maître de l'Ordre de 1476 à 1503, et avait déjà été remarqué par la qualité de ses illustrations. Il est intéressant de voir que les opérations militaires et navales sont minutieusement décrites par

49. D'après le *Website* officiel du ministère de la Marine, en France, les peintres de la Marine apparaissent dès le XVe siècle. Même si ce n'est qu'en 1830 qu'ils sont attachés officiellement au ministère de la Marine, les peintres de la Marine font remonter la création de leur corps à Richelieu.

50. Jehan FROISSART, *Chroniques,* BnF, ms. fr. 2643, fol. 72.

51. Jean-Bernard DE VAIVRE, "L'écrivain et le peintre. Un cahier d'instruction inédit de Guillaume Caoursin pour la réalisation de l'exemplaire de dédicace de ses œuvres à Pierre d'Aubusson", *Comptes rendus des séances de l'année 2012 de l'Académie des Inscriptions et Belles-Lettres,* janvier-mars 2012, p. 469-501.

52. BnF, Ms. Lat. 6007.

l'auteur des textes afin que le peintre les restitue avec soin. Malgré le sérieux de la représentation réclamée par Caoursin, il faut noter qu'il mentionne à la fin "que le painctre face toujours à son plaisir aucun chien ou oiseaulx et poissons en mer[53]..."

Une foule en mouvement

Autre difficulté pour l'artiste, le nombre important de vaisseaux combattant en même temps, et de soldats embarqués: il n'existe aucun modèle de bataille navale mettant en scène un nombre aussi élevé de bâtiments et d'hommes. Car il n'existe alors que peu de modèles de représentation des batailles rassemblant d'aussi nombreux soldats au combat: *La bataille de Constantin et Maxence au Pont Milvius* (1520-1524) de la chambre de Constantin au Vatican, œuvre de l'atelier de Raphaël (1483-1520) puis de Giulio Romano (1492 ou 1499-1546) est l'un des premiers exemples de peinture murale de très vastes dimensions, imitant une tapisserie accrochée, mettant en scène un grand nombre de combattants, essentiellement des cavaliers et des fantassins de l'Antiquité, et la place des chevaux y est primordiale[54]. L'inspiration de Raphaël provenait de reliefs romains et il est intéressant de noter qu'au centre de la composition, des personnages nagent dans le Tibre. *La bataille d'Alexandre* (1529) d'Albrecht Altdorfer (1488-1538), aujourd'hui conservée à la Alte Pinakothek de Munich met en scène une foule encore plus grande des soldats, mais ils ne sont pas encore vraiment en mouvement. On a longtemps cru que cette peinture faisait partie d'un ensemble de toiles commandé par Guillaume IV de Bavière, mais même si cette supposition est aujourd'hui contestée faute de preuves[55], l'œuvre d'Altdorfer reste très intéressante par sa taille (158 x 120 cm) et son traitement de l'espace, sa représentation saisissante d'une foule où le commandant suprême des troupes est placé au centre de la composition et non au premier plan, comme cela était d'usage depuis l'Antiquité. Si l'on s'en tient à l'hypothèse ancienne de la présentation de cette œuvre juxtaposée avec d'autres de même format, le problème de la vision d'ensemble des espaces perçue par le spectateur resterait à étudier.

La nouveauté pour la représentation de la bataille de Lépante est donc double si c'est bien la bataille elle-même qui a fait l'objet de la commande: non seulement il faut figurer plusieurs dizaines de milliers de soldats, mais ceux-ci sont en mouvement violent. Et c'est sans doute pourquoi il existe deux types de représentation: la première d'entre elles est la plus facile à peindre, et correspond à une carte de

53. J.-B. DE VAIVRE, "L'écrivain et le peintre [...]", art. cit., p. 485.

54. Sylvia FERINO PAGDEN, "Giulio Romano pittore e disegnatore a Roma", *Giulio Romano*, Milan, Electa, 1989, p. 85-86.

55. Christoph WAGNER et Oliver JEHLE (dir.), *Albrecht Altdorfer. Kunst als zweite Natur*, Ratisbonne, Schnell et Steiner, 2012, compte-rendu de Pierre VAISSE, *Revue de l'Art*, n° 181/2013-3, p. 78-79. Merci à Pierre VAISSE d'avoir attiré mon attention sur le nouveau regard porté sur l'œuvre.

géographie habitée de vaisseaux bien rangés en attente de l'assaut. C'est ce que l'on voit dans la galerie des cartes du Vatican, comme dans le premier épisode de la série des tapisseries de Gênes sur cartons de Cambiaso, ou la première fresque de Vasari. Même si les détails sont exacts et précis, rien ne laisse présager le déferlement de violence qui suivra. Car la vraie bataille libère une énergie redoutable et bien sûr meurtrière, que les artistes ont dû rendre dans un cadre présentant aussi ses contraintes : peindre une bataille terrestre sur un mur, devant être contemplée par un spectateur déambulant dans une pièce autorisait un sol avec des reliefs qui aidaient à la construction de l'espace. Sur mer, aucun accident de terrain, même si les rivages du golfe apparaissent parfois comme un fragment de cadre latéral. Les mâts des centaines de navires, portant d'ailleurs le nom d'arbres, constituaient donc des repères se détachant sur le ciel, de moins en moins hauts vers le fond du tableau, et permettant d'établir la profondeur sans que le spectateur ait la sensation de regarder la scène comme un plan.

Le peintre du tableau du musée de Greenwich, grâce à des juxtapositions de navires et de pavillons aux vives couleurs, a surmonté la difficulté. Le Pomarancio a joué sur les couleurs en donnant aux navires du fond, de plus petite taille, que ceux du premier plan, des couleurs très atténuées ; Andrea Vicentino a bien su diminuer la taille des navires et de leurs mâts, mais leur a laissé des couleurs similaires.

Un enchevêtrement de rames et des galères dans tous les sens, brouillé par la fumée

Il n'est pas possible lors d'un combat de galères de représenter le spectacle majestueux, si souvent figuré par les peintres de la Marine des siècles suivants[56] : deux escadres, bien rangées en lignes de file, navigant en parallèle tout en se canonnant, de hautes pyramides de voiles transperçant l'énorme nuée des fumées de tir. En effet, la présence des rames, — une trentaine sur chaque bord — longues d'une dizaine de mètres, interdisait tout abordage bord à bord. De plus, pour la même raison, il était impossible de disposer des canons sur les côtés du bâtiment, de toute façon trop étroit et instable.

Les combats nécessitaient une approche approximativement face à face, pour l'utilisation de l'artillerie, suivie d'un abordage par l'avant, sous un angle fermé. Si les bateaux étaient nombreux, on obtenait rapidement un enchevêtrement inextricable de coques disposées dans toutes les directions, une galère pouvant être attaquée par plusieurs autres, comme ce fut le cas de la Capitane de Malte. Les trente-six mille combattants de la Ligue étaient presque tous pourvus d'arquebuses[57], et ce

56. Voir en particulier les toiles d'Andries van Eervelt (1590-1652), artiste de Gand ayant séjourné à Gênes vers 1620-1630, et spécialisé dans les batailles navales, qui sera aussi beaucoup plus à l'aise pour représenter la fumée.

57. A. BARBERO, *Lepanto [...], op. cit.*, p. 520.

sont elles qui sont à l'origine des nuages de fumée représentés, plutôt que l'artillerie proprement dite.

Vasari voulut représenter ces galères le plus précisément possible. R. Scorza[58] a consacré un article qui éclaire la démarche documentaire entreprise par l'artiste en quête de détails : il se rendit lui-même à Civitavecchia afin de s'y livrer à des observations, mais, insatisfait, il envoya Cosimo Bartoli (1503-1572), son vieil ami et collaborateur, dessiner les galères et les galéasses à l'Arsenal de Venise. Il s'enquit de précisions sur les couleurs, mais ces embarcations étaient uniformément peintes en noir. Bartoli réussit ensuite à faire entrer en fraude à l'Arsenal, lieu secret, un autre artiste, dont on ignore l'identité. Mais le stratagème fut déjoué, le peintre chassé. Une semaine plus tard, il parvint à ses fins, et réussit à dessiner une galère, une galéasse et une *galea sottile*, feuille d'une très grande précision annotée par Bartoli, conservée dans une collection privée américaine, mais restée anonyme. Vasari en fit le meilleur usage, aussi bien pour la représentation des navires rangés avant les opérations que pour la bataille proprement dite. Soucieux de précision, sans opacifier l'ensemble de sa fresque, il restitua la fumée d'une manière qui impressionna un visiteur flamand en 1585[59].

Des portraits obligatoires

La distribution des personnages dans la composition reflète la diversité des commanditaires qui souhaitaient montrer les membres de leur famille : Venier et Barbarigo à Venise, Doria à Gênes ; à Rome, Colonna. Au Vatican, Vasari, pour rappeler Pie V absent de la bataille, insistait sur la divine Providence en peignant dans un halo lumineux l'archange Saint-Michel au-dessus de don Juan.

Dans la phase initiale de la bataille comme dans la bataille proprement dite, Ali pacha, affronté directement à don Juan, se trouve au centre de la composition et au non plus au premier plan comme c'était le cas dans les représentations de batailles terrestres médiévales ou du début de la Renaissance[60].

58. R. SCORZA, "“*A me pare, che siano fatte con diligenza*”, Cosimo Bartoli, Giorgio Vasari, and an extraordinary Venetian Drawing", *Master Drawings*, XLVIII, 2010, p. 341-351.

59. Jan.-L. DE JONG, "The painted decoration of the Sala Reggia in the Vatican — intention and reception", *in* Tristram WEDDINGEN (dir.), *Functions and Decoration : Art and Ritual at the Vatican Place in the Middle Ages and the Renaissance*, Rome, Biblioteca Apostolica Vaticana, 2003, p. 153-168.

60. Comme c'est encore le cas en 1458 pour les *Batailles de San Romano* de Paolo Uccello (1397-1475) conservées à la National Gallery de Londres et aux Offices de Florence.

Quelques espaces de liberté pour le peintre

Présence ou absence des éperons

Malgré ces nombreuses contraintes ou nouveautés, les peintres prirent des libertés avec les modèles imposés. Les éperons des galères chrétiennes avaient été sciés sur l'ordre de don Juan ou de Gian-Andrea Doria, mais leur silhouette effilée est tellement pittoresque au sens propre du mot que bien peu sont les artistes qui les supprimèrent de leur composition. Vasari, comme nous l'avons vu souhaitant rendre la réalité, en montre tout de même deux au second plan de la partie gauche de sa composition représentant la bataille, mais Andrea Vicentino, pourtant assez scrupuleux, n'en a privé aucune de ses galères.

Bannières, oriflammes et penons : la couleur partout

Ces ouvrages étaient considérés comme hautement symboliques, défendus par les porte-étendards, et pris à l'ennemi comme butin, et il ne faut pas oublier qu'ils étaient souvent exécutés par des peintres. L'étendard pontifical[61] avait été remis solennellement à Marcantonio Colonna par le pape le 11 mai 1571. L'anonyme traduit par Jean Pagès le décrit comme "de damas rouge portant en milieu un crucifix et de chaque côté saint Pierre et saint Paul et l'inscription qui proclamait : *IN HOC SIGNO VINCES*[62]. Conservé aujourd'hui dans le trésor de la cathédrale de Gaète, il est identifiable sur les peintures de Vasari et d'Andrea Vicentino.

L'un des étendards des chevaliers de Malte fut pris par Occhiali, affronté à Gian-Andrea Doria.

Les oriflammes, qui étaient hissées pour marquer le début de la bataille, étaient elles aussi l'affaire des peintres. Le *gallardete* de don Juan, actuellement conservé dans le trésor de la cathédrale de Saint-Jacques-de-Compostelle mesure dix-sept mètres de long et comporte les armes des Habsburg, de Gênes, et la Trinité.

Ces objets, hissés haut dans le ciel, agités par le vent, et mélangés puisque don Juan avait réparti les galères d'origine différente dans ses quatre escadres, ne sont pas sans rappeler l'époque médiévale à la fin de laquelle ils prirent une grande importance dans les cérémonies religieuses et civiles. Ils contribuent, avec les *tendelets* et les *pavesades,* à la qualité chromatique des représentations de la bataille, et apportent une gaîté qui ne doit pas faire oublier que cet affrontement laissa plus de dix mille morts.

61. R. Scorza, "Vasari's Lepanto Frescoes [...]", art. cit., p. 149.

62. Anonyme traduit par J. Pagès, *La bataille de Lépante, op. cit.,* p. 57.

Conclusion

Les artistes appelés à représenter la bataille de Lépante sur de vastes surfaces murales furent confrontés à de nombreuses difficultés inédites. Certains d'entre eux durent, comme sur le bouclier d'Énée, peindre l'affrontement religieux dans le ciel. Tous furent obligés de faire un effort de documentation, et furent aidés en cela par les gravures exécutées peu après les opérations militaires, qui donnaient déjà une image de l'enchevêtrement des rames et des combattants. Mais ces feuilles, faites pour être contemplées comme les pages d'un livre, à plat, de petite taille, et monochromes, durent nécessairement être adaptées à une vision horizontale et complétées par d'autres sources : la maîtrise de la perspective acquise par tous les peintres en cette seconde moitié du XVIe siècle leur permit mettre en place leur composition sur une grande surface verticale. De même, leur sens de la couleur aida ces peintres à représenter les nombreuses références héraldiques et emblématiques, qu'ils pouvaient même avoir eu à produire au cours de leur carrière. Ils durent aussi s'adapter aux commanditaires d'origine géographique différente : ainsi, il existe des *Bataille de Lépante* à caractère vénitien, génois, ou romain, et de fait, les trois représentations qui semblent les plus convaincantes sont celles de Vicentino, du tableau de Greenwich, et de Vasari. La démarche du peintre de Gênes restera sans doute inconnue, on ne dispose pas de beaucoup d'indications sur les difficultés rencontrées par Vicentino, et, de tous les artistes ayant eu à représenter la bataille, Vasari est celui dont on connaît le mieux le processus créatif[63].

63. Outre les personnes citées plus haut, je remercie Michel Baubet, Benoît et Christine Chaze et Arlette Maquet.

17

Alexis Peyrotte (1699-1769), un peintre décorateur sous Louis XV

Yoann Groslambert

Résumé — Alexis Peyrotte (1699-1769) fut l'un des acteurs du développement de l'art rocaille dans les intérieurs français du XVIIIe siècle. Son activité de peintre et dessinateur au sein du Garde-Meuble de la Couronne l'a amené à travailler, à plusieurs reprises, pour la décoration des demeures royales telles que Versailles, Fontainebleau ou encore Choisy. En étroite collaboration avec les artistes œuvrant dans ces châteaux, il avait conçu des décors en accord avec le goût de l'époque pour le style rocaille, agissant tout d'abord en tant que simple exécutant, puis, par la suite, comme initiateur de décors. Les archives, œuvres et objets conservés permettent aujourd'hui d'éclairer la vie de ce peintre décorateur qui fut tant sollicité jusqu'à ses derniers instants, pour les demeures royales comme pour celles de particuliers.
Mots-clefs — Histoire de l'art moderne, histoire du décor, Peyrotte Alexis, Boucher François, art rocaille, décor, ornement, France, Vaucluse, Mazan, Carpentras, Lyon, Fontainebleau, Choisy-le-Roi, Lyon, XVIIIe siècle, Ancien Régime, règne de Louis XV.

Abstract — Alexis Peyrotte (1699-1769) was one of the actors in the development of art rocaille in 18th century French interior designs. His profession as a painter and designer in the Garde-Meuble de la Couronne led him to work on several occasions for the décor in royal residences such as Versailles, Fontainebleau and even Choisy. In close collaboration with the artists who worked in the castles, he created some interior décors in keeping with the then fashionable taste for the rocaille style, at first as a regular craftsman, and afterwards as an innovator in décor. The archives, works of art, and objects that have been preserved help us to know the life of this painter-decorator better, one who was asked to work in royal residences as well as in private houses untill his last days.
Keywords — History of art, history of decoration, Peyrotte Alexis, Boucher François, decoration, design, ornament, rococo style, France, Vaucluse, Mazan, Carpentras, Lyon, Fontainebleau, Choisy-le-Roi, Lyon, 18th century, Old Regime, reign of Louis XV.

Alexis Peyrotte figure parmi les artistes dont l'activité de peintre décorateur, couronnée de succès de son vivant, fut rapidement oubliée au profit de certains de ses contemporains. Citons ainsi, par exemple, le nom de Jean Pillement (1728-1808), dont la riche historiographie contraste avec la pauvreté de celle de Peyrotte. Pourtant, Charles-Nicolas Cochin (1715-1790), dans l'une de ses lettres adressée à Abel-François Poisson de Vandières, marquis de Marigny (1727-1781), précisait à propos de son œuvre, "que ce même genre de talent est exercé à Paris d'une manière fort supérieure par MM. Gravelot et Peyrotte, dont les talens vous sont connus[1]". Du fait du changement de goût, d'un style rocaille dans lequel Peyrotte s'était illustré vers une rigueur néoclassique, son nom tomba dans l'ombre. Ainsi, Pierre-Jean Mariette (1694-1774), dans son *Abecedario*[2], le prénommait Pierre-Joseph[3] et non Alexis. Ce fut, dès lors, le début d'une historiographie ponctuée d'erreurs et amalgames que les recherches de Robert Caillet (1882-1957)[4], premier réel biographe de Peyrotte, ont contribué à éclairer, bien qu'il ait en partie confondu l'artiste avec Pierre-Josse Perrot (1700-1750). Aujourd'hui, les incertitudes se lèvent peu à peu, les travaux en cours permettant de mieux connaître la vie et l'œuvre de cet artiste qui réalisa la décoration de plusieurs des demeures royales, sous le règne de Louis XV (1710-1774).

Bien que nombre de ses décors aient à ce jour disparu, son implication dans leur élaboration et leur nature nous est connue par les archives et quelques indices conservés dans les musées français et américains. Comment Alexis fut-il amené à quitter son petit village du Comtat Venaissin pour consacrer sa carrière au décor peint ? Quelle fut son implication dans la décoration de plusieurs des demeures royales et, plus généralement, dans le domaine des arts décoratifs ? Quels choix artistiques avait-il favorisés pour répondre, au mieux, à ces commandes prestigieuses ?

De Mazan à Paris, le parcours d'un artiste aux prises avec le décor

Né à Mazan, dans le Vaucluse, en septembre 1699[5], Alexis Peyrotte a vraisemblablement suivi les enseignements de son père, Laurent Peyrot (?-1734). Ce

1. Marc FURCY-RAYNAUD, "Correspondance de M. Marigny avec Coypel, Lépicié et Cochin", *Nouvelles archives de l'art français*, 3e série, t. 19, 1904, 387 p., voir p. 301.

2. Charles-Philippe de CHENNEVIÈRES-POINTEL et Anatole DE MONTAIGLON, "Abecedario de P. J. Mariette et autres notes inédites de cet amateur sur les arts et les artistes", *Archives de l'art français*, t. 8, 1857-1858, 416 p., voir p. 143.

3. Il s'agissait vraisemblablement d'une confusion entre Alexis Peyrotte et Pierre-Josse Perrot.

4. Robert CAILLET, *Alexis Peyrotte, peintre et dessinateur du roy pour les meubles de la couronne (1699-1769)*, Vaison, Macabet frères, 1928.

5. Mairie de Mazan, Service de l'État Civil, registre des baptêmes de Mazan, 1674-1703, f° 980. Il fut baptisé le 28 septembre.

dernier avait abandonné l'activité de ventier, qu'il exerçait en 1695 lors de la location d'une maison à Mazan[6], pour se consacrer à l'art du décor à partir de 1712. En effet, les registres des congrégations religieuses des environs de Carpentras, jusqu'en 1725, le désignent alors comme sculpteur, peintre ou encore doreur. Les prix-faits conservés nous indiquent qu'il pratiquait davantage la dorure et peinture de cadres ou statues, plutôt que la sculpture. Les compétences artistiques du père constituaient donc un atout propice au développement du goût pour la décoration du jeune Alexis. Ce dernier entra vraisemblablement en apprentissage dans l'atelier de Jacques Bernus (1650-1728), sculpteur baroque ayant notamment réalisé la riche décoration du chœur de la cathédrale de Carpentras.

Les premiers travaux connus de notre artiste interviennent en 1720. Alors âgé de 21 ans, ce dernier travaillait, comme son père, pour la congrégation des Pénitents Blancs de Flassan[7]. Il était notamment occupé à la peinture de diverses statues. C'est en 1725 qu'il reçut un premier paiement de six écus roy pour une huile sur toile, représentant l'Immaculée Conception[8], émanant de la confrérie du Saint-Rosaire, toujours à Flassan. Si ses productions de l'époque ont aujourd'hui disparu, principalement détruites par la virulence de la Révolution dans le Comtat Venaissin, les archives nous permettent d'en connaître la nature[9]. Le 5 avril 1728, l'artiste épousa Marie-Anne Janelle de Trouville (avant 1705-avant 1765), originaire de Malemort[10], un village voisin. Le couple donna naissance à trois enfants, dont l'un n'atteignit pas l'âge de deux ans. Augustin-Laurent (1729-?) devint, comme son père, peintre décorateur, notamment pour le duc de Penthièvre (1725-1793)[11] et Joseph (1732-?) fut, quant à lui, ingénieur à l'île Maurice, alors Île de France.

En 1729, le couple quitta le village de Mazan pour s'installer à Carpentras, où l'artiste signa un contrat d'association[12] avec un ancien chirurgien reconverti en peintre, Joseph-Guillaume Duplessis (?-1772), père du fameux portraitiste. Cette association devait durer onze ans. Les deux hommes s'engageaient à travailler, ensemble, à l'art de la peinture en se partageant les frais. Ils devaient également fournir des modèles de tapisseries pour les manufactures lyonnaises. Ces derniers travaux amenèrent Peyrotte à quitter Carpentras vers 1737[13], date à laquelle il s'installa à Lyon. Nous le trouvons alors désigné, dans les actes notariés, comme

6. Archives départementales (ci-après AD) Vaucluse, 3^E^45-837, f° 9.

7. AD Vaucluse, 5^E^112, f° 99. Il reçut quarante sols pour la peinture de la statue de Saint Charles.

8. Sans autre précision. AD Vaucluse, 5^E^113, f° 299.

9. Yoann GROSLAMBERT, "Alexis Peyrotte, de Mazan à Lyon, les prémices d'une carrière officielle au service de Louis XV", Études Comtadines, *L'Art et l'Histoire en Comtat Venaissin*, n° 21, octobre 2014, p. 111-133.

10. Mairie de Malemort, registre des mariages, 1727-1774, p. 5.

11. Renaud SERRETTE, "Les enfants de Boucher: du château de Crécy au château de Sceaux", *L'Estampille — L'Objet d'art*, n° 429, 2010, p. 30-37.

12. AD Vaucluse, 3^E^26-2174, f° 622.

13. Archives nationales (ci-après AN), MC/ET/XXXIV/481.

"dessinateur et peintre", indiquant qu'il travaillait non seulement à la décoration peinte d'intérieurs, d'objets mobiliers ou usuels (le musée des Tissus et des arts décoratifs de Lyon conserve notamment deux dessins pour la décoration de carrosses[14], que nous pouvons dater de la période lyonnaise de Peyrotte), mais qu'il fournissait également des modèles pour les manufactures de soieries et de tapisseries de la ville[15]. Vers 1741, Robert-Menge Pariset (actif de 1740 à 1765), graveur et éditeur à Lyon, le sollicita afin de graver et publier ses modèles[16]. Cette collaboration se poursuivit au moins jusqu'en 1743. Peyrotte côtoya alors un autre graveur, qui œuvrait également pour le précédent, Jean-Charles François (1717-1782). De leurs travaux naquirent de nombreuses estampes offrant aux ébénistes, orfèvres ou bronziers, foule de modèles d'ornement. L'artiste collabora peut-être également à l'époque avec la famille Charton, ouvriers en soie, travaillant régulièrement pour le Garde-Meuble de la Couronne. Ces supposés travaux communs seraient ainsi à l'origine des liens que tissèrent Peyrotte et Gaspard-Moïse-Augustin de Fontanieu (1685-1767), alors intendant du Garde-Meuble. Particulièrement attaché au Dauphiné, ce dernier avait peut-être rencontré notre artiste lors de l'un de ses voyages dans la région. Charmé par ses dessins et productions peintes, il lui aurait ainsi proposé de le suivre à Paris, afin de travailler à des chantiers d'importance.

Sous sa protection, Peyrotte fut sollicité pour décorer les appartements du Dauphin et de la Dauphine, au château de Versailles, en 1747[17]. L'année suivante, il contribua vraisemblablement à la décoration du théâtre démontable des Petits Cabinets, installé dans l'escalier des Ambassadeurs, toujours à Versailles. Le 14 janvier 1749, l'appui de Fontanieu et la qualité des travaux de Peyrotte l'amenèrent à recevoir, de la part de Louis XV, le "brevet de peintre et dessinateur au garde-meuble de la couronne"[18]. L'artiste entama, dès lors, une carrière officielle ponctuée de commandes prestigieuses et parfois complexes. C'est durant ces premières années parisiennes que naquit une nouvelle collaboration entre Peyrotte et l'un des plus fameux graveurs de l'époque, Gabriel Huquier (1695-1772). Ensemble, les deux hommes publièrent notamment des recueils de cartouches d'inspiration chinoise et divers motifs d'ornement dans lesquels l'artiste développa un vocabulaire décoratif en rapport avec le goût de l'époque pour l'art rocaille, ponctué de feuilles d'acanthe, coquilles, rinceaux et entrelacs.

14. *Projet d'ornement pour un carrosse* (919.a et 2415.a).

15. Une lettre (Ms 2071) conservée au sein des collections de la bibliothèque de l'Inguimbertine, à Carpentras, présente un dessin nous permettant d'imaginer le genre de cartons que l'artiste pouvait fournir aux tapissiers.

16. BnF, Ms 22120, f° 17. Sylvie MARTIN-DE VESVROTTE et Henriette POMMIER, *Dictionnaire des graveurs-éditeurs et marchands d'estampes à Lyon aux XVIIe et XVIIIe siècles*, Lyon, Presses Universitaires de Lyon, 2003, p. 118.

17. AN, O[1]1922 B.

18. AN, O[1]93, f° 11.

La contribution de Peyrotte aux décors du château de Fontainebleau

Les recherches menées par Yves Bottineau (1925-2008)[19], Xavier Salmon[20] et les archives conservées nous permettent de connaître l'implication précise de Peyrotte dans l'un des chantiers majeurs de sa carrière : la décoration d'une partie du château de Fontainebleau. En effet, les travaux de réfection et de transformation de la façade de cette demeure royale, entrepris dès janvier 1751, avaient modifié, en partie, le plan de plusieurs de ses pièces. La chambre à coucher du roi et le grand cabinet attenant, la salle du Conseil, avaient ainsi été agrandis et nécessitaient une nouvelle décoration. Ces pièces figurent aujourd'hui parmi les rares lieux à avoir conservé les décors élaborés par l'artiste.

Augmentée de neuf pieds[21], la salle du Conseil **[fig. 1]** devait recevoir une nouvelle décoration, en accord avec le prestige de sa fonction. Les travaux, commencés dès 1751, offraient au lieu un nouveau plafond ainsi qu'un placage de boiseries. L'ébéniste Jacques Verberckt (1704-1771) et son associé, Antoine Magnonait (?-1754), furent chargés de la réalisation des nombreux lambris et du plafond à caissons alors peints en blanc, comme le souligne le duc de Luynes (1695-1758) dans ses mémoires[22]. Rapidement, le programme décoratif fut défini par le directeur général des Bâtiments, Vandières, assisté du premier architecte du roi, Ange-Jacques Gabriel (1698-1782). Il fut ainsi décidé d'orner le caisson central du plafond d'une allégorie du lever du jour et de la border de quatre compositions figurant les moments de la journée[23]. Ces dernières ne virent finalement jamais le jour, remplacées par les quatre saisons. François Boucher (1703-1770) fut sollicité, en 1753, pour la réalisation de ces cinq allégories qui prirent rapidement place au sein des caissons, après la présentation au Salon des quatre saisons.

Les correspondances entre Vandières, le contrôleur des bâtiments du département de Fontainebleau, Louis-François Thouroux de Moranzel (1709-1785) et Gabriel permettent de suivre, en détail, l'avancée des travaux. Ainsi, en mars 1753, Moranzel écrivait à Vandières : "M. Perot peintre et décorateur, qui est icy a commencé à faire les ornemens du plafond dans les parties qui sont finies en dorure[24]". Il précisait, en avril, que "Les doreurs touchent à la fin du plafond du cabinet du Roy et de l'attique en boiserie du pourtour dudit cabinet. [...] M. Perot

19. Yves Bottineau, *L'art d'Ange-Jacques Gabriel à Fontainebleau (1735-1774)*, Paris, Éditions de Boccard, 1962.

20. Xavier Salmon, *Alexis Peyrotte (1699-1769), ou les grâces du rocaille à Fontainebleau*, Fontainebleau, Société des Amis et Mécènes du Château de Fontainebleau, 2012.

21. Louis Étienne Dussieux et Eudore Soulié, *Mémoires du duc de Luynes sur la cour de Louis XV (1735-1758)*, t. 11, Paris, Firmin Didot frères, fils et compagnie, 1863, p. 275.

22. *Ibid.*, p. 275.

23. AN, O[1]1432.

24. AN, O[1]1431.

en a ébauché les ornements et viendra à fort fait quand les doreurs auront terminé". L'artiste avait ainsi profité de la présence des échafaudages pour commencer l'ornement des parties supérieures des murs, composé de trophées allégoriques, répondant aux thèmes abordés par les lambris de demi-revêtement. Ces derniers devaient être garnis de figures allégoriques évoquant la paix, la guerre, la force, la clémence, le secret, la fidélité, l'histoire, la justice, la prudence, la valeur et la renommée. L'exécution de ces compositions fut confiée à deux des peintres les plus estimés du royaume à l'époque, Carle Vanloo (1705-1765) pour les camaïeux bleus, et Jean-Baptiste Marie Pierre (1714-1789) pour les roses. En mai, Moranzel indiquait que l'"On a attaché sur les grands panneaux à oreilles au-dessous dudit attique les toelles peintes en camayeux par M. Vanloo et autres. Elles sont cloués [*sic*] de façon qu'elles ne godent en aucun endroit et qu'il semble que l'on ait peint sur les panneaux" et que "M. Perot travaille toujours aux panneaux de l'attique[25]." Le 1er août, ces derniers étaient terminés.

Fig. 1 : François Boucher, Jean-Baptiste Marie Pierre, Alexis Peyrotte, Carle Vanloo, Jacques Verberckt et Antoine Magnonait, vue de la salle du Conseil, 1753, huile sur toiles marouflées, feuilles d'or et huile sur bois peint en blanc, château de Fontainebleau.

Il œuvra alors à l'élaboration des bordures des toiles marouflées de Vanloo et Pierre. Il dut faire preuve d'une grande rapidité, car les ornements devaient être terminés le 8 septembre[26]. Près d'un an plus tard, en août 1754, Moranzel informait Vandières que "Les panneaux du cabinet du conseil qui avoient sensiblement travaillé et bouffé s'étoient remis d'eux-mêmes pendant l'hiver. Le Sr Peyrotte les a depuis fait maroufler avec précaution. [...] Les panneaux n'ont pas depuis

25. AN, O¹1431, f° 138.
26. AN, O¹1431.

travaillé[27]". Nous savons que les esquisses des compositions qui devaient orner les murs de la salle du Conseil étaient soumises à l'approbation de Gabriel et du roi. Les archives nationales conservent l'un de ces dessins, élaboré à deux mains par Peyrotte et Boucher[28]. Réalisé à la plume, ce projet ne fut finalement par entièrement retenu puisque l'œuvre définitive présente quelques variantes, non pas dans sa composition, mais davantage dans les motifs employés.

En 1753, alors que la décoration de la salle du Conseil s'achevait, Peyrotte décora une minuscule pièce adjacente, de plan ovale et ouvrant sur la chambre à coucher du roi **[fig. 2]**. Ce décor prenait place sur les trois registres du lambris et au plafond. Dans des cartels aux motifs typiquement rocaille, rappelant les grotesques de certains des contemporains de l'artiste, comme Christophe Huet (1700-1759), des bouquets de fleurs animés par la présence de quelques oiseaux ornaient les murs de la pièce. Des paysages en camaïeux bleus et verts ponctuaient également le tout. La prise en compte du lieu à décorer a amené Peyrotte à adopter certains angles de vue particuliers dans ce cabinet. Ainsi, les oiseaux ornant le plafond ont été représentés en trompe l'œil, vus de dessous, de sorte qu'ils semblent survoler le spectateur.

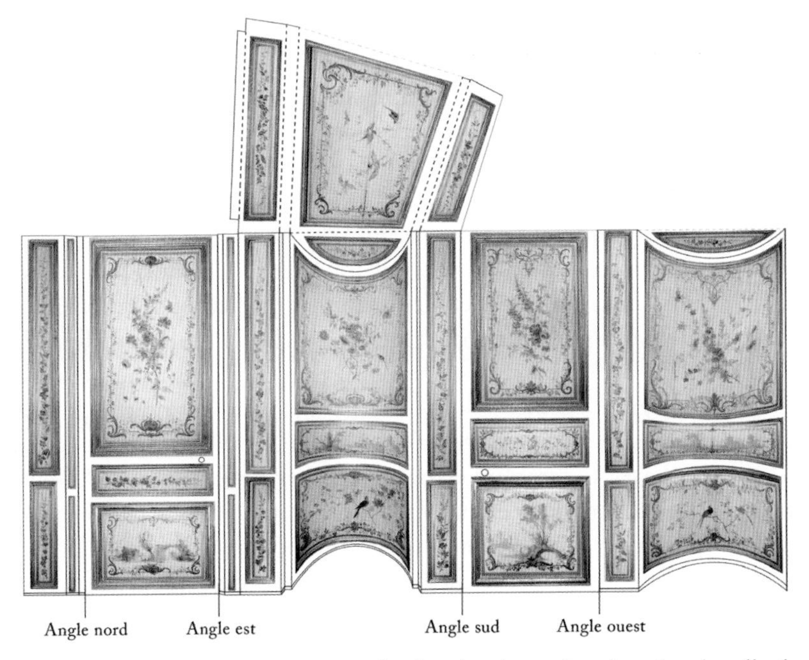

Fig. 2 : Alexis Peyrotte, passage entre la chambre à coucher du roi et la salle du Conseil, 1754, huile et feuilles d'or sur bois peint en blanc, château de Fontainebleau. Montage Y. Grolambert.

27. AN, O[1]1431, f° 251.

28. AN, O[1]1431, f° 168. X. Salmon, *Alexis Peyrotte [...], op. cit.*, p. 17.

Peyrotte procéda ensuite à la décoration de la seconde pièce installée entre le cabinet du Conseil et la chambre du roi **[fig. 3]**. Le Brûle-Tout, qui tient son nom de la présence d'une cheminée dans laquelle les papiers confidentiels évoqués pendant le Conseil étaient brûlés, servait de chambre au premier valet de chambre du roi. Louis XV et ses proches ne passant pas dans cette pièce pour se rendre de la salle du Conseil à la chambre à coucher, le décor se voulait plus léger et sans doute moins somptueux, les bordures rocaille visibles dans la pièce précédente ayant été abandonnées. Cette décoration était une initiative de Peyrotte. En effet, lorsque Moranzel prévint le directeur général des Bâtiments de ces travaux, "il a fait quelque dessein courant et léger dans le petit cabinet du p^{er} valet de chambre qui tient a celuy de Sa Majesté", Vandières répondit : "Aprenés moy pourquoi, a quel propos et de quel ordre[29]". Il faut croire que la décoration fut à son goût puisqu'on la conserva dans son intégralité.

Vinrent ensuite les travaux dans la chambre à coucher du roi, qui avait également été agrandie. Peyrotte fut sollicité pour intervenir, cette fois, sur un décor préexistant, la structure générale du précédent plafond et des boiseries ayant été adaptée aux besoins des nouvelles dimensions de la pièce. Ses travaux consistèrent à harmoniser et embellir l'ensemble, tout en conservant le caractère classique de la pièce. Ainsi, en avril 1754, Moranzel écrivait à Vandières : "Le plafond de la chambre du Roy est à moitié doré, et le reste adoucy, reparé et couché d'assiette. Nous avons avec M. Peyrotte vû et examiné ce plafond. Nous avons remarqué certaines parties trop nües ou nous ajoutons quelques baguettes et istels[30]". Quelques semaines plus tard, le 13 mai, Vandières était informé que "Le Sr Peyrotte a commencé aujourd'hui à mettre du monde à ce plafond pour remplir d'ornement les places qui nous ont paru trop vagues, et faire un tout lié[31]". Ces quelques travaux de décoration, consistant en diverses feuilles, coquilles ou fleurons, interviennent en trompe l'œil dans certaines parties de la pièce, imitant la sculpture **[fig. 4]**. Si la majeure partie des panneaux existants fut conservée, plusieurs zones se trouvaient à nu du fait de l'agrandissement du lieu et nécessitaient de nouvelles boiseries. Peyrotte fournit ainsi à Jacques Verberckt, le dessin d'au moins un trophée allégorique en accord avec le caractère classique de ceux préexistants. "M. Peyrotte a porté à M. Gabriel un panneau en papier grand comme nature de la boiserie de la chambre, dans le milieu duquel il propose un trophée analogue avec le reste de la ditte chambre, et qui ne tient point du moderne que vous voulés éviter[32]". L'artiste excella dans cet exercice, puisqu'il nous est aujourd'hui impossible de déterminer lequel des trophées est inspiré de son dessin.

29. AN, O^{1}1431, f° 163-164.

30. AN, O^{1}1431, f° 227.

31. AN, O^{1}1431, f° 229.

32. AN, O^{1}1431, f° 227.

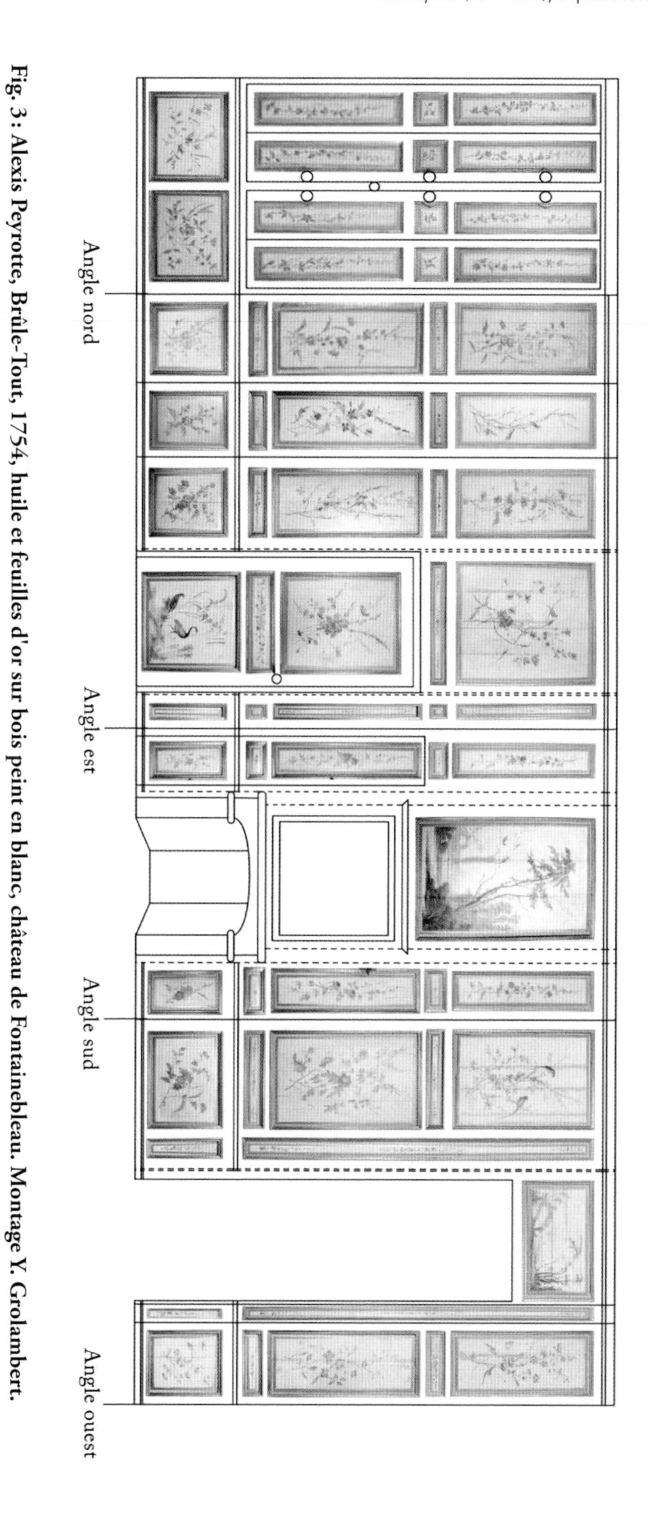

Fig. 3 : Alexis Peyrotte, Brûle-Tout, 1754, huile et feuilles d'or sur bois peint en blanc, château de Fontainebleau. Montage Y. Grolambert.

Fig. 4 : Alexis Peyrotte, détail du plafond de la chambre à coucher du roi, 1754, huile et feuilles d'or sur bois peint en blanc, château de Fontainebleau.

Peyrotte procéda, par la suite, à la réalisation d'autres décors sur lesquels nous ne reviendrons pas, ceux évoqués ci-avant nous permettant de comprendre son implication dans la décoration du château. Les paiements qu'il reçut, suite à ses travaux au sein de la demeure, furent considérables pour l'époque puisque s'élevant à 24009 livres. Ils révèlent qu'il ne fut pas simplement exécutant, mais qu'il avait également œuvré comme chef de chantier, allant jusqu'à prendre des initiatives et décider de certains des programmes décoratifs.

Choisy, l'écrin d'un chef-d'œuvre perdu de la décoration rocaille

En 1755, Peyrotte fut sollicité pour intervenir dans une autre demeure royale. En effet, le domaine de Choisy venait alors de connaître de grands bouleversements dans sa structure et les nouveaux appartements demandaient une décoration adéquate. Si les outrages du temps ne nous permettent pas de connaître la nature exacte des décors conçus par l'artiste, les archives[33] conservent les traces de son passage à Choisy et offrent un aperçu de son implication dans les travaux de décoration des deux châteaux. Nous ne reviendrons pas en détail sur ces derniers,

33. Barbe CHAMCHINE, *Le Château de Choisy*, Paris, Jouve et Compagnie, 1910.

signalons simplement qu'il se chargea des décors, dans le Grand Château, du cabinet particulier du roi, de sa garde-robe attenante et du cabinet de madame de Pompadour (1721-1764)[34]. En 1756 et 1757, le Petit Château, récemment élevé sur les plans de Gabriel, reçut ses décors dans le cabinet de Conseil, la salle à manger de la Table Volante, le cabinet de madame de Pompadour et sa garde-robe[35]. Gabriel jugea ces travaux "de bon goût et exécutés avec soin, suivant l'art de peinture et en conformité aux esquisses qui avaient été approuvées de Sa Majesté[36]".

Malgré les précautions prises, les panneaux peints par Peyrotte souffrirent de l'humidité et il dut intervenir à trois reprises pour restaurer ses propres réalisations, en 1758, 1762 et 1763[37]. En 1765, l'artiste revint une dernière fois à Choisy afin d'y élaborer la décoration d'un cabinet de l'appartement neuf du Petit Château[38]. Il y réalisa quelques figures chinoises en camaïeu qui sont peut-être à rapprocher des dessins conservés au sein de l'École nationale supérieure des beaux-arts de Paris[39]. Les ensembles décoratifs qu'il avait conçus, pour lesquels il reçut 24157 livres[40], étaient en lien avec le caractère plaisant de la demeure. En effet, il s'agissait d'un château que l'on peut qualifier de familial, éloigné de la rigueur protocolaire du château de Versailles. Peyrotte avait ainsi élaboré des décors aux thèmes éloignés du sérieux des scènes d'histoire, davantage tournés vers des allégories plaisantes et divertissantes ou encore des motifs champêtres.

Le seul vestige présumé de ces décors consiste en une porte, aujourd'hui conservée au sein des collections du Metropolitan museum of Art **[fig. 5]**. Ayant appartenu à Georges Hoentschel (1855-1915) puis à John Pierpont Morgan (1837-1913), avant d'être offert au musée par ce dernier, l'objet est longtemps resté dans un prudent anonymat. La documentation du musée le désigne comme étant réalisé à la manière de Jean-Baptiste Oudry (1686-1755), fait aisément justifié par la présence des quelques volatiles, sujet maintes fois abordé par cet artiste. Or, nous sommes aujourd'hui en mesure d'y voir l'œuvre de Peyrotte. En effet, la touche caractéristique, assez enlevée, est identique à celle des panneaux du château de Fontainebleau, et plus particulièrement des quelques paysages du passage entre la salle du Conseil et la chambre à coucher du roi. L'influence d'Oudry sur l'œuvre de Peyrotte fut constante dès son arrivée à Paris. Nombre de ses dessins reprennent certains motifs gravés, élaborés par le fameux peintre animalier. Ce fait est particulièrement visible dans les recueils d'études conservés au sein des collections du musée des Arts décoratifs de Paris, que nous aborderons plus après. Cette porte est, elle aussi, teintée de son

34. AN, O[1]1355, O[1]1380 et O[1]1345.
35. AN, O[1]1355 et O[1]1350.
36. AN, O[1]1380.
37. AN, O[1]1380, O[1]1346 et O[1]1356.
38. AN, O[1]1356 et O[1]2263.
39. École nationale supérieure des beaux-arts de Paris, EBA 1411 et EBA 1412.
40. AN, O[1]2258.

influence. Ainsi, les oiseaux ont été empruntés aux planches VI, XI et XII du *LIVRE de differentes especes d'OISEAUX de la CHINE Tirés du Cabinet du Roy*, publié par Gabriel Huquier en 1737, d'après le recueil intitulé *Oiseaux de la Chine*[41]. L'exposition intitulée *Sculpter pour Louis XV, Jacques Verberckt ou l'art du lambris à Fontainebleau* et son catalogue, ont permis d'éclairer l'œuvre de cet ébéniste qui fut vraisemblablement l'auteur des éléments sculptés de cette porte. Nous pouvons aisément les rapprocher de ses réalisations au sein du château de Fontainebleau, dans l'appartement des Chasses notamment. Or, les seules demeures connues dans lesquelles Peyrotte et Verberckt ont œuvré côte à côte, outre Versailles et Fontainebleau, furent les châteaux de Choisy. Notons enfin, en faveur d'une attribution à Peyrotte de ce décor, que l'artiste avait conçu, entre 1756 et 1757, pour la garde-robe du roi du Petit Château, une décoration en camaïeu vert, aux fleurs et plantes étrangères mêlées d'oiseaux[42]. Cette porte aurait-elle fait partie de cet ensemble? Si la supposition est séduisante, notamment lorsqu'il s'agit d'observer la qualité d'exécution de ce décor, la prudence reste toutefois de mise. Signalonsen effet que l'artiste avait également travaillé pour des commanditaires privés, en témoigne la décoration conservée du Petit Hôtel d'Orléans, à Fontainebleau[43].

Le musée des Arts décoratifs de Paris conserve deux recueils de dessins de Peyrotte, dont l'une des pages de titre porte la date de 1760[44], c'est-à-dire trois ans après la fin de ses travaux à Choisy et l'année durant laquelle Gabriel procéda à leur réception. Il est intéressant de constater que ces études présentent des motifs en rapport direct avec les différentes descriptions données par les archives à propos des décors conçus au sein des deux châteaux.

Fig. 5: Alexis Peyrotte (attribué à), panneau de porte, huile et feuilles d'or sur bois, H. 257; L. 79 cm; P. 4 cm, 1756-1757, New York, Metropolitan Museum of Art (offert par J. Pierpont Morgan en 1906), 07.225.459.

41. Bibliothèque de l'Institut national d'histoire de l'art, collection Doucet, MS 693.

42. AN, O[1]1355.

43. X. SALMON, *Alexis Peyrotte […], op. cit.*, p. 26-28.

44. Musée des arts décoratifs de Paris, 21973.F.

La variété des thèmes représentés couvre plusieurs genres : le paysage, la nature morte, les fables ou encore l'exotisme. Nous trouvons, sur l'une des feuilles, un modèle de panneau décoratif reprenant les deux oiseaux présents sur la porte du Metropolitan museum of Art, en sens inverse **[fig. 6]**. Leur présence dans une composition différente nous indique ainsi que ces recueils, s'ils n'offrent pas un reflet exact des panneaux conçus pour Choisy, y trouvaient cependant un écho.

Fig. 6 : Alexis Peyrotte, modèle de panneau décoratif aux oiseaux, encre brune et lavis gris sur mise en place à la pierre noire sur papier, H. 17,1 cm ; L. 19 cm (dimensions prises à la bordure encrée), 1760, Paris, Les Arts décoratifs, musée des Arts décoratifs, 21979. A.

Il faut probablement y voir des études pour des boiseries existantes, en témoignent les formes chantournées que certains des panneaux adoptent. Nous trouvons, sur l'un des dessins, les armoiries de la famille Fontanieu, indiquant que cette décoration était peut-être destinée à orner les murs de l'une des demeures de l'intendant du Garde-Meuble[45]. Ces études permettent également d'éclairer le processus de création des décors de Peyrotte. Ainsi, alors que les bordures ont été tracées avec soin à la plume et systématiquement ombrées, témoignant d'une réflexion préalable et d'une attention toute particulière, les scènes prenant place au sein des cartouches ont, quant à elles, été élaborées dans un second temps et plus rapidement. Pleines de verve, ces dernières laissent parfois apparaître une ébauche à la pierre noire. Ainsi, l'artiste concevait tout d'abord ses cartels avant d'y insérer

45. Signalons, à propos de Fontanieu, qu'il disposait de ses appartements à Choisy.

des compositions variées, souvent empruntées à ses contemporains. Nous avons vu que l'influence d'Oudry sur Peyrotte ne fut pas négligeable. C'était également le cas de Boucher, dont les estampes d'inspiration chinoise[46] se retrouvent presque à l'identique dans plusieurs des études de notre artiste **[fig. 7 et 8]**.

Fig. 7 : Alexis Peyrotte, Modèle de panneau décoratif au chinois musicien, 1760, encre brune et lavis gris et brun sur mise en place à la pierre noire sur papier, H. 35,2 cm ; L. 12,8 cm (dimensions prises à la bordure encrée), Paris, Les Arts décoratifs, musée des Arts décoratifs, 21976.A.

Fig. 8 : François Boucher, Gabriel Huquier (éditeur), Musicien Chinois, vers 1740, eau-forte, H. 21 cm ; L. 13 cm, collection particulière.

46. Celles tirées du *RECUEIL de diverses Figures CHINOISE*, publiées par Huquier, ont particulièrement été employées par Peyrotte.

Peyrotte et les arts décoratifs. Un ornemaniste très sollicité

Nous n'avons abordé que le cas des peintures décoratives murales ; cependant, Peyrotte fut également décorateur d'objets, qu'ils aient été destinés à un usage intérieur ou extérieur. Le mobilier concourant à la décoration du lieu qui l'accueillait, l'artiste avait réalisé les décors peints de certains objets, en accord avec les thèmes ornant les lambris. Nous connaissons ainsi l'existence d'un paravent orné des motifs chéris de l'artiste tout au long de sa carrière. La qualité et profusion des ornements en trompe l'œil, notamment dans les parties inférieures, font de cet objet, vendu en 1989 à Monaco par Christie's[47], un parfait exemple des productions exécutées par l'artiste en marge de ses occupations officielles au sein du Garde-Meuble. Si la majeure partie des meubles décorés par l'artiste a aujourd'hui disparu, quelques mentions anciennes permettent d'en connaître la nature. Par exemple, il existait, à Choisy, "un meuble de Cabinet de velours d'Italie, petit gris peint, représentant des fables et des animaux, peints par Peyrotte, les bois sculptés et dorés, servant au Cabinet de Conseil[48]". Nous pouvons également évoquer un dessin, aujourd'hui conservé dans les collections de la Bibliothèque nationale de France[49], présentant une figure d'inspiration chinoise dans un cartouche richement orné de motifs rocaille. Les traces de piqures nous indiquent qu'il avait été reporté sur un autre support que nous imaginons être, d'après les dimensions de l'œuvre, un panneau de chaise à porteurs ou un écran de cheminée. De même, l'artiste avait fourni des modèles d'étoffes, comme en témoignent plusieurs cartons conservés dans le même recueil que le dessin précédemment évoqué. Ces derniers révèlent l'inventivité de l'artiste, qui avait conçu de riches bordures pouvant accueillir différentes scènes en leur sein.

La contribution indirecte de Peyrotte aux arts décoratifs mérite également d'être remarquée. Ainsi, certaines de ses estampes, reflets de sa carrière d'ornemaniste, furent employées afin d'orner des écrans à main et ont servi de modèles pour des étoffes[50] ou des papiers peints[51]. Ses livres de *Cartouches chinois*[52], publiés par Huquier avant 1749, ont particulièrement marqué les esprits et ont connu une certaine fortune dans le domaine des arts décoratifs, que ce soit pour les arts textiles, à Lyon particulièrement, ou pour la céramique[53]. Martin Engelbrecht (1684-1756)

47. *Vente de Tableaux et Dessins Anciens*, le 16 juin 1989, lot 45, illustré dans le catalogue de vente p. 77.

48. AN, O[1]3380, *Inventaire des meubles au château de Choisy*, réalisé en 1764.

49. BnF, Réserve HD-64-FT4.

50. Vente Dumousset-Deburaux à Drouot, le 19 janvier 1999, lot 261.

51. Musée du Papier peint de Rixheim, 992 PP 8-25.

52. Visibles dans les collections de l'École nationale supérieure des beaux-arts de Paris (Est Les 60 bis).

53. Christelle Meyer et Benoît-Henry Papounaud, *La faïence de Moulins, un tempérament de feu*, Moulins, Bleu autour, 2008, p. 95-101.

contribua à leur diffusion en Allemagne, tandis que François Vivares (1709-1782) les copiait en Angleterre. Aujourd'hui encore, l'œuvre gravé de Peyrotte inspire la production contemporaine, que ce soit dans le textile de luxe ou encore dans les décorations intérieures. Ainsi, Christian Lacroix (né en 1951) a employé l'une des estampes de la première partie du livre de *DIVERS ORNEMENS Dédiés a Monsieur TANEVOT*[54], gravé et édité par Huquier d'après les dessins de Peyrotte, afin d'orner les murs du restaurant du Centre national du Costume de Scène, à Moulins.

Conclusion

La riche carrière que Peyrotte mena dans le Comtat Venaissin, à Lyon et enfin dans la région parisienne, au service de Louis XV, fut ainsi ponctuée de commandes parfois complexes. Son œuvre dans le domaine de la décoration fut aussi varié que profus. Pourtant, c'est le décor qu'il avait conçu à Fontainebleau qui marqua son historiographie, ce dernier étant le seul vestige encore conservé dans le lieu pour lequel il avait été conçu. La redécouverte de la porte offerte au Metropolitan museum of Art en 1906 a permis de rapprocher les productions de Peyrotte au sein des châteaux de Choisy avec les dessins du musée des Arts décoratifs de Paris. Si son implication directe dans la décoration de ces demeures est aujourd'hui mieux connue, les découvertes récentes quant à son rôle dans la coordination des équipes œuvrant à ses côtés permettent d'envisager sa carrière de peintre décorateur sous un nouvel angle. Ainsi, l'artiste ne fut pas le simple "peintre d'ornemens[55]" dont parlait Mariette, mais également un chef de chantier, dirigeant d'une main de maître ses équipes de doreurs et peintres.

Peyrotte poursuivit, sans relâche, ses activités de décoration jusqu'à la fin de sa vie, sachant s'entourer de fidèles collaborateurs dont Patrice Liard, "dessinateur bourgeois de Paris[56]" et Pierre Protain, peintre d'architecture et conseiller de l'Académie de Saint-Luc[57]. À la mort de l'artiste, qui intervint au cours de la nuit du 14 au 15 février 1769, ce trio œuvrait depuis plusieurs années dans un atelier, *Les Rats*, installé dans un appartement, au premier étage d'une maison située rue du Faubourg du Temple. Comme nous l'apprennent les oppositions à la levée des scellés au sein de son domicile, sis rue et Barrière du Temple, la dernière commande à laquelle cette équipe répondit fut la décoration de la maison de

54. La bibliothèque des Arts décoratifs de Paris conserve quelques-unes des estampes de ce livre (Maciet ORN/10/10-14), dont celle utilisée par Christian Lacroix.

55. C.-P. de Chennevières-Pointel et A. de Montaiglon, "Abecedario de P. J. Mariette [...]", art. cit., p. 143.

56. AN, XLIV, 506, 25 juin 1773. Ce document d'archives nous a été signalé par Anne Lajoix.

57. Jules Guiffrey, "Histoire de l'Académie de Saint-Luc", *Archives de l'art français*, t. 9, 1915, 516 p., voir p. 429.

"Mr Depommery[58]". Il s'agissait, plus exactement, de Pierre Randon de Pommery (1714-1787), garde général des Meubles de la Couronne. Ce décor reste, à ce jour, non identifié, comme sans doute nombre de ceux conçus par Peyrotte, tant à Lyon qu'à Paris.

58. AN, Y14332.

18

L'ARTISTE PEINTRE ET L'INDUSTRIE DU PAPIER PEINT : ÉCHECS ET COLLABORATIONS AU TOURNANT DES XIXE ET XXE SIÈCLES

Jérémie Cerman

Résumé — Au tournant des XIXe et XXe siècles, tandis que certains artistes plutôt spécialisés dans les arts décoratifs parviennent à faire imprimer certains modèles par l'industrie du papier peint, les peintres de la période peinent à voir se concrétiser de telles collaborations. Après s'être penché sur l'échec en la matière des Nabis Paul Ranson et Maurice Denis, cet article se concentre sur deux exemples assez surprenants de collaborations réussies, ceux de Gabriel-Édouard Thurner, dont l'œuvre peint est stylistiquement bien différent du décor *Les Ondines* qu'il compose pour la maison Grantil à l'occasion de l'Exposition universelle de 1900, et de Jean-Francis Auburtin, bien connu pour ses marines et dont des modèles furent exécutés par la manufacture Zuber de Rixheim.
Mots-clefs — Papier peint, industrie, Art nouveau, Nabis, Denis Maurice, Ranson Paul, Thurner Gabriel-Édouard, Auburtin Jean-Francis.
Abstract — At the turn of the 19th and 20th centuries, whereas some artists rather specialized in decorative arts managed to see some of their designs printed by the wallpaper industry, the painters of the period had much more difficulties to see the realization of such collaborations. After considering the failure in the matter of the Nabis painters Maurice Denis and Paul Ranson, this paper focuses on two rather surprising examples of successful collaborations, those of Edward Gabriel Thurner, whose work is stylistically very different from the decoration *Les Ondines* he designed for the manufacture Grantil on occasion of the 1900 International Exhibition in Paris, and Jean-Francis Auburtin, well known for his marine paintings, whose designs were printed by the manufacture Zuber in Rixheim.
Keywords — Wallpaper, industry, Art Nouveau, Nabis, Denis Maurice, Ranson Paul, Thurner Gabriel-Édouard, Auburtin Jean-Francis.

Au tournant des XIXe et XXe siècles, la grande majorité des motifs imprimés par les fabricants de papiers peints est le fruit de l'activité de dessinateurs industriels. Tandis que certains architectes, comme Hector Guimard (1867-1942)[1], ainsi que certains décorateurs, comme Félix Aubert (1866-1940)[2], parviennent tant bien que mal à faire imprimer leurs modèles par les industriels, les peintres semblent peiner davantage encore à voir se concrétiser de telles collaborations. Plusieurs décennies auparavant, pourtant, une réussite importante en la matière avait eu lieu, celle du peintre Thomas Couture (1815-1879), dont la manufacture Jules Defossé imprimait le décor *Les Prodigues*, présenté par le fabricant à l'Exposition universelle de 1855. Ce véritable "tableau" en papier peint est également connu sous le titre *Souper à la Maison d'or*, en référence à la Maison dorée, établissement parisien réputé pour ses soirées festives. La fin de l'une de ces soirées y est figurée, renvoyant au thème de la décadence qui intéressait particulièrement le peintre[3]. Le succès critique connu par cette réalisation semble néanmoins difficile à réitérer pour les peintres de la Belle Époque, ce sur quoi nous reviendrons ici en nous penchant en premier lieu sur des échecs, ceux des Nabis Maurice Denis (1870-1943) et Paul Ranson (1861-1909), avant de remettre en lumière deux collaborations concrètes avec l'industrie, celles de Gabriel Édouard Thurner (1840-1907) et de Jean-Francis Auburtin (1866-1930). Si les réalisations concernées ne sont pas passées à la postérité, elles n'en apparaissent pas moins comme dignes d'intérêt, et surprenantes à certains égards.

Les expérimentations des peintres nabis

Alors que les Nabis firent de la question de la décoration murale une composante importante de leur production, réclamant, selon les souvenirs de Jan Verkade (1868-1946), "Des murs, des murs à décorer[4]", deux d'entre eux, Maurice Denis et Paul Ranson, dessinèrent des papiers peints[5]. Pas moins d'une douzaine de motifs différents sont connus au sein de l'œuvre de Denis. Réalisées en 1893, ces gouaches reprennent pour la plupart une iconographie récurrente dans l'œuvre de Denis, comme les embarcations des *Bateaux roses* et des *Bateaux jaunes*, inspirées de la

1. À ce sujet, voir Jérémie CERMAN, *Le papier peint Art Nouveau. Création, production, diffusion*, Paris, Mare & Martin, 2012, p. 72-79 et 81.

2. À ce sujet, voir *ibid.*, p. 88-91.

3. Au sujet de ce décor, voir notamment *Thomas Couture. Souper à la Maison d'Or. Jules Desfossé*, Senlis, musée de l'Hôtel de Vermandois, Association des Amis du musée d'Art de Senlis, 1998.

4. Dom Willibrord [Jan] VERKADE, *Le Tourment de Dieu. Étapes d'un moine peintre*, traduction de Marguerite Faure revue par l'auteur, Paris, Louis Rouart et Jacques Watelin Éditeurs, 1923 [1919], p. 94.

5. Pour plus de détails, voir les développements plus complets dans J. CERMAN, *Le papier peint Art Nouveau [...]*, *op. cit.*, p. 67-72 et J. CERMAN, "*Les Bateaux roses* de Maurice Denis. Une lithographie comme décor mural", *Nouvelles de l'estampe*, n° 238, printemps 2012, p. 20-35.

côte bretonne, les figures féminines des *Harpistes* ou les représentations animalières des *Biches*. Le sujet le plus singulier que montre l'un de ces projets est sans doute celui des *Trains*, auquel Alfred Jarry (1873-1907) rendit un hommage relevant du domaine du fantastique dans les *Gestes et opinions du docteur Faustroll*, pataphysicien[6], où le papier peint, en étant utilisé par Faustroll dans le cadre de sa toilette matinale, est complètement détourné de sa fonction initiale. Tous ces projets de Denis obéissent en tout cas à un même type de composition où, sur un fond coloré, se répète le sujet principal, en deux tons, fortement stylisé, aux formes traitées en aplats et accompagné de motifs ornementaux suggérant l'eau, un paysage naturel ou encore un chemin de fer. Par leur simplification formelle et l'importance donnée à l'arabesque, ces œuvres sont d'inspiration japonisante et se rapprochent de l'esthétique Art Nouveau. Différents témoignages permettent de retracer la genèse de l'élaboration de ces modèles, lors du voyage de noces de l'artiste en 1893[7], puis de leur important succès critique, alors que certains d'entre eux sont exposés chez Le Barc De Boutteville en 1893 ainsi qu'au Salon de La Libre Esthétique de Bruxelles en 1895[8]. Par ailleurs, il apparaît que ces réalisations émanaient d'une possible collaboration de l'artiste avec une manufacture britannique, celle d'Arthur Sanderson & Sons à Chiswick, près de Londres. Denis fut mis en contact avec le fabricant par l'intermédiaire d'Albert Besnard (1849-1934), qui avait vécu en Angleterre de la fin 1879 à la fin 1883 : c'est ce dont atteste la correspondance du peintre, et plus précisément une lettre que Besnard adressait à l'artiste nabi le 20 juillet 1893[9]. À cette date, il n'est pas surprenant qu'un projet de ce type ait été envisagé avec le concours d'un fabricant anglais : les fabricants français étaient à ce moment-là encore assez frileux en la matière, alors que les firmes britanniques faisaient appel à des personnalités artistiques depuis un certain temps déjà. Deux autres courriers envoyés à Denis par la manufacture Sanderson attestent en outre qu'une rencontre entre l'artiste et le fabricant fut rapidement envisagée[10], mais il semble que ce projet demeura sans suite : aucune mention de l'artiste n'apparaît en tout cas dans les archives préservées de ce fabricant.

6. Alfred JARRY, *Gestes et opinions du docteur Faustroll, pataphysicien*, Paris, Gallimard, 1980 [1911], p. 19, 87 et 98.

7. Maurice DENIS, *Journal. Tome 1 (1884-1904)*, Paris, La Colombe, Éditions du Vieux Colombier, 1957, p. 102.

8. Voir notamment *Cinquième Exposition des peintres Impressionnistes et Symbolistes. Chez Le Barc de Boutteville*, Paris, 1893, p. 9, n° 54, reproduit dans *Post-Impressionist group exhibitions*, New York, Garland Pub, 1982 ; Thadée NATANSON, "Expositions. Un groupe de peintre", *La Revue blanche*, t. 5, n° 25, novembre 1893, p. 338 ; Léon-Paul FARGUE, "Peinture (chez Le Barc de Boutteville)", *L'Art littéraire*, n° 13, décembre 1893, p. 49 ; Maurice CREMNITZ, "Exposition de quelques peintres chez le Barc de Boutteville", *Essais d'art libre*, janvier 1894, p. 232 ; *La Libre Esthétique, Catalogue de la deuxième Exposition à Bruxelles du 23 Février au 1er Avril 1895*, *op. cit.*, p. 22, n° 195-198 et ANONYME, "Papier mural", *L'Art moderne*, Quinzième Année, n° 30, 28 juillet 1895, p. 237.

9. Lettre d'Albert Besnard à Maurice Denis datée du 20 juillet 1893, musée départemental Maurice-Denis, Saint-Germain-en-Laye, citée dans Agnès DELANNOY (dir.), *Paul Élie Ranson, 1861-1909. Du Symbolisme à l'Art Nouveau*, Saint-Germain-en-Laye, musée départemental Maurice-Denis "Le Prieuré", Paris, Somogy, 1997, p. 100.

10. Lettres de Sanderson & Sons à Maurice Denis datées des 24 juillet et 2 août 1893, musée départemental Maurice-Denis, Saint-Germain-en-Laye.

Dans ce même contexte, doivent être envisagés les quelques modèles pour papiers peints réalisés par Paul Ranson, en l'occurrence *Le Coq*, *Les Lapins*, *Les Canards et les feuilles*, la *Frise aux bucranes* (ou *Frise aux lutins*), la *Frise aux femmes nues, serpents et vases de fleurs, la Frise aux canards* et *Les Cerfs*[11]. Ces réalisations présentent une iconographie tout à fait personnelle, à rapprocher des thématiques qui étaient chères à l'artiste. Elles offrent toutes, certes selon des modalités variables, des figurations animalières, caractéristique des plus récurrentes dans la production de l'artiste. Témoignant d'un autre versant des inspirations de Ranson, la *Frise aux bucranes* et la *Frise aux femmes nues, serpents et vases de fleurs*, se rattachent clairement aux intérêts d'ordres ésotérique et satanique de l'artiste. La diffusion commerciale de papiers peints présentant ce type de motifs semble cependant difficilement imaginable, et aurait été de toute évidence vouée à l'échec. Si *Les Lapins* et les trois projets de frises comportent les initiales de l'artiste en guise de signature, aucune de ces réalisations ne présente de datation mais il est probable que Ranson ait réalisé certains de ces motifs dès 1893. À l'instar de Denis en effet, il était en contact avec la manufacture Sanderson, comme en témoigne une lettre qu'il écrivit à son camarade :

> *Mr Sanderson papiériste peint de Chisnick* [sic] *n'ayant pu me voir à Paris m'annonce la visite au mois d'octobre de Mr H. Sanderson*[12] *et me prie de lui préparer quelques esquisses de papier peint; afin de conclure immédiatement une affaire. As-tu vu ce Monsieur, et a-t-il des mesures spéciales pour ces papiers? il n'a pas très bien compris mes questions et me demande seulement de faire quelque chose absolument nouveau; le sujet devant être répété P+1*[13] *doit avoir des dimensions limitées. Tu serais bien aimable de m'écrire ce que tu sais à ce sujet* [...].[14]

Aucune date ne figure sur cette lettre mais son contenu évoque aussi la visite de Ranson à Paul Sérusier (1864-1927) à Huelgoat, séjour qui eut lieu durant l'été 1893, soit au moment où Denis était justement en contact avec Sanderson. Ces quelques lignes témoignent de la recherche d'originalité par le fabricant mais aussi d'un rendez-vous manqué et, sans doute de manière significative, de difficultés de

11. Voir notamment Brigitte RANSON BITKER, Gilles GENTY (dir.), *Paul Ranson, 1861-1909. Catalogue raisonné. Japonisme, Symbolisme, Art Nouveau*, Paris, Somogy, 1999, p. 172-173, n° 176-178, p. 180-181, n° 196-197, et p. 205, n° 275.

12. Il est de toute évidence question ici de Harold Sanderson, dirigeant la firme avec ses frères John et Arthur depuis 1882, date de la mort de leur père, Arthur Sanderson, fondateur de la manufacture en 1860 : voir Alan Victor Sugden, John Ludlam EDMONDSON, *A History of English Wallpaper, 1509-1914*, Londres, B. T. Batsford Ltd., 1926, p. 227.

13. Pour "pattern + 1".

14. Lettre non datée de Paul Ranson à Maurice Denis, musée départemental Maurice-Denis, Saint-Germain-en-Laye, retranscrite dans B. Ranson BITKER, G. GENTY (dir.), *Paul Ranson, 1861-1909 [...], op. cit.*, p. 402, n° 26.

compréhension entre l'artiste et l'industriel. Là encore, aucun autre élément ne viendrait confirmer une collaboration.

Ainsi, chez Maurice Denis comme chez Paul Ranson, ces réalisations restèrent des promesses plutôt que des réalisations concrètes, même si, dans le cas de Denis, la diffusion domestique de l'un de ses projets, *Les Bateaux roses*, fut rendue possible, bien que de manière très limitée. En 1895, ce motif fut en effet édité sous la forme d'un tirage lithographique par *L'Estampe originale* d'André Marty, ce dernier en assurant la vente au sein de sa Papeterie d'art du 17, rue de Rome à Paris **[fig. 1]**[15]. Ce décor mural consistait à disposer plusieurs exemplaires de la lithographie les uns à côté des autres. Cependant, alors que l'initiative se réclamait d'une volonté de démocratisation artistique, cette réalisation demeurait bien trop chère pour être viable sur le plan commercial : la feuille, de moins d'un mètre de haut, était vendue entre 2 francs et 1 fr 50[16], montant qui apparaît comme deux à cinq fois plus élevé que ce que les marchands de papiers peints pouvaient proposer pour un rouleau d'un papier peint bon marché avoisinant les huit mètres. Finalement, le seul usage attesté de la version imprimée des *Bateaux roses* n'est autre que celui que Denis en fit lui-même pour orner les murs de la salle à manger de sa maison du 59, rue de Mareil à Saint-Germain-en-Laye, comme en témoigne notamment sa figuration dans plusieurs tableaux de l'artiste, tels que *Le Repas* (1903, musée du Petit Palais, Genève) ou *Portrait de famille* (1902, collection particulière).

Papier de tenture
vert et blanc ou vert et rose
par Maurice Denis
En vente à l'Estampe originale
André Marty, 17, rue de Rome, à Paris.

Fig. 1 : Publicité pour la lithographie de Maurice Denis, *Les Bateaux roses*, parue dans *La Revue blanche*, t. 9, n° 51, 15 juillet 1895, quatrième de couverture.

15. Voir les publicités publiées dans *L'Estampe originale*, n° 10, avril-juin 1895 et *La Revue blanche,* 15 juillet 1895, t. 9, n° 51, 15 juillet 1895, quatrième de couverture, ainsi que ANONYME, "Papier mural", *op. cit.*, p. 237-238 ; Homodei [Arthur Huc], "Chronique. L'Art démocratique", *La Dépêche*, 26e année, n° 9830, 19 juillet 1895, p. 1 et Henry VAN DE VELDE, "Les Papiers peints artistiques", *Pan. Revue artistique et littéraire*, supplément français, 1e année, n° 4 et 5, 1895, p. 33.

16. Voir la publicité publiée dans *L'Estampe originale*, n° 10, avril-juin 1895.

Les Ondines de Gabriel Édouard Thurner

Ce sont finalement des peintres pour lesquels de telles collaborations apparaissent comme moins attendues qui, à cette époque, virent l'industrie imprimer certaines de leurs compositions. Tel est en particulier le cas de Gabriel Édouard Thurner pour le décor *Les Ondines*, imprimé par la manufacture Grantil à Châlons-sur-Marne, aujourd'hui Châlons-en-Champagne, en vue de l'Exposition universelle de 1900 à Paris. Dans le contexte de cette manifestation, la concurrence que se livraient les fabricants de papiers peints, notamment par l'exposition de grands décors, explique le fait qu'un fabricant comme Grantil ait pu faire appel à un artiste peintre plutôt qu'à un dessinateur industriel. Dans le rapport du jury de la classe dévolue aux papiers peints, Joseph Petitjean livre un descriptif assez détaillé de ce décor, qui apparaissait comme l'un des clous de l'exposition :

> *Au centre se détachait le sujet principal, les Ondines, dû à la composition de M. Turner* [sic]. *Coiffée d'algues, une ondine aux ailes de libellules tenait dans ses mains un coquillage ; elle le présentait à une de ses sœurs qui se disposait à le prendre. À leur entour, d'autres ondines se jouaient dans les vagues tandis que des oiseaux venaient se poser sur la tige flexible d'un roseau que l'une d'elles courbaient.*
>
> *Ainsi étaient réunis les filles des eaux et les fils de l'air dans ce décor d'une grande hardiesse.*
> *D'une belle conception, ce panneau n'en était pas moins remarquable par son ampleur ; il mesurait 3 m 50 de haut sur 2 m 65 de large et était composé de vingt-cinq morceaux collés.*[17]

Placé en partie centrale d'un vaste stand particulièrement élaboré, inspiré aussi bien de la rocaille que de l'Art Nouveau, ce décor était donc à sujet mythologique et, comme en rendent compte les témoignages visuels conservés **[fig. 2]**, s'inscrivait dans les tendances symbolistes. Si les figures sont représentées dans des poses quelque peu académiques, la composition relève bien des mouvances 1900, aussi bien sur plan stylistique que par l'iconographie féminine choisie. Les personnages et les éléments du paysage montrent notamment l'emploi d'assez larges aplats ainsi qu'un modelé relativement sommaire. L'identité du dessinateur de cette composition apparaît dès lors comme très surprenante. Thurner était avant tout un peintre et le choix de Grantil en ce sens apparaît déjà comme plutôt atypique pour l'époque. Henry Havard (1838-1921) écrivait notamment : "[…] ne voyons-nous pas M. Grantil, en traduisant les Ondines de M. Thurner, essayer de marcher à son

17. Joseph PETITJEAN, "Classe 68. Papiers peints. Rapport du jury international", *in Exposition universelle internationale de 1900 à Paris. Rapports du jury international. Groupe XII. Décoration et mobilier des édifices publics et des habitations. Première partie. Classes 66 à 71*, Paris, Imprimerie nationale, 1902, p. 88.

tour sur les traces de Thomas Couture[18]" ? En effet, la collaboration, précédemment évoquée, d'un maître tel que Couture avec la manufacture Desfossé avait marqué les esprits.

Fig. 2 : Gabriel Édouard Thurner, *Les Ondines*, décor de papier peint imprimé au cylindre par Grantil, 1900, stand de la manufacture Grantil, Exposition universelle de 1900, Paris, reproduit dans *La Décoration & l'Ameublement, 2e série. La Tapisserie, les Tissus, les Papiers Peints à l'Exposition de 1900*, Paris, Armand Guérinet, s. d. [c. 1901], pl. 59-60.

L'événement remontait déjà à plusieurs décennies et un artiste tel que Thurner était loin d'avoir la même envergure. Mais surtout, ses préoccupations formelles semblent à première vue des plus éloignées de l'Art Nouveau. En 1900, l'essentiel de la carrière de Thurner, alors âgé de 60 ans, était derrière lui. Formé par Pierre-Adrien Chabal-Dussurgey (1819-1902), il avait régulièrement exposé ses toiles au Salon, à partir de 1865, obtenant diverses mentions et médailles, dans les années 1880 notamment. Professeur aux Gobelins à partir de 1880, si sa carrière n'était donc pas dénuée d'un rapport aux arts de la décoration, Thurner demeure cependant principalement connu pour ses peintures de scènes de genre, de natures

18. Henry HAVARD, "Le Papier Peint à l'Exposition universelle de 1900", *Revue des Arts décoratifs*, 1900, p. 312.

mortes et de paysages, dans un goût plutôt naturaliste[19]. Des œuvres comme *Gibier d'eau* (1901[20]) ou *Le Jardin du pauvre* (1897[21]) sont esthétiquement bien éloignées de la composition qui nous occupe. Ainsi, un décor comme *Les Ondines* interroge à plusieurs titres, témoigne sans doute de l'adaptation du peintre aux tendances stylistiques du temps, mais aussi aux contraintes techniques, induites par le support décoratif concerné, un papier peint d'impression mécanique.

Néanmoins, c'est peut-être sur le plan de son sujet que ce décor peut davantage être relié à son auteur. En effet, Thurner est né à Mulhouse. Or, les ondines sont des nymphes des eaux courantes, issues de la mythologie germanique et alsacienne. Soulignons aussi que, pour cette composition, Thurner aurait été plus spécifiquement inspiré par un poème. Le cliché d'époque montrant *Les Ondines* tel qu'il était présenté à l'Exposition universelle **[fig. 2]**[22] permet d'entrevoir, en partie inférieure, une plaque comportant le titre de l'œuvre, le nom de l'artiste mais aussi un texte, probablement le sonnet en question. Celui-ci, dû à un certain Gaston Wiassard (ou Viassard), fut alors retranscrit dans le *Bulletin des marchands de papiers peints*:

Sur la vague nacrée, heurtante[23] *et passagère,*
Où plongent leurs beaux corps souples et gracieux,
Les Ondines, formant une troupe légère
S'ébattent, sans soucis, avec des cris joyeux.

Mais traversant le ciel, divine messagère,
Une fée apparaît qui présente à leurs yeux
La conque de cristal, merveilleuse et sorcière,
Doublant les jours de qui prend ses flancs écumeux.

Et toutes vers l'espoir, vers l'insondable vie,
Tendent les mains, voulant connaître en sa folie,
L'éternelle jeunesse à travers les longs jours.

19. Au sujet de Thurner voir par exemple Édouard SITZMANN, *Dictionnaire de biographie des hommes célèbres de l'Alsace, depuis les temps les plus reculés jusqu'à nos jours*, Rixheim, F. Sutter & Cie, 1910, t. 2, p. 875-876 et Emmanuel BÉNÉZIT (dir.), *Dictionnaire critique et documentaire des peintres, sculpteurs, dessinateurs et graveurs de tous les temps et de tous les pays*, Paris, Gründ, 1999, t. 13, p. 630.

20. Musée d'Orsay, Paris, inv. RF 1980 24.

21. Musée d'Art moderne et contemporain, Strasbourg, inv. 556.

22. *La Décoration & l'Ameublement, 2e série. La Tapisserie, les Tissus, les Papiers Peints à l'Exposition de 1900*, Paris, Armand Guérinet, s. d. [c. 1901], pl. 59-60.

23. Une autre version de ce quatrain, publiée dans le même périodique, donne le terme "hurlante" et non "heurtante" : voir CÉLESTIN, "Décor des Ondines", *Bulletin des marchands de papiers peints*, Sixième Année, n° 66, octobre 1900, p. 6. L'auteur du poème y est également nommé Gaston Viassard et non Wiassard.

Sans voir que la douleur aussi reste éternelle,
Que l'amour peut briser même l'âme immortelle,
Et qu'en chantant l'extase on peut souffrir toujours.[24]

Cette inspiration poétique renforce le caractère symboliste de la représentation. Par ailleurs, bien qu'une médaille d'argent ait été décernée à Thurner pour sa collaboration avec Grantil[25], on constate que le décor ne fut qu'à peine mentionné par la presse artistique. D'impression mécanique, il semble avoir constitué davantage la démonstration d'un tour de force technique. C'est probablement pour cette raison que *Les Ondines* furent bien plus largement évoquées dans le *Bulletin des marchands de papiers peints*, publication spécialisée, destinée aux professionnels. Elle y fut commentée à trois reprises, notamment par un court article lui étant entièrement consacré, accompagné de sa reproduction hors-texte[26]. L'auteur de celui-ci, un certain Célestin, mettait notamment en évidence les qualités du décor où "les larges à plat [*sic*] du corps des Ondines, relevés de clairs vigoureux et soulignés d'un léger trait d'ombre en cerné, [produisaient] un puissant effet décoratif". La considérant comme une "œuvre de grande valeur", il reconnaissait aussi les problèmes que posaient ses dimensions en vue d'une diffusion commerciale et de son usage dans les intérieurs. Il évoquait cependant une alternative possible, son emploi en tant que décor de plafond, tel qu'il fut posé chez un certain M. Sylvestre, photographe de la revue[27]. Il demeure difficile d'attester du succès que purent ou non rencontrer *Les Ondines*. Mentionnons toutefois une photographie éditée sous forme de carte postale lors de la Foire de Lyon en 1920, présentant le stand du marchand local Auguste Germain, cliché dans lequel figure un panneau orné des *Ondines*.

Les papiers peints de Jean-Francis Auburtin

Contrairement à celle de Thurner, la production de Jean-Francis Auburtin est aujourd'hui bien connue, qu'il s'agisse de ses marines figurant les côtes méditerranéennes, normandes et bretonnes ou de ses grands décors peints, comme celui de l'amphithéâtre de zoologie de la Sorbonne à Paris (*Le Fond de la mer*, 1898) ou celui de l'escalier du Muséum d'Histoire naturelle au Palais Longchamp à Marseille (*La Pêche au gangui dans le golfe de Marseille*, 1899 ; *La Calanque*, 1900). Si d'assez

24. J. HEM, "Une visite à l'Exposition universelle. Revue express de la section française du papier peint", *Bulletin des marchands de papiers peints*, Sixième Année, n° 65, septembre 1900, p. 2.

25. Henri CLOUZOT, Charles FOLLOT, *Histoire du papier peint en France*, Paris, Éditions d'Art Charles Moreau, 1935, p. 240.

26. Paul FIXÉLION, "L'Exposition du papier peint", *Bulletin des marchands de papiers peints*, Sixième Année, n° 62, juin 1900, p. 2 ; J. HEM, "Une visite [...]", art. cit., p. 2 et CÉLESTIN, "Décor des Ondines", art. cit., octobre 1900, p. 6-7 et planche hors texte.

27. *Ibid.*, p. 6-7.

nombreuses expositions ont contribué depuis 1990 à revaloriser l'œuvre de cet artiste, leurs catalogues[28] ne font pas état des réalisations d'Auburtin en matière de papiers peints. Celles-ci témoignent pourtant d'une production décorative ne se limitant pas aux fameux décors monumentaux par lesquels ses contemporains le qualifièrent de disciple de Pierre Puvis de Chavannes (1824-1898).

En 1904, Auburtin exposait en effet au Salon de la Société nationale des beaux-arts, trois cartons pour papiers peints[29]. Le premier, dénommé *L'Embouchure du Trieux*, dont aucun témoignage visuel n'a été retrouvé, renvoyait de toute évidence à l'un des thèmes les plus récurrents de ses peintures, des marines. Les deux autres modèles présentés, frises à sujets animaliers d'inspiration japonisante intitulées *Aras sur des branches de marronniers* **[fig. 3]** et *Écureuils sur des branches de pins*, furent quant à elles reproduites dans des publications de l'époque[30]. Sur le plan esthétique, bien que dans le goût 1900, ces réalisations ne sont pas dénuées d'un certain naturalisme. C'est d'ailleurs ce que soulignait Maurice Pillard-Verneuil (1869-1942) dans *Art et Décoration*: "on doit y admirer le dessin, et y regretter peut-être le parti trop pittoresque et trop nature[31]". Dans *L'Art décoratif*, Émile Sedeyn était nettement plus sévère à leur égard:

> *M. J. Francis Auburtin, habitué à la grande décoration, où il s'affirme disciple fervent de Puvis de Chavannes, s'est amusé entre deux toiles à combiner [...] des frises en papier peint; on y voit des aras sur des branches de marronnier et des écureuils sur des branches de pins. En décoration sculptée, le long d'un édifice, en plein air, ou en décoration peinte, dans une salle publique quelconque, ces sujets seraient certainement mieux à leur place que dans nos étroits appartements modernes, où il faut surtout, et avant tout, de la sérénité, de l'intimité, du repos.*[32]

28. Christian BRIEND (dir.), *Jean-Francis Auburtin, 1866-1930. Le symboliste de la mer*, Paris, Délégation à l'Action Artistique de la Ville de Paris, 1990; *Jean-Francis Auburtin (1866-1930)*, Pont-Aven, musée de Pont-Aven, 2004; *Jean-Francis Auburtin (1866-1930). Les Variations normandes*, Le Havre, musée des Beaux-Arts André-Malraux, Paris, Somogy, 2006; Lucienne DEL'FURIA (dir.), *Écume et rivages. La Méditerranée de Jean-Francis Auburtin, 1866-1930*, Martigues, musée Ziem, Marseille, *Images en manœuvres*, 2010 et Cyrielle DUROX, Béatrice RIOU, *Le japonisme de Jean-Francis Auburtin (1866-1930)*, Morlaix, musée de Morlaix, Le Faouët, Liv'Éditions, 2012.

29. *Société nationale des beaux-arts. Salon de 1904 (XIVe Exposition). Catalogue des ouvrages de Peinture, Sculpture, Dessin, Gravure, Architecture, Art décoratif et Objets d'art exposés au Grand Palais (avenue d'Antin), le 17 avril 1904*, Évreux, Ch. Hérissey, 1904, p. 325, n° 2427-2429.

30. *L'Art décoratif aux Expositions des beaux-arts. Société des Artistes français. Société nationale des beaux-arts. Société des Artistes Décorateurs. Expositions particulières. Deuxième série: cuirs d'Art, dentelles, broderies, tissus, papiers peints*, Paris, Armand Guérinet, Librairie d'Art décoratif, 1904, pl. 57-58 et Maurice PILLARD-VERNEUIL, "Les Arts appliqués aux Salons", *Art et décoration*, t. 15, juin 1904, p. 184.

31. Maurice PILLARD-VERNEUIL, "Les Arts appliqués aux Salons", art. cit., p. 183.

32. Émile SEDEYN, "Les objets d'art au Salon (Société Nationale)", *L'Art décoratif*, 6e Année, 1er Semestre, janvier-juin 1904, p. 220.

Fig. 3 : Jean-Francis Auburtin, *Aras sur des branches de marronniers*, modèle pour une frise de papier peint, reproduit dans *Art et décoration*, t. 15, juin 1904, p. 184.

Si le critique considère ici ces figurations comme inappropriées à leur destination, une composition d'Auburtin dans le même genre fut pourtant bel et bien imprimée en 1904 par un fabricant, la manufacture Zuber à Rixheim. Dans le livre de gravure de la firme[33], le nom "Aubertin" est mentionné en tant que dessinateur pour la large frise en question. Il s'agit à n'en pas douter d'une faute d'orthographe. L'auteur de cette frise est bien Auburtin : montrant également des perroquets, mais posés cette fois sur des branches de vigne, son style et sa composition sont on ne peut plus similaires. La représentation de l'un des oiseaux apparaît comme une quasi-retranscription de l'un de ceux montrés la même année exactement au Grand Palais **[fig. 3]**. En outre, un autre de ces volatiles est représenté dans la même position que celui figuré par Auburtin quelques années plus tard dans le dessin d'une invitation au dîner de la Société des Amis de l'art japonais du 22 décembre 1908, intitulé *L'Ara qui rit*[34]. La frise imprimée par Zuber est en tout cas un article haut-de-gamme, imprimé à la planche et dont le rapport complet ne mesure pas moins d'un mètre quatre-vingt-quinze de long pour presque un mètre de hauteur. Zuber édita en outre une gravure commerciale **[fig. 4]** la présentant, l'accompagnant d'un papier assorti, à motif de vignes[35], spécialement conçu dans ce but par Arnold Stutz, dessinateur industriel travaillant régulièrement pour la firme. Reprenant un mode de représentation similaire de la plante et de ses fruits, celui-ci copiait presque littéralement certains des éléments figuratifs créés par l'artiste. Soulignons que le nom d'Auburtin n'apparaît pas sur ce document, contrairement à celui du fabricant. Si la manufacture Zuber collabore ici avec un artiste reconnu de l'époque, elle n'en fait pourtant pas un argument promotionnel, ne dérogeant pas à l'habitude encore tenace des industriels de ne pas faire état, dans la plupart des cas, des auteurs des modèles commercialisés. S'il est difficile d'attester du succès de cette frise,

33. Musée du Papier peint, Rixheim, Archives Zuber, MPP Z 182.

34. Voir C. BRIEND (dir.), *Jean-Francis Auburtin [...]*, *op. cit.*, 1990, p. 105.

35. Musée du Papier peint, Rixheim, Archives Zuber, n° 10266.

FRISE

10233

J. ZUBER & Cie

Fig. 4: Gravure commerciale de la manufacture Zuber à Rixheim, collection de l'auteur. En haut: Jean-Francis Auburtin, frise de papier peint imprimée à la planche par Zuber à Rixheim en 1904. En bas: papier peint assorti, imprimé à la planche en 1904, dessin d'Arnold Stutz.

Fig. 5: Jean-Francis Auburtin, frise de papier peint imprimée par Zuber à Rixheim en 1914, première impression en 1904, musée du Papier peint, Rixheim, Archives Zuber. "Ce document est toujours imprimé aujourd'hui par la manufacture avec les techniques et les planches anciennes d'origine classées monuments historiques".

notons toutefois que la firme la réimprima dix ans plus tard, en 1914, dans des colorations sombres, assez surprenantes **[fig. 5]**.

Le travail de Zuber avec Auburtin ne se limita pas à cette frise. En effet, le peintre est également le dessinateur d'un décor à plusieurs lés, *L'Île des Pins*, figurant dans la collection 1906-1907 du fabricant. Si aucun exemplaire de cette réalisation n'a été retrouvé dans les archives Zuber[36], celles-ci en comportent en revanche une lithographie commerciale, nous montrant cette représentation maritime dans laquelle se détachent quelques voiliers **[fig. 6]**. Le dessin de *L'Île des Pins,* imprimé à la planche en quatre lés, fut acquis par Zuber pour la somme importante de 1750 francs[37]. Nécessitant pour son impression l'usage de 145 planches, ce décor était luxueux, réservé à une clientèle plutôt aisée. On ne peut plus proche des œuvres paysagères de l'artiste, pour l'exécution desquelles Auburtin travaillait sur le motif, il est possible de s'interroger quant au lieu représenté. Pourrait-il s'agir d'un aboutissement du projet *L'Embouchure du Trieux* présenté quelques années plus tôt au Salon de la Société nationale des beaux-arts ?

Fig. 6 : Jean-Francis Auburtin, *L'Île des pins*, décor de papier peint en quatre lés imprimés à la planche par Zuber, collection 1906-1907, gravure commerciale, musée du Papier peint, Rixheim, Archives Zuber. "Ce document est toujours imprimé aujourd'hui par la manufacture en 'réédition'".

Il apparaît clairement en tout cas que le peintre a représenté le même lieu. Le Trieux est en effet un fleuve des Côtes d'Armor, en Bretagne, dont l'embouchure se situe dans l'archipel de Bréhat. Son île principale, l'île de Bréhat, se caractérise par une

36. Récemment, un exemplaire du décor nous a toutefois été signalé, et montré, par un antiquaire.

37. D'après le livre de gravure préservé par la firme : musée du Papier peint, Rixheim, Archives Zuber MPP Z 182.

végétation luxuriante, notamment constituée de pins. Il ne fait pas de doute que *L'Île des Pins* représente donc ce site, qui a été l'un des différents lieux de prédilection du peintre. Plusieurs gouaches et aquarelles représentent en effet le Trieux ou l'île de Bréhat, l'une d'elles, *Pins sur les bords du Trieux* (collection particulière)[38], montrant du reste une composition très similaire à celle du papier peint qui nous occupe. Le papier peint *L'Île des Pins* apparaît donc comme une retranscription en grand format des paysages maritimes qu'Auburtin se plaisait à figurer. La collaboration entre un peintre et une manufacture de papiers peints engendre donc ici une réalisation d'un genre plutôt atypique.

En mars 1895, l'artiste et critique Henry Nocq (1869-1944) retranscrivait, dans un article du *Journal des Artistes*, une lettre envoyée par un certain E. Duez à Jules Domergue (1852-1922), directeur de la Réforme économique. Duez y évoque alors "le modeste papier peint, qui est, chez nous, d'une banalité désespérante, et dont les Anglais ont fait un art véritable" et cite quelques artistes auxquels les fabricants français pourraient faire appel : "Puvis de Chavanes [*sic*], Besnard, Forain, Helleu, Willette [...][39]". Par la suite, aucun de ces noms ne sera pourtant associé à la création de papiers peints. Autour de 1900, alors que les industriels du papier peint tendent certes à sortir leur production de l'historicisme et à proposer des articles correspondant au goût moderne, travaillant le plus souvent avec des dessinateurs industriels s'adaptant eux-mêmes au style Art Nouveau, leurs collaborations avec les artistes peintres sont des plus rares. Si l'échec en la matière des Nabis Maurice Denis et Paul Ranson, dont les modèles restèrent pour l'essentiel à l'état de projets, est tout à fait significatif, les exemples rencontrés chez Gabriel Édouard Thurner et Jean-Francis Auburtin n'en montrent pas moins la diversité des cas de figure qu'une investigation plus poussée permet d'envisager, et de remettre en lumière.

38. *Jean-Francis Auburtin (1866-1930)*, catalogue d'exposition, n° 28, Pont-Aven, musée de Pont-Aven, 2004, p. 44.

39. H. N. [Henry Nocq], "Papiers peints", *Journal des Artistes*, n° 9, 3 mars 1895, p. 945.

19

France/Amérique, décorateur ou muraliste : deux attitudes face à l'architecture

Pierre Sérié

Résumé — L'essor de la peinture décorative qui se produit, en France et en Amérique, dans le dernier tiers du XIXe siècle part d'une référence commune : Pierre Puvis de Chavannes. Mais un détour par la sémantique pointe d'emblée de sérieuses divergences théoriques. Si l'on dit "peinture murale" en France, c'est "*mural*" qui prévaut outre-Atlantique. Cet écart linguistique traduit, à lui seul, deux manières différentes de collaborer avec l'architecte : indépendance relative jalousement préservée par le décorateur français (qui se comporte finalement toujours en "peintre de chevalet") ; assujettissement total (et volontaire) du *muralist* américain.
Mots clefs — Peinture décorative, muralisme, American Renaissance, États-Unis, Chicago, New York, Bowdoin College, Boston Public Library, Puvis de Chavannes Pierre, Vedder Elihu, Thayer Abbot, La Farge John, Cox Kenyon, Blashfield Edwin, American Academy in Rome, World's Columbian Exposition.

Abstract — The rise of decorative painting in the last third of the 19th century in France and America has a common reference: Pierre Puvis de Chavannes. However, a semantic approach immediately points out serious theoretical differences. Whereas the term "peinture murale" is used in France, "mural" prevails in America. This linguistic difference reveals in itself two different ways of collaboration with the architect: independence jealously kept by the French decorator (who eventually always behaves like an "easel painter"); absolute (and deliberate) subjugation of the American "muralist".
Keywords — Decorative painting, muralism, American Renaissance, United States of America, Chicago, New York, Bowdoin College, Boston Public Library, Puvis de Chavannes Pierre, Vedder Elihu, Thayer Abbott, La Farge John, Cox Kenyon, Blashfield Edwin, American Academy in Rome, World's Columbian Exposition.

Cette contribution a pour point de départ une question de vocabulaire, un cas manifeste d'idiotisme : le fait que l'historien de l'art francophone étudiant la *peinture décorative* ne lise jamais — ou si peu — le terme correspondant en anglais écrit de la même manière (*decorative painting*), mais un mot dont notre langue n'a pas d'équivalent : *mural*. Certes nous disons volontiers *peinture murale* ou *peinture monumentale* pour *peinture décorative*, mais *muralisme*, non[1]. Ce qui est resté une épithète en France — le terme "mural" — s'est mué en substantif dans la langue anglaise : *mural*. Épithète dont dérivent d'autres substantifs : *muralism*, *muralist*. Ce sont la genèse et les conséquences de cet écart sémantique entre le français et l'anglais que nous allons ici brièvement discuter.

EFFETS DE MIROIRS DÉFORMANTS : L'*AMERICAN RENAISSANCE* ET L'IDIOSYNCRASIE DE LA PEINTURE DÉCORATIVE AMÉRICAINE

L'histoire de la peinture décorative en France au tournant des XIXe-XXe siècles est bien connue depuis les travaux de Pierre Vaisse[2] et on pourrait même se risquer à penser que cette peinture décorative constituât une manière de nouveau grand genre au début du XXe siècle. Un grand genre qui se serait substitué — tacitement du moins — à la peinture d'histoire comme sommet de l'art : "le" genre majeur entre 1860 et 1940. Cet essor de la décoration eut aussi lieu en Amérique[3] où, pour le coup, cela représentait une véritable nouveauté, les précédents y étant presque inexistants, hormis le Capitole de Washington.

L'équivalence du renouveau français de la peinture décorative et du muralisme américain n'est donc pas stricte. Il s'agit, outre-Atlantique, d'une naissance et non d'une re-naissance. Et si ce moment particulier de l'histoire américaine est qualifié d'*American Renaissance*, le "R" majuscule doit être conservé dans la typographie française pour bien saisir que ce n'est pas d'un retour à un quelconque passé national dont il est question, mais plutôt d'une appropriation réussie de la langue d'autrui. Ce qui se joue alors aux États-Unis serait le double de ce que fut, pour l'Italie — et, en définitive, l'Europe entière — le Cinquecento : une espèce d'âge d'or originel, une ère et non un –isme, la *Renaissance américaine*[4]. Mais la Renaissance, "point culminant" de l'art occidental qui servit d'étalon en matière de goût plusieurs siècles durant et qui fut le critérium des Académies, les Européens étaient alors sur le point d'en faire table rase. Le développement simultané de la peinture décorative, de part et d'autre de l'Atlantique, s'opère donc dans des

1. Tout au plus le terme est-il admis pour rendre compte de l'art mexicain de l'entre-deux-guerres.

2. Voir Pierre VAISSE, *La troisième république et les peintres*, Paris, Flammarion, 1995.

3. Voir Bailie VAN HOOK, *The Virgin and the Dynamo: Public Murals in American Architecture, 1893-1917*, Athens, Ohio University Press, 2003.

4. Voir, par exemple, *The American Renaissance 1876-1917*, New York, Brooklyn Museum, 1979.

contextes radicalement différents. En empruntant aux humanités, on pourrait y voir une manière de "translation des empires". La tradition bafouée, en Europe, par les modernes, serait récupérée par l'Amérique, lui garantissant ainsi la survie. La réception très clivée d'un même événement de part et d'autre de l'Atlantique suffit à illustrer cette translation : l'accueil réservé par la critique et le public aux architectures "néo-" élevées pour l'Exposition internationale de Chicago en 1893, la *World's Columbian Exposition*. C'est là une date charnière de l'art américain dont on a trop longtemps cru qu'elle relevait de l'épiphénomène, nous laissant abuser par les récriminations de Louis Sullivan, obnubilés que nous étions par ce que nous savions devoir advenir : le rayonnement progressif du modernisme européen outre-Atlantique dans l'entre-deux-guerres qui aboutirait, après 1945, à la naissance d'une avant-garde américaine. Or, pour être historiquement exact, cette *World's Columbian Exposition* — plutôt mal reçue à Paris et en Europe en général — fut considérée, en Amérique même, comme un véritable "miracle", une naissance, l'archétype de l'*American Renaissance*. Chicago semblait la résurrection de Florence.

> *La ville blanche a été raillée par beaucoup de nos visiteurs français comme n'étant rien d'autre que de l'architecture d'"École". En Europe, le mouvement de protestation contre le monde académique et traditionnel avait commencé ; les visiteurs furent surpris et déçus de nous trouver encore dans les fers de l'esclavage dont ils essayaient de s'extirper. Ils n'ont pas su apprécier le fait que nous n'avions jamais encore subi les vertus de cette servitude ; que c'était la première fois de notre histoire, au moins depuis la modeste expérience de Thomas Jefferson à Charlottesville, que nos architectes avaient l'occasion de concevoir, et le public de voir, un ensemble monumental de bâtiments prévus comme un ensemble* [...]. *L'impression qu'elle produisit fut extraordinaire.*[5]

À Chicago, Nouvelle Florence, s'étaient fait jour les prémices d'une Renaissance américaine mais c'est à New York, Nouvelle Rome, que cela se traduisit véritablement en actes. C'est là qu'on reconstruisit, en "dur" cette fois, les grands modèles de l'histoire de l'architecture occidentale depuis l'Antiquité (Charles Follen McKim rebâtissant les termes de Dioclétien pour accueillir la Pennsylvania Station[6]) jusqu'au classicisme français (Schultze & Weaver coiffant les 160 mètres de hauteur du *The Pierre* d'une réplique de la chapelle royale de Versailles[7]), en

5. A. D. F. HAMILTON, "Twenty-Five Years of Architecture", *The Architectural Record*, juillet 1916, p. 1-14 (cité dans Roger SHEPHERD, *Skyscraper, the Search for an American Style 1891-1941*, New York, McGraw-Hill, 2003, p. 37, traduction de l'auteur du présent article).

6. New York, 1906-1910, détruit.

7. New York, 1928-1930.

passant par la Renaissance italienne (Stanford White paraphrasant le palazzo del Consiglio de Vérone au New York Herald Building[8]).

En matière de peinture décorative, un point ne trompe pas sur la nature très éloignée de ce qui se produit en Amérique et en France au même moment : les peintres de chevalet américains, tous brusquement convertis à la peinture murale, y font montre d'une surprenante — et pléthorique — production "littéraire". Ainsi les principaux hérauts de cette Renaissance picturale (Edwin Blashfield, Kenyon Cox, John La Farge) ont-ils manié le verbe et la plume, s'improvisant conférenciers (dans les musées, comme autrefois les académiciens français à l'Académie), critiques ou historiens de l'art (dans la presse générale ou spécialisée), voire "théoriciens", rédigeant de véritables traités et établissant une "hiérarchie des genres" comme André Félibien en son temps. Parmi cette littérature, retenons seulement deux textes emblématiques, *The Classic Point of View* de Kenyon Cox et *Mural Painting in America* d'Edwin Blashfield : "*Classic*" et "*Mural painting*", le champ lexical nous reporte, sans équivoque possible, du côté de la Renaissance, Renaissance dont Cox, comme Blashfield, pensent qu'elle n'en est qu'à ses balbutiements. Renaissance aussi qui, comme en Italie, se peint sur le mur et non sur toile : au *mural*, et non au tableau d'histoire, revient de constituer la suprême expression de l'art.

Ces "tables de la loi" se doublent de la création d'institutions aux desseins très clairs : assurer le développement de la peinture murale en complément au *boom* de la construction à l'heure du *City Beautiful Movement*. Ainsi crée-t-on, en 1895, l'*American Academy in Rome*[9] accueillant les *Rome Prize* de l'année. Son instigateur, l'architecte McKim, avait souhaité, au sortir de l'Exposition internationale de Chicago (moment clef, décidément) en pérenniser l'exploit artistique. Le pari d'en remontrer au monde entier après la pauvre impression faite par l'art américain à l'Exposition universelle de 1889 avait été gagné. On ne s'était pas contenté d'édifier des palais simulant le marbre, on les avait aussi ornés de sculptures et de peintures murales. Cette "parure" destinée à rehausser l'éclat de l'architecture, c'était là le vrai "clou" de l'exposition pour le visiteur qui marchait, ébahi, sous des dômes et des tympans peints comme s'il avait été transporté en Italie. Le Nouveau Monde égalait l'Ancien. Voilà bien, se félicitait Augustus Saint-Gaudens, "la plus grande réunion d'artistes au monde depuis le XVIe siècle italien[10]". Victoire artistique incontestable, donc, mais était-ce suffisant pour constituer une école capable de rivaliser durablement avec Paris ?

L'*American Academy in Rome* eut pour mission de consolider les acquis de cette expérience. Seule cette filiation avec la *World's Columbian Exposition* permet de ne

8. New York, 1890-1895, détruit.

9. Voir Lucia VALENTINE et Alan VALENTINE, *The American Academy in Rome, 1894-1969*, Charlottesville, University Press of Virginia, [1973].

10. Cité dans Charles MOORE, *Daniel H. Burnham, Architect, Planner of Cities*, Boston, Houghton Mifflin, 1921, vol. 1, p. 47.

pas la confondre avec une tardive imitation de la Villa Médicis. Rappelons-nous que, de l'*American Academy* créée en 1894-1895, les peintres ne furent qu'en 1897 seulement, après les architectes, les sculpteurs et même les archéologues. Et ce statut de fins derniers est symptomatique de la place qui leur y est dévolue : celle de dociles collaborateurs des architectes. L'*American Academy in Rome* ne postule pas, sur le modèle de l'Académie de France à Rome, une concordance des arts toute théorique par laquelle les disciplines cohabiteraient en un même lieu, mais sans jamais vraiment se rencontrer. Chez elle, un médium règne qui conditionne tous les autres : l'architecture. Aussi sont-ce des peintres muraux qu'on y envoie et non de traditionnels peintres d'histoire comme il en va, à Paris, des lauréats du Grand Prix de Rome. Toute prétention à l'autonomie de leur médium est interdite aux pensionnaires américains : si le peintre d'histoire français jouit d'une absolue liberté de création, son homologue décorateur américain opère dans le cadre d'une légalité arrêtée par l'architecte : son œuvre ne constitue que la partie (un "organe") d'un ensemble plus large dans laquelle elle doit s'insérer (l'"organisme").

> *L'Académie américaine à Rome est une institution fondée dans le but de rendre possible, pour les artistes américains de mérite dans les diverses disciplines constituant les Beaux-Arts, d'étudier les liens entre l'architecture, la sculpture et la peinture dans la ville qui, plus que n'importe quelle autre, illustre l'harmonie entre les arts*[11].

Ou encore :

> *L'Académie américaine a l'architecture comme fondement et prône la collaboration décorative de la sculpture et de la peinture*[12].

L'auteur de ces lignes n'est pas n'importe qui, il s'agit d'Henri Siddons Mowbray : un muraliste notoire dont la carrière fut érigée par ses pairs en modèle pour la jeunesse. Et ce Mowbray fut l'un des premiers directeurs de l'Académie américaine. Imagine-t-on, à la villa Médicis, Baudry ou Puvis de Chavannes en guise de directeur ? Il y eut bien Albert Besnard, mais ce fut une exception et, de toute façon, Besnard ne restreignit jamais son champ d'expression au seul décor comme Puvis, Cox ou, justement, Mowbray.

Être peintre mural devint l'idéal "officiel" du peintre américain de la première moitié du XXe siècle. Est-il besoin de rappeler, par exemple, que du triumvirat de l'American Scene (Thomas Hart Benton, Steuart Curry et Grant Wood) tous

11. Herbert F. SHERWOOD, *H. Siddons Mowbray Mural Painter (1858-1928)*, s. l., Florence Millard Mowbray, 1928, p. 8 (traduction de l'auteur du présent article).

12. H. SHERWOOD, *H. Siddons […]*, *op. cit.*, p. 65 (traduction de l'auteur du présent article).

furent, à des degrés divers, des muralistes et pas le seul Benton comme on le croirait trop commodément. En fait, de gré ou de force, tous les peintres américains, entre 1890 et 1945, furent appelés à se faire, de manière temporaire ou définitive, muralistes, même les portraitistes mondains (pensons à John Singer Sargent), telle était la volonté des architectes. Tous les muralistes déjà cités, y compris Blashfield et Cox, le devinrent malgré eux. Qu'ils en aient ou non été heureux, ce statut ne fut pas leur fait, mais celui du prince : l'architecte, qu'il eût pour nom McKim, Daniel Burnham, Stanford ou Cass Gilbert. Cet architecte "initia" d'abord les peintres à la "grande manière" lors de la *World's Columbian Exposition* en 1892-1893 et, au-delà, il prolongea son magistère à travers l'*American Academy in Rome*. On comprendra donc aisément qu'un *mural* américain est bien autre chose qu'un décor français, que le *mural* est déterminé par l'architecte américain alors que le décorateur français garde toujours la main sur son œuvre, se pliant ou ne se pliant pas, selon son bon plaisir, aux injonctions du lieu.

Dialogue du peintre et de l'architecte

Le *mural* est déterminé non seulement par l'architecture, mais aussi par son environnement au sens whistlérien du terme : la partie d'un tout, tout où les catégories high/low, majeur/mineur n'ont plus la moindre pertinence. L'historien de l'art a déjà souligné le zèle déployé en ce sens par Kenyon Cox, par exemple, à la Senate Chamber du Wisconsin State Capitol de Madison dont le triptyque *Mariage de l'Atlantique et du Pacifique* s'accorde avec les murs plaqués de marbre italien jaune crème, les colonnes de marbre français veiné, le plâtre rechampi d'or et même le tapis rouge foncé[13]. On ne sait pareil souci de collaboration avec les autres métiers animer un décorateur parisien avant le témoignage de Gino Severini en 1928. Chargé de décorer l'appartement de Léonce Rosenberg, Severini disait vouloir tout connaître du lieu pour lequel il œuvrait à distance : "Ainsi je pourrai vous *faire* une pièce, autrement il reviendrait au même d'attacher des tableaux au mur[14]", tout et pas seulement "l'usage de la pièce[15]" (salon, salle à manger, etc.). Rosenberg, qui n'en demandait certainement pas tant, est prié de renseigner "aussi la nature et qualité des meubles" qu'il a "l'intention d'y mettre[16]". Severini accueille avec enthousiasme les informations relatives à l'affectation de la pièce et les sujets choisis par le commanditaire et, avant de se mettre à l'ouvrage, il demande encore

13. Voir H. Wayne Morgan, *Kenyon Cox 1856-1919: a Life in American Art*, Kent, Kent State University Press, 1994, p. 171.

14. Gino Severini à Léonce Rosenberg, Porto d'Anzio, 10 juin 1928. Cité dans *Gino Severini entre les deux guerres*, Rome, Galleria Giulia, 1980, p. 95.

15. *Ibid.*

16. *Ibid.*

des précisions complémentaires : "Vous me renderiez [*sic*] un très grand service, vous me donneriez une base certaine, en m'envoyant un petit bout du velour [*sic*] *bleu* que vous employerez [*sic*] pour les rideaux etc. ; et en me faisant, sur un bout de papier, un petit peu de ce ton *jaune clair* du citronnier dont sont faits les meubles[17]." Voilà un souci d'adaptation, un souci de décorer au sens étymologique du terme (*ce qui convient* aux spécificités d'un lieu) digne du *muralist* américain. À ceci près que nous sommes en 1928 et que ce degré de "professionnalisme" n'engage que Severini[18]... Puvis de Chavannes fit, en son temps, preuve de beaucoup plus de désinvolture.

Pousser l'investigation si près des réalités du métier de décorateur a évidemment ses limites. L'exemple de Cox à Madison est de seconde main et des sources aussi précises que le témoignage de Severini demeurent rares. Un artiste si étudié que Puvis de Chavannes n'offre quasiment aucun exemple de ce genre. Mais les quelques informations qui nous sont parvenues dénotent une acception minimale de l'adéquation des panneaux décoratifs avec le caractère du lieu. Pour réaliser le décor de la Boston Public Library, Puvis dispose de la maquette en plâtre du bâtiment de McKim, d'informations relatives à la nature des matériaux employés (marbre jaune de Sienne) et d'échantillons qui lui furent envoyés à sa demande[19]. Les teintes des toiles marouflées sous la supervision de Victor Koos s'harmonisent effectivement avec celles de la pierre sans qu'il soit besoin de s'attarder sur les questions plus évidentes de format et de proportions. Mais déjà en ce qui touche aux tons, Puvis se comporte en "prince" à la place de l'architecte : il demande la diminution de l'ouverture des baies. À l'architecture, en somme, de s'adapter, *a posteriori*, à sa peinture tout autant qu'il a daigné, *a priori*, se conformer aux siennes[20]. Puis, à l'occasion du marouflage du grand panneau du fond (octobre 1895), Puvis obtient de l'architecte qu'on repeigne le plafond en "jaune violacé au lieu d'un blanc trop dur[21]", coquetteries qu'il s'était déjà permises au musée des Beaux-Arts de Lyon huit ans plus tôt[22]... Est-ce là ce qu'on aurait supposé du "Maître" salué, à son époque, comme un absolu en matière de décoration ? Vu d'outre-Atlantique, Puvis, tout en étant "le" modèle à suivre, ressortit aussi au repoussoir du fait de ses manières de muraliste récalcitrant. Plusieurs témoignages relatifs aux méthodes de travail de Puvis viennent d'ailleurs renforcer ce caractère de mauvais exemple : à lui seul revient le choix des sujets qu'on ne saurait lui imposer. Il en est

17. Gino Severini à Léonce Rosenberg, Porto d'Anzio, 18 juin 1928. Cité dans *Gino [...]*, *op. cit.*, p. 95.

18. Matisse fait bientôt preuve d'une même rigueur pour Barnes (1930-1933), reconnaissant aussi que ses décors antérieurs (ceux de Moscou en 1911) "procède[nt] encore des exigences du tableau" (Henri Matisse, *Écrits et propos sur l'art*, Paris, Hermann, 2009, p. 145).

19. Voir Aimee Brown Price, *Pierre Puvis de Chavannes*, New Haven, Yale University Press, 2010, vol. 2, p. 369.

20. *Idem*, p. 369.

21. *Idem*, p. 369.

22. *Idem*, p. 273.

d'ailleurs (sujets historiques ou religieux) qu'il refuse tout simplement de traiter après 1876[23] ; enfin, il ne goûte la paroi que sous condition : va pour les murs, mais non les plafonds. Il aurait, paraît-il, préféré ramasser du crottin sur la grand-route que d'en commettre un[24]. Quant à Jean-Louis Vaudoyer, ne rapporte-t-il pas que "Puvis de Chavannes composa la décoration de l'escalier du musée de Lyon pour un seul pan de muraille, alors qu'elle devait en occuper trois ; car il voulait exposer cette toile au Salon, sans tenir compte des angles, dans un vaste et sensationnel déploiement en surface plane[25]". Vrai ou faux, cela "colle" à la réputation de Puvis de Chavannes et en ternit sérieusement l'éclat, du moins en Amérique.

Là-bas, de telles licences eurent été inconcevables, y compris de la part de puvisiens convaincus comme John La Farge : à Trinity Church (Boston), en 1876 déjà, l'architecte Henry Hobson Richardson lui imposait surfaces, dimensions, technique (à même la paroi) et couleurs (le rouge comme teinte dominante). Le cadre même dans lequel exerce le muraliste lui lie les mains. Le bâtiment public dans son entier y est ici le fait de l'architecte, décor compris quand, en France, cela relève de la seule administration des Beaux-Arts, avec ou sans l'agrément de l'architecte. Pour s'en tenir au seul McKim, le père, en quelque sorte de l'*American Academy in Rome*, c'est lui qui prend l'initiative d'orner ou non telle ou telle partie de l'édifice dont il assure la construction. C'est lui, aussi, qui en choisit les auteurs en fonction du dessein qu'il nourrit, voire qui leur souffle le sujet le plus approprié. Inconcevable aussi parce que les peintres conviés à participer à un chantier de ce type, dès lors qu'ils sont plusieurs, sont sommés de s'entendre entre eux, de former une véritable "équipe". Le modèle de ce fonctionnement, c'est l'Exposition de Chicago en 1893 (toujours) qui l'offre. Alors que rien, au départ, ne laissait supposer que les palais provisoires seraient décorés, McKim en prend l'initiative, démarche les peintres, exige qu'ils peignent sur place, à même la paroi, et les engage à former une espèce de corps — lui aussi provisoire — où chacun est responsable de ses actes dans un cadre collectif. L'assignation à résidence sur les bords du lac Michigan, plusieurs mois durant, a joué un rôle décisif dans la perception qu'eurent d'eux-mêmes les muralistes américains : ils avaient traversé les difficultés ensemble, cette aventure leur était commune, ils appartenaient à une même "famille"[26]. Bref, pour caractériser, de manière schématique les modalités en usage en Amérique, par comparaison avec celles que nous connaissons en France, on pourrait dire que l'articulation du décorateur avec son milieu est verticale en France alors qu'elle tend à l'horizontalité outre-Atlantique.

23. Voir *idem*, vol. 1, p. 89-90.

24. Voir P. VAISSE, *La troisième [...]*, *op. cit.*, p. 261.

25. Jean-Louis VAUDOYER, "À propos des Salons", *La Revue de Paris*, 15 mai 1922, p. 415.

26. Voir Pauline KING, *American Mural Painting*, Boston, Noyes Platt & C°, 1902, p. 66-67.

Verticale en France, car le décorateur est choisi par la seule administration des Beaux-Arts et n'a finalement de compte à rendre qu'à celle-ci, *via* l'inspecteur chargé de déterminer si le travail entrepris dans la solitude de l'atelier est recevable on non. L'adéquation avec le lieu de destination des œuvres est laissée à l'appréciation dudit inspecteur dont, de toute façon, les possibilités de corriger d'éventuels manquements sont doublement limitées : c'est un résultat dont il juge, ça lui est, pour ainsi dire, offert à prendre ou à laisser et il n'a souvent, au vu du calendrier et de ses contraintes, guère d'autre choix que d'accuser réception du décor en question.

Articulation horizontale, en revanche, en Amérique où, sous la férule d'un architecte dont les choix longuement mûris garantissent, *a priori*, la bonne marche du chantier, une confédération d'artistes est priée de s'entendre pour dégager une direction commune. Ici, pas de place à la dissidence. "La tâche [du peintre mural] — expliquait Blashfield — est aux antipodes de celle du peintre de chevalet. Ce dernier ne saurait souffrir un seul coup de pinceau d'autrui ; il conserve son individualité aussi jalousement que s'il était un candidat *en loge*[27]" pour ce fameux prix de Rome de peinture... historique et non décorative. Une ligne de bonne conduite est d'ailleurs, d'un point de vue théorique autant que pratique, fournie "clef en main" par la *National Society of Mural Painters* (NSMP) qui, dès sa création en 1895 (création exactement contemporaine de celle de l'*American Academy in Rome*) se propose d'assurer une entente harmonieuse entre peintres et sculpteurs œuvrant au service de l'architecture. Ce dessein se traduit, dans les actes, par la participation des membres de la NSMP aux chantiers d'alors sous la casquette de conseillers ou d'arbitres[28]. Arbitre auquel on recourt en cas de litige et dont l'avis a force de loi. Tel est le rôle qu'assure ainsi John La Farge à *l'Appellate Division Courthouse of New York State*[29], un des plus ambitieux programmes décoratifs du moment.

Deux reproches faits, à tort ou à raison, par leurs contemporains aux décorateurs français et relayés par l'historiographie sont ainsi évités par leurs homologues américains : d'abord l'inadéquation des peintures à l'espace auquel elles sont destinées ; ensuite le manque d'unité entre les diverses parties constituant un ensemble lorsque la commande est partagée entre plusieurs intervenants. Ce second cas de figure constituait un thème récurrent du discours sur la peinture décorative[30], y compris en Amérique[31], et Pierre Vaisse a montré qu'il était en partie infondé. En partie seulement toutefois, car des trois édifices cibles de ces attaques (le Panthéon,

27. Edwin Howland BLASHFIELD, *Mural Painting in America*, New York, Scribner, 1913, p. 161. Traduction de l'auteur du présent article. Le terme "en loge" est écrit en français dans la version originale.

28. Ainsi James Brown Lord, architecte de *l'Appellate Division Courthouse of New York State,* accepte-t-il l'offre de la NSMP d'être conseillé pour les décorations qui y sont prévues (voir P. KING, *American [...], op. cit.*, p. 219).

29. *Ibidem.*

30. Voir P. VAISSE, *La troisième [...], op. cit.*, p. 247.

31. Voir, par exemple, Kenyon COX, *Old Masters and New,* New York, Fox Duffield & C°, 1905, p. 148.

l'Hôtel-de-Ville de Paris et la Sorbonne), deux au moins offraient une disparité perceptible en un seul coup d'œil (le Panthéon et l'Hôtel-de-Ville). Qui plus est, ils comptaient parmi les plus grands chantiers entrepris à l'époque.

Dernière spécificité du muraliste américain par rapport au décorateur français, sa propension à pratiquer la peinture murale au sens littéral du terme. Certes, il ne peint pas forcément *in situ*, à même la paroi, cela relève plutôt de l'exploit isolé, mais il ne s'y refuse pas de manière systématique comme les Français. Puvis n'a jamais peint directement sur le mur et Pierre Vaisse a souligné que les décors de la Troisième République sont tous, presque sans exception, des toiles peintes en atelier marouflées une fois terminées seulement[32]. En Amérique, ce procédé est justement appelé *French marouflage*. Même rares, des décors véritablement "muraux" au sens de "peints sur la paroi" existent en Amérique. Le muraliste s'y exerce volontiers et, en définitive, autant les grandes étapes du muralisme américain (à l'échelle macro) que les décors pensés par leurs auteurs comme devant faire date dans leur carrière (à l'échelle micro cette fois) sont pour la plupart des peintures sur le mur qu'il s'agisse, ou non, de fresque. Les deux chantiers dans lesquels l'historiographie américaine a salué la naissance du muralisme américain sont soit des peintures à fresque (les lunettes de William Morris Hunt à l'Assembly Chamber du capitole d'Albany en 1878-1879), soit de plus habituelles peintures à la cire (décors de John La Farge à Trinity Church de Boston en 1876-1878). Et, pour ce qui est des décors censés constituer aux yeux de leurs auteurs mêmes des points d'orgue dans une carrière, revenons-en encore à ce patriarche du muralisme américain que représente La Farge. Chargé par Stanford White de peindre le dessus de l'autel de l'Ascension Church à New York, La Farge décide de son propre chef et malgré ses 51 ans de travailler *in situ* (1886-1888)[33].

C'est dans ce contexte que la critique d'art troque, autour de 1905-1915, l'expression *decorative painting* ou *mural painting* contre *mural*, prenant acte de la spécificité américaine : son intégrité morale et technique tout entière contenue dans le respect du mur. Le terme ne se rencontre pas encore sous la plume des "muralistes" de la première génération (ceux nés vers 1835-1855), Kenyon Cox ou Edwin Blashfield. Cox préfère toujours *decoration* et ses dérivés (*decoration*, *decorative painting*, *mural decoration*). Par contraste, les écrits de Blashfield dénotent déjà une affection particulière pour l'épithète *mural* même si du substantif il n'est pas encore question (ce sont *mural painting*, *mural art* et même *mural worker*). Le pas n'est sauté, tout du moins dans la langue écrite, qu'en 1914[34], le terme se

32. Voir P. VAISSE, *La troisième [...]*, *op. cit.*, p. 210.

33. Voir, à ce sujet, James L. YARNALL, *John La Farge, a biographical and critical study*, Farnham-Burlington, Ashgate, 2012, p. 154.

34. À notre connaissance, et après un dépouillement systématique de plusieurs périodiques spécialisés, la première occurrence pour l'intitulé d'un texte se trouverait dans le numéro de *The International Studio* d'avril 1914 (Charles DE KAY, "Seven Murals by Albert Herter", p. 37-42).

vulgarisant après 1916-1917 au point de se substituer, autour de 1920, à la terminologie issue du français.

Quant aux décorateurs français, précisément, décorateurs sur lesquels les muralistes américains s'appuyaient jusque-là (n'oublions pas que le seul décor jamais peint par Puvis de Chavannes à l'étranger se trouve à Boston dans cette bibliothèque de McKim considérée comme "la véritable Assise de l'art américain[35]"), leur fortune critique pâlit sérieusement après 1900. Le décor bostonien de Puvis même, d'abord reçu comme un absolu, est bientôt relativisé : l'auteur, n'ayant pu travailler *in situ*, aurait failli à intégrer la peinture dans son environnement. L'étude de la littérature sur la Boston Public Library pourrait se comparer à la méthode du *carottage* : un point du territoire dont le sondage révèlerait les différentes phases de la réception du modèle français. La couche la plus ancienne, montrerait l'unanimisme avec lequel Puvis est initialement salué. Ses peintures sont alors le critérium en la matière, ce dont Austin Abbey, chargé du décor de la Delivery Room voisine, fait les frais. Puis vient le temps de la relativisation : chef-d'œuvre en Amérique, certes, mais peut-être le peintre a-t-il fait mieux auparavant, peut-être son "heure de gloire était[-elle] derrière lui quand Puvis peignit le cycle de la bibliothèque[36]" ? Enfin pointe le doute : la méthode même de Puvis était-elle bonne ? Son atténuation systématique du coloris convenait-elle partout ? Cox ne le pense déjà plus en 1905[37] et, dès 1910, prenant à défaut le décor de Puvis qui ne s'accorderait pas tout à fait au jaune soutenu des marbres de l'architecture, les puvisiens de la première heure procèdent à un *aggiornamento*. En définissant *a priori* son idéal de la peinture décorative, idéal intangible, Puvis s'est fourvoyé. Le vrai décorateur doit chaque fois se réinventer. Cox et Blashfield plaident coupable : en s'alignant sur le parti-pris du décorateur français, ils se sont eux-mêmes mépris dans leurs propres réalisations[38]. Puvis en général et son cycle de Boston en particulier ne valent désormais plus que par leur rôle historique de "précédent". Ceux dont on peut vraiment apprendre quelque chose, ce sont les fresquistes italiens. Il convient de procéder comme le fit l'art français de la bonne époque : se mettre à genoux devant l'Italie. Et, pour ce faire, il y a le *Rome Prize* et l'*American Academy in Rome*[39].

35. Ernest F. FENOLLOSA, *Mural Painting in the Boston Public Library*, Boston, Curtis & C°, 1896, p. 25.

36. P. KING, *American [...]*, *op. cit.*, p. 100.

37. Voir K. COX, *Old [...]*, *op. cit.*, p. 225.

38. Voir K. COX, *The Classic Point of view*, New York, Scribner, 1911, p. 186 et H. Blashfield, *Mural [...]*, *op. cit.*, p. 269.

39. Voir H. BLASHFIELD, *Mural [...]*, *op. cit.*, p. 311.

"Cas pratique"

Terminons sur ce rapport particulier entretenu par les muralistes américains avec l'architecture par un cas pratique et examinons rapidement la rotonde de la Walker Art Gallery du Bowdoin College, à Brunswick, dans le Maine. Plusieurs raisons motivent ce choix. D'abord ce chantier est, chose excessivement rare, très bien renseigné et l'historiographie contemporaine en a déjà dressé la genèse[40]. Ensuite, les quatre lunettes qui constituent ce cycle décoratif ont été restaurées et rendues à leur état originel : non seulement elles sont lisibles, mais l'architecture à laquelle elles s'incorporent a été rétablie, notamment les teintes "porphyre" du revêtement mural qui, à l'évidence, ont déterminé la palette chromatique des intervenants. Enfin, c'est là un exemple caractéristique de l'*American Renaissance*, à tel point d'ailleurs que Barbara Weinberg parle, à son sujet, de "*Haute* Renaissance américaine[41]". L'édifice en lui-même dérive de la chapelle Pazzi de Filippo Brunelleschi à Florence : trois galeries disposées en croix grecque autour d'une rotonde avec dôme, rotonde dont son auteur, McKim, après les précédents de la bibliothèque de Boston et de l'Exposition internationale de Chicago ne conçoit pas qu'elle reste nue. Il semble désormais acquis qu'un architecte concevant un bâtiment y prévoie nécessairement une décoration peinte[42], qu'il la dirige en personne, choisissant lui-même les muralistes et en suive pas à pas la réalisation :

> *Si l'architecte n'y accorde pas une attention constante et sans relâche pendant toute la durée des travaux, depuis la réalisation des dessins préparatoires jusqu'à l'achèvement des peintures sur les murs, le résultat est forcément catastrophique, cela ne fonctionne pas ensemble et le résultat est tout à fait insatisfaisant*[43].

Les peintures ne sont plus une affaire secondaire, simple habillage des murs : on y pense comme à une condition d'existence même de l'architecture, de son accomplissement. Le *mural* s'apparente à l'épiderme du bâtiment, peau sans laquelle il resterait inachevé, tel un écorché.

Quatre artistes se partagent la commande de la Walker Art Gallery représentant, à parts égales, deux générations de l'*American Renaissance* : une vingtaine d'années sépare le plus jeune (Kenyon Cox) du plus âgé (John La Farge). C'est donc, en

40. Voir Richard V. West, *The Walker Art Building Murals*, Brunswick, Bowdoin College Museum of Art, 1972.

41. Voir Barbara Weinberg, "American *High* Renaissance. Bowdoin's Walker Art Building and Its Murals", *in* Irma B. Jaffe (dir.), *The Italian Presence in American Art 1860-1920*, New York-Rome, Fordham University Press-Istituto della Enciclopedia italiana, 1992, p. 121.

42. Voir, par exemple, les efforts déployés par Cass Gilbert au Minnesota State Capitol à Saint-Paul afin d'obtenir de son commanditaire des crédits pour des cycles de *murals* (Barbara S. Christen et Steven Flanders (dir.), *Cass Gilbert, Life and Work. Architect of the Public Domain*, Londres-New York, Norton, 2001, p. 95 et 104).

43. Conseil de George B. Post à Cass Gilbert (cité dans *idem*, p. 118). Traduction de l'auteur du présent article.

quelque sorte, un abrégé stylistique du muralisme américain des années 1890 dans toute sa diversité et, pourtant, ça ne produit pas la désagréable impression kaléidoscopique des salons des arcades à l'Hôtel de Ville de Paris : il y a diversité certes, mais dans l'unité.

Le visiteur pénétrant dans la rotonde tombe nez à nez avec *Rome* **[fig. 1]**. L'auteur de cette lunette est Elihu Vedder (1836-1923), élève, à Paris, de François-Édouard Picot, et qui, à l'exemple de son professeur, témoigne d'un goût marqué pour le dessin au préjudice de la couleur. Sa *Rome* est très graphique, très raphaélesque aussi, rappelant *La Tentation d'Adam et Ève* de la chambre de la Signature. Or cette profession de foi toute classique, le spectateur en trouve juste en face le parfait contre-pied en *Athènes* **[fig. 2]**, lunette de John La Farge (1835-1910). Et pour cause, La Farge, formé lui aussi à Paris, n'a pas du tout suivi le même enseignement. Il n'a pas étudié chez Picot, mais chez le moins orthodoxe Thomas Couture, fort attaché à la tradition vénitienne de la couleur et de la peinture-peinture. Dans *Athènes* c'est la couleur et non le dessin qui l'emporte. On retrouve ce même jeu de contrepoint en regard de Vedder quant au choix d'un paysage plutôt que de la *quadratura*, ce dispositif giorgionesque étant encore renforcé par le canon naturaliste des figures et le caractère matiériste des chairs qui accrochent la lumière. Picot *versus* Couture ; dessin/couleur ; composition/facture ; idéalisme/réalisme, voilà autant de gages d'unité manquée.

Fig. 1 : Elihu Vedder, *Rome*, 1894, Brunswick (Maine), Bowdoin College Museum of Art, 1893.37, H. 3,65 ; L. 7,31 m.

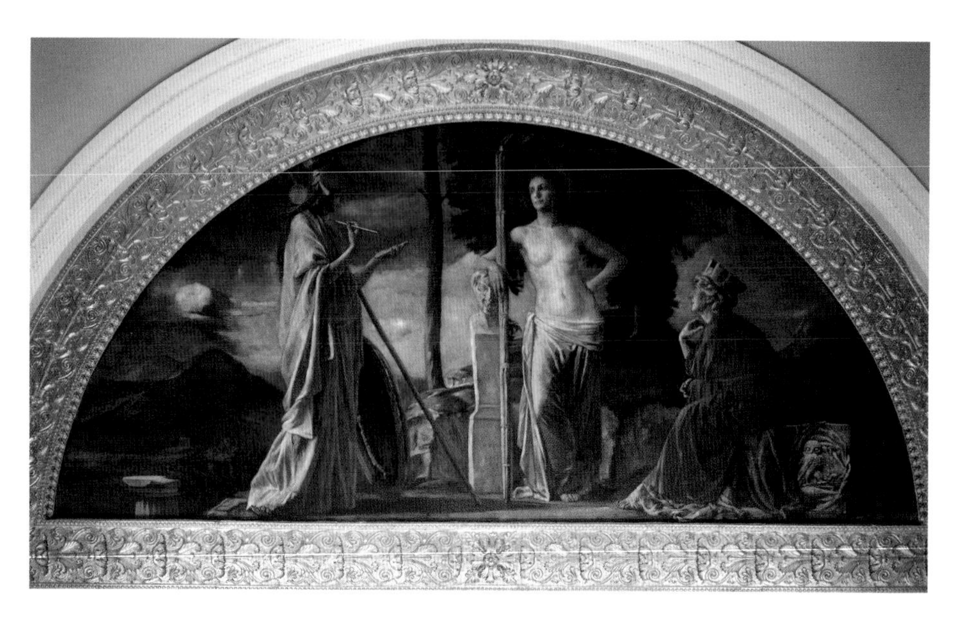

Fig. 2: John La Farge, *Athens*, 1898, Brunswick (Maine), Bowdoin College Museum of Art, 1893.35, H. 2,74; L. 6,09 m.

Et cette stricte opposition on la trouve répétée, en mode mineur, par les cadets, presque des novices: Kenyon Cox (1856-1919), *Venise* **[fig. 3]**, *versus* Abbott Thayer (1849-1921), *Florence* **[fig. 4]**. C'est d'abord une inclination pour la peinture-peinture d'obédience post-impressionniste cette fois, chez Thayer, tempérée néanmoins par une connaissance des maîtres anciens, puisqu'on reconnaît là aisément la trame des tableaux d'autel renaissants incluant le portrait des donateurs agenouillés, en l'occurrence, deux jeunes Florentins, un homme et une femme, qui présentent la peinture et la sculpture à une personnification de Florence. Dans son pendant, *Venise*, Kenyon Cox prouve lui aussi qu'il sait son Véronèse, son Bellini ou son Giorgione dont il paraphrase d'ailleurs la *Madone de Castelfranco*: une figure centrale, vêtue à la vénitienne, assise sur un trône se détachant sur un dais avec campanile dans le fond, et deux figures de chaque côté, ici Mercure et une personnification de la peinture avec le lion de Saint-Marc derrière elle. Mais ce motif, cette construction et ce coloris vénitien, presque "*néo*" tant il est évident, s'accompagnent d'une facture excessivement finie, plutôt romaine, et d'un rigorisme de composition d'un balancement très classique.

Au vu de pareilles contradictions potentielles, de la confrontation de tempéraments si contrastés, il est d'autant plus symptomatique de la nature du muralisme américain que le résultat final offre à l'œil du spectateur une singulière impression d'unité à l'inverse de ce qu'il en irait chez les décorateurs français. Ce sont, en effet, quatre fois trois figures centrées disposées sur un plan unique, se détachant sur un paysage symbolique et présentant une gamme chromatique binaire, chaud/froid, bleu/rouge et leurs dégradés ; le tout assurant — à un détail près (la question de la bordure inférieure de la lunette de La Farge) — l'unité dans la diversité voulue par Mc Kim. Chaque lunette est donc ici le simple organe d'un organisme plus large : les volumes de l'architecture. Jamais, il n'est question que le *mural* vaille pour lui-même : ça n'est que la partie d'un tout. "*Tell as a whole*" disait Blashfield.

Fig. 3 : Kenyon Cox, *Venise*, 1894, Brunswick (Maine), Bowdoin College Museum of Art, 1893.38, H. 3,65 ; L. 7,31 m.

Fig. 4 : Abbott Thayer, *Florence*, 1894, Brunswick (Maine), Bowdoin College Museum of Art, 1893.36, H. 3,65 ; L. 7,31 m.

Conclusion : à la conquête des échafaudages...

Se colleter avec la paroi, telle était l'injonction faite aux peintres par les architectes. Ils s'y aventurèrent une première fois à Chicago, en 1893 et se révélèrent alors à eux-mêmes : leur république des arts était née. À travers cette gigantesque entreprise à laquelle ils prirent presque part à leur corps défendant, ils purent eux aussi écrire leurs *Vies des peintres*. Ils n'avaient pas travaillé pour un collectionneur *lambda*, mais pour tous leurs compatriotes et, escaladant les échafaudages, ils firent don d'eux-mêmes, au péril de leur vie ("Les gens tombent comme des mouches...[44]" écrivait Vedder à sa femme). Goût du risque et générosité devaient rester associés à la pratique de la peinture décorative dont on comprend sans peine qu'il ait fallu lui trouver une formulation nouvelle, mieux à même de dire ce qu'elle était dans sa matérialité, par rapport au référent parisien, celui des messieurs en redingote travaillant exclusivement en atelier : *muralism*. "À Chicago, à l'Exposition universelle, les peintres muraux portaient des chandails — s'enorgueillissait Blashfield —, le vent soufflait la térébenthine sur nos tasses et raidissait nos doigts ; à Washington, l'été, sous un soleil de plomb, nous avons travaillé au dôme de la Bibliothèque du Congrès simplement vêtus de gaze, et bu un seau d'eau glacée par jour[45]". Et d'accompagner l'image à la parole appuyant ses dires sur des preuves formelles : l'échafaudage suspendu dans le vide sous la coupole de la Library of Congress, planche hors texte entre les pages 34-35 de l'ouvrage écrit par Blashfield, *Mural Painting in America*. Le *muralist* est peintre en bâtiment.

44. Cité dans Regina Soria, *Elihu Vedder, American visionary artist in Rome (1836-1923)*, Rutherford-Madison-Teaneck, Fairleigh Dickinson University Press, 1970, p. 210.

45. H. Blashfield, *Mural [...]*, *op. cit.*, p. 86.

20

Pratiques actuelles : l'artiste entre invention et réalisation

Table ronde réalisée avec la complicité de Marc Bayard et animée par Marianne Jakobi et Diane Watteau avec Éva Jospin / plasticienne, Nathalie Junod Ponsard / artiste visuelle, Ramy Fischler / designer, Marie-Hélène Bersani / Directrice de la production au Mobilier national.

Marianne Jakobi et Diane Watteau : *Cette table ronde a pour objectif d'interroger la notion de décoratif sous l'angle du savoir-faire en envisageant la diversité des attitudes adoptées par les artistes contemporains : mise en valeur visuelle du geste artistique, distance par rapport à la réalisation matérielle, volonté revendiquée de déléguer la production, etc. Mais quelles sont les traces de ce savoir-faire à la croisée entre mémoire personnelle et mémoire collective ? En quoi ces traces apparaissent-elles dans le titre des œuvres ? De quelle manière la technique de l'artiste, ses partis pris formels, son usage des couleurs, des lignes agissent-ils sur ce travail de nomination qui constitue un des moments conceptuels de l'œuvre ? Comment rendre possible le rapprochement entre la création (sculptures d'artifice et de nature, technologie de la lumière, objets de design expérimentaux, par exemple) et le savoir-faire transmis, en grande partie, par les métiers d'art ? En quoi le Mobilier national participe-il à ce rapprochement entre invention et réalisation ? Autant de questions, qu'il s'agit d'aborder en décomposant les différents moments entre l'idée et l'œuvre finale pour tenter de comprendre la dimension décorative des pratiques actuelles.*

Éva Jospin

Marianne Jakobi et Diane Watteau: *Après les Beaux-Arts à Paris, votre travail s'est centré sur l'articulation entre l'artifice et la nature à partir d'un matériau pauvre au sens de l'*Arte povera *: du carton de récupération assemblé, découpé, collé. Pourriez-vous nous parler de la* "Carte blanche à Éva Jospin" *présentée ici en parallèle à l'exposition* "Gobelins par Nature, éloge de la Verdure"*?*

Éva Jospin: Dans cette œuvre, j'utilise la technique du haut-relief qui constitue un pont entre la manière de travailler dans la Manufacture des Gobelins et mon travail dans l'atelier. La question de l'accumulation du temps et des couches se pose dans tout mon travail, également ici dans la tapisserie. J'ai cependant développé une technique ne s'appliquant qu'à mon propre travail qui n'a pas pour vocation d'être transmise et donc de ce point de vue ma démarche est assez différente de l'artisanat. Cela est assez amusant parce que lorsqu'on commence à aborder un matériau, on l'aborde de plusieurs façons et on trouve des gestes qui s'inventent et se renouvellent. L'histoire de la main de l'homme dans la fabrication correspond à des gestes qui se répètent et qui s'inventent et se répètent puis se réinventent... C'est ce qui se passe dans l'atelier. Parfois, je marche sur le carton pour l'aplatir, parfois mon geste est plus violent, quand je le déchire, je le plie, je le tords: toute une succession de gestes un peu étranges. Pour récupérer du carton, il suffit de louer une camionnette, d'aller à Pantin où se trouvent des entrepôts remplis de cartons, mais la difficulté consiste à trouver des cartons différents: j'ai du carton chinois évidemment parce que j'ai ceux qui arrivent et non ceux qui partent. Ensuite, je choisis le carton comme on le ferait avec une essence en fonction de l'épaisseur et de la couleur. Quand le carton est monochrome, je joue sur la vibration afin de créer l'effet d'un mouvement pour l'œil. Concernant le choix des colles, j'ai découvert une colle ici à la Manufacture des Gobelins, j'ai aussi le bon vieux pistolet à colle, de la colle à bois, etc. Quand je restaure, étant donné que le carton n'est pas une matière noble, j'arrache, je recolle, je recommence: il faut rafistoler. La restauration est une question complexe. Aux Beaux-Arts, on avait participé à une exposition avec deux photos d'un détail de la Chapelle Sixtine présentées avec deux dates, l'une avant restauration et l'autre après. Sur la seconde, les yeux avaient disparu!

Marianne Jakobi et Diane Watteau: *Comment vous travaillez? Est-ce que vous êtes plutôt adepte des sons ou vous préférez l'immersion dans le silence?*

Éva Jospin: J'écoute de la musique, toutes sortes de musiques: parfois des choses très vives, parfois plus calmes et j'essaye d'alterner parce qu'il faut produire beaucoup. J'aime bien passer d'une chose à une autre en morcelant le temps de travail, cela me permet de varier et d'éviter l'ennui qui consisterait à me dire : "bon voilà, je ne fais que des branches, jusqu'à vendredi". Je fais un peu de ceci, un peu de cela, sinon on s'ennuie. Mais dans mon travail, l'ennui est un composant important dans le processus. Créer est à la fois un plaisir et une forme d'aliénation.

Marianne Jakobi et Diane Watteau : *Comment est né ce goût pour un matériau particulier, le carton ?*

Éva Jospin : Par hasard. Quand j'ai changé d'atelier, la question de la production s'est posée autrement. Comment être dans son époque, sans être original forcément ? Je dessinais à ce moment-là et je me disais : "il faudrait que je trouve quelqu'un qui fasse de la résine, et de la serrurerie en métal, etc." et puis finalement il s'agissait de projets réalisés sur ordinateurs avec l'élaboration incessante de devis. Cela ne m'intéresse pas, cela m'ennuie totalement, je ne sais pas le faire, je n'aime pas travailler de cette manière-là : je me suis alors rendu compte que l'argent que je n'allais pas mettre dans les productions, j'allais le garder pour produire. Aujourd'hui, beaucoup d'œuvres ne sont pas réalisées par les artistes et la qualité du travail artistique dépend en grande partie des moyens qu'ils ont pour produire, exactement comme un cinéaste. Certains artistes ont de magnifiques projets, mais ils n'ont pas forcément les moyens de les mettre en œuvre pour leur donner la puissance et la force qui nécessite l'intervention de très bons techniciens. Comme je n'avais pas accès aux systèmes de production, j'ai remplacé ces questions de production par le temps passé à fabriquer moi-même les œuvres, avec un matériau abondant et très bon marché. Ma démarche relève de l'idée du bricolage — un merveilleux bricolage, poussé à l'extrême.

Marianne Jakobi et Diane Watteau : *Dans ce rapport au temps, comment procédez-vous ? Est-ce que tous les matins vous vous mettez au travail ou avez-vous un rapport plus élastique à la rigueur et la programmation du travail ?*

Éva Jospin : Au début, j'étais véritablement amoureuse de mon travail, j'étais heureuse d'aller très souvent à l'atelier, pendant le week-end, et les vacances, mais j'étais aussi frustrée dans la mesure où j'avais perpétuellement envie de travailler. Aujourd'hui, des gens m'aident parce que je n'arrive pas à tenir le rythme toute seule. Je les forme à l'atelier et ils arrivent à savoir couper du carton, sans pour autant que cela soit facile. Ce qui est compliqué est de passer de l'organisation du travail des membres de l'atelier, donner des instructions, pour revenir à mon travail personnel : je suis mon propre ouvrier aussi dans l'atelier et je dois pouvoir laisser filer mon esprit. Les assistants viennent plutôt l'après-midi de manière à me dégager des moments de solitude : il n'est pas toujours simple d'avoir des témoins quand vous créez.

Marianne Jakobi et Diane Watteau : *De quels processus relève l'invention de nouvelles œuvres ? Gardez-vous des traces de l'idée initiale et des phases intermédiaires du travail ? Est-ce qu'il s'agit d'une fulgurance ou plutôt d'une élaboration progressive ?*

Éva Jospin : C'est l'œuvre finale qui s'impose à partir de l'idée de rendre un aspect de la réalité pour la réinterpréter. Ici on part d'un carton et il faut traduire un geste. Je m'inspire de la nature en m'interrogeant, par exemple, sur un effet d'écorce. C'est toujours dérivé, c'est jamais à côté, il ne s'agit pas de l'imitation de la réalité : c'est une sensation entre le réel et l'artifice qui est très éloignée de la manière dont les choses sont faites réellement. Ce qui se passe sur le sable ou sur le sol quand il y a de l'eau qui se retire et que se forment des rigoles, cette forme je la mets dans le carton. Un grand nombre de mes œuvres n'existent qu'à l'état de pensée : il y a un cimetière d'œuvres non produites, c'est un peu comme les histoires d'amour qu'on ne vit pas. J'ai des obsessions qui arrivent, comme en ce moment, il y a toujours le travail sur les forêts qui évolue : je ne les représente plus de la même façon, c'est toujours la même chose, mais jamais fait de la même façon. En réalité, il n'y en a pas deux qui se ressemblent malgré l'effet de répétition suscité par le carton et l'iconographie de la forêt. Si on regarde attentivement le style, le lieu où l'on est, on s'aperçoit que ce sont des espaces à chaque fois différents. Mon travail repose sur la question suivante : qu'est ce que j'ai envie de regarder ? En ce moment, il y a une partie des pièces à l'atelier qui sont moins dans ce rapport à la contemplation bien que ce rapport soit très présent dans ma démarche. C'est le cas, par exemple, d'un travail actuel sur l'herbe, sur le mouvement du vent, et sur les sensations. J'utilise le carton, mais aussi des mélanges comme pour *Le Balcon,* une pièce en fer forgé qui en donnant l'intuition de la nature joue sur les codes entre la sculpture, le décor et le trompe-l'œil. La sculpture, on peut la voir de loin ou de près mais elle a sa "physicalité" en elle, tandis que le décor est un artifice pur, c'est vraiment du maquillage qui fait changer la sensation du visuel. Ainsi, en s'approchant de telle œuvre, on se rend compte que contrairement à l'impression première ce n'est pas du marbre. Quant au trompe-l'œil, le phénomène est plus subtil, il se rapproche de l'hyperréalisme par un jeu sur d'autres techniques. Ce travail en cours me permet de jouer de ces trois codes de représentation et des ellipses entre le décor, la sculpture et le trompe-l'œil en interrogeant notamment la hiérarchie, le pur et l'impur. Cela m'amuse, mais par rapport aux *Forêts* que j'ai faites et celle des Gobelins, je ne sais pas si j'ai réussi à transmettre cela, mais j'ai essayé de créer un espace qui peut provoquer la sensation qui m'a émue quand j'ai découvert l'art alors que j'étais enfant. C'était une sensation très liée à la contemplation, celle de la peinture et des églises, bien que je n'ai pas été élevée dans la religion. Ce sont des espaces qui sont faits pour être regardés d'une certaine façon avec des effets de mise à distance. J'ai aimé ce qui m'a amenée à l'art, après j'ai découvert beaucoup de pratiques, mais cette sensation, cette émotion première-là, c'est ce que je désire retrouver en créant un espace où il est possible de simplement s'asseoir et de regarder, d'attendre et de voir. La magie opère parfois : mes *Forêts* sont des lieux où on s'arrête.

Ramy Fischler

Marianne Jakobi et Diane Watteau : *La rencontre improbable entre la conception d'objets expérimentaux et la mise en avant du savoir-faire des artisans est au cœur de votre parcours qui reflète cette coexistence en apparence paradoxale entre innovation technologique et travail manuel. Créateur industriel, en résidence à la Villa Médicis en 2010-2011, vous avez été l'adjoint, pendant dix ans, de Patrick Jouin qui est un grand designer contemporain, avant de fonder votre agence RF studio en 2010. Architecte d'intérieur, scénographe, concepteur d'objets expérimentaux, vous prenez en compte les pratiques de délégation, notamment par des artisans spécialisés dans la fabrication d'objets. Comment entretenez-vous un rapport entre l'expérimentation et l'utopie dans des domaines aussi différents que la tapisserie, l'architecture d'intérieur, l'objet d'ameublement, la haute couture, etc. ? On qualifie souvent votre travail de classique. Comment entendez-vous cette définition de votre travail qui peut sembler assez étonnante ?*

Ramy Fischler : Avec des objets fonctionnels et des espaces, je traverse des univers très différents, certains ne me connaissent que par le milieu des arts décoratifs : on travaille avec des artisans, on fabrique des meubles, des espaces sur mesure, on va dans les ateliers, etc. Et puis j'évolue aussi dans d'autres univers, comme celui des technologies et des produits industriels. Quand je fais une exposition, je ne suis pas classé comme décorateur, designer, ou comme artiste, je m'adapte à tous les univers dans lesquels je crée. La scénographie, j'en ai fait chez Patrick Jouin parce que j'aimais cela. La scénographie est un univers très compliqué, les budgets sont moins élevés que dans l'architecture d'intérieur mais les pressions souvent plus fortes, il faut y consacrer la même attention qu'à des projets plus importants. Je continue à développer cette même pratique hétéroclite du design depuis quatorze ans : c'est là que je me sens le mieux.

Marianne Jakobi et Diane Watteau : *Comment articuler le savoir-faire au sens de la tradition avec des innovations techniques ?*

Ramy Fischler: C'est un vrai combat, surtout en France, parce que le monde de l'artisanat n'est pas celui qui est le plus propice à l'innovation en partie pour des raisons économiques et culturelles. À la différence d'Éva Jospin, je n'ai pas d'atelier, mais un studio avec quatre, cinq personnes en fonction des projets: c'est un cockpit de pilotage et autour de nous, on peut collaborer en même temps avec dix, vingt, trente ateliers différents. Par exemple, pour un appartement, on dessine tout, depuis les murs jusqu'au mobilier. Pour une réalisation de ce type, des dizaines de personnes y travaillent, et notre rôle devient durant le développement celui de l'orchestration: il faut faire travailler tout le monde ensemble, et surtout innover. Or, pas tous les artisans souhaitent encore prendre des risques.

Marianne Jakobi et Diane Watteau: *Pourriez-vous nous parler de votre collaboration avec Tai Ping?*

Ramy Fischler: J'ai commencé à faire des tapis, il y a deux ans, car je travaillais avec la manufacture Tai Ping, d'origine chinoise. J'ai conçu le showroom de Tai Ping à Paris, dans l'hôtel de Livry, dans le VIIe arrondissement. J'ai conçu l'ensemble du mobilier sur mesure. Pour les tapis présentés lors de l'ouverture, j'ai choisi de travailler sur le thème des Chinoiseries, cela faisait sens avec le fait que Tai Ping s'installait dans un hôtel particulier du XVIIIe siècle, et que le rapprochement entre l'Asie et l'Occident à cette époque est chargé d'histoire. Les tapis ont permis, de manière sous-jacente, d'interroger la manière dont, aujourd'hui, on considère une entreprise chinoise en France. Quels sont les *a priori* et les non-dits? Je me suis basé sur l'histoire des Chinoiseries pour évoquer la copie française des motifs chinois au XVIIIe siècle. Tous mes tapis sont basés sur des motifs que j'ai trouvés à la BnF dans le livre sublime d'un artiste qui s'appelait Jean-Antoine Fraisse, mort dans une prison à l'âge de quarante ans parce qu'il aurait volé une cane... Avant de mourir, il avait réalisé un livre de deux cents pages avec des dessins chinois sans jamais avoir été en Chine! Ces dessins ont inspiré de nombreuses réalisations (muraux, tissus, tapis, etc.). Je désirais lui rendre hommage en renvoyant ses dessins en Chine pour qu'ils soient une fois encore interprétés, mais par des artisans chinois cette fois. Dans le cas de l'événement *AD Intérieurs*, on m'a confié une petite pièce de 30 m^2. J'ai choisi de collaborer avec l'écrivain Jean-Baptiste Del Amo, que j'ai rencontré à la Villa Medicis. Nous avons conçu ensemble une histoire, autour d'un personnage principal, très puissant, un bâtisseur. De cette histoire et de ce personnage imaginaire, j'ai imaginé quel serait son bureau, là où il prendrait ses décisions, là où il jugerait aussi la morale de ses actes. Ce texte est devenu en somme le cahier des charges de mon installation. Arriver avec une histoire et non des plans, c'est donc une façon différente de rencontrer les artisans, et de collaborer avec eux. C'est une façon d'expérimenter la construction de l'espace, autrement. Dans ce contexte, j'ai notamment conçu et fait fabriquer un tapis moitié fibres, moitié pierres.

Marianne Jakobi et Diane Watteau : *Pourriez-vous revenir sur les matériaux de votre fameux tapis de pierre? L'association entre la laine et la pierre est pour le moins assez inattendue bien qu'elle se situe dans la tradition surréaliste d'union d'éléments hétérogènes. On peut penser notamment aux expérimentations pionnières de Meret Oppenheim qui réalise, en 1936, une œuvre provocante, étrange et poétique,* Le déjeuner en fourrure *composé d'une tasse, d'une soucoupe et d'une cuillère recouverte de fourrure. Cette union des contraires semble être constitutive de votre démarche.*

Ramy Fischler : Mon métier est en réalité extrêmement contraint d'autant plus que je suis très jeune pour faire de tels projets, qui nécessitent des moyens. Le *design*, c'est souvent 10 % de temps dédié à la conception et 90 % du reste à chercher des solutions pour réaliser ses idées, pour trouver les artisans et les fabricants idéaux, pour que le budget et le planning soient acceptés et respectés. Et pour tout cela, il faut une équipe de efficace et de confiance. Dans le cas de *AD Intérieurs*, je souhaitais faire travailler ensemble des corps de métiers qui en général arrivent séparément sur un chantier, et ne travaillent pas ensemble. Précisément en ce qui concerne le tapis, je souhaitais faire rencontrer ceux qui réalisent les sols en marbre et ceux qui les recouvrent, c'est-à-dire ceux qui font les tapis. Il y a toujours une rivalité entre les marbriers qui font des sols exceptionnels et puis qui le voient, ensuite, se faire recouvrir par un très beau tapis. Ils sont alors extrêmement frustrés. Je leur ai dit : "et bien voilà, nous allons réconcilier les deux matières sur le même support". Cela a été un grand succès. Je reçois encore, aujourd'hui, des dizaines de mails de gens qui souhaitent savoir où trouver ce tapis qui n'est malheureusement pas à vendre, mais qui va peut-être un jour l'être. Pour ce tapis, tout a été monté sur place, j'ai fait fabriquer la partie en laine dans la manufacture Tai Ping de Nan Hai et les pierres en Italie, pour les assembler trois jours avant le vernissage.

Nathalie Junod Ponsard

Marianne Jakobi et Diane Watteau : *Vous créez des dispositifs lumineux spectaculaires pour engendrer des niveaux de conscience particuliers et vous transformez les lieux en* Visions expérimentales urbaines. *Les repères ordinaires sont totalement déstabilisés. La lumière comme matériau, devient un révélateur pour le spectateur immergé et confronté à l'instant présent. Parallèlement à votre œuvre qui est visible dans le monde entier, vous donnez des cours à l'ENSAD et vous êtes co-encadrante de l'axe de recherche SAIL à Ensad/Lab (Laboratoire de Recherche). Vous présentez une œuvre permanente intitulée*

Étendues latérales *qui fait se dérouler la couleur sur une façade de la Manufacture des Gobelins. Du point de vue technique, c'est une prouesse. Concernant ces innovations technologiques, pourriez-vous nous parler de vos choix dans l'articulation entre le bâtiment en pierre, la lumière et la couleur? Pourquoi ce magenta?*

Nathalie Junod Ponsard: Mon désir est que le public puisse plonger dans le monde de la lumière. Je réalise des œuvres de lumière, des installations que l'on pourrait appeler des dispositifs. Je travaille sur la spatialité des lieux, les œuvres sont conçues spécifiquement pour les espaces. J'isole un concept qui relie le lieu, ou le site, à une expérience qui sera vécue dans la lumière: c'est la lumière qui immerge l'espace et le public pour le transformer de sa présence. Ces œuvres vont déstabiliser les repères que nous avons de ces lieux, qu'ils soient intérieurs ou extérieurs, des galeries, des musées, des espaces publics ou extérieurs — toutes les situations m'intéressent d'ailleurs. J'ai aussi bien travaillé à New Delhi sur un site astronomique indien du XVIIIe siècle que dans des espaces plus réduits, voire des galeries avec des façades de verre qui impliquent un autre type de création, par exemple avec la lumière naturelle, puisque je travaille en général avec la lumière artificielle essentiellement visible dans des espaces obscurcis.

Marianne Jakobi et Diane Watteau: *La question de l'articulation à un lieu se pose de manières très différentes puisque chaque œuvre est vraiment conçue pour un lieu spécifique et un lieu architectural existant.*

Nathalie Junod Ponsard: Je travaille davantage sur la notion de lieu que d'édifice. Voici un lieu emblématique, le Bauhaus de Dessau où j'ai été invitée à créer une œuvre de lumière. Sur le premier étage de ce lieu, le personnel de la Fondation a vidé les espaces et déménagé tous les bureaux existants, ordinateurs, etc. C'est une sorte d'impulsion énergétique que j'ai cherché à faire entrer dans le lieu, ce sont des chromatiques lumineuses pures et saturées choisies qui vont créer des densités diverses. Ces densités vont faire varier le lieu aussi bien au niveau de notre perception (à partir de la rétine), qu'au niveau physiologique et physique, installant le spectateur dans des environnements poly-sensoriels. La limite se brouille entre réalité physique et univers virtuel. On peut retrouver tous ces éléments dans une seule et même installation. Dans ce bâtiment du Bauhaus — exactement là où Kandinsky faisait lui-même ses expérimentations en public — j'ai immergé deux longueurs d'onde lumineuses, un bleu indigo suivi d'un orange. Ce sont des longueurs d'onde qui sont complémentaires en lumière et qui vont créer une sensation de couleur plus claire, blanche, lorsqu'elles vont se juxtaposer. Il s'agit, dans le dispositif, de deux masses de lumière, l'une orange et l'autre bleu indigo, elles vont tourner dans l'espace de façon continue et infinie. Ce qui se produit,

c'est que l'immersion pendant un certain temps dans la lumière monochromatique orange entraîne la fatigue des cônes de la rétine : celle-ci envoie l'information au cerveau qui, lui-même, envoie la sensation de la couleur complémentaire pour que les cônes de la rétine puissent se reposer. Cette longueur d'onde complémentaire c'est le bleu indigo, elle existe dans l'œuvre et va arriver au même moment, créant alors une sorte de vertige visuel.
Tout cela est un principe scientifique : travailler avec la lumière m'a conduite à me questionner sur les phénomènes optiques en jeu. Dès le départ, dans mes œuvres monumentales, je me suis aperçue qu'il se produisait autre chose que seulement un effet esthétique face à l'œuvre : comme le public se situe dans la lumière, les frontières disparaissent. En analysant ce qui se passait et en me demandant pourquoi les gens étaient plus attirés par certaines couleurs de la lumière que d'autres, j'ai étudié toutes les grandes théories de la couleur. J'ai lu attentivement Goethe, puis Chevreul, puis les théories plus contemporaines de John Gage, Faber Birren, Yvonne Duplessis et Betty Wood, deux femmes qui ont beaucoup expérimenté cette influence de la lumière et de la couleur sur nous-mêmes et notre environnement. Mon travail, ma création m'amènent à beaucoup expérimenter : quand j'ai une invitation dans un lieu — *a priori* tous les lieux m'intéressent — je vais chercher ce que je peux en extraire et lui injecter par la lumière une densité particulière pour travailler les marges de la perception.

Marianne Jakobi et Diane Watteau : *Est-ce que vous pourriez nous parler de* Crépuscule persistant *?*

Nathalie Junod Ponsard : Il s'agit d'une commande publique et pérenne du ministère de la Culture et de la communication de 2010, place André-Malraux à Paris. Sur cette place, ce qui m'intéressait, c'était la fontaine. Éclairer l'eau, c'est comme éclairer l'air en quelque sorte. Cette fontaine est circulaire ; travaillant la lumière en mouvement, je décide que celle-ci semblera tourner à l'intérieur de la fontaine dans un mouvement rotatoire, montrant d'un côté un rouge écarlate, et de l'autre sa complémentaire, le bleu-vert qui le suit, dans le large bassin du bas. Un mouvement un peu plus rapide s'accorde avec la chute d'eau du haut, plus proche d'un mouvement urbain. Celui du bas est à l'échelle de l'humain, il va entraîner les visiteurs à tourner autour de cette fontaine et à se situer face au rouge, ou au bleu-vert ou entre les deux. Cela provoque un effet intéressant (la programmation lumineuse pilotée de façon numérique donne cet effet de rotation qui est assez fabuleux) qui emmène le visiteur dans un mouvement circulaire. La lumière devient un facteur d'insertion et de glissement, pour montrer autrement le flux, la réalité du monument dans son environnement.

Marianne Jakobi et Diane Watteau : *Est-ce que ce trouble de la perception, de la réalité, est une manière choisie pour cacher le visible, la réalité, ou au contraire pour nous la montrer ?*

Nathalie Junod Ponsard : Mes installations de lumière sont là pour révéler l'invisible. Je retire, je capte de ces lieux, de ces endroits, de ces architectures, des sensations qui me disent ce qui pourrait préexister.
Dans mes œuvres l'expérience de l'espace dans sa nouvelle configuration lumineuse devient expérience physique et esthétique, ceci dans une recherche de synchronisation de l'architecture, du site bâti ou construit, et de la lumière. Ce travail demande que soit réalisé un repérage préalable de l'espace et d'en analyser son essence, ceci afin d'envisager sa modification totale et d'y injecter des intensités de lumière pour en modifier la densité. Mes installations proposent aux visiteurs ou aux utilisateurs du lieu, une expérience nouvelle de l'espace, des sites investis par l'œuvre. La lumière, ses variations chromatiques (ou longueurs d'onde) engendrent des sensations d'énergie que je fais varier suivant les lieux et les situations. Ces deux paramètres, chromatique et lumineux, circulent entre le site et les visiteurs et induisent une expérience de l'œuvre toujours modifiée.
Du point de vue de la visibilité, la lumière devient matière dans certaines œuvres, comme lorsqu'elle s'associe aux chutes d'eau. La lumière va toujours rencontrer un obstacle, cet obstacle c'est un mur, un objet, un plafond, de l'eau de la glace qui va lui donner une matérialité. Dans la fontaine de la place Malraux, l'hiver, les chutes d'eau s'arrêtent, l'œuvre se matérialise alors autrement, avec la pierre.

Marianne Jakobi et Diane Watteau : *Qu'en est-il de l'œuvre que vous avez créée pour la façade d'entrée de la galerie des Gobelins intitulée* Étendues latérales *ou de celle de* Horizon flottant *dans le MACRO à Rome en 2011 ? Dans quelle mesure travaillez-vous avec des assistants ?*

Nathalie Junod Ponsard : Pour la conception, la réflexion, l'expérimentation, les essais, je travaille seule, mais ensuite, étant donné la dimension des œuvres, j'y associe des équipes de techniciens, des assistants ; parfois je fais appel à un ingénieur lumière. Si je travaillais toute seule sur la réalisation, le montage prendrait trop de temps : un mois et demi, ce qui est impensable. Je trouve très agréable de travailler et d'échanger avec une équipe, je le pratique souvent y compris dans mes expositions à l'international où il m'arrive de choisir des équipes locales. L'œuvre *Étendues latérales* est constituée des deux chromatiques (ou longueurs d'onde) magenta et vert, deux complémentaires ; leur superposition crée la synthèse additive, le blanc. La lumière et ses chromatiques façonnent une sorte de rideau lumineux permanent qu'on tirerait sur la façade, en magenta suivi du vert puis, en vert suivi du

magenta. Deux rythmes de déambulation de la lumière se suivent : un rythme lent puis un autre un peu plus rapide, comme quatre vues différentes de cette façade par la lumière. Les projecteurs éclairent de bas en haut et chaque mouvement de la lumière projetée, en magenta et vert, va redessiner et redécouper de façon très nette les éléments décoratifs de la façade, particulièrement dans la partie haute. L'ensemble nous donne une perception autre du lieu et comme le mouvement est présent, il suffit d'une seconde pour que tout se transforme, tout est en mouvement constant. Il s'agit dans cette œuvre de faire que "le temps déplie l'espace".
Les trajets lumineux s'ajoutent les uns aux autres, apportent leurs chromies respectives. Les verticales de lumière se lient les unes aux autres, se juxtaposent, et déplient l'espace de la façade en créant deux espaces chromatiques complémentaires et en mouvement. Les deux espaces lumineux concomitants et juxtaposés dans l'espace inférieur font apparaître une troisième zone chromatique dans celui supérieur. Une variante perceptive donne à voir au regardeur le mélange du vert et de sa complémentaire lumineuse, le magenta : un blanc rosé prend place, s'élargissant dans la verticalité de la façade. Les traits verticaux cheminent et se déploient révélant leur troisième perception.

Quant à *Horizon flottant*, c'est une œuvre lumineuse que j'ai installée au musée d'Art contemporain MACRO à Rome en 2011 dans le cadre d'un concours international dont j'étais lauréate. C'est un espace difficile : il s'agit d'un lieu formé par un escalier de quatre hauts étages et paliers qui montent depuis le rez-de-chaussée jusqu'au toit du musée qui mène à la terrasse, un espace ouvert au public. Au-delà de la difficulté technologique que j'éprouve pour chaque œuvre, il y avait une difficulté technique, c'est d'abord le fait qu'elle puisse être visible de jour dans la lumière solaire ! Le concept est de créer un horizon flottant (c'est le titre de l'œuvre) tandis que les visiteurs montent, descendent, s'arrêtent peut-être sur les paliers. Il y a des variations infinies, les deux groupes chromatiques et lumineux de lignes changent de façon continue et variable dans le temps, créant une surprise visuelle continue. Chaque fois, c'est comme si l'horizon montait ou descendait. Cela crée une sorte de vertige. Une perception exceptionnelle qui révise nos acquis ordinaires. La ligne d'horizon descend ou monte, elle est comme un niveau proposé dans l'espace de l'escalier. Le musée offre des niveaux lumineux variables qui font perdre au visiteur ses repères d'altitude alors qu'il grimpe ou descend l'escalier. Le mur sur lequel s'appuie l'œuvre semble bouger au fur et à mesure que l'escalier est parcouru alors que le déplacement du visiteur est indépendant, son déplacement diffère. L'espace de l'escalier s'invente continûment, ne donne finalement aucune orientation, mais au contraire une dimension nouvelle de l'espace. La chromatique de l'horizon varie, rappelle le coucher de soleil mais aussi le soleil lorsqu'il monte au zénith. Les chromatiques lumineuses sont complémentaires, induisent une puissance visuelle. La dimension latérale et mobile de l'œuvre lumière apportant une forme d'instabilité, crée un décadrage du lieu.

Marianne Jakobi et Diane Watteau : *Comment est née cette nécessité de travailler avec la lumière ? Finalement la lumière est un medium, une matière que vous essayez de façonner ?*

Nathalie Junod Ponsard : Cela commence quand j'étais enfant, j'étais fascinée par la lumière, par le mouvement du soleil à travers une fenêtre. Le fait de voir le soleil se déplacer représentait, pour moi, un monde fascinant ; la nuit quand il fallait éclairer avec les lampes, c'était le monde de la magie. Le jour où j'ai rencontré un ver luisant dans le jardin, je fus littéralement hypnotisée. Cet épisode est peut-être à mettre en lien avec ma fascination pour la philosophie, discipline à laquelle j'ai pensé me destiner, bien que j'aie finalement opté pour les Beaux-Arts. Mon intérêt pour la lumière a toujours été constant et dès mon premier travail à l'École des beaux-arts de Nantes (et poursuivi ensuite à l'ENSAD à Paris), la lumière s'est imposée à moi, cela a été aussi direct, je ne me suis même pas posé la question. La lumière révèle, elle fait voir autrement, elle recrée les lieux qui deviennent œuvres et qui laissent un souvenir constant dans la rétine du visiteur qui ne revoit plus ces lieux qu'au travers du souvenir permanent de l'œuvre qui y a été créée *in situ*, même si celle-ci n'est plus.

Jeune artiste, je créais des œuvres dans de vastes espaces avec des projecteurs de 10 000 watts chacun, ce qui était très beau, mais je suis sensible à l'économie d'énergie. Aujourd'hui et depuis plus d'une dizaine d'années j'utilise des projecteurs LED (consommation électrique faible), pour ne pas réchauffer l'atmosphère et respecter l'environnement. La lumière de ces projecteurs, quasi différents pour chaque installation, est la matière première de mes œuvres, je cherche à créer une projection lumineuse dans l'ensemble de l'espace, qui baigne celui-ci avec des dégradés, des variations, des changements subtils et continus.

Marianne Jakobi et Diane Watteau : *Comment établissez-vous le choix entre les couleurs, la temporalité dans leur changement et le site spécifique ? Est-ce que c'est aléatoire, intuitif ?*

Nathalie Junod Ponsard : Mes recherches m'ont amenée à explorer l'influence de la lumière sur les systèmes biologiques, à expérimenter les limites de la perception et les effets psychotropes de la lumière. La lumière est comme un révélateur d'une influence constante sur nous-mêmes, qui annonce la confrontation avec l'instant présent.

De chaque lieu (je reçois des "Cartes blanches" comme expositions) je vais retirer une gamme de longueurs d'onde influentes sur le lieu, sur le visiteur. Dans *Horizon flottant*, c'est comme un paysage, comme un soleil qui se lève et qui se couche. La couleur est là avec un ciel, un soleil qui se lève rouge, devient orange et passe au jaune. On va trouver ce rouge dans la partie basse, puis l'orange et le jaune et, dans la partie au dessus le bleu — des bleus qui vont varier aussi, pour créer des ciels plus ou moins intenses. Leur mouvement et déplacement vont créer la sensation d'instabilité.

Une autre œuvre, *As a waiting area,* pour la *Nuit Blanche* de Montréal (2012) dans une patinoire, immergeait le lieu et les patineurs dans une lumière dont la longueur d'onde (bleu indigo-violet foncé de 420 nanomètres) est proche de l'invisible ; cette lumière met au repos, au ralentissement. Il s'agit de l'influence physiologique de la lumière sur le corps humain.

Dans *Deep Water* à la piscine rue de Pontoise (2002, 1ère *Nuit Blanche* à Paris) les nageurs plongeaient dans l'eau et la lumière rouge, qui accélère le rythme cardiaque pour de nouvelles performances et une vision inédite ; le bassin et l'espace alentour étant rouge.

L'Épaisseur de la lumière est une œuvre récente (2013) pour l'espace Fondation EDF et commandée par celle-ci. La spatialité du lieu était particulièrement puissante grâce à sa mezzanine ouverte entre le rez-de-chaussée et le premier étage. J'ai cherché à immerger l'ensemble du lieu dans un même mouvement lent, rotatif et lumineux déterminé par six paires de longueurs d'onde se poursuivant. Cette matière va défiler et métamorphoser l'espace. Au centre on distingue un cube et, derrière, l'espace fuit. La lumière s'engage jusque dans ces lieux, de la même façon au rez-de-chaussée qu'à l'étage. La lumière a le pouvoir de révéler les éléments de l'espace qui étaient auparavant invisibles ou muets. Il s'agit vraiment d'une révélation. La présence du visiteur fait ici partie de l'œuvre, son ombre se diffracte, se dédouble à la verticale ou à l'horizontale et se plaque sur les murs, sur la limite de l'espace, tandis que les chromatiques avancent et changent. Le *tempo* est celui du visiteur en marche, au pas et sans fin…

Je ne peux ici citer chacune de mes œuvres mais je conclurai avec le fait que chaque lieu est unique, et ainsi chaque œuvre qui y est créée spécifiquement, pérenne ou temporaire.

Marie-Hélène Bersani

Marianne Jakobi et Diane Watteau : *Diplômée de l'École du Louvre et de l'université de Paris 4-Sorbonne, vous êtes aujourd'hui directrice du département de la production des Gobelins, de Beauvais, de la Savonnerie, des ateliers de Dentelle du Puy et d'Alençon,* *mais aussi responsable des modèles et du fonds textile contemporain. Commissaire de huit expositions, dont* Figures de femmes, *à la galerie nationale de la Tapisserie de Beauvais (2010), et* Le château de Versailles raconte le Mobilier national, créations contemporaines au château de Versailles *(2011); vous avez notamment récemment publié* Le renouveau de la tapisserie contemporaine, de 1950 à nos jours. *Est-ce que vous pourriez revenir sur l'articulation entre les artistes contemporains et la pratique de transformation de projets en tapis, tapisserie et en dentelle? Comment ces rencontres peuvent-elles se faire?*

Marie-Hélène Bersani: Mon travail est à la croisée des chemins: il ne s'agit pas seulement d'artisans qui vont mettre en œuvre un projet "ficelé" par un artiste, mais d'un artiste qui nous amène un projet qu'il a déjà réalisé d'une certaine façon, qui est visible, et on va le prendre pour le transposer, nous ne désirons pas seulement le mettre en œuvre, mais conduire l'artiste à aller plus loin. Ainsi Nathalie Junod Ponsard a-t-elle proposé un modèle pour faire un tapis et comme elle fait elle-même sa mise en lumière, là on va pas faire des tapis avec des LED. Comment créer une nouvelle œuvre avec une autre matière et justement donner une matière à la lumière qui est normalement complètement immatérielle? Le velours est particulièrement intéressant parce que l'on a plusieurs techniques, mais le point noué, le velours, peuvent permettre de donner une matérialité très particulière à son projet. Nathalie est venue plusieurs fois à l'atelier de teinture parler avec le teinturier et les lissiers, parce que c'est un travail d'équipe pour la mise au point et les passages des couleurs. Quand on voit son projet, on a l'impression qu'il y a trois ou quatre couleurs, mais ce n'est pas aussi simple que cela et le lissier qui a mis au point la technique d'interprétation de sa matérialité de la lumière a fait un travail quasi mathématique pour pouvoir mixer les couleurs. On a fait énormément de gammes colorées pour pouvoir faire tous les passages et que cela soit aussi subtil avec la matière de la laine que lors d'une de ses projections.

Marianne Jakobi et Diane Watteau: *Ce sont des champs très différents: une lumière qui est pénétrable, un matériau physiquement très présent. Cela dÉvait être très difficile de se dégager de ce médium?*

Nathalie Junod Ponsard: Au départ *Orientation Spatiale Paradoxale* était un projet de tapisserie, transformé en un projet de tapis, il m'a permis de réfléchir à comment retranscrire une sensation lumineuse à partir de chromatiques telles que je les utilise dans une réalisation en deux dimensions. Pour ma part, je suis dans le monde de la lumière, RVB (rouge, vert, bleu) et la synthèse additive. Il a fallu que je réfléchisse à comment matérialiser cette lumière: j'ai eu l'occasion de visiter une première Manufacture, celle de Beauvais, avec Françoise Ducros, et là je regardais des tapisseries du XVe et du XVIe siècles. J'ai réalisé que le rendu de modelés des volumes était réalisé par des dégradés clairs obscurs ou bien par des passages d'une couleur à l'autre. J'ai retenu cela et je me suis dit, il faut que je travaille ainsi avec des effets de dégradés ou d'un passage d'une couleur à l'autre. Les choses ont commencé à germer, ensuite il y a eu ces visites au cours de la conception de l'œuvre (du carton) auprès des teinturiers. Avec l'atelier couleur aux Gobelins on a essayé de voir comment on pouvait trouver des équivalences entre mes couleurs RVB et les couleurs des laines. Et puis je suis tombée dans le monde de la couleur-matière, tous ces pompons dans une salle entière remplie de tiroirs où ils étaient alignés et répertoriés en de grandes quantités, c'était magnifique ! Et toutes ces personnes spécialistes de la couleur arrivaient à trouver au milieu de milliers de pompons, le bon rouge, le bon violet qui s'accordait parfaitement avec certaines des chromatiques de mon œuvre !

Marianne Jakobi et Diane Watteau : *C'est comme une traduction ? Une traduction d'une langue à une autre ?*

Nathalie Junod Ponsard : C'est un travail de traduction de la matière, mais aussi basé sur de nombreux échanges pour arriver justement à connaître comment chacun travaille, connaître sa vision. Voici un agrandissement à l'échelle 1, les premiers essais où l'on voit toutes les gammes de couleurs au nombre de deux. Lors du démarrage de la réalisation, je suis venue à la Manufacture de la Savonnerie à Lodève pour rencontrer l'équipe de liciers et voir avec eux quel essai choisir. Tout cela se fait d'un commun accord. Le tapis est en cours. Chaque laine colorée a son nom, une grande variation de rouge, de rouge au violet et de violet a été teinte, un vrai parallèle avec mes couleurs lumière, répertoriées.

Marie-Hélène Bersani : Il s'agissait de transposer des sensations lumineuses qui existent dans les installations de Nathalie Junod Ponsard dans un autre art, celui de la tapisserie qui impose des savoir-faire et des techniques très particulières. La technique du velours nous est apparue la meilleure pour rendre ces effets chromatiques et lumineux qu'elle crée dans l'espace. L'immersion trouve ainsi son équivalent. Finalement chaque projet de tapisserie est étudié dans un dialogue constant avec l'artiste pour qu'il retrouve et innove en même temps à partir de son œuvre d'origine.

Marianne Jakobi et Diane Watteau : *Est-ce que vous envisagez des projets de collaborations avec la Manufacture des Gobelins ?*

Éva Jospin : La tapisserie, c'est sublime, on le sait. Mais parfois, cela ne fonctionne pas dans la tapisserie contemporaine, parce qu'il n'y a pas de raisons suffisamment profondes à transposer son œuvre dans une tapisserie, plutôt que dans une autre technique. Le médium est différent mais cela n'apporte pas de plus-value. Là, avec le tapis, c'est passionnant : il y a un trouble, quand on voit le passage des couleurs, les problèmes techniques, cela a un vrai intérêt. Si je pouvais faire un projet, dans l'idéal, le projet que j'aimerais faire, serait une tapisserie qui ne serait pas forcément datée, datable, pour qu'il y ait un trouble sur son moment d'origine et j'ai pas encore exactement trouvé comment trouver ce trouble.

Ramy Fischler : Je suis déjà lié indirectement avec le Mobilier national parce que j'ai travaillé sur le sujet du mobilier et du pouvoir à la Villa Médicis. Pour moi, ce n'est pas tant la question de la technique qui importe que celle du sens, la fonction du sens ou le sens de la fonction. Pour un designer qui travaille sur ces questions-là, le projet doit faire sens. Pour mon tapis, techniquement je travaille sur la densité de la laine et sur une certaine hauteur qui permettent de faire des dalles dont les fines correspondent à la densité la plus forte qui est aussi liée à la hauteur de la fibre pour qu'une fois que l'on assemble les deux, l'un tienne dans l'autre. Et il y un autre aspect qui est un peu le secret de fabrication : un tapis cela se fabrique avec un *baking,* (c'est la toile avec laquelle on tuffe le tapis) et ce *baking*, c'est une matière extrêmement résistante. Pour mettre des pierres au sol, il faut avoir un sol parfaitement plat, et j'ai pu faire un test avec 40 000 personnes qui ont testé le tapis qui a résisté. Mon tapis était posé sur un parquet du XVIIIe siècle, voire peut être plus ancien, donc pas du tout plan et c'est ce *baking* qui prenait sur lui toutes les irrégularités du sol. Cela permet techniquement de faire un sol en pierre, sans rivage et sans ciment et sans assembler les pierres, donc ensuite on peut parfaitement élever les pierres et tourner son tapis et le ramener avec soi. Les pierres sont encastrées comme en mosaïque. Le tapis comme beaucoup d'autres éléments de la décoration intérieure ou de l'art en général "stagne un peu", ce qui est normal parce qu'il faut énormément de temps pour apprendre la pratique et pour un créateur pour maîtriser un projet. Je tente modestement de bousculer les codes.

Marianne Jakobi et Diane Watteau : *Ces trois artistes interrogent chacun dans leur œuvre le mariage subtil entre le décoratif et le fonctionnel. Les formes novatrices usant de technologies nouvelles ou reprenant des gestes traditionnels se nouent pour adopter des positions critiques. Design, artisanat et numérique créent une intrusion nouvelle du territoire de l'art contemporain. Témoins de l'actualité, Éva Jospin, Ramy Fischler et Nathalie Junod Ponsard continuent de questionner dans leurs œuvres le statut du savoir-faire aujourd'hui et ré-actualisent les rapports entre art et industrie.*

L'inscription poétique et politique de ces œuvres réussit à réfléchir autrement les valeurs de la technique ainsi que le rapport d'autorité entre art majeur et art mineur, exception et ordinaire, sculpture et objet.

Conclusion

21

Conclusion : Pour une histoire de l'art du faire

Marc Bayard

Quand on aborde la question de la fabrication matérielle d'une entité artistique, il est nécessaire de l'étudier dans son processus matériel de réalisation et de fabrication, tout autant que dans son contexte qui l'a vu naître (commande, usages, historique...).

Ainsi, cette publication montre tout l'intérêt de s'occuper de l'histoire de la production et de la manière dont les objets ont été fabriqués. Pour aller plus loin, deux perspectives s'ouvrent à la recherche.

Dans un premier temps, il ne serait pas inutile de développer une histoire de l'art qui s'intéresserait aux métiers, à l'histoire des métiers. On ne peut pas complètement comprendre Benvenuto Cellini, Eugène Delacroix, Gustave Moreau ou Pablo Picasso si on ne se rend pas compte que la préoccupation première d'un artiste est de réussir le moulage d'un bronze, la réalisation d'une peinture à l'huile, les contraintes techniques de l'imitation d'une fresque, les difficultés de cuisson d'une céramique ou la transcription colorée d'une tapisserie. Nombre des peintres ou sculpteurs de la Renaissance jusqu'au XXe siècle, avant d'être des "théoriciens" sont des praticiens d'une *technè*. En dépassant les contraintes de la matière, ils deviennent d'abord des maîtres, puis des artistes. Claude Monet ne révolutionne la peinture que parce qu'il maîtrise parfaitement l'art du mélange des couleurs. Aussi, dans ce cadre, serait-il temps de considérer l'histoire des gestes et des pratiques. Une historicité des mouvements créateurs qui prendrait en compte les matériaux et leur connaissance, l'usage des matières premières ou l'histoire des innovations techniques. Qu'est-ce que l'histoire de la peinture quand on ne connaît pas la date de l'invention de la peinture à l'huile ou de la technologie de la couleur en tube ? Qu'est-ce que l'histoire, la tapisserie quand on ne s'intéresse pas aux évolutions techniques de l'art tinctorial ? Il est ainsi peut-être utile de développer une histoire et une théorie du faire. Beaucoup trop d'analyses savantes se dissipent dans une méconnaissance de ces éléments techniques qui ont pourtant été l'alpha et l'oméga de l'apprentissage de l'artiste jusqu'au XIXe siècle.

L'autre considération, et qui prolonge la précédente, est de penser le faire comme une théorie d'une pratique. Depuis le XIXe siècle, l'approche méthodologique de l'histoire de l'art a été de séparer la pensée de la technique, le projet et sa réalisation. Cette manière de faire consiste trop souvent à privilégier l'objet artistique comme une entité totale et finie, alors que souvent il est le résultat d'un processus plus hasardeux. On observe la dissociation de la pensée et du faire dans la discipline de l'histoire de l'art. Or, dès que l'on plonge dans les processus de réalisation, on constate que la forme est bien souvent tributaire des matériaux, des contraintes extérieures d'utilisation et des restaurations successives, des connaissances techniques contemporaines et de plusieurs éléments souvent méconnus des études. Peut-on encore ignorer — quand on s'intéresse au corps anatomique dans l'art — la question technique du rendu des carnations et du défi que cela a représenté pour les artistes ? Au-delà, la question du naturel est très largement tributaire des supports techniques. Le naturel ne sera pas le même si on traite du plâtre, du marbre, de l'émail, de la céramique, de la tapisserie ou de la peinture à l'huile. Avec cette perspective, il est possible de s'approcher d'une conception de l'art vue comme la capacité à rendre réel l'artifice de la transformation de la matière. L'histoire de l'art ne serait pas uniquement une histoire du rendu, mais aussi une manière de rendre compte d'un processus de métabolisme du réel en vue de créer un artifice.

En définitive, cette publication de l'université de Clermont-Ferrand aborde de nombreux sujets qui ont trait aux arts décoratifs. Elle montre l'importance de cette manière de faire de l'histoire de l'art qui se focalise sur une histoire de la production.

Le Mobilier national a été très heureux d'apporter son concours pour la réalisation du colloque et espère que cela inaugure d'autres rencontres scientifiques.

Table des illustrations / Crédits photographiques

QUAND LE FEU DEVIENT COULEUR : CÉRAMIQUE, ÉMAIL, VITRAIL

PREMIÈRE PARTIE

Inaltérable ou le rêve de la trace éternelle, essai

Anne Lajoix

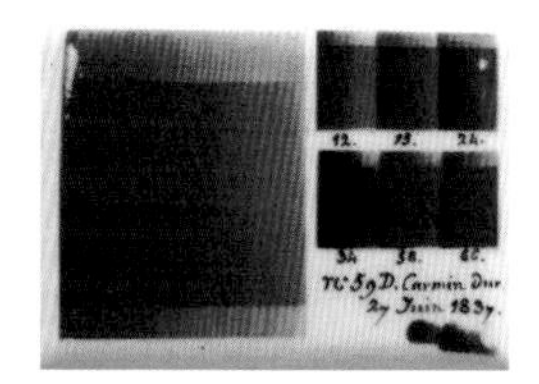

Fig. 1 : Plaque d'inventaire : *N°59 D. Carmin dur/27 juin 1837.* Exemple illustratif pour obtenir l'opacité nécessaire à la différenciation des plans. Le peintre sur porcelaine n'a à sa disposition qu'une "*palette aveugle*" : le peintre avant la cuisson ne voit ses mélanges qu'avec une apparence blanchâtre, neutre. De là, la nécessité de procéder à des essais de couleurs ou "*inventaires*", réalisés sur de petites plaques de même porcelaine. Brongniart fit aussi dresser ces inventaires, datés et numérotés, appelés aujourd'hui à la Manufacture "*les petits feux*", H. 4 cm ; L. 7 cm, Laboratoire de la Manufacture nationale de Sèvres, ©Sèvres-Cité de la céramique, tous droits réservés.

Page 35

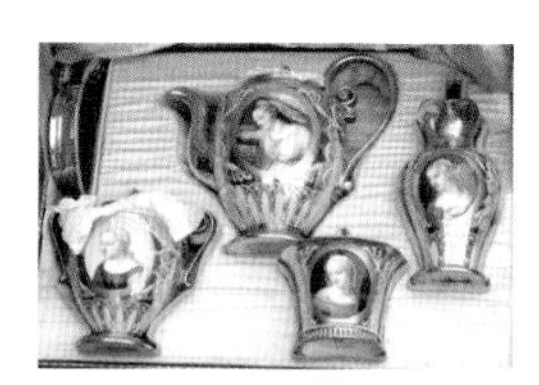

Fig. 2 : Marie-Victoire Jaquotot, *Déjeuner Têtes de Madones*, d'après Raphaël, Porcelaine de Sèvres, 1813, Théière décorée de *La Vierge au diadème bleu*, fond or, Collection particulière. Entré au magasin de vente de la Manufacture, le 24 décembre1813. Livré aux Tuileries pour les fêtes de fin d'année. Présent de l'impératrice Marie-Louise à la duchesse de Montebello, ©A. Lajoix.

Page 40

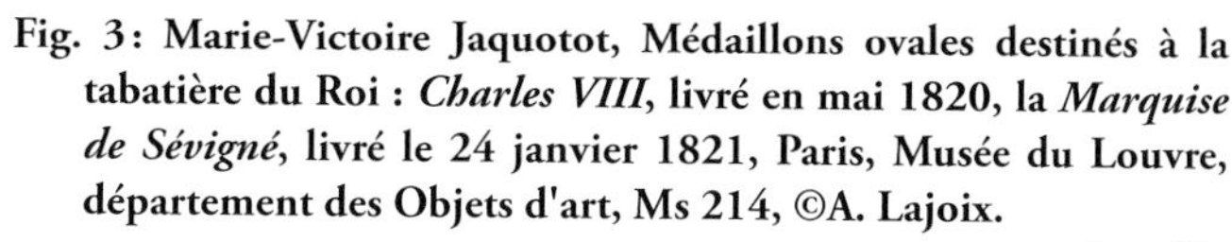

Fig. 3 : Marie-Victoire Jaquotot, Médaillons ovales destinés à la tabatière du Roi : *Charles VIII*, livré en mai 1820, la *Marquise de Sévigné*, livré le 24 janvier 1821, Paris, Musée du Louvre, département des Objets d'art, Ms 214, ©A. Lajoix.

Page 41

Fig. 4 : Façade, 1858, Paris, Anatole Jal, architecte, hôtel particulier pour le peintre Jules Jollivet (1794-1871), collaborateur de Hittorff. Décor sur plaques de lave de Volvic peintes et émaillées, reproductions réduites de celles de l'église Saint-Vincent-de-Paul. Six plaques ont été reposées sur la façade du porche par les successeurs du préfet Chabrol, ©A. Lajoix.

Page 42

Fig. 5 : Anatole Jal, Jules Jollivet, 1858, Paris. Détail de la façade illustrant l'éclectisme et la polychromie à la mode, ©A. Lajoix.

Page 42

Fig. 6 : Anatole Jal, Jules Jollivet, 1858, Paris. Détail de la façade, *La tentation*, ©A. Lajoix.

Page 43

Fig. 7 : Anatole Jal, Jules Jollivet, 1858, Paris. Cartel d'Anatole Jal, architecte, qui jouxte *La Création*, ©A. Lajoix.

Page 43

Fig. 8 : Anatole Jal, Jules Jollivet, 1858, Paris. Cartel d'Anatole Jal, architecte, qui jouxte *La Chute*, ©A. Lajoix.

Page 43

Fig. 9 : Alcide Lafon de Camarsac (1821-1905), *Portraits photographiques sur émail vitrifié & inaltérable comme les peintures de Sèvres*, Paris, chez l'auteur [1867-1868]. Une copie de ce traité existait dans la bibliothèque de Regnault, directeur de la Manufacture de Sèvres, collection de l'auteur, ©A. Lajoix.

Page 44

Charles-Nicolas Dodin (1734-1803), peintre de figures à la manufacture royale de porcelaine de Vincennes-Sèvres au XVIIIe siècle

Marie-Laure de Rochebrune

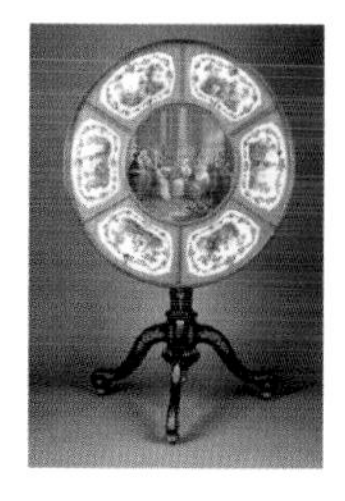

Fig. 6 : Charles-Nicolas Dodin, *La Grande Curée du cerf en forêt de Saint-Germain-en-Laye en vue de l'abbaye de Poissy*, manufacture royale de porcelaine de Sèvres, porcelaine tendre et bois doré, 1780, musée national des châteaux de Versailles et de Trianon, inv. MV 5415 © (C) RMN-Grand Palais (Château de Versailles) / Gérard Blot.

Page 60

Tables d'artistes. La porcelaine de Limoges et les décors de peintres

Céline Paul

Fig. 1 : *Assiette à décor floral*, porcelaine dure, manufacture du comte d'Artois, Limoges, 1784-1792, musée national Adrien-Dubouché, Limoges (ADL 10075), ©RMN-Grand Palais (Limoges, Cité de la céramique) / René-Gabriel Ojéda.

Page 63

Fig. 2 : Galerie des techniques du musée national Adrien-Dubouché, Limoges. Au 1er plan, à droite : *presse à taille-douce*, manufacture E. Chaput, Limoges, XIXe siècle. Au 1er plan, à gauche : *presse chromolithographique*, manufacture Voiron, Paris, fin du XIXe siècle, musée national Adrien-Dubouché, Limoges (ADL 9573 et 10008), ©Musée national Adrien-Dubouché / Céline Paul.

Page 64

Fig. 3 : Galerie des techniques du musée national Adrien-Dubouché, *Machine à calibrer les assiettes, dite "machine Faure"*, Société Faure, Limoges, 1869, musée national Adrien-Dubouché, Limoges (ADL 9958), ©Musée national Adrien-Dubouché / Céline Paul.

Page 66

Fig. 4 : Félix Bracquemond, Assiette du *Service parisien* : *Soleil couchant*, Manufacture Haviland, Limoges, 1876, musée national Adrien-Dubouché, Limoges (ADL 2822), ©RMN-Grand Palais (Limoges, Cité de la céramique) / Martine Beck-Coppola.

Page 67

Fig. 5 : Joseph Kosuth, Estampille d'une assiette du service *Forme appliquée historique* (détail), manufacture Haviland et Parlon, 1991, musée national Adrien-Dubouché, Limoges (ADL 11390-4), ©Musée national Adrien-Dubouché / Céline Paul.

Page 71

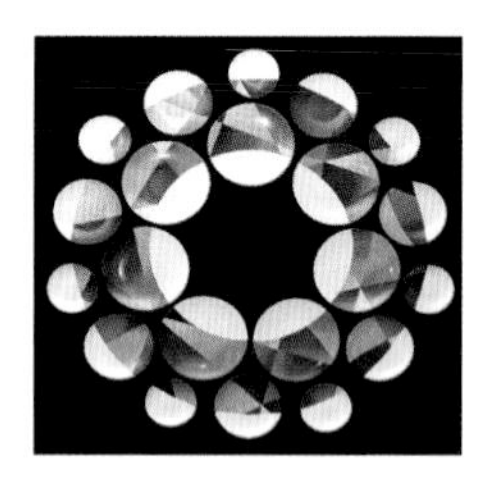

Fig. 6 : Non Sans Raison et Étienne Bardelli, *alias* Akroé, *Barillet Wall Plates*, porcelaine dure, Limoges, 2013, ©Non Sans Raison.

Page 73

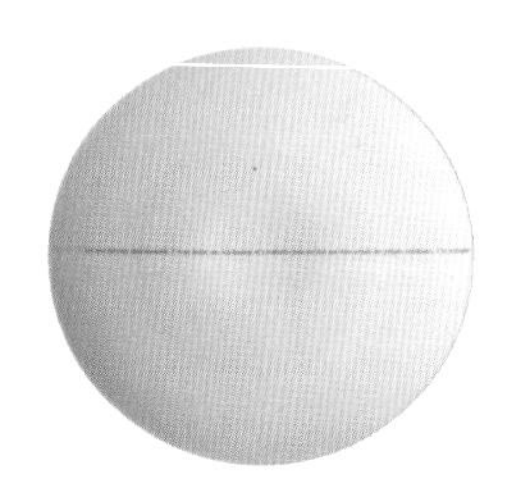

Fig. 7 : Sophie Calle, Assiette à dîner *Le Porc*, collection Bernardaud 150 ans, ©Bernardaud 150 ans.

Page 75

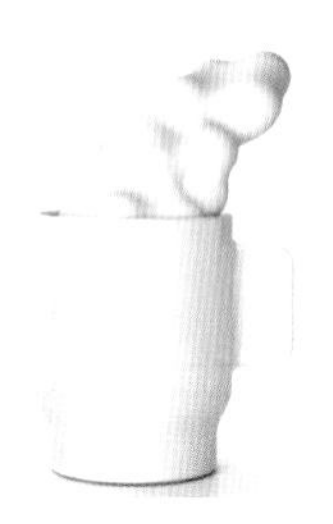

Fig. 8 : Quentin Vaulhot, Goliath Dyèvre et Non Sans Raison, *Tasse Un Café dans les Nuages*, porcelaine dure, Limoges, 2012, ©Vaulot & Dyèvre.

Page 76

Alfred Beau à Quimper (1829-1907), "peintre de tableaux sur faïence". Une production novatrice

Gwenn Gayet

Fig. 1 : *Plat décoratif à décor botanique*, dit "L'oiseau mouche", Alfred Beau, Peinture sur émail cru, entre 1870 et 1872, (H. 33 cm ; L. 44 cm ; P. 3,5 cm), conservé dans la chapelle du manoir de Kerazan, Loctudy, ©G. Gayet avec l'aimable autorisation de l'Institut de France.

Page 79

Fig. 2 : *Plat décoratif, Lever du jour à Quimper*, Alfred Beau, Peinture sur émail cru, vers 1880, (H. 36 cm ; L. 44,5 cm ; P. 3,5 cm), conservé dans la chapelle du manoir de Kerazan, Loctudy, ©G. Gayet avec l'aimable autorisation de l'Institut de France.
Page 80

Fig. 3 : *Plat décoratif, Portrait de l'Amiral de Coligny*, 1570, Alfred Beau, Peinture sur émail cru, vers 1872, (H. 60,5 cm ; L. 39 cm ; P. 3 cm), conservé dans la chapelle du manoir de Kerazan, Loctudy, ©G. Gayet avec l'aimable autorisation de l'Institut de France.
Page 81

Fig. 4 : *Violoncelle grandeur nature, peinture sur émail cru, 1875-1876* (totalité : 118 cm, corps : H. 75 cm ; L. 44 cm ; P. 12 cm), conservé dans la chapelle du manoir de Kerazan, Loctudy, ©G. Gayet avec l'aimable autorisation de l'Institut de France.
Page 82

Fig. 5 : Vue du manoir de Kerazan, Institut de France, Loctudy, 2012, ©G. Gayet avec l'aimable autorisation de l'Institut de France.
Page 83

Fig. 6 : *Assiette — Second essai de manganèse*, Alfred Beau, 16 avril 1885, diamètre : 23,5 cm ; P. 2 cm, conservé dans la chapelle du manoir de Kerazan, Loctudy, ©G. Gayet avec l'aimable autorisation de l'Institut de France.
Page 86

Fig. 7 : Assiette — Essai de couleurs Bleu, Vert et Jaune, Alfred Beau, 24 août 1893, diamètre : 23,5 cm ; P. 2 cm, conservé dans la chapelle du manoir de Kerazan, Loctudy,©G. Gayet avec l'aimable autorisation de l'Institut de France.

Page 86

Léonard Limosin, émailleur, peintre, valet de chambre du roi

Véronique Notin

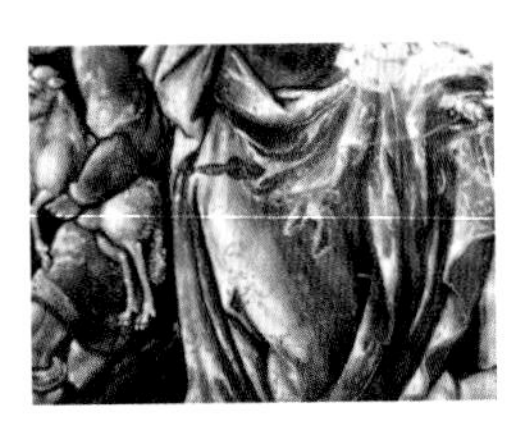

Fig. 1 : Léonard Limosin, *Jésus chassant les marchands du Temple* (détail), émail peint sur cuivre, Limoges, vers 1535, Limoges, musée des Beaux-Arts, inv. 2007.13.1, ©V. Notin.

Page 89

Fig. 2 : Léonard Limosin, *Adam et Ève chassés du Paradis* (détail), émail peint sur cuivre, Limoges, 1534, Limoges, musée des Beaux-Arts, inv. 392, ©V. Notin.

Page 89

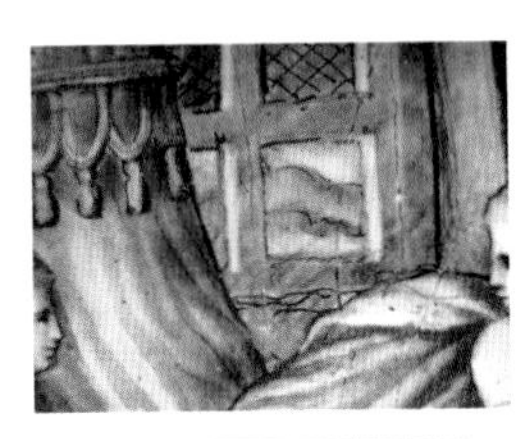

Fig. 3-4 : Léonard Limosin (attr.), *Joseph et la femme de Putiphar* (détails), émail peint sur cuivre, Limoges, vers 1570, Limoges, musée des Beaux-Arts, inv. 21, ©V. Notin.

Page 91

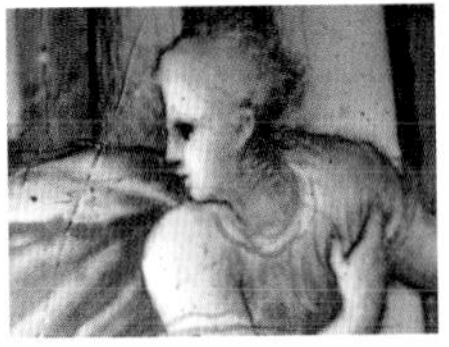

Fig. 5 : Pierre Reymond, *Médée sur son char* (détail), émail peint sur cuivre, Limoges, 1568, Limoges, musée des Beaux-Arts, inv. 2007.1.1, ©V. Notin.

Page 92

Fig. 6 : Léonard Limosin, *Le combat des Centaures et des Lapithes* (détail), émail peint sur cuivre, Limoges, milieu XVIe siècle, Limoges, musée des Beaux-Arts, inv. OAR 361 (œuvre récupérée par les Alliés) ©V. Notin.

Page 93

Fig. 7 : Pierre Reymond, *Je suis Samson* (détail), émail peint sur cuivre, Limoges, vers 1535, Limoges, musée des Beaux-Arts, inv. 320 (don Mme Guillat 1970), ©V. Notin.

Page 93

Fig. 8 : Léonard Limosin, *L'entrée à Jérusalem* (détail), eau-forte, Limoges, 1544, ©E. Lachenaud (archives CEDRE-BAL, dépôt de la Société archéologique et historique du Limousin).

Page 95

Fig. 9 : Léonard Limosin, *L'entrée à Jérusalem* (détail), émail peint sur cuivre, Limoges, 1556, Écouen, musée national de la Renaissance, inv. ECl 904b, ©B. Beillard.

Page 95

Fig. 10 : Léonard Limosin, *L'Incrédulité de saint Thomas*, huile sur bois (châtaignier), Limoges, 1551, Limoges, musée des Beaux-Arts, inv. P. 172, ©V. Notin.

Page 95

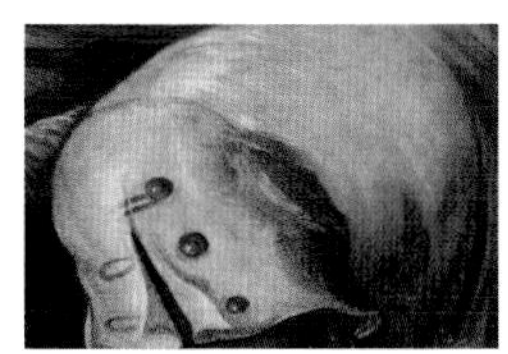

Fig. 11 : Léonard Limosin, *L'Incrédulité de saint Thomas* (détail), Limoges, 1551, Limoges, musée des Beaux-Arts, inv. P. 172, ©V. Notin.

Page 96

Fig. 12 : Léonard Limosin, *L'Incrédulité de saint Thomas* (détail), Limoges, 1551, Limoges, musée des Beaux-Arts, inv. P. 172, ©V. Notin.

Page 97

Fig. 13 : Léonard Limosin, *Portrait de Galiot de Genouillac* (détail inversé), émail peint sur cuivre, Limoges, entre 1540 et 1546 ?, Limoges, musée des Beaux-Arts, inv. 446, ©V. Notin.

Page 97

Fig. 14 : Château de Villeneuve-Lembron (63), salle des blasons (1581-1593) (détails), ©Renaud Serrette.

Page 99

Les sources iconographiques des émailleurs miniaturistes sur les boîtes en or et les objets de luxe parisiens du XVIIIe siècle

Vincent Bastien

Fig. 1 : Jean Ducrollay, Louis-François Aubert (émailleur ?), *Tabatière*, or, émail, Paris, 1742-1743, H. 3,5 cm ; L. 7,8 cm ; l. 5,9 cm, collection particulière, ©D.R.

Page 103

Fig. 2 : Jean Ducrollay (attribué à), *Dessin à l'aquarelle sur papier*, Paris, vers 1740-1742, H. 6,5 cm ; L. 8,3 cm, collection particulière, ©D.R.

Page 103

Fig. 3 : Paul Robert, *Tabatière décorée d'après François Boucher, or, émail*, Paris, 1759-1760, H. 3,5 cm ; L. 7 cm ; l. 5,1 cm, Wallace Collection, Londres, ©The Wallace Collection.

Page 104

Fig. 4 : Hubert Cheval, *Tabatière à décor chinois d'après François Boucher*, Or, émail, Paris, 1749-1750, H. 3,2 cm ; L. 7 cm ; l. 5,1 cm, Wallace Collection, Londres, ©The Wallace Collection.

Page 105

Fig. 5 : Noël Hardivilliers, et les cartels attribués à Le Sueur, *Tabatière décorée d'après Carle Vanloo*, Or, émail, Paris, 1757-1758, H. 3,5 cm ; L. 7 cm ; l. 5,1 cm, Wallace Collection, Londres, ©The Wallace Collection.

Page 108

Fig. 6 : Louis Roucel, *Tabatière avec médaillon d'après J.-B. Greuze*, or, émail, diamants, Paris, 1770-1771, H. 3,9 cm ; diamètre : 7,6 cm, collection Thurn und Taxis, Bayerisches National Museum, Munich, ©Bayerisches National Museum.

Page 109

Fig. 7 : Jean Ducrollay, *Grande tabatière rectangulaire par Hamelin*, or, émail, diamants, Paris 1758-1759, H. 4,6 cm ; L. 9,2 cm ; l. 6,4 cm, Taft Museum of Art, Cincinnati, ©Tony Walsh.

Page 112

Fig. 8 : Charles Ouizille, *Tabatière de forme ovale, ornée d'un portrait miniature de Louis XVI*, or, émail, diamants, Paris, 1787-1788, L. 8,4 cm, collection particulière, ©D.R.

Page 114

Paul-Victor Grandhomme (1851-1944), peintre-émailleur

Catherine Cardinal

Fig. 1 : Raphaël Collin (1850-1916), *Portrait de Paul-Victor Grandhomme,* Huile sur toile. Signé " A mon ami Grandhomme...R COLLIN "., H. 24,5 cm ; L. 18 cm sans cadre, Paris, vers 1875, Les Arts décoratifs, Paris. Legs Germain Bapst. inv. 22587 bis, ©Les Arts décoratifs, Paris / Jean Tholance.

Page 118

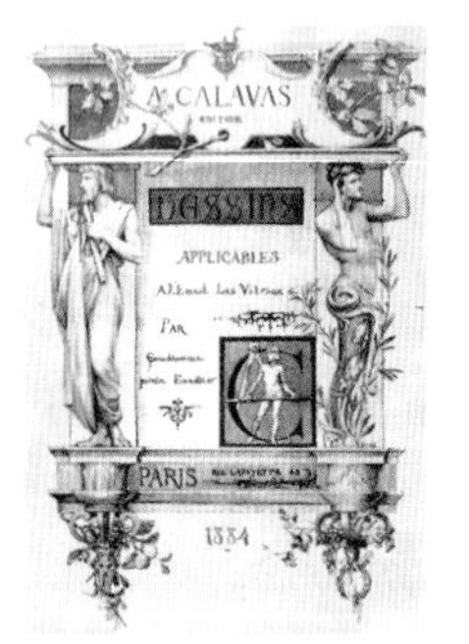

Fig. 2 : Paul Victor Grandhomme, Frontispice du portfolio D*essins applicables A l'Émail. Les* [sic] *Vitraux etc Par Grandhomme peintre Émailleur, Paris, rue Lafayette 68, 1884, A Calavas, éditeur,* Collection of The John and Mable Ringling Museum of Art Library, ©Collection of The John and Mable Ringling Museum of Art Library.

Page 118

Fig. 3 : Paul Grandhomme, Alfred Garnier, *Desdémone*, émail peint sur cuivre signé "PGrandhomme AGarnier Émailleurs Inv et Pinx 1893", H. 14,5 cm ; L. 12 cm (sans le cadre), Paris, 1893, Collection d'arts industriels de l'École d'arts appliqués-La Chaux-de-Fonds (Suisse), ©Collection d'arts industriels de l'Ecole d'arts appliqués-La Chaux-de-Fonds (Suisse).

Page 120

Fig. 4 : Gustave Moreau (1826-1898), *Europe*, aquarelle, gouache, rehauts d'or, Inscription : "1897 Émail Europe", H. 13,2 ; L. 8,4 cm, Paris, 1897, musée des Beaux-Arts de Rouen, donation Henri et Suzanne Baderou, ©Musées de la ville de Rouen.

Page 123

Fig. 5 : Paul Victor Grandhomme, planche gravée représentant, dans une composition de grotesques, deux profils féminins en médaillon et une figure de Vénus accompagnée de Cupidon. Portfolio *Dessins applicables à l'Émail, aux vitraux, etc. par Grandhomme, peintre, Émailleur. A. Calavas*, Paris, 1884, H. 51 cm, Paris, 1884, Collection of The John and Mable Ringling Museum of Art Library, ©Collection of The John and Mable Ringling Museum of Art Library.

Page 124

Fig. 6 : Paul Victor Grandhomme, Projet d'émail, dessin sur papier, crayon, gouache, fusain, H. 19 cm ; L. 26,5 cm, Les Arts décoratifs, Paris, cabinet des dessins, inv. CD 1841 B, ©C. Cardinal.

Page 125

Fig. 7 : Paul Victor Grandhomme, Projet d'émail "pour une glace à pied", crayon, gouache sur papier, signé du monogramme P G, diamètre du portrait : 18,3 cm, Les Arts décoratifs, Paris, cabinet des dessins, inv. CD 1890, ©C. Cardinal.

Page 126

Fig. 8 : Paul Victor Grandhomme, *Saint Hubert*, dessin "fait pour une coupe pour Falize", plume, aquarelle, diamètre du médaillon : 9,9 cm, Les Arts décoratifs, Paris, cabinet des dessins, inv. CD 1888, ©C. Cardinal.

Page 127

Fig. 9 : Paul Victor Grandhomme, Projet d'émail, crayon, gouache sur papier, H. 25 cm ; L. 17,5 cm, Les Arts décoratifs, Paris, cabinet des dessins, inv. CD 1894, ©C. Cardinal.

Page 127

Fig. 10 : Paul Victor Grandhomme, *Portrait de madame Grandhomme (Julie Leblanc)*, émail peint sur cuivre, signé “ Grandhomme ” (en bas, à droite), portant le monogramme JGL en lettres d’or (en haut, à gauche), Paris, vers 1880, Les Arts décoratifs, Paris, inv. 38649, ©C. Cardinal.

Page 128

Fig. 11 : Paul Victor Grandhomme, Alfred Garnier, *Portrait de femme vue de profil dans le goût Renaissance*, cadre composé de cinq médaillons correspondant aux phases successives de la réalisation d’un émail peint sur cuivre, H. 37 cm ; L. 47 cm, Paris, vers 1889, Les Arts décoratifs, Paris, don Grandhomme et Garnier, 1890 inv. 5789, ©C. Cardinal.

Page 130

Fig. 12 : Paul Victor Grandhomme, *Les trois Grâces* (détail), émail sur or gravé en basse-taille, H. 2 cm ; L. 5 cm, au dos de la plaque : “Fait pour Monsieur Corroyer en 1901 par Grandhomme”, Paris, 1901, Les Arts décoratifs, Paris, legs Marie Corroyer, inv. 23869, ©C. Cardinal.

Page 131

Fig. 13 : Paul Victor Grandhomme, *La Vérité, projet d’émail, plume et aquarelle sur papier*, diamètre du médaillon : 17,8 cm, Signé du monogramme PG. Au revers du dessin renforcé par un carton : “Émail fait”, Les Arts décoratifs, Paris, cabinet des dessins, inv. CD 1887, ©C. Cardinal.

Page 132

Fig. 14 : Paul Victor Grandhomme, *La nymphe des grèves*, émail peint, H. 10, 4 cm ; L. 9 cm (avec le cadre), Sur le contre-émail, un blason dans lequel est inscrit : “Grandhomme fecit E.C. 88”, Paris, 1888, Vente aux enchères, Hôtel Drouot, Paris, Étude Millon, 7 avril 2006, lot 1, ©Courtesy Millon.

Page 133

Fig. 15 : Paul Victor Grandhomme, *Océanide*, émail peint sur cuivre signé et daté "Grandhomme Paul 1900", H. 18 cm ; L. 11,5 cm, Paris, 1900, musée d'Art et d'Histoire, Genève, achat à l'artiste en 1900, inv. E 148, ©Musée d'Art et d'Histoire, ©B. Jacot Descombes.

Page 133

Fig. 16 : Paul Victor Grandhomme, *La souris métamorphosée en fille*, émail peint sur cuivre, signé "Gustave Moreau Pinxit" et "Grandhomme", H. 19 cm ; L. 13,5 cm. Réalisé d'après une aquarelle de Gustave Moreau datant de 1881. L'aquarelle et sa transcription en émail ont été commandées par Antoni Roux, Vente aux enchères Tajan, Espace Tajan, Paris, 26 juin 2002, lot 63, ©Tajan.

Page 136

Fig. 17 : Élisabeth Chaplin, *Portrait de Paul Victor Grandhomme* (détail), Huile sur toile, Signé, daté 1934, collection particulière, ©C. Cardinal.

Page 137

La création et la réalisation de vitraux civils par l'atelier Osterrath (Tilff et Liège, 1872-1966)

Isabelle Lecocq

Fig. 1 : Projet de vitraux civils, s. d., Liège, Grand Curtius, fonds d'archives de l'atelier Osterrath, ©I. Lecocq.

Page 141

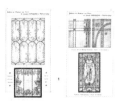

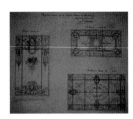

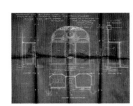

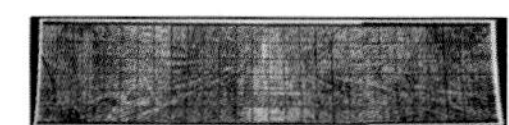

Fig. 8 : Guy Chabrol, projet de vitrail pour la banque internationale de Mexico, 1954 (non réalisé), Liège, Grand Curtius, fonds d'archives de l'atelier Osterrath, ©I. Lecocq.

Pages 154-155

LA BROCHE COMME PINCEAU : TAPIS ET TAPISSERIE

DEUXIÈME PARTIE

Simon Vouet et la tapisserie. Cartons ou fragments de décors. Réflexions autour de quelques peintures

Guillaume Kazerouni

Fig. 1 : Simon Vouet (et atelier ?), *Neptune et Cérès*, huile sur toile, Montbéliard, musée du château, inv. N° 880-1857, ©Marc Cellier.

Page 163

Fig. 2 : Ateliers d'Amiens d'après Simon Vouet, *Neptune et Cérès*, Châteaudun, château, documentation G. Kazerouni, D.R.

Page 163

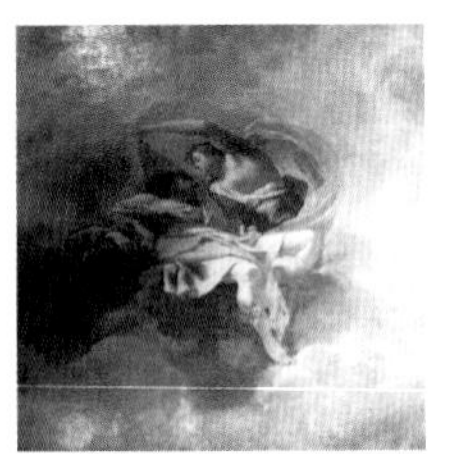

Les décors tissés de Charles Le Brun : les Gobelins et la Savonnerie
Wolf Burchard

Fig. 6: Atelier de Jean Jans fils d'après Charles Le Brun, manufacture royale des Gobelins, *Le Mariage du roi* (détail), tissage 1665-1672, Mobilier national, GMTT 95/4, ©Mobilier national.

Page 181

Fig. 7: Atelier de Jean Jans père et fils d'après Charles Le Brun, manufacture royale des Gobelins, *L'Entrevue de Philippe IV et de Louis XIV dans l'île des Faisans*, tissage 1665-1668, Mobilier national GMTT 95/3, ©Mobilier national.

Page 181

Fig. 8 : Atelier de Jean Jans fils d'après Charles Le Brun, manufacture royale des Gobelins, *La Satisfaction faite à Louis XIV par l'ambassadeur d'Espagne*, tissage 1674-1679, Mobilier national GMTT 95/7, ©Mobilier national.

Page 182

Fig. 9 : Atelier de Jean Jans fils d'après Charles Le Brun, manufacture royale des Gobelins, *La Visite du Roy aux Gobelins*, tissage 1673-1680, Mobilier national GMTT 95/10, ©Mobilier national.

Page 183

Fig. 10: Atelier de Jean Jans fils d'après Charles Le Brun, manufacture royale des Gobelins *La Visite du Roy aux Gobelins* (détail) ©Mobilier national.

Page 183

Fig. 11: Probablement atelier de Jean de La Croix et Guillaume Lenfant d'après Charles Le Brun Manufacture royale des Gobelins, *Portière de Mars,* livrée au Garde-Meuble en 1666, Mobilier national GMTT 132/2 ©Mobilier national.

Page 184

Fig. 12 : Atelier de Jean Jans fils d'après Charles Le Brun, Manufacture royale des Gobelins *L'Audience du légat*, tissage 1671-1676, Mobilier national GMTT 96 ©Mobilier national.

Page 184

Relations entre tapisseries et peinture à Aubusson, XVIIIe-XXe siècles : les références bibliographiques à l'épreuve de l'examen des œuvres textiles

Bruno Ythier

Fig. 1 : Jean-Joseph Dumons, carton d'après Jean Baptiste Oudry, *Verdure fine aux armes du comte de Brühl*, tapisserie en laine et soie, tissage de l'atelier De Landrièvе, Aubusson, vers 1750, Cité internationale de la tapisserie, Aubusson, ©É. Roger / Cité internationale de la tapisserie, Aubusson.

Page 215

Fig. 2 : *Verdure fine aux armes du comte de Brühl*, la cascade, détail, Cité internationale de la tapisserie, Aubusson, ©Bruno Ythier / Cité internationale de la tapisserie, Aubusson.

Page 216

Fig. 3 : *Verdure fine aux armes du comte de Brühl*, maisons du village à l'arrière-plan, détail, Cité internationale de la tapisserie, Aubusson, ©B. Ythier / Cité internationale de la tapisserie, Aubusson.

Page 217

Fig. 4 : Louis Lagrenée (carton), *Vénus aux forges de Lemnos*, tapisserie en laine et soie, tissage d'un atelier d'Aubusson, Vers 1760, Cité internationale de la tapisserie, Aubusson, ©É. Roger / Cité internationale de la tapisserie, Aubusson.

Page 217

Fig. 5 : Louis Lagrenée (carton), *Vénus aux forges de Lemnos* (détail), tapisserie en laine et soie, tissage d'un atelier d'Aubusson, vers 1760, Coll. Cité internationale de la tapisserie, Aubusson, ©B. Ythier / Cité internationale de la tapisserie, Aubusson.

Page 217

Fig. 6 : Louis Lagrenée (carton), *Vénus aux forges de Lemnos* (détail), visage d'un ouvrier de forge, tapisserie en laine et soie, tissage d'un atelier d'Aubusson, vers 1760, collection Cité internationale de la tapisserie, Aubusson, ©B. Bruno Ythier / Cité internationale de la tapisserie, Aubusson.

Page 219

Fig. 7 : Louis Lagrenée (carton), *Vénus aux forges de Lemnos* (détail), drapé de la robe de Vénus, tapisserie en laine et soie, tissage d'un atelier d'Aubusson, vers 1760, collection Cité internationale de la tapisserie, Aubusson, ©B. Ythier / Cité internationale de la tapisserie, Aubusson.

Page 219

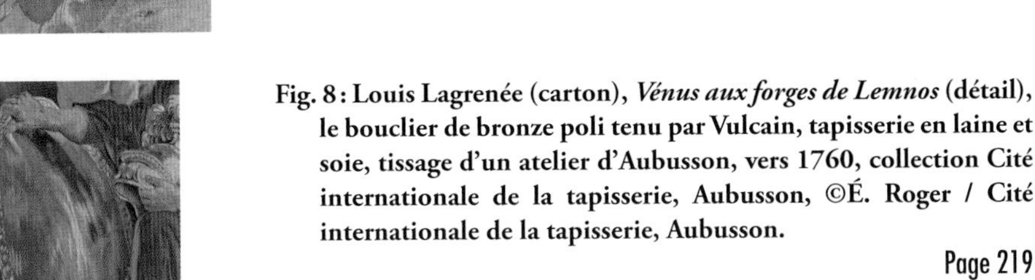

Fig. 8 : Louis Lagrenée (carton), *Vénus aux forges de Lemnos* (détail), le bouclier de bronze poli tenu par Vulcain, tapisserie en laine et soie, tissage d'un atelier d'Aubusson, vers 1760, collection Cité internationale de la tapisserie, Aubusson, ©É. Roger / Cité internationale de la tapisserie, Aubusson.

Page 219

Fig. 9 : François Boucher (carton), Composition, Tapisserie en soie, tissage de la manufacture Braquenié, Aubusson, vers 1898, Coll. musée de Lhermitage, Saint-Pétersbourg, ©T. Lekhovich / Musée de l'Ermitage, Saint-Pétersbourg.

Page 221

Les peintres-décorateurs : le dialogue entre le faire et le penser

Les plafonds à poutres et solives. Décors peints et dorés dans la seconde moitié du XVIe siècle en France

Évelyne Thomas

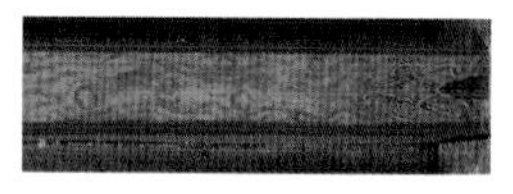

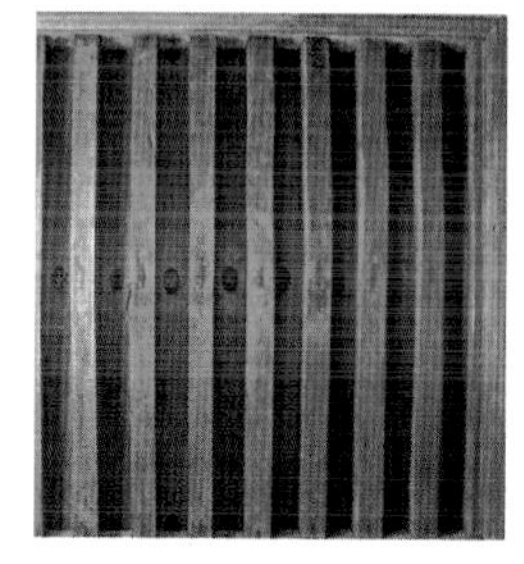

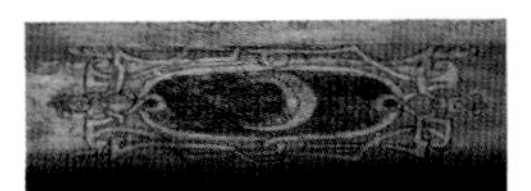

Les décors du château d'Ancy-le-Franc : du dessin sous-jacent aux sources iconographiques

Magali Bélime-Droguet

Peindre la bataille de Lépante sur les murs aux XVIe et XVIIe siècles

Annie Regond

Alexis Peyrotte (1699-1769), un peintre décorateur sous Louis XV

Yoann Groslambert

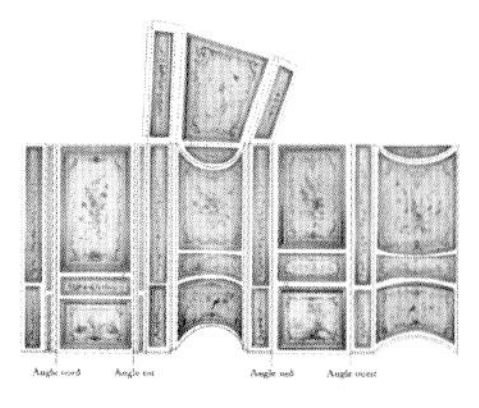

Fig. 2 : Alexis Peyrotte, passage entre la chambre à coucher du roi et la salle du Conseil, 1754, huile et feuilles d'or sur bois peint en blanc, château de Fontainebleau, montage Yoann Groslambert.
Page 283

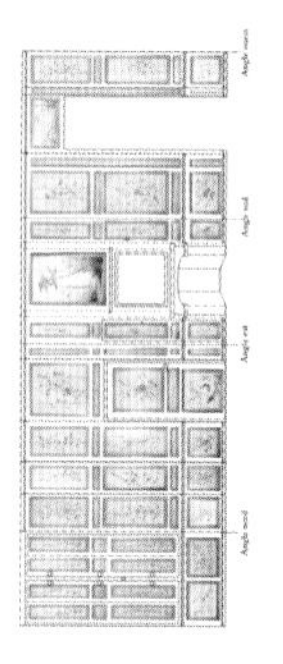

Fig. 3 : Alexis Peyrotte, brûle-Tout, 1754, huile et feuilles d'or sur bois peint en blanc, château de Fontainebleau, montage Y. Grolambert.
Page 285

Fig. 4 : Alexis Peyrotte, détail du plafond de la chambre à coucher du roi, 1754, huile et feuilles d'or sur bois peint en blanc, château de Fontainebleau, ©Y. Groslambert.
Page 286

Fig. 5 : Alexis Peyrotte (attribué à), panneau de porte, 1756-1757, huile et feuilles d'or sur bois, H. 257 cm ; L. 79 cm ; P. 4 cm, New York, Metropolitan Museum of Art (offert par J. Pierpont Morgan en 1906), 07.225.459, ©Metropolitan Museum of Art.
Page 288

Fig. 6 : Alexis Peyrotte, modèle de panneau décoratif aux oiseaux, 1760, encre brune et lavis gris sur mise en place à la pierre noire sur papier, H. 17,1 cm ; L. 19 cm (dimensions prises à la bordure encrée), Paris, Les Arts décoratifs, musée des Arts décoratifs, 21979.A, ©Y. Groslambert.
Page 289

Fig. 7 :Alexis Peyrotte, modèle de panneau décoratif au chinois musicien, 1760, encre brune et lavis gris et brun sur mise en place à la pierre noire sur papier, H. 35,2 cm; L. 12,8 cm (dimensions prises à la bordure encrée), Paris, Les Arts décoratifs, musée des Arts décoratifs, 21976.A, ©Y. Groslambert.
Page 290

Fig. 8 : François Boucher, Gabriel Huquier (éditeur), Musicien chinois, vers 1740, eau-forte, H. 21 cm; L. 13 cm, collection particulière, ©Y. Groslambert.
Page 290

L'artiste peintre et l'industrie du papier peint : échecs et collaborations au tournant des XIXe et XXe siècles

Jérémie Cerman

Fig. 1 : Publicité pour la lithographie de Maurice Denis, *Les Bateaux roses*, parue dans *La Revue blanche*, t. 9, n° 51, 15 juillet 1895, quatrième de couverture, ©J. Cerman.
Page 299

Fig. 2 : Gabriel Édouard Thurner, *Les Ondines*, décor de papier peint imprimé au cylindre par Grantil, 1900, stand de la manufacture Grantil, Exposition universelle de 1900, Paris, reproduit dans *La Décoration & l'Ameublement, 2e série. La Tapisserie, les Tissus, les Papiers Peints à l'Exposition de 1900*, Paris, Armand Guérinet, s. d. [c. 1901], pl. 59-60. ©J. Cerman.
Page 301

Fig. 3 : Jean-Francis Auburtin, *Aras sur des branches de marronniers*, modèle pour une frise de papier peint, reproduit dans Art et décoration, t. 15, juin 1904, p. 184. ©J. Cerman.
Page 305

France/Amérique, décorateur ou muraliste : deux attitudes face à l'architecture
Pierre Sérié

TABLE DES MATIÈRES

Déjà parus aux PUBP

- Catherine CARDINAL (dir.), *Peintres aux prises avec le décor. Contraintes, innovations, solutions. De la Renaissance à l'époque contemporaine,* 2015.

- Catherine BRENIQUET et Fabienne COLAS-RANNOU (dir.), *Art, artiste, artisan. Essais pour une histoire de l'art diachronique et pluridisciplinaire*, 2015.

- Bruno PHALIP et Jean-François LUNEAU (dir.), *Restaurer au XIXe siècle*, 2012.

- Jean-Philippe LUIS, Pauline PREVOST-MARCILHACY, Marc FAVREAU et Guillaume GLORIEUX (dir.), *De l'usage de l'art en politique*, 2009.

Fabrication printteam®, groupement d'imprimeurs raisonnés,
Imprimé et façonné en UE, 2ème trimestre 2016.